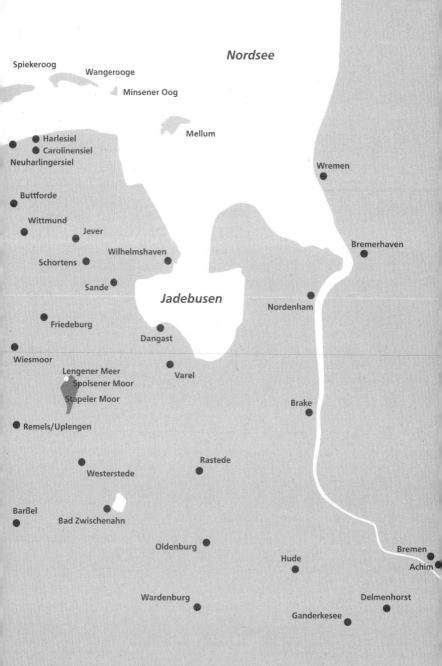

Als der Postbote an diesem Morgen bei Ubbo Heide klingelt, bringt er ein großes Paket. Darin liegt ein abgetrennter Kopf. Es ist der Kopf eines Menschen, den Ubbo Heide kennt. Jahrelang hat er versucht, ihn seiner gerechten Strafe zuzuführen, doch die Gerichte ließen ihn laufen. Jetzt hat ein anderer das Werk für ihn vollendet. Dann findet man einen zweiten Kopf. Auch diesem Toten konnte man damals die Straftat nicht nachweisen.

Auch der fulminante zehnte Band der Mega-Bestsellerserie mit Ann Kathrin Klaasen beweist wieder einmal mehr, dass Klaus-Peter Wolf zu den Spitzenautoren in Deutschland gehört.

Klaus-Peter Wolf, in Gelsenkirchen geboren, lebt als freier Schriftsteller in der ostfriesischen Stadt Norden, im gleichen Viertel wie seine Kommissarin Ann Kathrin Klaasen. Wie sie ist er nach langen Jahren im Ruhrgebiet, im Westerwald und in Köln an die Küste gezogen und Wahl-Ostfriese geworden. Seine Bücher und Filme wurden mit zahlreichen Preisen ausgezeichnet und in insgesamt 24 Sprachen übersetzt. Mehr als 60 seiner Drehbücher wurden verfilmt, darunter viele für ›Tatort‹ und ›Polizeiruf 110‹. Die Bücher aus der Serie mit Ann Kathrin Klaasen stehen regelmäßig monatelang auf der Spiegel-Bestsellerliste, ›Ostfriesenwut‹ war sechs Wochen lang die unangefochtene Platz 1.

Besuchen Sie auch die Websites des Autors:
www.klauspeterwolf.de und *www.ostfrieslandkrimis.de*

Weitere Informationen, auch zu E-Book-Ausgaben, finden Sie bei www.fischerverlage.de

Klaus-Peter Wolf

Ostfriesen
SCHWUR

Der zehnte Fall
für Ann Kathrin Klaasen

FISCHER Taschenbuch

2. Auflage: Februar 2016

Erschienen bei FISCHER Taschenbuch
Frankfurt am Main, Februar 2016

© 2016 S. Fischer Verlag GmbH, Hedderichstr. 114,
D-60596 Frankfurt am Main
Für die Landkarte: © Wiebke Rocker
Satz: Dörlemann Satz, Lemförde
Druck und Bindung: CPI books GmbH, Leck
Printed in Germany
ISBN 978-3-596-19727-9

»Ein Blick aufs Meer relativiert alles.«
Ubbo Heide, ehemaliger Chef der ostfriesischen Kriminalpolizei

»Was von innen aussieht wie eine tolle Karriereleiter ist von außen betrachtet manchmal nur ein erbärmliches Hamsterrad.«
Hauptkommissarin Ann Kathrin Klaasen, Kripo Aurich

»Solange das Beamen nicht erfunden wird, sind wir alle eine benachteiligte Generation.«
Hauptkommissar Rupert, Kripo Aurich

Ubbo Heide hatte die Nacht mit seiner Lieblingsbeschäftigung verbracht: einfach nur dasitzen und aufs Meer schauen.

Dies war der schönste Platz auf Erden für ihn. Hier, mit diesem Blick auf die Naturgewalt der Nordsee, verlor sogar der Rollstuhl seine Macht über ihn.

Ubbos Gedanken flogen. Er fühlte sich frei und gut. Alles war plötzlich in Ordnung. So war er eingeschlafen, während das Teelicht im Stövchen flackernd neben ihm erlosch.

Die frühe Fähre brachte mit den Touristen auch die Post vom Festland zur Insel.

Gegenüber dem Café Pudding wurde die Windstärke mit sieben bis acht gemessen, was offiziell *Steife Brise* hieß und von den meisten Küstenbewohnern als notwendige Erfrischung angesehen wurde.

Seine Frau Carola kam mit Seelchen vom Inselbäcker zurück, deckte den Tisch und brühte frischen Tee auf, wie Ubbo ihn gern mochte: mit Pfefferminzblättern im Schwarztee.

Er schnarchte leise. Ihr gefiel das vertraute Geräusch. Im Sitzen schnarchte er wie ein asthmatischer Seehund. Im Liegen – besonders in Rückenlage – war er laut wie eine rostige Kreissäge.

Carola Heide hatte das Ostfriesland-Magazin mitgebracht und las im Stehen am Tisch einen Bericht von Holger Bloem.

Der Postbote klingelte. Ubbo schreckte hoch und tat jetzt so, als hätte er gar nicht geschlafen, sondern sei schon lange wach.

Während sie die Tür aufdrückte, sagte sie: »Neuer Kripochef

soll ein gewisser Martin Büscher aus Bremerhaven werden. Kennst du den?«

Ubbo Heide lächelte. »O ja, den kenne ich …«

Ubbo rollte zum Frühstückstisch und angelte sich das Ostfriesland-Magazin. Er nannte es liebevoll OMA, und jede neue Ausgabe war wichtiger für ihn als das Essen.

Carola holte Aufschnitt aus dem Kühlschrank und drapierte alles liebevoll auf einem Brettchen.

Holger Bloem schrieb auch über Ubbo Heide und dessen Buch seiner ungelösten Kriminalfälle. Erstaunlicherweise war das Buch inzwischen in der 3. Auflage erschienen. Ubbo wurde zu Lesungen und Diskussionen eingeladen. Er, der ehemalige Chef der ostfriesischen Kripo, litt noch immer daran, einige Verbrechen nicht wirklich aufgeklärt zu haben. Und Mörder oder Kinderschänder gehörten nun einmal hinter Gitter. Es gefiel ihm, auf eine selbstquälerische und gleichzeitig kokettierende Art, über diese Fälle und das Unvermögen der Justiz sowie über sein eigenes Versagen zu reden.

Diese Veranstaltungen gaben ihm das Gefühl, etwas Sinnvolles zu tun, indem er seine Erfahrungen weitergab. Er eröffnete stets mit den Worten: »*Wenn es stimmt, meine Damen und Herren, dass man aus Fehlern klug wird, sitzt vor Ihnen ein weiser Mann. Wenn nicht, bin ich auch nur einer der üblichen Trottel.*«

Holger Bloem zitierte diesen Satz und nannte Ubbo Heide »*die sympathische Vaterfigur der ostfriesischen Kriminalpolizei*«.

Inzwischen war der Postbote oben angekommen. Carola öffnete ihm die Tür und nahm ein großes Paket in Empfang. Es war an Ubbo Heide adressiert.

»Von wem ist das denn?«, fragte Carola.

Der Absender war mit Füller geschrieben, die Tinte verwischt. Sie versuchte, etwas zu entziffern.

»Kennst du einen Herrn Ruwsch? Oder Rumsch?«

Ubbo schüttelte den Kopf. »Nie gehört.«

Das Ganze sah mindestens nach einer doppelstöckigen Torte oder nach sechs Flaschen Wein aus.

Carola Heide säbelte an dem Paket herum, das mit viel Klebeband umwickelt war.

»Hast du etwas bestellt?«, fragte sie.

»Nein, und Geburtstag habe ich auch nicht.«

Da waren eine Menge Styroporkügelchen, und zwischen ein paar Kühlelementen klemmte ein blauer Müllsack fest. Er war mit Kabelbinder zugeschnürt.

Carola hob ihn aus der Kiste und legte ihn auf den Frühstückstisch. Ein paar Styroporkugeln rollten auf die Käsescheiben. Eine fiel in Ubbos Teetasse.

Mit dem Brotmesser stach Carola Heide vorsichtig in den Müllbeutel. Luft entwich zischend. Noch konnte sie nicht sehen, was da drin war.

Ubbo schnitt ein Seelchen auf. Er hatte diese besondere Brötchenart auf Wangerooge lieben gelernt und aß sie am liebsten mit Honig oder Bierwurst.

Dann sah er aus seinem Blickwinkel zunächst die Haare und die Nase. Instinktiv griff er hin, um Carola das Messer abzunehmen, aber da schrie seine Frau auch schon auf. Mitten auf ihrem Frühstückstisch ragte ein abgetrennter Kopf aus einem Müllbeutel mit fettig verwuschelten und blutverklebten Haaren.

Carola fasste hinter sich ins Leere. Das Messer polterte zu Boden.

Nein, sie wurde nicht ohnmächtig, aber sie brauchte so viel Abstand vom Tisch wie möglich und streckte die Hände weit von sich.

»Ist das da echt?«, fragte sie atemlos.

»Ich fürchte, ja«, sagte Ubbo. Er konnte es nicht nur sehen, sondern auch riechen.

Nein, die Sache ließ sich nicht schönreden. Für Büscher war es eine Strafversetzung von Bremerhaven nach Ostfriesland, höhere Gehaltsklasse hin oder her. Er sollte dieses Himmelfahrtskommando übernehmen und Chef der legendären Ann Kathrin Klaasen werden.

Der eine Typ trug eine rote Krawatte, der andere eine blaue. Doch beide Herren waren sich einig. Der eine wollte Büscher nur zu gern loswerden, der andere wollte ihn haben.

Sie waren sich handelseinig, und Büscher kam sich vor wie ein Esel auf dem Jahrmarkt, der an den Meistbietenden versteigert wurde.

»Es gibt«, so hatte der mit der blauen Krawatte gesagt, »eine Autorität, die der Dienstrang verleiht. Die haben Sie ab jetzt, Herr Büscher. Aber es gibt immer auch noch eine andere Form von Autorität, die aus der Person selbst kommt. Die basiert auf der Anerkennung für ihre Taten. Die müssen Sie sich natürlich erst erwerben. Im Moment hat die Ann Kathrin Klaasen. Diese ganze Dienststelle in Ostfriesland wurde uns als eine verschworene Gemeinschaft geschildert. Die wirken von außen vielleicht, als ob sie sich spinnefeind seien, aber in Wirklichkeit halten die zusammen wie Hopfen und Malz ... wollte sagen, Pech und Schwefel. Ihre glücklose Vorgängerin, Frau Diekmann, ist genau daran gescheitert.«

Er blätterte in seinen Papieren und schluckte. Er sah für Büscher aus wie einer, der dringend ein Bier brauchte. Mit trockenem Mund fuhr er fort:

»Seit der Pensionierung von Ubbo Heide führt im Grunde Ann Kathrin Klaasen diese Dienststelle – wenn auch ohne jeden offiziellen Auftrag. Aber sie genießt die Anerkennung der Kollegen. Das darf man nicht unterschätzen!«

Er lockerte seine blaue Krawatte.

»Sie hat vier Serienkiller gefasst, und dieser Journalist Bloem hat eine Legende aus ihr gemacht. Ich will nicht unerwähnt lassen, dass wir im Hause durchaus darüber nachgedacht haben, Frau Klaasen zur Leiterin der Polizeiinspektion Aurich-Wittmund zu machen. Es gab tatsächlich auch Stimmen dafür. Aber es geht letztendlich nicht. Sie ist eine zu schwierige Persönlichkeit. Nicht ernsthaft teamfähig. Ständig im Clinch mit Autoritäten, in höchstem Maße eigenbrötlerisch.«

Er wurde heiser und hüstelte. Aber niemand bot ihm etwas zu trinken an. Er versuchte, es nur noch hinter sich zu bringen.

»Frau Klaasen hat immerhin einen Innenminister das Amt gekostet, und zwei Staatssekretäre wurden geschasst. Niemand, der politische Verantwortung wahrnimmt, fühlt sich in ihrer Nähe wohl, was nicht heißt, dass man sich nicht gern mit ihr fotografieren lässt. Immerhin ist sie in der Öffentlichkeit sehr beliebt.«

Er konnte den Hustenreiz nicht länger unterdrücken und fingerte ein Lutschbonbon aus seiner Hosentasche.

»Wir haben zwei Absolventen, die ihr Studium an der Deutschen Hochschule der Polizei in Hiltrup abgeschlossen haben und sich um die Stelle bewerben.«

Er winkte ab und verzog den Mund. Das Bonbon klebte jetzt an seinem Gaumen fest.

»Hervorragende Leute, ohne jede Frage, aber in dem Fall wäre das so, als würde man Schafe zu den Wölfen treiben.«

Büscher erinnerte sich später daran, dass er in diesem Moment auf seine Schuhe geblickt hatte. Vorne war das Leder abgestoßen, und sie hatten Schuhcreme nötig.

Der mit der roten Krawatte, sein Vorgesetzter aus Bremerhaven, sagte: »Nun gucken Sie doch nicht so bedröppelt. *Leiter Zentraler Kriminaldienst*, das ist doch was! Und Sie werden vom Kriminalhauptkommissar zum Ersten Kriminalhauptkommissar ernannt.«

Der mit der blauen Krawatte sah auf die Uhr und erwähnte einen wichtigen Termin im Innenministerium. Er stöhnte: »Auch aus der Polizeidirektion Osnabrück gibt es eine Bewerbung. Aber wir wollen hier einen Externen, der mit nichts und niemandem verstrickt und verbandelt ist. Einen durchsetzungsfähigen Kollegen mit viel Lebenserfahrung. Kurz – wir wollen Sie, Herr Büscher.«

Sie hatten ihm beide viel Erfolg gewünscht. Der mit der roten Krawatte hatte ihn so merkwürdig angesehen, als hätte er Mitleid mit ihm.

Die Auricher Dienststelle im Fischteichweg kam Büscher vor wie Draculas Schloss. Ann Kathrin Klaasen und ihr Mann Frank Weller waren noch im Urlaub auf Langeoog. Büscher hatte also drei Tage Zeit, sich auf das erste Treffen vorzubereiten. Vielleicht konnte er es ja schaffen, ein paar Leute für sich zu gewinnen oder wenigstens die Gruppendynamik hier zu verstehen, bevor der eigentliche Hexentanz losging.

Das Wetter war klar, sonnig, mit einem frischen Nordwestwind. Auf seinem Schreibtisch lag ein Zettel, wie zufällig vergessen oder auch wie eine Drohung: *Wer nicht mit der Zeit geht, der geht mit der Zeit.*

Eine Ausgabe des Ostfriesland-Magazins lag auch auf seinem Tisch. Im Flur hing ein Bericht von Holger Bloem über Ann Kathrin Klaasen hinter Glas an der Wand. Anderswo landete so etwas an der Pinnwand oder in einem Postfach und später im Papierkorb. Hier wurde eine Reliquie daraus.

Büscher machte Kniebeugen vor seinem neuen Schreibtisch. Es knirschte unschön.

Ich brauche hier Verbündete, dachte er. Ich muss mir ein Netz knüpfen. Einen Freund finden oder wenigstens ein paar Leute, denen ich einigermaßen vertrauen kann.

Jeden Fisch kann man mit irgendetwas ködern, das hatte er beim Angeln gelernt. Es gab Raubfische, die bissen in blinkendes, schillerndes Blech, wenn es sich nur verführerisch genug im Wasser bewegte. Andere schluckten aasige Fischfetzen oder ein Stück

Fleisch. Er wusste: Der Köder muss dem Fisch schmecken, nicht dem Angler.

Er hörte Schritte auf dem Flur, öffnete die Tür einen Spalt und spähte hinaus. Da war Rupert.

Büscher schlenderte ein paar Schritte in Richtung Kaffeeautomat. Rupert rechnete nicht damit, dem neuen Chef einfach so im Flur zu begegnen. Er hatte sich eine feierliche Amtseinführung vorgestellt, mit irgendeinem Willi Wichtig vom Innenministerium, Reden würden gehalten werden, und es gäbe bestimmt auch einen kleinen Umtrunk. Vielleicht nicht gerade mit Champagner und Kaviarhäppchen, aber doch wenigstens mit Bier und Knackwurst.

Außerdem war Rupert damit beschäftigt, einen Werbetext für die neue Mitgliederkampagne des Schützenvereins zu entwerfen, und das nahm ihn voll und ganz in Anspruch.

Rupert hielt Büscher für den langerwarteten »Fachmann«, der den Kaffeeautomaten reparieren sollte, denn das Teil spuckte zwar Gemüsesuppe aus, wenn man auf Latte Macchiato drückte, und Kakao, wenn jemand einen Caffè Crema wollte, aber niemals und unter gar keinen Umständen Kaffee. Der Automat war schon dreimal ausgewechselt worden, war groß, brummte und stand im Grunde nur im Weg.

»Wird auch Zeit, dass ihr Penner das Ding hier mal zum Laufen bringt!«, bollerte Rupert gleich los und trat gegen die Stelle, an der das Blech schon ganz eingedellt war.

Büscher sah Rupert fragend an.

»Ja, guck nicht so dämlich! Das ist schon der dritte Kasten, der nicht geht! Wie blöd seid ihr eigentlich? Arbeitet bei euch eigentlich auch jemand, der das gelernt hat? Dann schickt den doch mal zur Abwechslung. Idioten waren nämlich schon genug hier.«

»Ich verstehe nichts von Kaffeeautomaten.«

Rupert verzog den Mund und spottete: »Ja, das hab ich mir schon gedacht. Aber diesmal seid ihr an die Falschen geraten, ihr Burschen gehört doch im Grunde alle in den Knast!«

Büscher räusperte sich. »Mein Name ist Büscher.« Er zeigte hinter sich auf die Tür. »Und das da wird mein neues Büro.«

Rupert hatte keine Ahnung, wie dumm er aussehen konnte, wenn sein Mund so fassungslos offen stand, als wolle er sich zum menschlichen Staubsauger ausbilden lassen.

»Sie sind ... ich meine, Sie werden ...«

Büscher reichte ihm die Hand. »Leiter Zentraler Kriminaldienst.«

Rupert nahm die Hand und schüttelte sie. »Hauptkommissar Rupert. Entschuldigen Sie bitte ... Ich dachte, Sie sind ...«

»Ein Idiot. Schon klar ...«

Um rasch vom Thema abzulenken, sagte Rupert: »Tut mir leid, ich war ganz in Gedanken. Wir wollen nämlich für den Schützenverein eine Werbekampagne für neue Mitglieder machen ... ich arbeite an einem einprägsamen Werbeslogan ...«

»Sehr interessant«, log Büscher und heuchelte Interesse. Rupert schluckte den Köder dankbar, und Büscher spürte ihn schon an der Angel zucken.

»Wie finden Sie den? – *Mitglied werden! Schießen lernen! Freunde treffen!*«

Büscher wog den Kopf hin und her. »Schießen lernen! Freunde treffen!? – Ja, nicht schlecht. Das rückt auch die Geselligkeit und die Kameradschaft in den Vordergrund.«

Sylvia Hoppe stürmte die Treppe hoch. Sie sah aus, als hätte sie kaum geschlafen und zu wenig gegessen. Sie war völlig außer Puste.

»Entweder«, hechelte sie, »die haben sich auf Wangerooge den letzten Rest Verstand weggesoffen, oder irgendein Irrer hat Ubbo Heide gerade einen abgetrennten Kopf per Post geschickt.«

Rupert lächelte erleichtert. Er brauchte jetzt genau so eine Katastrophenmeldung, um aus der blöden Situation mit Büscher herauszukommen. Da kam ihm so ein abgeschlagener Kopf gerade recht.

Rupert plusterte sich auf: »Ja, dann brauchen wir jetzt das ganz große Besteck. Spusi! Gerichtsmedizin! Hubschrauber und …« Er sah Büscher an. »Tut mir leid. Nett, Sie kennengelernt zu haben. Hätte mich gerne noch länger mit Ihnen unterhalten, aber jetzt wartet die Arbeit auf uns. Sie haben es ja mitgekriegt.«

Rupert wollte mit Sylvia Hoppe schon loslaufen, als Büscher rief: »Moment noch! Ich bin hier der Chef im Ring! Gehört Wangerooge denn überhaupt zu unserem Einsatzgebiet? Ist das nicht schon Landkreis Jever?«

Sylvia Hoppe verzog die Lippen und machte eine Geste, als hätte sie für solche Kinkerlitzchen jetzt wirklich keine Zeit. »Landkreis Friesland!«

»Eben! Das ist doch die Aufgabe unserer Kollegen …«

Rupert erklärte es ganz langsam und überdeutlich, als sei Büscher begriffsstutzig: »Es geht um Ubbo Heide! Unseren Chef!«

Sylvia Hoppe zog Rupert mit sich. Sie wollte keine Zeit verlieren.

»Aber ich bin Ihr Chef«, sagte Büscher kleinlaut. Er war sich nicht sicher, ob die zwei ihn noch gehört hatten. Sie waren schon auf der Treppe.

Ubbo Heide, dachte er. Ausgerechnet Ubbo Heide. Und dann wurde ihm klar, dass er als Chef nicht, wie befürchtet, immer in der zweiten Reihe hinter Ann Kathrin Klaasen stünde, sondern im Grunde käme er erst an dritter Stelle. Sie nannten Ubbo Heide immer noch ihren Chef. Hier gab es Rangfolgen und Strukturen, die mit den offiziellen Stellenplänen nichts zu tun hatten.

Am liebsten wäre er wieder nach Hause gefahren, um an der Geeste mit dem Blinker Hechte zu jagen statt hier in Ostfriesland Verbrecher.

Es war Ende Juni. Die Schonzeit für Hechte war vorbei. Seine offensichtlich auch.

Ann Kathrin Klaasen stand mit Frank Weller oben auf dem Wasserturm auf Langeoog und genoss den 360°-Rundumblick über die Insel. Das Meer sah aus wie ein heruntergefallener, wolkenloser Himmel. Sie legte ihren Kopf an Franks Schulter. Er hielt sie auf angenehme Weise fest.

Sie atmete tief. Die Nachrichten hatten sie beunruhigt. Raketen auf Israel. Bomben auf Gaza. Selbstmordattentate im Irak.

»Was bin ich froh«, flüsterte Ann Kathrin in Franks Ohr, »in diesem Land zu leben. Ohne Terror ... Im Frieden.« Sie zeigte auf die Dünenlandschaft und das Meer. »Wenn ich so etwas sehe, dann bekomme ich ein schlechtes Gewissen, weil es uns so gut geht. Es ist fast zu schön ... Wenn das ein Maler einfach so malen würde, wie es ist, wäre das doch viel zu kitschig, oder?«

Weller wusste genau, wo sie gerade innerlich war. Sie empfand Unheil und Unrecht irgendwo auf der Welt manchmal so, als würde es ihr selbst geschehen oder als sei sie daran schuld. Das passierte nicht immer, aber besonders in so beglückenden Momenten wie diesem hier, auf dem Wasserturm mit dem gigantischen Ausblick.

Er war froh, dass sie noch drei Tage auf der Insel hatten.

»Lass uns gleich ein Fischbrötchen essen«, sagte er, »und dann radeln wir zum Flinthörn. Da ist jetzt kein Mensch. Wir gehen am Wasser spazieren und ...«

Ann Kathrin hatte ihr Handy auf Lautlos gestellt, aber Wellers spielte jetzt *Piraten ahoi!* Er zog es rasch aus der Hosentasche und schaute aufs Display.

»Rupert. Was will der Arsch denn jetzt? Der weiß doch, dass wir Urlaub haben ...«

»Wahrscheinlich sucht er wieder seinen Haustürschlüssel, oder er hat sein Passwort vergessen ...«, spottete Ann Kathrin.

Weller nahm das Gespräch nicht an, aber er wusste, dass ihn jetzt für den Rest des Tages die Frage wurmen würde, was auf der Dienststelle los war. Noch mehr ärgerte er sich darüber, dass

Rupert vermutlich ahnte, wie es ihm jetzt ging. Es war ihm also gelungen, sich in diesen herrlichen Urlaubstag zu drängeln.

Ann Kathrin sah Weller an, dass er mit sich haderte, ob er Rupert zurückrufen sollte oder nicht. Sie ließ ihr Handy in der Tasche und sagte: »Wenn du einen digitalen Entzug bekommst, guck ruhig in deine E-Mails und ruf ihn an, und danach fahren wir mit dem Rad los.«

In dem Augenblick kam eine Nachricht über *WhatsApp* für Weller an. Rupert schrieb: *Geh ran. Ist wichtig. Geht um Ubbo. Abgehackter Kopf.*

Weller zeigte Ann Kathrin die Nachricht. Dabei hielt er sein Handydisplay vor die Postkartenaussicht, was für Ann Kathrin alles noch verrückter erscheinen ließ.

Weller zischte: »Wenn das ein Scherz sein soll, dann …«

Aber Ann Kathrin war sich sicher: »Das ist kein Scherz.«

Ihr wurde schlecht bei dem Gedanken.

Während Weller Rupert anrief, hielt sie sich am Treppengeländer fest und sah nach unten. Fast hätte die Schönheit der Landschaft mich darüber hinweggetäuscht, dachte sie, wie böse und unberechenbar Menschen sein können.

Dann schickte sie ein Stoßgebet zum Himmel: »Nicht Ubbo! Bitte, lieber Gott, nicht Ubbo Heide.«

Weller drängelte sich an den Touristen, die nach oben wollten, vorbei und lief die Wendeltreppe des Wasserturms hinunter. Ann Kathrin stürmte hinter ihm her.

Die Menschen hatten nur wenig Verständnis für die Hektik der beiden. Ein Rentner aus dem Ruhrgebiet rief: »Nun machen Sie doch nicht so einen Stress! Wir sind doch hier im Urlaub und nicht auf der Flucht.«

Weller und Ann Kathrin holten ihr Gepäck gar nicht erst im Dünenhotel Strandeck ab. Sie ließen die Koffer einfach da und fragten am Flugplatz abgehetzt, ob sie eine Maschine nach Wangerooge chartern könnten.

Nach Luft schnappend stand Ann Kathrin neben Weller, während er den Flug buchte.

Jetzt sehen wir wirklich aus, als wären wir auf der Flucht, dachte sie. Oder zumindest wie zwei Menschen in höchster Not, die es verdammt eilig haben.

Die Formalitäten waren ostfriesisch kurz, mit fünf Worten erledigt:

»Wann?«

»Jetzt.«

»Ihr zwei?«

»Jo.«

Weller hielt mutig seine EC-Karte der Sparkasse Aurich-Norden hin und hoffte, dass sein Konto gedeckt war. Ann Kathrin schob ihn zur Seite und gab ihre EC-Karte ab. Sie nickte der Flugplatzmitarbeiterin nur kurz zu. Die lächelte auf eine verständnisvolle Art, als würden sie und Ann Kathrin sich seit vielen Jahren kennen und ein geheimes Wissen über die Männer dieser Welt teilen.

Knappe fünfzehn Minuten später landeten Weller und Ann Kathrin auf Wangerooge.

Das Paket war in Norden in einer Filiale der Deutschen Post im Verbrauchermarkt in der Gewerbestraße 13 aufgegeben worden.

Rupert flog mit einem selbstgemachten, aber gestochen scharfen Handyfoto vom Aufkleber direkt von Wangerooge nach Norden-Norddeich. Er konnte sich an dem Flug aber nicht wirklich erfreuen. Er sah Seehunde, die sich auf einer Sandbank in der Sonne räkelten, und wurde neidisch.

Die können etwas anfangen mit der Gegend, dachte er. Im Grunde haben die ewigen Urlaub, und unsereins muss sich auf ein paar Tage im Jahr beschränken …

Minuten später stand er am Flugplatz herum und suchte das Dienstfahrzeug, mit dem er abgeholt werden sollte, aber da heute Hochbetrieb herrschte und außerdem zwei Wagen in der Werkstatt waren, musste er mit einem geliehenen Fahrrad vorliebnehmen.

»Stell dich nicht so an«, sagte Marion Wolters aus der Einsatzzentrale. Ihre Stimme klang durchs Handy in Ruperts Ohren noch unangenehmer als sonst. Er hielt das Handy weit weg vom Ohr.

»Da kannst du praktisch hinspucken. Ein Taxi braucht länger, um zu dir zu kommen, als du mit dem Rad zum Combi. Außerdem ...«

»Außerdem was?« Er drückte sein Handy fest gegen das rechte Ohr, um sie trotz der landenden zweimotorigen Maschine mit vier Touristen an Bord verstehen zu können.

Als hätte sie es bemerkt, keifte Marion Wolters jetzt erst richtig: »Außerdem tut dir das gut.«

Ihre Stimme brachte ihn auf die Palme. Er ließ sich nicht gern anzicken. Er beschloss, ihr Kontra zu geben.

»Was willst du damit sagen, verdammt noch mal?«

»Ich habe gelesen, dass Männer, die mit öffentlichen Verkehrsmitteln zur Arbeit fahren, eine wesentlich höhere Lebenserwartung haben als Autofahrer.«

»So ein Blödsinn.«

»Doch! Das ist praktisch jetzt wissenschaftlich bewiesen.«

»Hast du das aus der Rentner-Bravo oder was?«

»Nein, ich lese die Apotheken-Umschau im Gegensatz zu dir nicht. Das stand in einer richtigen Illustrierten!«

»Strickmoden für Frustrierte, oder wie heißt das Blatt?«

»Du hast ja keine Ahnung, Rupert. Der tägliche Sprint am Bahnsteig hinter dem wegfahrenden Anschlusszug her hält einfach fit. Mit der Aktentasche die Treppe rauf und runter, das ist wie im Fitnessstudio ... Andere zahlen Geld dafür ... Und wenn du jetzt mit dem Fahrrad ... Das ist unbezahlbar!«

»Ach, leck mich doch, Bratarsch!«, schimpfte Rupert und knipste das Gespräch weg, so dass sie seinen letzten Satz nicht mehr vollständig hörte, aber sie konnte sich ohnehin denken, was er gesagt hatte. Dazu brauchte sie nicht viel Phantasie.

Rupert spürte Rückenwind, und das Radfahren machte sogar Spaß. Auf der Ostermarscher Straße überholte er eine Autoschlange, und als er über den Parkplatz auf das Einkaufszentrum zufuhr, öffneten sich die großen Glastüren zur Eingangshalle. Er konnte dieser Einladung einfach nicht widerstehen. Er radelte ins Gebäude.

Rechts befand sich eine Bäckerei, links daneben gab es Zeitschriften, Taschenbücher und Tabakwaren. Außerdem eine Lottoannahmestelle, eine Postfiliale und einen Blumenladen.

Rupert fuhr mit dem Rad an den Taschenbuchständern vorbei, direkt zum Schalter der Postfiliale.

Daniela Stöhr-Mongelli sah es nicht gern, wenn der Verkaufsraum mit Einkaufswagen oder Fahrrädern zugestellt wurde. Sie nahm sich vor, ihn höflich, aber bestimmt darauf hinzuweisen, dass dies ein Geschäft und kein Radweg war. Doch dann kam alles ganz anders.

Die zierliche, dunkelhaarige Frau gehörte genau zu der Sorte Frauen, die in Ruperts Gehirn eine völlige Leere auslösten. Er kam sich sofort vor wie ein Computer mit gelöschter Festplatte. Nur noch wenige Funktionen liefen störungsfrei weiter. Er behielt das Gleichgewicht, bekam Luft und konnte Farben voneinander unterscheiden. Aber obwohl er seinen Namen und seine Adresse noch wusste, fühlte er sich wie der letzte Idiot, und genauso sah er auch aus.

Nur stockend kamen die Worte heraus: »Kripo Aurich. Mordkommission. Rupert mein Name.«

Er versuchte zu lächeln, aber seine Gesichtsmuskeln schienen vergessen zu haben, wie das ging.

»Sie sind von der Mordkommission?«, lachte Daniela Stöhr-Mongelli ungläubig. »Ich dachte, die kommen mit Blaulicht und nicht mit einem Hollandrad.«

Rupert wollte zunächst von seinen Problemen berichten, an einen Dienstwagen zu kommen, aber das machte ihn irgendwie klein, fand er, und er wollte vor ihr nicht wie einer dastehen, der nicht mal ein Einsatzfahrzeug zur Verfügung hatte.

»Ich komme gerade von Wangerooge. Ich wollte unauffällig sein.«

»Von Wangerooge? Mit dem Rad?«

»Nein, ich bin erst geflogen und dann … Ach, das ist doch jetzt völlig egal …« Er beugte sich vor. »Niemand darf wissen, dass wir miteinander reden. Möglicherweise sind Sie in Gefahr … in Lebensgefahr!«

Sie schmunzelte, deutete auf die Schlange, die sich hinter Rupert gebildet hatte und fragte: »Wollen Sie die Kunden dann vielleicht erst vorlassen?«

Rupert sah sich um. Vier Personen standen hinter ihm. Einer wedelte mit seinem Lottoschein und grüßte Rupert freundlich. Sie kannten sich aus dem Mittelhaus. Manchmal hatten sie an der Theke gemeinsam eine Runde ausgeknobelt.

»Moin, Rupert.«

»Moin, Manni.«

Mit großzügiger Geste deutete Manni an, alle Zeit der Welt zu haben. Auch die anderen nickten und rückten neugierig auf, um besser mithören zu können.

Rupert hielt der jungen Frau das Handyfoto hin und fragte: »Erinnern Sie sich daran, wer das hier aufgegeben hat? Das ist jetzt wirklich wichtig.«

Sie lächelte ihn entwaffnend an. »Wenn Sie den Absender wissen wollen, der steht genau hier.«

Rupert stöhnte. »Ja, aber man kann das nicht richtig lesen. Was wir entziffern konnten, lässt sich nicht überprüfen. Das heißt Ruwsch oder Rumsch, aus ... das heißt wahrscheinlich Hude. 277, den Rest kann man nicht lesen. Hude gehört zum Landkreis Oldenburg, da wohnt kein Rumsch oder Ruwsch oder so.«

»Zeig mal her«, sagte Manni, Ruperts Kumpel aus dem Mittelhaus, und nahm ihm das Handy ab. Es wurde herumgereicht, und in das allgemeine Rätselraten hinein sagte Frau Stöhr-Mongelli: »Es war ein Express Easy National, bis zwanzig Kilo schwer, mit fünfhundert Euro versichert für 29,90. Ich glaube, ich erinnere mich.«

Rupert war begeistert. »Und kennen Sie den Kerl, der das aufgegeben hat?«

»Es war kein Kerl, sondern eine alte Dame mit Rollator. Sie hat das Paket kaum allein tragen können. Ich glaube, sie hatte solche orthopädischen Schuhe an, so, als sei ein Bein kürzer als das andere. Sie stand etwa da, wo Sie jetzt mit dem Rad stehen. Ich bin hinter der Theke hervorgekommen und habe ihr geholfen, es hier auf die Waage zu legen. Sie hat auch noch ein Päckchen Tabak gekauft und Blättchen. Außerdem den Kurier ... also, falls sie es war. Hier werden ja viele Pakete abgegeben, und ich erinnere mich nicht an jeden ...«

»In dem Fall aber schon?«

»Ja, weil sie nicht aussah, als würde sie selbst Zigaretten drehen. Sie hat so einen aromatisierten Feinschnitt gekauft, fast mehr für die Pfeife geeignet als fürs Zigarettendrehen. Ich glaube, mit Vanille- oder Mangogeschmack, das weiß ich nicht mehr so genau.«

Rupert kratzte sich am Kinn. »Sie sah also nicht so aus, als würde sie selbst Zigaretten drehen? Wonach sah sie denn aus?«

Ohne lange nachzudenken, antwortete Daniela Stöhr-Mongelli: »Mehr wie eine, die Filterzigaretten raucht ... Im Grunde sogar eher wie eine Nichtraucherin. Wissen Sie, wenn man hier arbeitet, lernt man, Menschen einzuschätzen. Sie wirkte auch nicht wie jemand, der Systemscheine spielt, sondern eher einfaches Lotto.«

»Sie hat Lotto gespielt?«, fragte Manni, und Rupert machte eine Handbewegung, als wolle er sich diese Frage zu eigen machen.

»Nein. Das nicht. Ich erinnere mich zumindest nicht daran. Aber sie sah so nach Normalschein aus, mit den ständig gleichen Zahlen.«

»Sie haben aber eine sehr gute Beobachtungsgabe«, lobte eine Frau, die eigentlich gekommen war, um sich eine Fernsehzeitung zu kaufen, »und psychologisches Einfühlungsvermögen haben Sie auch!«

Rupert nahm den Satz dankbar auf und machte jetzt ganz einen auf Big Boss: »Wenn Sie mal einen neuen Job suchen, Frau Stöhr-Mongelli, wir brauchen immer gute Leute wie Sie.«

Ruperts alter Trinkfreund Manni interpretierte den Satz falsch. »Ach, bist du jetzt doch der neue Kripochef geworden? Wurde ja auch Zeit.«

Gebauchpinselt blähte Rupert seinen Brustkorb auf: »Na ja, also nicht so direkt ...«

Manni nickte komplizenhaft. »Du ziehst mehr so als graue Eminenz im Hintergrund die Fäden und überlässt den anderen das Vorturnen?«

Rupert lächelte und hoffte, auf die junge Frau Eindruck zu machen.

»Wieso«, fragte Daniela Stöhr-Mongelli, »schwebe ich eigentlich in Lebensgefahr?«

Rupert drehte sich zu den anderen um und sagte: »Halten Sie bitte Abstand. Dies hier ist eine polizeiliche Ermittlung. Ich habe der Dame etwas unter vier Augen mitzuteilen.« Dann flüsterte er: »Nun, Sie sind die einzige Person, die den Täter gesehen hat. Wenn Sie mir Ihre Adresse geben, werde ich ab und zu einen Wagen vorbeischicken und dafür sorgen, dass er abgeschreckt wird.«

Daniela Stöhr-Mongelli schluckte und sah Rupert aus ihren großen, braunen Augen an.

Das Samurai-Schwert hatte sich als herbe Enttäuschung erwiesen. So einen Reinfall wollte er nicht noch einmal erleben, und dabei war es angeblich ein Gifu Katana von Marto. Im Grunde eine edle Waffe aus 420er rostfreiem Stahl. 70 Zentimeter Klingenlänge mit Beimessern. Es lag gut in der Hand, sah wundervoll aus, aber er hatte ihn nicht mit einem Schlag köpfen können. Die Klinge war stecken geblieben, hatte sich verhakt. Er hatte das Schwert herausziehen und einen zweiten Schlag ausführen müssen. Das hatte ihn voll aus dem Flow gebracht.

Ann Kathrin mochte den Lärm der Flugmotoren nicht und hielt sich die Ohren zu. Aber sie sah gern aus dem Fenster. Die Krähen stolzierten auf Wangerooge über die Landebahn, als ob sie ihnen gehören würde. Erst kurz vor dem Aufsetzen der Maschine machten sie Platz. Das alles geschah wie tausendmal eingeübt: mit Gleichmut und Selbstverständlichkeit.

Ann Kathrin lächelte, denn direkt hinter der gelandeten Maschine hüpften die Krähen wieder auf die Rollbahn. Sie fühlten sich von dem Lärm des großen Vogels gestört und schimpften wütend ihr »Krääh!« hinter ihm her, ein Laut, dem sie vermutlich ihren Namen verdankten. Aber sie hielten von den still dastehenden Flugzeugen auf der Wiese gebührenden Abstand. Nur eine Möwe thronte auf dem Flügel einer Islander, als würde sie auf den Piloten warten.

Ann Kathrin stieg aus. Der Wind zerzauste ihre Haare. Sie atmete tief ein.

Raben und Krähen, dachte Ann Kathrin, symbolisieren in der nordischen Mythologie Weisheit. Der Göttervater Odin hatte stets zwei Raben bei sich, die ihn wie Spione über alles unterrichteten, was um ihn herum vorging. Angeblich konnten sich Hexen und Zauberer in Krähen verwandeln … Sie hing diesem Gedanken nach.

Weller schaute auf sein Handy. Er hatte es während des Fluges nicht ausgeschaltet. Er bezweifelte nicht, dass es selbst beim Sichtflug technische Geräte gab, die vom Handy gestört werden konnten, aber er hatte es in der Eile einfach vergessen.

Weller las Ruperts Nachricht auf seinem iPhone:

Wir suchen eine gebrechliche, alte Dame mit Rollator. Die typische Lotto-Normalschein-Spielerin, die entweder ihre Zigaretten selbst dreht oder Nichtraucherin ist.

»Na«, brummte Weller, »dann können wir ja jetzt gleich eine Fahndung rausgeben.«

Ann Kathrin sah ihn an, als sei sie gerade aus einem tiefen Schlaf erwacht. »Was hast du gesagt?«

Weller winkte ab. »Nichts.«

Ubbo Heide saß in seinem Rollstuhl und reckte Ann Kathrin Klaasen die Arme entgegen wie ein Ertrinkender, der den Rettungsring sieht. Sie bückte sich zu ihm, und er drückte sie so fest, als wolle er sie nie wieder loslassen, sondern ein Teil von ihr werden. Und ein bisschen empfand sie es genauso. Eine merkwürdige Symbiose. Ihr Ausbilder war nach dem Tod ihres Vaters unausgesprochen eine Art Vaterersatz geworden. Mit allen Sorgen und Problemen hatte sie sich an ihn wenden können. Immer hatte er seine Hand schützend über sie gehalten und sie geduldig auf den richtigen Weg gebracht.

Jetzt war es genau umgekehrt. Sie hatte das Gefühl, ihn beschützen zu müssen. Er brauchte ihren Rat. Die tiefe Erschütterung war ihm anzumerken.

Wangerooge war sein Rückzugsort. Die Insel der kurzen Wege, die auf geradezu unfassbare Weise der Hektik der Welt trotzte und sich die Unschuld bewahrt hatte, war durch dieses Paket entweiht worden. Als hätte der Täter der Insel die Unschuld genommen.

Ubbo Heide fühlte sich dafür verantwortlich. Ann Kathrin sah es ihm an. Er glaubte, dass er das Böse auf die Insel gebracht hatte. Er fühlte sich schuldig, ja, etwas in ihm sprach ihm das Recht ab, weiter auf dieser Insel zu wohnen, da er doch das Böse magisch anzog.

Seine Frau Carola lag halb bewusstlos von den Beruhigungsmitteln auf dem Bett und starrte einen Holzschnitt von Horst-Dieter Gölzenleuchter an. Das Bild hatte Ann Kathrin Ubbo zum fünfundsechzigsten Geburtstag geschenkt. Es stammte aus dem Besitz ihres Vaters, der Gölzenleuchter-Holzschnitte gesammelt hatte. Es zeigte, je nachdem wie der Betrachter es ansah, mal einen Baum, dessen Äste sich hoch in den Himmel reckten, oder eine nackte Frau, die wehklagend ihre Arme erhob.

Heute sah Carola Heide die Frau. Ja, es kam ihr vor, als könne sie sie weinen hören.

Sie hatte all die Jahre neben diesem Mann verbracht, der umgeben vom Schmutz der Welt immer ein guter Familienvater und freundlicher Mensch geblieben war. Sie wusste, dass Bilder von Opfern ihn oft in den Nächten quälten und ihn nicht schlafen ließen. Sie hatte das Grauen manchmal neben ihm gespürt. Hier auf Wangerooge, nach seiner Pensionierung, hatte er gehofft, dass endlich Schluss wäre mit all dem, doch nun, bewegungslos auf dem Bett liegend, erkannte sie, dass es nie vorbei sein würde. Nie.

So wie der Teufel und Gott einander bedingten, so gehörten ihr Mann und das Verbrechen zusammen. Er war die Antithese.

Eine Träne löste sich aus ihrem rechten Auge und lief über ihre

Schläfe hin zu ihrer Ohrmuschel wie ein langsam kriechendes, schleimiges Insekt.

Sie hörte Ann Kathrin und Ubbo nebenan sprechen. Die Wand war mehr wie ein Paravent aus einem dünnen Stoff.

»Hast du einen Verdacht, Ubbo? Kennst du den Mann?«

»Nein, ich habe keine Ahnung, wem der Kopf gehört.«

»Irgendjemand versucht, dich da in etwas hineinzuziehen«, fragte Ann Kathrin. »Warum tut jemand so etwas?«

»Irrtum, Ann. Ich bin drin. Vielleicht kann jemand nicht akzeptieren, dass ich nicht mehr Polizeichef bin. Einer will wohl, dass ich wieder ermittle.«

»Wer weiß überhaupt, dass ihr hier eine Ferienwohnung habt und dass ihr euch im Moment hier aufhaltet?«

»Ich kann dir eine Liste machen. Die meisten sind aus unserer eigenen Firma.« Er sagte gern *Firma*, wenn er die Polizeiinspektion meinte. »Natürlich meine Tochter Insa und ein paar Freunde ...« Leicht angesäuert fügte er hinzu: »Ich glaube allerdings nicht, dass Insa echt auf dem Schirm hat, wo genau wir im Moment sind. Wir haben sie vor sechs oder sieben Wochen zum letzten Mal gesprochen. Ja, und dann gibt es noch ein paar Freundinnen meiner Frau, die Bescheid wissen.«

Carola konnte ein lautes Schluchzen nicht unterdrücken. Als Ann Kathrin zu ihr ans Bett kam, spielte Wellers Handy gerade *Piraten ahoi!*. Er hatte sich bis jetzt ganz im Hintergrund gehalten und dem Gespräch zwischen Ubbo und Ann Kathrin Raum gegeben. Er blickte aus dem Fenster aufs Meer, während er telefonierte.

Ein Fernsehjournalist wollte ein Interview. Er hieß Joachim Faust, und so, wie er seinen eigenen Namen aussprach, war er daran gewöhnt, dass Menschen ihn kannten. Er war leicht pikiert, weil Weller nicht gleich vor Ehrfurcht stotterte.

»Ich gucke nicht viel Fernsehen«, entschuldigte Weller sich für seine Unwissenheit. »Ich lese lieber.«

»Wir wollen Ihre Frau gerne ins Studio einladen, um mit ihr über den abgeschlagenen Kopf zu sprechen. Sie leitet doch die Ermittlungen, oder?«

»Sie haben sich verwählt«, sagte Weller. »Meine Frau heißt nicht Ann Kathrin Klaasen und leitet auch keine Ermittlungen. Sie ist eine ehemalige Kindergärtnerin, die jetzt als Stripteasetänzerin auf St. Pauli arbeitet. Aber nur aushilfsweise.«

Ubbo Heide sah Weller entgeistert an.

»Aber sie ist bestimmt gern bereit, Ihnen ein Interview zu geben.«

Weller lauschte. Der Fernsehjournalist lehnte ab.

Weller verzog den Mund, hob die Schultern, ließ sie wieder runtersausen und sagte in Richtung Ann Kathrin: »Schade. Kein Interesse.«

Dann drückte er das Gespräch weg.

»Seit du eine Geheimnummer hast, Ann, versuchen immer alle Pressefuzzis, über mich an dich ranzukommen.«

»Deshalb«, sagte Ann Kathrin knapp, »haben wir eine Pressesprecherin.« Dann wandte sie sich Ubbo Heide zu: »Ist der Kopf noch auf der Insel? Ich möchte ihn gerne sehen.«

Ubbo Heide zuckte mit den Schultern.

Weller stöhnte. »Ich kann ja so lange mit den örtlichen Kollegen ...«

»Nein«, sagte Ann Kathrin hart, »du schaust ihn dir mit mir an.«

»Aber wir kriegen doch einen Bericht, Ann.«

»Wir müssen wissen, wovon wir reden. Es ist ein Unterschied, Frank, ob man ein Kochrezept liest oder ein Essen ausprobiert.«

Er fand den Vergleich ausgesprochen unpassend, gab aber nach.

Marylin grub mit ihrem zwei Jahre älteren Bruder Justin immer tiefer. Wenn sie im Sandloch stand, ging es ihr bis zum Brustansatz, aber es war noch nicht breit genug.

Heute war ein Supertag, fand Marylin. Hier in Cuxhaven-Duhnen hatten ihre Eltern sich vor zehn Jahren im Urlaub kennengelernt. Sie hatte die Geschichte bestimmt schon hundertmal gehört, fand sie aber immer noch toll.

Mama und Papa hatten sich in einem Fischrestaurant zum ersten Mal gesehen. Sie sprachen den Namen immer noch aus wie ein Wunder: Mama war schon dagewesen, saß alleine an einem Tisch und aß. Sie war traurig, weil die Freundin, mit der sie eigentlich hier Urlaub gemacht hatte, nach einem Streit abgereist war. Papa erzählte immer davon, dass Mamas Anblick ihn wie ein Blitz getroffen hätte und ihm ganz schwindlig geworden wäre von ihrer Schönheit.

Dann warf Mama jedes Mal ein, dass sie damals doch gar nicht so gut ausgesehen hätte, sondern sehr traurig, ja verheult gewesen sei und außerdem viel zu dick. Mindestens fünf Kilo mehr als heute hätte sie draufgehabt.

Aber das ließ Papa nicht gelten. Jedenfalls hatte er sich damals zu ihr gesetzt und behauptet: »Sie sind die Frau meines Lebens. Wir werden heiraten und gemeinsam Kinder in die Welt setzen.«

Mama war das zunächst gar nicht geheuer gewesen, und sie hatte Papa gebeten, sie in Ruhe zu lassen und sich einen anderen Tisch zu suchen.

Heute Abend nun wollten sie zu zweit in dem Fischrestaurant noch einmal essen gehen. Ganz romantisch. Und Marylin und Justin hatten versprochen, ganz alleine in der Ferienwohnung zu bleiben und fernzusehen.

Dafür durften sie Papa heute einmal vollständig eingraben. Natürlich so, dass der Kopf noch oben rausguckte und er Luft bekam.

Das hatten sie in jedem Urlaub mindestens einmal mit ihm gemacht, und jedes Mal gab es dann ein Foto mit Papas Kopf, der aus dem Sand ragte, und mit Marylin und Justin. Meist hielten sie ein Eis in der Hand, und Papa hatte Schweißperlen auf dem Glatzenansatz.

Marylin fand, das Loch war längst tief genug, aber Justin wollte noch weitergraben. Er fühlte sich als Maulwurf wohl. Sandburgen waren seine große Leidenschaft.

Er benutzte eine blaue Blechschaufel mit Holzstiel. Marylin ein rotes Schippchen, mit dem alles viel länger dauerte.

Marylin stieß auf etwas. Es hörte sich komisch an. Quietschend. Das Schippchen verbog sich.

»Hier ist was, Justin«, sagte sie.

»Ja«, lachte er, »hier ist früher einmal ein Piratenschiff untergegangen. Wenn wir es finden, sind wir reich. Die hatten einen geraubten Goldschatz an Bord.«

Marylin wusste immer, wann ihr großer Bruder die Wahrheit sagte und wann er versuchte, seine kleine Schwester an der Nase herumzuführen oder ihr Angst zu machen. Seine Stimme veränderte sich dann, wurde so betont erwachsen, und seine Augenbrauen verloren ihren Schwung und wurden zu geraden Strichen.

Aber da war wirklich etwas, wie ein nacktes Tier, ganz ohne Fell. Ein dicker, toter, weißer Wurm oder … nein … Würmer trugen keine Ringe. Und das da sah aus wie ein dreckiger Fingernagel …

»Ich habe«, kreischte Marylin, »eine Hand gefunden!«

»Mädchen!«, grinste Justin und sah sich dann die Sache doch etwas genauer an.

Dann schrie er: »Papa! Mama!«

Marylin ahnte, dass aus dem romantischen Abendessen der Eltern nichts werden würde. Und sie hatte plötzlich auch keine Lust mehr, heute Abend mit ihrem Bruder alleine in der fremden Ferienwohnung fernzusehen.

Eine dicke Fliege brummte über den Köpfen wie eine Mini-drohne, mit der eine fremde Macht die Personen im Raum belauschen, beobachten und vielleicht sogar einschüchtern wollte.

Die erste Dienstbesprechung, die Büscher zu leiten hatte, fand gleich unter Hochdruck statt. Keine Chance auf ein langsames Kennenlernen, ein Hineinwachsen in die Truppe. Er musste von null auf hundert starten. Sogar eine Vorstellungsrunde konnte er vergessen.

Er saß am Tisch neben der hochnervösen Rieke Gersema, die ständig mit ihrer Brille spielte, die überhaupt nicht zu ihr passte, wie Büscher fand. Sie wollte einen Termin für eine Pressekonferenz, weil ihr angeblich schon zig Journalisten auf den Füßen standen. Die ersten Gerüchte über Dschihadisten in Ostfriesland machten die Runde.

Rieke Gersema, Büscher und Sylvia Hoppe hatten ihre Mini-computer vor sich aufgebaut. Sylvia nutzte einen Bildschirm mit Touchscreen, Büscher und Rieke tippten noch auf einer Tastatur herum.

Rupert referierte auf Büschers Signal hin: »Die Jungs aus der Gerichtsmedizin haben diesmal den reinsten Quickie hingelegt. Es handelt sich um einen etwa sechzig Jahre alten Mann. Blutgruppe A, Rhesus positiv. Er hatte noch volles Haar. Mittelblond. Inzwischen aber an den meisten Stellen weiß. Das Ganze lässt auf einen Mitteleuropäer schließen. Als Ubbo ihn ausgepackt hat, war er bereits seit mindestens sechzig Stunden tot. Er wurde mit zwei Schwerthieben enthauptet, also müssen das Stümper gewesen sein. Anfänger sozusagen.«

Ann Kathrin hielt Ruperts Rede kaum aus. Sie stützte ihren Kopf mit der Hand so ab, dass die anderen ihre Augen nicht sehen konnten.

»Wir haben das Gebiss«, fuhr Rupert fort, »und können ihn darüber über kurz oder lang identifizieren … Aber das dauert natürlich.«

Sylvia Hoppe schlug nach der Fliege und warf ein: »Wir gehen gerade die Liste aller vermissten Personen durch, sind aber noch nicht fündig geworden. Hundertzweiundfünfzig Männer, auf die die Beschreibung zutrifft, sind allein im letzten Jahr von der Bildfläche verschwunden. Das sind ebenso Steuerflüchtlinge wie Typen, die lieber untertauchen, als Unterhaltszahlungen zu leisten …«

Rupert ließ seine Unterlagen auf den Schreibtisch platschen: »Mehr wissen wir jedenfalls nicht über ihn …«

»Zu Ubbo Heides Zeiten gab es zu solchen Besprechungen immer Tee und Krintstuut oder wenigstens ein paar Kekse«, maulte Weller. Sein Magen knurrte.

Ann Kathrin räusperte sich. »Wir wissen schon einiges mehr, als du berichtet hast, Rupert.«

»So?« Pikiert verschränkte Rupert die Arme vor der Brust.

»Er war«, sagte Ann Kathrin, »vermutlich Taxifahrer oder Lkw-Fahrer.«

Alle Beteiligten sahen Ann Kathrin an. Büscher setzte sich anders hin. Seine Körperhaltung signalisierte höchste Aufmerksamkeit.

Rupert fühlte sich von Ann Kathrin verspottet. Woher wollte sie denn bitteschön diese Behauptung ableiten? Er versuchte, sie lächerlich zu machen: »Klar. Und er isst gerne Buttercremetorte und liest Jerry-Cotton-Heftchen.«

Während die Fliege um Ruperts Kopf brummte, fuhr Ann Kathrin unbeeindruckt fort: »Er hatte links eine deutlich gebräuntere Gesichtshaut als rechts. Der linke Nasenflügel hatte Spuren eines Sonnenbrandes. Oben am Haaransatz könnten die Hautveränderungen auf weißen Hautkrebs hindeuten, möglicherweise sogar bereits behandelt. Menschen, die viel hinterm Lenkrad sitzen, bekommen links mehr Sonne ab als rechts. Das sieht man im Gesicht und auf dem linken Unterarm.«

Ann Kathrins Ausführungen beeindruckten fast alle Anwesenden. Rupert gönnte ihr den Triumph nicht und konterte: »Es sei denn, er wäre Taxifahrer in England. Da ist dann nämlich alles umgekehrt. Die haben Linksverkehr, und da sitzt der Fahrer rechts.«

Büscher kapierte schnell, wie hier der Hase lief. Die Gruppendynamik erklärte sich ihm wie von selbst. Die Frauen hielten mit Ann Kathrin Klaasen als Kraftzentrum zusammen. Hier war kein Zickenkrieg angesagt. Zwischen Sylvia Hoppe, Rieke Gersema und Ann Kathrin Klaasen bekam man nur schwer ein Blatt Papier, und als Mann schon mal gar nicht.

Weller war so etwas wie Ann Kathrin Klaasens Erster Offizier und wurde auch von den beiden anderen Frauen akzeptiert. Rupert dagegen hatte denkbar schlechte Karten, war aber vermutlich längst nicht so blöd, wie alle dachten.

Sylvia Hoppe, die Rupert nicht ausstehen konnte, weil er sie an ihren ersten Mann erinnerte, verdrehte die Augen, als ob ihr von so viel Dummheit schlecht werden würde.

Ann Kathrin ging nicht auf Rupert ein, sondern sagte: »Der Täter hat eine Adresse aus Hude als Absender gewählt und das Paket in Norden in der Postfiliale im Combi aufgegeben. Er kannte Ubbos Aufenthaltsort. Schon komisch, als ob er einer von uns ist.«

»Von uns Ostfriesen oder von uns Polizisten?«, fragte Weller.

»Er hat auf jeden Fall eine Nähe zu uns«, sagte Ann Kathrin. »Das ist nicht zu leugnen.«

Büschers Handy vibrierte in seiner Hosentasche. Er ging nicht ran, aber er las irritiert zum zweiten Mal eine Nachricht, die auf seinem Bildschirm erschienen war.

Rupert beobachtete die Fliege. Sie brummte heran, als wolle sie auf seiner Nase landen. Sie flog langsam, provozierend selbstsicher. Ruperts Rechte schoss nach vorn, aber nicht als Faust, wie bei einer rechten Geraden, sondern offen wie ein Greifarm. Er schnappte nach der Fliege, ja glaubte, sie erwischt und zerquetscht zu haben, aber als er seine Hand öffnete, war darin nur Luft, und die Fliege krabbelte in den Locken seiner Minipli herum.

»Verflucht«, schimpfte Rupert, durchaus beeindruckt von Ann Kathrins Gedanken. »Wieso weißt du immer viel mehr als wir, wenn du einen Tatort siehst oder ein Opfer?«

Sie schaute Rupert gerade in die Augen. »Rupert, kaum jemand ist so gut darin, das Offensichtliche zu ignorieren wie du. Du machst das einfach perfekt.«

Rupert fragte sich, ob das jetzt ein Kompliment gewesen war. Immerhin hatte sie in seine Richtung Worte gesagt wie »so gut darin« und »du machst das einfach perfekt«.

Sylvia Hoppe zeigte Rupert den erhobenen Daumen und nickte, als hätten Ann Kathrins Worte sie echt beeindruckt und Rupert könne stolz darauf sein.

Büscher setzte sich mit lauter Stimme durch. »Wir haben den Körper zum Kopf. In Cuxhaven-Duhnen haben Kinder eine männliche Leiche ausgegraben. Alles dran. Nur der Kopf fehlt.«

Ann Kathrin erhob sich. Weller und Sylvia Hoppe standen ebenfalls auf.

»Ja, äh … wollt ihr etwa jetzt noch nach Cuxhaven?«, fragte Büscher.

»Wir würden auch alle lieber zum Weihnachtsmarkt nach Leer«, spottete Weller, »aber im Juni ist da meist noch nix los.«

Büscher wunderte sich, wie schnell und widerspruchslos Ann Kathrin Klaasen einen Hubschrauber bekam. In Bremerhaven hätte er dafür einen so langen Dienstweg einhalten müssen, dass er mit Bus und Bahn schneller an Ort und Stelle gewesen wäre. Hier in Ostfriesland schienen die bürokratischen Hindernisse, zumindest für Ann Kathrin, nicht sehr hoch zu sein. Man kannte sich, und mit einem Griff zum Telefon war alles erledigt.

Er hörte noch einen Satz von ihr, der ihn sehr nachdenklich stimmte: »Danke, Hauke. Du hast jetzt bei mir einen gut.«

Büscher wusste noch nicht, ob er das alles gut finden sollte oder nicht. Er hatte zwar mit den eigentlichen Ermittlungen nichts zu tun, flog aber mit.

Die Kollegen in Cuxhaven staunten nicht schlecht, als Ann Kathrin, Weller, Sylvia Hoppe und Büscher aufkreuzten. Ein paar Nettigkeiten wurden ausgetauscht, jeder bekräftigte, den jeweils anderen unterstützen zu wollen, die Chefs zwinkerten sich sogar komplizenhaft zu.

Ann Kathrin drängte zur Eile und wollte den Rumpf sehen.

Der Leichnam lag nackt auf einer Bahre und wurde bereits von zwei Gerichtsmedizinern begutachtet. Der eine sah aus, als sei er gerade aus der Sommerfrische gekommen, mit leichter Segelbräune, der andere, als bräuchte er dringend eine Kur.

Es war kalt im Raum. Ann Kathrin fröstelte.

An Hand- und Fußgelenken des Toten waren deutliche Fesselspuren zu sehen. Aus dem Bauchnabel ragte ein Sandberg. Auf seinem rechten Knie krabbelte eine Ameise herum.

»Für die Art der Tötung«, sagte der ältere Gerichtsmediziner mit dem Spitzbauch, »haben wir sehr wenig Blut gefunden. Er ist seit gut zweiundsiebzig Stunden tot, vielleicht länger.«

Ann Kathrin sah Weller an: »Der Mann wurde also nicht hier getötet, sondern nur hier vergraben. Was will der Täter uns damit sagen? Hude als Absendeadresse des Päckchens. In Norden aufgegeben. Nach Wangerooge geschickt.«

Weller malte die Orte wie auf einer imaginären Landkarte in die Luft und zog Verbindungslinien. »Cuxhaven-Duhnen. Hude. Norden. Wangerooge.«

»Enthauptungen«, sagte Ann Kathrin, »sind nichts Neues. Es gibt Enthauptungen schon in der Bibel.« Sie zählte auf: »Johannes der Täufer wurde geköpft. Paulus von Tarsus und Holofernes ebenfalls. Aber schon früher, bei den Kelten, wurden Kopfjagden als mystische Rituale gefeiert. Der Kopf war für sie der Wohnort der gesamten spirituellen Persönlichkeit. So wie für uns heute in der Vorstellung vieler Menschen das Herz der Sitz der Seele ist. Die Köpfe der Feinde wurden oft einbalsamiert und in Schatztruhen aufbewahrt. So sollte auch im Jenseits ihre böse Kraft gebannt sein. Manchmal glaubten die Besitzer der abgeschlagenen Köpfe auch, die Kraft würde auf sie übergehen.«

Weller schaute Büscher an und ahnte, was der Mann dachte. Woher wusste Ann Kathrin all dieses Zeug?

Weller kannte die Antwort zwar, nahm Büscher aber die Frage ab, denn wenn Menschen Ann Kathrin kennenlernten, musste ihr Wissen geradezu verstörend auf sie wirken.

»Woher weißt du das alles, Ann?«, fragte Weller.

»Es ist unsere Aufgabe«, sagte sie. »Was sich uns als Erscheinung der Neuzeit präsentiert, ist meist sehr alt. Die Guillotine der französischen Revolution, so schrecklich es klingt, war ein Fortschritt, nämlich, einen Menschen zu töten, ohne ihn vorher lange quälen und leiden lassen zu müssen.«

»Na, danke«, grunzte Sylvia Hoppe.

Die Kollegen aus Cuxhaven hörten Ann Kathrin interessiert zu. Sie empfanden es durchaus als Ehre, die berühmte Kommissarin vor Ort zu haben. Der kleinere der beiden sah allerdings aus, als müsse er sich jeden Moment übergeben, und Weller hätte ein Monatsgehalt darauf gewettet, dass er sich in den nächsten Stunden krankmelden würde.

»Enthauptungen«, fuhr Ann Kathrin fort, »galten als ehrenhafter Tod, ganz im Gegensatz zum Erhängen. Im Mittelalter war das Enthaupten den Adligen vorbehalten. Die anderen wurden aufgeknüpft. Ich glaube, 2004 wurde die erste Enthauptung zu Propagandazwecken ins Internet gestellt, um Angst und Schrecken zu verbreiten …«

Büscher fasste sich an den Kopf. »Das könnte bedeuten, es gibt diese schreckliche Tat bereits im Internet?«

Ann Kathrin verneinte die Idee. »Die Sache hier läuft ganz anders«, sagte sie. »Es geht dem Täter nicht darum, eine anonyme

Öffentlichkeit aufzuschrecken. Er hat sich gezielt an Ubbo Heide gewandt, unseren Chef.«

Ich bin hier der Chef, wollte Büscher sagen, ließ es aber, weil es ihm kleinlich vorkam, jetzt um solche Posten zu ringen.

»Und das bedeutet«, schlussfolgerte Sylvia Hoppe, »Ubbo Heide kennt den Täter.«

Weller konnte dem so nicht zustimmen. »Es bedeutet auf jeden Fall, der Täter kennt Ubbo Heide.«

Ann Kathrin nickte kurz.

Weller, der Liebhaber von Kriminalromanen, zitierte jetzt Sherlock Holmes aus dem Kopf: »Wenn man alles Falsche ausschließt, bleibt am Ende nur das Richtige übrig.«

Es klang, als sei er gerade selbst drauf gekommen, wodurch er bei Büscher Eindruck schindete.

Ann Kathrin betrachtete den linken Unterarm des Toten. »Hm«, sagte sie, und dieses »Hm« war für Weller ein deutliches Zeichen, dass hier etwas nicht stimmte. Sie konnte auf unzählige Arten »Hm« sagen. An der oberen Skala bedeutete »Hm«, dass ihr etwas sehr gut schmeckte, und an der unteren, dass es ungenießbar war. Manchmal bedeutete dieser Laut aber auch: *Nicht mit mir*, oder: *Ich habe diese Sache längst durchschaut.*

»Er ist gleichmäßig gebräunt beziehungsweise weiß wie ein Sack Mehl. In den letzten Tagen war das Wetter hier hervorragend. Er hat keine Anzeichen von Sonneneinwirkung.«

»Also doch kein Taxifahrer?«, fragte Büscher.

»Vermutlich nicht«, antwortete Ann Kathrin. Sie stand am Fußende und betastete die Zehen des Toten. Sie sah sie sich sehr genau an.

Büscher fragte sich, wie wahrscheinlich die meisten Anwesenden, warum.

Ann Kathrin ließ sich Zeit. Das machte den jungen Gerichtsmediziner ärgerlich. Der ältere blieb gelassen. »Stimmt etwas nicht?«, wollte er wissen.

»Er hat«, sagte Ann Kathrin bedächtig, »sehr gepflegte Fußnägel. Auch die Hornhaut wurde an den Hacken und den Fußballen sorgfältig abgerieben. Das Hühnerauge hier wurde erst vor kurzem behandelt.«

Die Kollegen aus Cuxhaven sahen sich an und musterten dann die Mediziner kritisch. Der Jüngere guckte, als hätte ihm gerade jemand eine Ohrfeige verpasst. Er wirkte jetzt wie ein Schuljunge.

»Falls der Mann in Cuxhaven Urlaub gemacht hat, gab es vermutlich für ihn hier in einem Hotel einen Pediküre-Termin«, fuhr Ann Kathrin fort. Mit einem schrägen Blick auf die Cuxhavener Kollegen ergänzte sie: »Das lässt sich doch sicher rasch feststellen.«

Beide nickten. Der Ältere zog den Bauch ein.

Er war froh, nun alles anders machen zu können.

Es war leichter, Menschen zu köpfen, als sie auf ewig einzusperren. Jetzt hatte er den Knast endlich fertig. Er hatte nach dem Tod seiner Eltern zuerst die eine Doppelhaushälfte selbst renoviert, dann die andere. Das war weniger Arbeit gewesen, als dieses Gefängnis zu bauen.

Fast alles, was er brauchte, gab es in den Baumärkten der Umgebung, aber er konnte keine Handwerker hinzuziehen. Er durfte sich auch bei schwierigsten Arbeiten keine Helfer leisten. Er konnte keinem trauen. Jeder Mitwisser war eine Gefahr.

Am Ende hatte ihn das alles weitergebracht. Früher hatte er von sich behauptet, zwei linke Hände zu haben. Jetzt war er als Handwerker geradezu Fachmann für alles. Ein Allroundtalent.

Das Gefühl, alles selbst reparieren zu können und nicht auf fremde Hilfe angewiesen zu sein, stimmte ihn fröhlich. Der Gedanke hatte etwas Göttliches an sich. Allmacht.

Ja, er war stolz auf dieses Gefängnis mit den schalldicht isolierten Wänden und den furchteinflößenden Gitterstäben, die jeden Gedanken an Ausbruch im Keim ersticken sollten. Er hatte sie blank gewienert. Sie glänzten jetzt wie früher die Chromteile seines ersten Motorrads.

Er hatte zwei nebeneinanderliegende Zellen gebaut. Er konnte alles hier drin von außen steuern. Das Licht ein- und ausschalten und das Fernsehprogramm bestimmen. Es gab zwei vollautomatische Feuermelder, die bei Qualm selbständig die Sprinkleranlage auslösten.

Das gute Bett hatte eine frische Federkernmatratze. Es gab ein Waschbecken und eine Toilette. Drei Kameras überwachten jede Bewegung der Häftlinge innerhalb der Zellen. Zwei waren zusätzlich außen angebracht, also unerreichbar für die Delinquenten jenseits der Gitterstäbe.

Mit einem Lautsprecher konnte er von wo immer er war Durchsagen machen. Alles ließ sich bequem mit seinem iPhone steuern und überwachen. Sogar die Zimmertemperatur konnte er per Handy hoch- und runterfahren.

Er hatte Vorräte für mindestens zwei Wochen in der Speisekammer. Wasser. Bier. Pizza und Rumpsteaks für sich. Grünkohl, Bohnen, Linsen und Erbsensuppe als Gefangenenkost.

Er fuhr nach Emden und parkte an der Berufsschule. Er hatte vor, sie sich noch heute zu schnappen. Es wäre schade, noch mehr Zeit zu verlieren. Sie besuchte dreimal wöchentlich einen Kurs an der VHS.

Pilates – Ein Glück für den Rücken und *Fünf Kilo abnehmen in fünf Wochen, Koch-/Sportkurs mit Ernährungsplan* und neuerdings auch noch *Killer-Bauchtraining*.

Er nahm ebenfalls am Koch-/Sportkurs teil. Das war die einfachste Gelegenheit, sich Svenja Moers zu nähern.

Er musste sich ein bisschen vor dieser Agneta Meyerhoff in Acht nehmen. Sie fuhr tierisch auf ihn ab und suchte offensichtlich Anschluss oder zumindest ein Abenteuer. Immer wieder berührte sie ihn im Kurs wie zufällig. Eigentlich kam ihm das ganz gelegen. Nicht nur, weil es sein Ego streichelte, sondern weil dann nicht auffiel, dass er nur wegen Svenja Moers hier war. Sie war ihm gegenüber ohne Argwohn und auch ohne Interesse.

Ihr Fahrrad hatte sie wie immer unzureichend gesichert neben den Fahrradständern abgestellt. Die leuchtend bunten Farben waren wie eine Aufforderung an Fahrraddiebe, und er nahm die Gelegenheit wahr. Er brauchte nicht mal einen Dietrich, um das Speichenschloss zu knacken. Das rote Spiralkabel mit Zahlenschloss wirkte wie ein Geschenkband für Diebe auf ihn.

Er brauchte für beide Schlösser zusammen keine zehn Sekunden. Er hatte es auf YouTube gelernt, wie so vieles. Er wunderte sich zwar, dass der Staat Anleitungen zum Schlösserknacken im Internet genauso tolerierte wie alle anderen Lehrvideos für Heimwerker, aber wir lebten eben in einer irren Welt.

Er fuhr auf dem Rad um die Ecke, überquerte die Straße und warf es bei der Kunsthalle in den Emder Stadtgraben. Dann ging er zurück zur VHS.

Wenn der Kurs vorbei ist, dachte er, und sie ihr Rad sucht, dann werde ich, ganz Kavalier, ihr anbieten, sie nach Hause zu fahren …

»Wir haben einen Rumpf in Cuxhaven«, sagte Ann Kathrin, »und einen Kopf auf Wangerooge. Das heißt aber nicht zwangsläufig, dass beide zusammengehören.«

Büscher schüttelte sich. »Also, Frau Klaasen, jetzt übertreiben Sie aber wirklich … Sie wollen doch nicht behaupten, dass …«

Sie hob abwehrend die Hände. Der jüngere Cuxhavener Kollege notierte etwas. Ann Kathrin trat vom Tisch zurück, auf dem der Rumpf lag. »Ich behaupte nichts. Ich möchte nur einen Sachverhalt überprüfen. Das Ganze ist ja objektivierbar.« Dann trat sie wieder an den Tisch.

Büscher hielt das zwar für Zeitverschwendung, gab ihr aber recht, um keinen Streit zu provozieren.

Sekunden später konnte der Mediziner mit der Urlaubsbräune verlautbaren, der Tote habe die Blutgruppe Null Rhesus positiv.

Büscher lächelte. »Sie müssen sich irren. A Rhesus positiv ist die Blutgruppe.«

Der Doktor sah nicht aus, als sei er Widerspruch gewöhnt. Er verzog leicht überheblich die Lippen und reckte sein Kinn vor. »Ganz sicher nicht, Herr Kommissar. A positiv ist zwar eine recht häufig vorkommende Blutgruppe, aber dieser bemitleidenswerte Mensch hier hat sie nicht, sondern Null Rhesus positiv.«

Sylvia Hoppe wirkte erschrocken.

»Warum sollte er auch die Leiche so weit fahren oder den Kopf …«, fragte Weller.

»Er hat ihn in Norden aufgegeben. Er hätte unterwegs verunglücken können oder in eine Polizeikontrolle geraten. Mit Leichenteilen im Kofferraum gurkt man doch nicht unnötig lange herum.«

»Das heißt«, sagte Ann Kathrin, »irgendwo gibt es noch einen Kopf und noch einen Rumpf, der …«

Von seinem eigenen Gedanken geradezu elektrisiert, rief Weller: »Ich wette, er hat den zweiten Rumpf in Norddeich vergraben!«

Sylvia Hoppe zuckte zusammen und empörte sich: »Mensch, wie kommst du denn da drauf? Wieso ausgerechnet in Norddeich?«

»Na, da ist der Strand vergleichbar mit diesem hier. Und bis zum Combi ist es auch nicht weit.« Weller hob den Zeigefinger und dozierte plötzlich: »Täter verhalten sich in Mustern. Wir müssen sie erkennen, dann …«

Ann Kathrin legte eine Hand auf seinen rechten Arm. »Ja, Frank. Ja, schon gut.«

»Wir sollten zurück«, schlug Büscher mit einem Blick auf die Uhr vor und fügte dann leise, aber entschlossen hinzu: »Urlaubssperre. Wir brauchen jetzt jeden Mann!«

Spitz fragte Sylvia Hoppe: »Und die Frauen können zu einem Kurztrip in die Karibik, oder wie darf ich das verstehen?«

»Nein, natürlich nicht«, stöhnte Büscher und wusste, dass er sich vor ihr in Acht nehmen musste.

»Ja, wollen wir jetzt in Norddeich den Strand umgraben, oder was?«, fragte Weller im Rausgehen.

Der jüngere Cuxhavener Kommissar lief hinter ihnen her und versuchte, Ann Kathrin aufzuhalten: »Soll das jetzt etwa heißen, dass der Rumpf nicht zu Ihrer Leiche passt und hier irgendwo noch ein Kopf sein muss?«

Ann Kathrin ging weiter. Weller drehte sich zu dem Kollegen um und lächelte ihn an. »Genau das wollte sie damit sagen.«

Im VHS-Kurs hielt er sich bewusst fern von Svenja Moers. Er lächelte sie nur zweimal freundlich an, einmal zur Begrüßung und ein anderes Mal, als ihr Schälmesser durch eine ungeschickte Handbewegung geradlinig in seine Richtung flog wie ein Wurfmesser. Es traf seinen Oberarm, allerdings nicht mit der Spitze, sondern mit dem Griff. Er gab es ihr lachend zurück, und sie entschuldigte sich wortreich.

Den Rest des Abends beachtete er sie bewusst nicht, sondern ließ sich von Agneta Meyerhoff beflirten, die schon zum dritten Mal erzählte, dass ihr Mann ja auf Montage sei und ihr zu Hause manchmal die Decke auf den Kopf fiele. Dabei sei sie früher so ein lebenslustiges Mädchen gewesen und hätte echt Hummeln im Hintern gehabt.

Sie ging zwischendurch zweimal raus, um draußen eine zu rauchen. Sie forderte ihn jedes Mal auf mitzukommen, und wenn er sich nicht täuschte, zwinkerte sie ihm dabei sogar zu. Aber es hätte auch sein können, dass nur ein Staubkörnchen in ihr linkes Auge geflogen war. Sie hielt sich bei aller Eindeutigkeit immer ein Hintertürchen offen.

Ich darf nicht mit Svenja Moers gesehen werden, wenn sie rausgeht, dachte er. Ich muss dann schon weg sein, und wenn sie ihr Rad sucht, komme ich zurück, um mich als Retter anzubieten. Die Polizei wird später versuchen, jeden ihrer letzten Schritte nachzuvollziehen. Natürlich werden sie alle Kursteilnehmer befragen, denn vermutlich waren wir die Letzten, die sie gesehen haben.

Er lächelte in sich hinein. Sie würden ihn als freundlichen Hippie beschreiben. Er freute sich jetzt schon darauf. Er machte hier auf Achtundsechziger, gab so eine rothaarige Mischung aus Rainer Langhans und Fritz Teufel.

Er spürte wieder dieses Kribbeln. Er war ganz im Flow. Dieses Gefühl war besser als alles, was er kannte. Das völlige Aufgehen in der augenblicklichen Tätigkeit.

Er roch intensiver als sonst. Er hörte das kleinste Geräusch im Raum. Ja, wenn er es wollte, konnte er hier in der Küche das Flüstern auf der Damentoilette glasklar wahrnehmen, als würde es keine Wände geben.

Wenn er so war, ging alles. Mühelos gelang selbst scheinbar Aussichtsloses. Wenn es so etwas wie Glückshormone gab, dann stieß sein Körper sie aus, wenn er im Flow war. Das Ganze war kein Rausch, sondern ein Zustand absoluter Klarheit, wobei er über alles die absolute Kontrolle hatte und allein schon deshalb keine Fehler machte, weil seine Sinne so wach und sensibel waren. Er bewegte sich ganz im Hier und Jetzt, war sich seiner selbst zu jeder Sekunde voll bewusst.

Er hatte Glück. Wenn er im Flow war, fügte sich alles wie zufällig zu seinen Gunsten, als würde eine höhere Macht die Dinge so leiten, dass nichts seine Pläne durchkreuzen konnte.

Svenja Moers und Agneta Meyerhoff standen nach dem Kurs noch zusammen draußen vor der Tür und schwätzten. Er verabschiedete sich mit einem kurzen Kopfnicken von beiden und reagierte auch nicht auf Agnetas lauten Satz: »Jetzt wäre ein kühles Glas Weißweinschorle genau das, was ich brauche.« Sie reckte sich dabei und gähnte, als sei sie müde und abenteuerlustig zugleich.

Svenja Moers ging ebenfalls nicht auf die Anspielung ein, vielleicht, weil sie genau wusste, dass Agneta Meyerhoff auf Männerfang war und kein Interesse an Frauen hatte, sondern sie höchstens als Konkurrentinnen empfand.

Als Agneta klar wurde, dass jetzt bestimmt auch der letzte Mann die VHS verlassen hatte, verlor sie das Interesse am Gespräch mit Svenja und ging mit dem Gedanken los, noch irgendwo ein Gläschen zu trinken.

Svenja suchte ihr Rad. Zunächst dachte sie, sie sei mal wieder zu schusselig gewesen und hätte vergessen, wo sie es abgestellt hatte. Erst vorige Woche hatte sie ihr Rad als gestohlen melden wollen und es dann bei einer Bäckerei wiedergefunden, wo sie es sonst noch nie abgestellt hatte. Sie war halt oft sehr in Gedanken.

Jedes Mal, wenn sie nach dem Frühstück das Haus verließ, fragte sie sich: Habe ich auch die Kaffeemaschine ausgeschaltet? Brannte die Kerze auf dem Tisch noch? Ist nach dem Eierkochen die Herdplatte noch an?

Wie oft war sie schon zurückgegangen, um es zu überprüfen? Immer war alles bestens geregelt gewesen. Sie tat es unbewusst und erinnerte sich dann einfach nicht mehr daran. Sie hatte garantiert auch ihr Fahrrad irgendwo sorgfältig abgeschlossen abgestellt. Aber wo?

Er sprach sie an. »Kann ich helfen?«

»Ich suche mein Rad.«

Er lachte verbindlich. »Trifft sich gut. Ich bin zurückgekommen, weil ich meine Brille vergessen habe.«

Sie zeigte auf sein Gesicht. »Aber die hast du doch auf.«

Er griff hin und lachte hell. »Oh! Mein alter Mathelehrer muss recht gehabt haben.«

»Warum?«

»Er hat gesagt, ich sei ein vergesslicher Trottel. Aus mir könne bestenfalls mal so etwas werden wie ein zerstreuter Professor, der morgens im Bademantel vor seine Studenten tritt und dafür im Abendanzug duschen geht.«

Das gefiel ihr. Wer solche Witze über sich machte, musste ein netter, harmloser Mensch sein.

Er half ihr, das Rad zu suchen. Es war aber nicht so leicht zu finden wie seine Brille, scherzte er und kratzte sich den dicken, wuscheligen Bart, als würde er darin ein verstecktes Tier suchen.

Nach einer Weile, als ihr klar wurde, dass ihr Fahrrad gestohlen worden war, wollte sie die Polizei rufen, aber er schlug ihr vor, sie nach Hause zu fahren und erst morgen Anzeige zu erstatten. Man könne so etwas heutzutage sogar schon im Internet erledigen, behauptete er.

Sie wusste, dass bei diesen Anzeigen sowieso nie etwas herauskam. Es verschwanden Dutzende Räder. Die Anzeigen verliefen im Sande.

Ihr waren schon drei Fahrräder gestohlen worden. Sie empfand es inzwischen im Grunde als Zeitverschwendung, so einen Diebstahl überhaupt zu melden. Es war nur wichtig, wenn man eine Versicherung hatte. Aber weil ihre Versicherung beim letzten Fahrradklau eine Ausrede gefunden hatte, warum sie nicht bezahlen musste, hatte sie sowieso keine mehr.

Sie beschwerte sich lauthals bei ihm darüber und stieg zu ihm ins Auto ein.

Er lenkte den Wagen vom Parkplatz. Das Radio sprang automatisch an. Es war auf Radio Ostfriesland eingestellt. Über ihnen im Gebäude war das Studio des nichtkommerziellen Senders. Weil sie sich nicht angeschnallt hatte, piepste es nervtötend, und ein rotes Licht blinkte auf.

»Ja, ja, ja, ich bin ja schon brav«, sagte sie, als müsse das Auto ihre Worte verstehen und klickte ihren Gurt ein.

Dann fragte sie ihn, ob er die Räume von Radio Ostfriesland schon mal besichtigt habe. Sie selbst kannte sogar einen der Redakteure.

Sie sah ihn an. Er antwortete nicht. Sein Gesicht hatte sich verändert. Er guckte plötzlich so verkniffen.

Seine Faust traf sie an der Schläfe. Sie wurde sofort ohnmächtig.

Er strich ihr mit der Schlaghand die Haare aus dem Gesicht und schob sie wieder so in den Sitz, dass jeder, der den Wagen vorbeifahren sah, nur ein harmloses Pärchen vermutete. Sie wirkte, als sei sie neben ihm eingenickt.

Im Distelkamp in Norden angekommen, ging Ann Kathrin barfuß auf die Terrasse. Sie trat ganz bewusst auf. Es gab eine Stelle im Garten, da lagen Kieselsteine. Sie setzte die Füße langsam darauf, um die glatten Steine unter den Sohlen zu spüren.

Weller nannte es »ihren Parcours«. Sie lief ihn gern ab, um nach einem aufregenden Tag wieder runterzukommen.

Der Teppich im Wohnzimmer. Die Fliesen. Der Terrassenboden. Das Kiesbett. Und dann der weiche, kurzgeschnittene Rasen. Am Ende des Parcours lagen Holzdielen, die bis zur Fasssauna führten.

In der Sauna war Platz für sechs Personen – im Sitzen. Aber sie hatten bisher nur zu zweit darin gelegen.

Sie erdete sich mit jedem Schritt. Hinter der Sauna lagen Blätter und Äste. Hier wohnte ein Igelpärchen, das zu gern Kater Willi das Katzenfutter wegfraß. Der Boden fühlte sich unter ihren Füßen ganz anders an als der Rasen. Feuchter, und trotzdem knackte es frisch.

Nein, in die Sauna wollte sie heute nicht. Nur irgendwie raus aus dem Kopf, wieder rein in ihren eigenen Körper. Über die Füße klappte das meist besonders gut. Für einen Spaziergang am Deich war sie schon zu müde.

Im Mondlicht kam sie Weller bedürftig vor und auf eine monströse Art einsam. Er wollte eigentlich einen neuen Kriminalroman lesen. Er hatte sich zwei gekauft und wusste noch nicht, welchem er den Vorzug geben sollte. *Schattenschwur* von Nané Lénard. Vorne im Buch stand, es sei denen gewidmet, die dafür Sorge tragen, dass Verbrechen nicht ungesühnt bleiben. Das hatte Weller gefallen. Und dann lag da noch der Roman *Mörderisches Monaco* von Jule Gölsdorf.

Aber jetzt entschied er sich, beide Bücher noch eine Weile warten zu lassen und schlug Ann Kathrin vor: »Du bist müde. Leg dich hin, ich massiere dir die Füße, und dabei kannst du dann einschlafen.«

Sie war sofort einverstanden, und sie versprachen sich gegenseitig, dabei keine Dienstgespräche zu führen. Stattdessen legten sie Ulrich Maskes »Thrill & Chill« auf. Die Klänge halfen beiden, aus dem Alltagsstress auszusteigen.

Weller setzte sich auf ein Kissen vors Bett. So konnte er ihre Füße in entspannter Körperhaltung massieren. Sie streckte sich aus, überließ ihm ihre Füße und stöhnte wohlig.

Es dauerte keine zehn Minuten und Wellers Fingerdruck auf ihren Fußsohlen ließ nach. Seine Massagebewegungen wurden langsamer. Schließlich nickte er ein.

Eine Weile schliefen beide so. Ann Kathrin ausgestreckt auf dem Bett, Weller halb sitzend, halb liegend, davor. Dann fing er an, leise zu schnarchen. Sie sagte seinen Namen. Er grunzte.

Um ihn nicht zu wecken, bettete sie seinen Kopf auf ein Kissen und deckte ihn zu. Er rollte sich vor dem Bett ein und grunzte erneut.

Ulrich Maskes Musik war schon längst verklungen, als Ann

Kathrin aus einem bösen Traum hochschreckte. Sie hatte Ubbo Heide und seine Frau gesehen. Beide völlig schockiert. Vor ihnen stand ein offener Karton. Darin ein abgeschlagener Kopf. Carola Heide griff sich ans Herz und japste nach Luft.

Ann Kathrin saß aufrecht im Bett. Sie tastete dahin, wo Weller normalerweise lag.

»Frank!«, rief sie. »Frank!«

Wie ein Gespenst erhob er sich vom Boden und wusste im ersten Moment in der Dunkelheit nicht so genau, ob er niedergeschlagen worden war oder einfach nur ein Nickerchen gemacht hatte. Er schüttelte sich und tastete nach dem Lichtschalter.

Die Schlafzimmerlampe zirkelte mit ihrem Licht das Bett ab wie eine Bühne, in deren Mitte Ann Kathrin zwischen Kissen saß.

»Ja? Was ist denn?«

Ann Kathrin platzte heraus: »Er wird Ubbo den zweiten Kopf auch schicken.«

»Verflucht, du hast recht«, sagte Weller mit trockenem Mund. Es kam ihm unangemessen vor, aber er hatte jetzt Lust auf einen doppelten Espresso.

Ann Kathrin trieb ihn zur Eile an: »Wir müssen das verhindern. Die Post nach Wangerooge muss vorher durchsucht werden. Noch so einen Tiefschlag verkraftet Ubbo nicht.«

»Und Carola erst recht nicht«, sagte Weller. »Aber wir brauchen für einen Eingriff in den Postverkehr einen richterlichen Beschluss. Es ist jetzt«, er sah auf die Uhr, »fünf Uhr elf. Bis zur ersten Fähre schaffen wir das nie. Besorg mal um die Zeit ein Formular …«

Ann Kathrin gab ihm recht. »Stimmt.« Sie wirkte entschlossen und kämmte sich mit den Fingern durch die Haare. »Wir können den beiden das nicht noch einmal zumuten, Frank. Wir fangen die Post einfach ab, bevor sie auf die Fähre kommt. Wir sortieren das Paket aus und …«

Er kam sich vertrottelt dabei vor, aber noch im Halbschlaf

murmelte er erneut: »Wir brauchen aber einen richterlichen Beschluss …«

»Das schaffen wir nicht mehr, Frank!«

»Okay, scheiß drauf«, sagte er, endlich richtig wach geworden. Sie nickte. »Manchmal muss man einfach tun, was man tun muss.«

Büscher hatte die halbe Nacht wach gelegen. Als er die Beförderung nach Ostfriesland mehr oder weniger gezwungenermaßen annehmen musste, hatte er keine Ahnung gehabt, wie schwierig es sein würde, hier eine Wohnung zu mieten. Viele Leute an der Küste hatten Eigentum. Besaßen Einfamilienhäuser und wohnten auch darin. Wenn dann noch Platz war, zum Beispiel im Dachgeschoss, vermieteten sie die Räume gern an Feriengäste.

»Warum«, hatte ihn eine Witwe gefragt, »soll ich für eine kleine Monatsmiete an schlechtgelaunte Hartz-IV-Empfänger vermieten, wenn ich das gleiche Geld pro Woche von Touristen bekommen kann, die gut drauf sind und mir zum Abschied auch noch Blumen schenken?«

So fand er am Ende eine liebevoll möblierte Ferienwohnung in Esens, die er für eine Übergangszeit beziehen konnte. Sie gehörte dem ostfriesischen Schriftsteller Manfred C. Schmidt. Die Ferienwohnung war natürlich voll eingerichtet, so dass Büscher außer seiner Kleidung praktisch nichts aus Bremerhaven mitnehmen konnte.

Erst durch diesen Umstand war ihm klargeworden, in welch unpersönlichem Sperrmüll er seit seiner Scheidung gelebt hatte. Er konnte sich leichter von allem trennen, als er gedacht hatte. So wurde Ostfriesland ein echter Neuanfang für ihn.

Weil er nicht mehr schlafen konnte und nervös den Aufgaben des beginnenden Tages entgegenfieberte, fuhr er zuerst ein bisschen in der Gegend herum, um sie besser kennenzulernen. Er stellte den Wagen ab und ging am Meer spazieren. Erlebte einen herrlichen Sonnenaufgang auf der Deichkrone.

Eigentlich, dachte er, ist jeder Tag, an dem man dieses Schauspiel der Natur verpasst, eine Sünde durch Unterlassung. Vielleicht sollte man so leben … Aufstehen, kurz bevor die Sonne aufgeht, um sie zu begrüßen, und ihr beim Untergehen zusehen und dann, danach, einfach schlafen gehen.

Musste man Rentner werden, um sich das leisten zu können? Er rechnete aus, wie viele Jahre er noch Verbrecher jagen musste, bis er endlich so weit war. Das Ergebnis deprimierte ihn kurz, aber dann entschloss er sich, die Zeit bis dahin durch so viele Sonnenauf- und -untergänge zu verkürzen wie nur irgend möglich.

Er wusste nicht einmal genau, wo er hier gerade war. Vor ihm, ja unter ihm, lag ein riesiges Feld mit Windkrafträdern, die wie gigantische Spargelstangen aus dem Boden ragten. Der Blick auf die aufgehende Sonne kam ihm hier am Deich vor wie eine seelische Tankstelle.

Mein Akku, dachte er, war fast leer. Dringend nötig, ihn aufzuladen.

Weller und Ann Kathrin fuhren vom Distelkamp bis Harlesiel knapp fünfzig Minuten mit dem C 4.

Es war alles viel leichter und unkomplizierter, als sie sich vorgestellt hatten. Die Post wurde auf die Fähre verladen, und da jeder inzwischen wusste, was für ein gruseliges Paket jemand auf Wangerooge erhalten hatte, war das Verständnis dafür, dass sich die Polizei die Postsendungen anschauen wollte, bei allen Menschen sehr ausgeprägt, zumal Weller und Ann Kathrin sich nicht für Briefe und Postkarten interessierten.

Aber es war kein Paket in verdächtiger Größe dabei und erst recht keines für Ubbo Heide. Trotzdem kam Weller und Ann Kathrin ihre morgendliche Aktion nicht sinnlos vor. Sie fühlten sich gut, als hätten sie das Richtige getan und Ubbo Heide beschützt.

Sie tranken noch einen Kaffee und sahen dabei der Fähre nach, die die Anlegestelle Richtung Wangerooge verließ.

»Damit stellt sich uns allerdings die Frage«, sagte Weller, »wo der fehlende Kopf zu dem Rumpf in Cuxhaven ist und wo, verdammt nochmal, der Rumpf ist, der zu dem Kopf in Wangerooge gehört?«

Offensichtlich fanden es einige Menschen witzig, die Polizei anzurufen und Funde von Leichenteilen zu melden. Rupert hatte heute Morgen schon den dritten Spaßvogel am Apparat.

»Ich habe vor dem Ulrichsgymnasium ein Stück vom Kopf unseres Direx gefunden.«

Da Rupert im Hintergrund Kichern hörte und die Stimme sehr jung und glucksig klang, war er gleich vorsichtig. »Ein Stück vom Kopf? Was denn? Nase? Ohren?«

»Nein, ein Brett.«

»Ein Brett?«

»Ja, das hatte er bisher immer vor dem Kopf.«

»Hör mal zu, du kleines Arschloch, du weißt schon, dass du die Ermittlungsarbeit der Mordkommission behinderst und dass ich jetzt deine Telefonnummer habe, deinen Namen und deine Adresse?«

»D … das ist … ich ruf doch gar nicht von meinem Handy aus an!«

Rupert freute sich. Er hatte einen Treffer gelandet, und der Gegner taumelte schon.

»Mittels modernster Technik werden alle Anrufe hier registriert, aufgezeichnet in Bild und Ton und sofort lokalisiert. Bleib jetzt stehen, wo du bist. Gleich werden zwei Kollegen kommen und dich mitnehmen.«

»Äh ... wie? Können Sie mich sehen?«

»Der verarscht dich doch, Christian. Leg einfach auf!«, rief eine pubertär klingende Mädchenstimme. Entweder hatte die Besitzerin eine Sommergrippe oder sie rauchte entschieden zu viel.

Rupert lachte: »Na klar, Christian, weißt du das denn nicht? Das ist die neueste für uns entwickelte Spyware. Guckst du denn nie CSI? Sobald du den Notruf oder eine Nummer der Kripo wählst, schaltet sich auf deinem Handy die Kamera ein. Das hilft uns enorm und rettet viele Menschenleben. Hat dir der Herr Ulrich das in deinem Gymnasium nicht beigebracht?«

»Nein, ich ... ähm ... Ach, das stimmt doch gar nicht!«

Rupert wurde grimmig und hart: »Wie blöd kann man eigentlich sein? Wenn du hinterher nicht alleine für die Sache geradestehen willst, dann tust du jetzt genau, was ich dir sage. Nimm das gottverdammte Handy und halte es so, dass ich nicht ständig nur dein dummes Gesicht sehe, sondern die anderen auch. Streck deinen Arm lang aus, filme die anderen und dreh dich dabei langsam um die eigene Achse, so dass ich alle einmal sehen kann.«

»Aber ich ...«

»Das ist eine polizeiliche Anordnung! Ich fordere dich jetzt letztmalig auf!«

»Ja ... ja ... ja, ist ja schon gut.«

»Ey, Christian, was machst du denn da? Spinnst du? Wehe, du filmst mich jetzt!«

Rupert hatte die Füße auf die Schreibtischkante gelegt und wischte sich die Lachtränen aus dem Gesicht, als Sylvia Hoppe den Raum betrat.

»Was ist denn so komisch?«, fragte sie und gab sich die Antwort gleich selbst. »Hat deine Frau dir endlich gesagt, dass es gar nicht auf die Länge ankommt?«

Ruperts gute Laune war sofort verflogen.

Ubbo Heide und seine Frau Carola hatten sich entschieden, Wangerooge zu verlassen. Sie hatten die Ferienwohnung eigentlich für mehr als drei Wochen reserviert, aber jetzt in der Hochsaison – bei diesem wunderbaren Wetter – ließ sie sich rasch weitervermieten. Ubbo hoffte, dass es sich nicht herumgesprochen hatte, in welcher Ferienwohnung an der Oberen Strandpromenade genau der abgeschlagene Kopf angeliefert worden war. Er befürchtete eine Art Gruseltourismus, während seine Frau eher davon ausging, dass die Wohnung mit dem wunderbaren Meerblick dann gar nicht mehr vermietet werden konnte.

Ubbo hatte eigentlich zwei Lesungen aus seinem Buch vor sich. Eine in Gelsenkirchen in der Stadtbibliothek und eine weitere, vierzehn Tage später, in Delmenhorst in der Markthalle. Beide Veranstaltungen waren seit Wochen ausverkauft, doch Ubbo haderte mit sich, ob er wirklich hinfahren sollte. Würde es überhaupt noch um sein Buch gehen oder nur noch um den Kopf? Konnte er Carola alleine lassen? Sie wirkte noch sehr wacklig auf ihn.

Eigentlich hatte seine Tochter Insa versprochen, ihn auf Wangerooge abzuholen und zu den Lesungen zu begleiten. Sie wollte ihn auch wieder zurück zur Insel bringen und dann noch ein paar Tage mit den Eltern genießen. Aber sie hatte sich noch nicht wieder gemeldet, und Ubbo vermutete, dass ihre Pläne sich geändert hatten. Er gönnte ihr, dass sie frisch verliebt irgendwo herumturtelte und nicht mitbekam, in was für einem Albtraum ihre Eltern steckten.

Allein konnte er solche Vortragsreisen nicht mehr schaffen.

Reisen war für ihn als Rollstuhlfahrer zu einem beschwerlichen Abenteuer geworden.

Er sprach nicht gerne darüber, aber er hatte Flugangst. Auf einem Schiff oder einer Fähre dagegen fühlte er sich wohl.

Sie nahmen die erste Fähre zurück zum Festland. Sie verließen die Insel an einem Sonnentag, der versprach, zauberhaft zu werden. Wolkenlos, mit einem leichten Nordwestwind, gerade stark genug, um die Schwüle zu vertreiben.

Ihr Auto stand in Harle auf dem Platz für Langzeitparker, nahe des Flugplatzes, in der Reihe 18, ganz hinten, dort, wo schon die Schafsweide begann. Das Autodach spiegelte die Sonne, und Carola dachte mit Schrecken daran, wie sehr der Wagen aufgeheizt sein musste. Sie konnte die Hitze nicht gut ab und hatte bei Autos immer besonderen Wert auf gut funktionierende Klimaanlagen gelegt. Das war für sie viel wichtiger als Aussehen oder PS.

Ubbo hätte am Eingang warten und sie den Wagen holen lassen können, aber er mochte solche Situationen nicht. Er kam sich dann unnütz vor. Da rumpelte er lieber mit dem Rollstuhl über die Wiese.

Der Wind trieb einen Geruch in ihre Richtung, als sei irgendwo in der Nähe ein Tier verendet. Je näher sie ihrem Auto kamen, desto durchdringender wurde der Geruch. Fliegen summten um den Kofferraum.

Ubbo ahnte sofort, was los war. Er hielt seine Frau fest. »Nicht einsteigen«, sagte er. »Ich rufe Ann Kathrin an.«

Carola wehrte sich gegen den Gedanken. »Das kann eine tote Ratte sein, die unterm Auto liegt«, behauptete sie, doch Ubbo bat sie eindringlich: »Bleib stehen, Carola. Du könntest Tatortspuren zerstören. Er muss ja hier über die Wiese gegangen sein.«

»Du meinst wirklich, jemand hat in unserem Auto …«

Ubbo wählte Ann Kathrins Nummer.

Sie sah seinen Namen auf dem Display und ging schon nach

dem ersten Seehundheulen ran. Sie begrüßte ihn betont freundlich, als müsse sie eine schlimme Vorahnung überspielen.

»Ich fürchte, Ann«, sagte Ubbo sachlich, »der Täter hat ein paar Leichenteile, die nicht mehr ins Paket passten, in meinem Auto abgelegt. So, wie es riecht, schon vor einiger Zeit.«

Carola registrierte, dass er *mein Auto* gesagt hatte. Sonst sprach er immer nur von *unserem Auto*. Wahrscheinlich war das sein letzter hilfloser Versuch, sie aus der Sache herauszuhalten.

Die heiße Luft über der Karosserie flimmerte vor ihren Augen. Sie hatte Mühe durchzuatmen. Sie konnte das Nummernschild nicht richtig erkennen. Es verschwamm wie auf einer zu lang belichteten Fotografie eines fahrenden Autos. Sie sah nur noch Schlieren der Rücklichter, als würde der Wagen sich rasch entfernen, doch ihr Verstand sagte ihr, dass dies unmöglich war, denn das Fahrzeug war hier eingeparkt und bewegte sich ganz sicher nicht ohne Fahrer vorwärts.

Ihr Hals war plötzlich trocken. Sie brauchte dringend Wasser. Hinten in der Rückenlehne von Ubbos Rollstuhl steckte immer eine Flasche Mineralwasser. Aber sie schaffte es nicht, sie auszupacken.

Ihr wurde schwindlig. Sie spürte, dass sie nicht mehr lange würde stehen können. Sie setzte sich neben dem Rollstuhl ihres Mannes ins Gras. Nicht weit von ihnen umflatterten drei weiße Schmetterlinge eine achtlos weggeworfene Eiscremetüte, an deren Rändern noch Schokolade klebte.

Svenja Moers gab die Hoffnung auf, sich in einem Albtraum zu befinden. Jede Chance, geweckt zu werden und zu Hause vor dem Fernseher eingeschlafen zu sein, war explodiert, als sie die Gitterstäbe berührt hatte.

Sie schlug dagegen, und die glänzenden Stangen gaben einen spöttischen Ton von sich.

Am Ende ihrer letzten Ehe hatte sie manchmal das Gefühl gehabt, in einem Gefängnis zu sitzen und gegenüber einer Freundin sogar von einem goldenen Käfig gesprochen, in der bräsige Langeweile ihr die Luft unter den Flügeln entzog und sie vergessen ließ, dass sie einmal Flügel gehabt hatte.

Nun wusste sie, was ein wirkliches Gefängnis war. Es ging nicht um erstickende Spießigkeit, sondern um nackte Panik. Das hier war genau das Gegenteil ihrer letzten Ehe. Da hatte sie dienstags schon genau sagen können, was am nächsten Montag um achtzehn Uhr geschehen würde, weil die Tage alle gleich waren und nicht einmal der Wechsel der Jahreszeiten sie wirklich beeinflusste.

Jetzt wusste sie nicht, was in der nächsten Sekunde geschehen würde. Statt Langeweile Todesangst!

Sie berührte die Gegenstände, als müsse sie sich vergewissern, dass sie echt waren, keine Attrappen. Wände und Fußboden waren weiß gekachelt wie ein altmodisches Hallenbad oder ein Schlachthaus.

Eine Personenwaage stand auf dem Boden, die gleiche Marke, die sie zu Hause im Badezimmer stehen hatte. Sie fühlte sich dadurch geradezu verspottet. Was sollte diese Waage? Normalität signalisieren?

Neben ihrer Zelle war eine zweite, etwas kleiner und nur durch Gitterstäbe von ihr getrennt. Sie sah noch ungemütlicher aus. Darin gab es kein Bett, zwar eine Toilette, aber ohne Deckel. Ein Wasserhahn ragte aus der Wand. Daran hing ein Stück Schlauch. Ein Waschbecken gab es nicht.

Sie überlegte, ob das da nebenan die Zelle für den verschärften Strafvollzug war. Würde er sie dorthin schicken? Musste sie dort auf dem Boden schlafen? War diese Zelle hier, mit dem Bett und dem Waschbecken, ein Privileg, das ihr jederzeit entzogen werden konnte?

Sie hatte nach dem Tod ihres zweiten Ehemannes sogar eine kurze Zeit in U-Haft verbracht. *Kurze Zeit* hatte die Presse diese Ewigkeit genannt. Ihr Versager von einem Anwalt hatte fünf Tage gebraucht, um sie herauszupauken. Sie hasste ihn immer noch dafür.

Jetzt wäre sie froh gewesen, einen Anwalt zu haben. Selbst den verblödeten Leeraner Winkeladvokaten hätte sie genommen.

Sie versuchte, ihre Panik und ihre Atemnot unter Kontrolle zu bekommen. Sie umklammerte die Gitterstäbe und rüttelte daran. Ihre Hände hinterließen auf dem blank gewienerten Metall Fettspuren.

Sie schrie: »Verdammte Scheiße, wo bin ich hier? Ich will hier raus!«

Schimpfwörter taten jetzt gut. Schimpfwörter machten sie innerlich stark in der Auflehnung gegen diese unerträgliche Situation. Sie wollte jetzt die schlimmsten, übelsten Schimpfwörter herausbrüllen, die sie nur kannte. Vielleicht schüchterte das den Trottel ein, der glaubte, das hier mit ihr machen zu können. Auf keinen Fall wollte sie ihm als verweintes, jammerndes Weibchen gegenübertreten. Aber so sehr sie sich auch anstrengte, in ihrem Kopf war der Speicher für Schimpfwörter gähnend leer.

Der Gedanke, keine Schimpfwörter mehr zu haben, ernüchterte sie. Was war mit ihr geschehen? Hatten nicht gleich zwei Ehemänner ihre Wutausbrüche gefürchtet? Ihre ordinäre Art, sie niederzubrüllen? Wo war diese Fähigkeit hin?

Der Chefredakteur des Ostfriesland-Magazins, Holger Bloem, wunderte sich über den Besuch. Er hatte Joachim Faust vor zehn, vielleicht fünfzehn Jahren zum letzten Mal kurz gesprochen. Seitdem hatte er ihn immer wieder in Illustrierten abgebildet gesehen, für die Faust aufsehenerregende Reportagen schrieb.

Die Fotos waren offensichtlich mit einem recht guten Bildbearbeitungsprogramm mehr schmeichelhaft als realistisch gemacht worden. Auch in diversen Talkshows, in denen Faust mal als Gast, dann wieder als Moderator saß, hatten die Maskenbildnerinnen ganze Arbeit geleistet. Er hatte auf dem Bildschirm immer jung, sportlich und dynamisch ausgesehen.

Jetzt wirkte er auf Holger Bloem eher aufgedunsen, rasch gealtert und kränklich. Seine Haut hatte die ungesunde, stumpfe Farbe starker Raucher, die ihr Leben in klimatisierten Büros mit Kantinen verbracht hatten, in denen täglich Pizza mit doppelt Käse angeboten wurde.

Er trug einen Sommeranzug aus hellblauem Leinen und ein bis zum dritten Knopf offenes, blütenweißes Hemd. Sein faltiger, sonnenbankgebräunter Hals wurde von einer schweren Goldkette umrahmt. Die nackten Füße steckten in gelben Lederschuhen.

Joachim Faust war zweifellos ein berühmter Mann, aber er hatte den Geschmack eines alternden Provinzzuhälters.

Holger Bloem und Joachim Faust hatten sich auf der Journalistenschule kennengelernt, und Holger hatte ihm schon damals nicht getraut, sondern ihn als eitlen Gockel erlebt, der sein Fähnchen nach dem Wind hängte und dessen klare Ziele im Leben darin bestanden, so viele Frauen wie möglich flachzulegen und dabei jede Menge Geld zu verdienen.

Ruhm und diverse Skandale schienen ihm der geeignete Weg dorthin zu sein, und bis jetzt hatte das Ganze ja auch hervorragend geklappt.

Er begrüßte Holger mit lang ausgestrecktem Arm und schüttelte seine Hand mit betont festem Griff. Holger Bloem konnte sich wohl vorstellen, dass Faust nicht gekommen war, um sich als freier Mitarbeiter beim Ostfriesland-Magazin zu bewerben. Sie tauschten kurz ein paar Nettigkeiten aus und verließen dann die Redaktion, um im Café ten Cate einen Kaffee zu trinken und miteinander zu reden.

Das schöne Wetter lockte viele Menschen in die Osterstraße. Draußen vor dem Café waren alle Tische und Stühle besetzt, auch gegenüber in der Eisdiele war nichts mehr für sie frei. Aber sie wollten ja auch ein ruhiges Plätzchen ohne Mithörer.

Ganz selbstverständlich ging Faust in den Raucherraum des Cafés und steckte sich gleich eine lange französische Zigarette an. Durch die Flamme des goldenen Feuerzeugs beobachtete er Holger.

»Immer noch Sportler und Nichtraucher?«

Holger Bloem nickte. Faust lachte: »Räucherfisch hält sich länger!«, und pustete den Qualm auf die runde Tischplatte, von wo er ungehindert in Holgers Gesicht aufstieg.

Sie bestellten Wasser, Kaffee und Baumkuchen bei einer Auszubildenden, die ganz aufgeregt war, weil sie heute zum ersten Mal Bestellungen entgegennehmen durfte.

»Gehören Sie auch zu der Stadtführung?«, fragte sie schüchtern.

Holger Bloem schüttelte bedauernd den Kopf und winkte durch die Glastür Monika Tapper zu, die im Nichtraucherbereich einem Gast ein Schnitzel brachte.

Die Auszubildende lächelte. »Es gibt in Norden doch jetzt immer Krimi-Stadtführungen, und die kommen heute zu uns.«

Die Auszubildende verschwand nach hinten.

Faust rückte mit seinem Anliegen heraus. »Erzähl mir etwas über den neuen Fall von Kommissarin Klaasen.«

»Über den abgehackten Kopf?«

»Ja. Oder gibt es noch einen anderen Fall, den sie bearbeitet?«

Holger fühlte sich gleich unwohl. Er rutschte auf dem Stuhl hin und her. Worauf lief das Ganze hinaus?

»Da weiß ich jetzt nicht mehr als du. Es hat bisher noch keine offizielle Pressekonferenz gegeben.«

Faust lächelte süffisant. »Es geht nicht um den Fall, Holger. Es geht um Ann Kathrin Klaasen. Und niemand weiß mehr über die Kommissarin als du.«

»Wie darf ich das verstehen?«

»Tu nicht so. Du hast sie hochgeschrieben, hast aus ihr eine Ikone gemacht. Niemand symbolisiert in Deutschland all das, was wir an berufstätigen Frauen so sehr lieben, wie Ann Kathrin Klaasen. Jede Tatort-Schauspielerin versucht, ihr nachzueifern und beruft sich auf sie. Junge Frauen bewerben sich bei der Kripo, um so zu werden wie sie. Und daran hast du einen beträchtlichen Anteil, mein Freund.«

»Worauf willst du hinaus?«, fragte Holger.

»Es gibt«, erklärte Joachim Faust weltmännisch, »in Deutschland ein simples journalistisches Prinzip: Man kann nur jemanden einbrechen lassen, den man vorher aufgebaut hat. Je höher jemand aufsteigt, umso tiefer kann er fallen.«

»Und?!«

»Die Menschen wollen sie fallen sehen, Holger. Machen wir uns doch nichts vor: Wen interessiert denn der nächste gelöste Fall von Ann Kathrin Klaasen ... gähn ... Das alles kennen wir. Was wir brauchen, ist eine Ann Kathrin Klaasen, über die wir uns aufregen können, eine, die uns alle enttäuscht hat und dadurch erst wieder zu einer von uns wird – sprich, liebenswert.«

Holger Bloem sah Faust ungläubig an. »Ist das dein Ernst?«

»Ich bin auf der Suche nach dem gefallenen Engel. Das Denkmal muss vom Sockel gestürzt werden.«

»Warum?«

»Weil das die Geschichten sind, die die Menschen lieben. So fühlen sie sich selbst nicht mehr so mickrig und klein. Stars können wir nur bewundern, gefallene Stars tun uns gut. Der Kardinal, der kleine Jungs missbraucht, ist wichtig für die Menschheit! Er gibt jedem einzelnen Sünder von uns die Möglichkeit, sich selbst zu verzeihen, weil andere, ach so heilige Personen ja noch viel größere Sünder sind als wir.

Der Popstar, der, reich und berühmt, seinen Unterhalt nicht zahlt und nicht mal die Vaterschaft anerkennt, entlastet damit jeden Papa, der abends immer mit dem Gefühl schlafen geht, kein guter Vater zu sein und zu wenig Zeit mit den Kindern verbracht zu haben.«

Monika Tapper brachte die Bestellungen an den Tisch, begrüßte Holger Bloem sehr freundlich und sprach ihn mit seinem Namen an. Damit versetzte sie Faust ungewollt einen Stich, denn er war es gewöhnt, sofort erkannt und begrüßt zu werden.

Hier in Norden war Bloem der Star. Nicht er. Das tat ihm weh. Zu gern hätte er Holger demonstriert, wie berühmt und beliebt er doch war. Aber er hatte längst kapiert, dass in Ostfriesland die Uhren anders tickten als im Rest der Welt. Kaum jemand las hier die großen Illustrierten, für die er schrieb. Ihnen war das OMA – wie sie das Ostfriesland-Magazin liebevoll nannten – wichtiger.

Und wenn meine Talkshow läuft, dann sitzen die abends im Garten und grillen Würstchen, dachte er grimmig. Sonst würden sie mich doch hier auf der Straße erkennen. In München und Berlin klappt das doch immer …

Auch das brachte Faust gegen die ganze Sippschaft hier auf. Mochten ihr Kaffee und ihr Tee noch so gut schmecken, und ihren Baumkuchen konnten sie sich in die Haare schmieren. Er würde ihn jedenfalls nicht essen.

Holger Bloem schaute glücklich, als er hineinbiss. Monika Tapper, die sehr sensibel auf Stimmungsschwankungen reagierte, hatte längst bemerkt, dass die Luft an diesem Tisch zum Schneiden dick war. Sie verabschiedete sich mit einem: »Wenn ihr noch etwas braucht … Ich bin nebenan. Heute ist übrigens hier der letzte Tag mit Raucherraum. Ab morgen sind wir ein Nichtrauchercafé.«

Auch diese Aussage sah Faust als gegen sich gerichtet an. Er versuchte, nach außen hin gelassen zu bleiben.

Holger Bloem brachte das Gespräch auf den Punkt: »Und ich soll dir also Ann Kathrin Klaasen liefern?«

Faust strahlte ihn an. »Treffer, versenkt, du Schnellmerker! Es soll dein Schaden nicht sein. Ich lade dich in meine Talkshow ein, und dann berichtest du aus deiner Sicht, wie enttäuscht du von ihr bist und bla, bla, bla, bla ...«

Holger hatte Mühe, ruhig auf dem Stuhl sitzen zu bleiben, zeigte das aber nicht. Faust war es gewöhnt, dass Menschen für einen Auftritt in seiner Talkshow bereit waren, ihm ihre Schwiegermutter zu verkaufen. Sie boten ihm dafür Geld, ihre Freundschaft und natürlich jede Menge geheimer Informationen. Er hatte gleich geahnt, dass bei Holger Bloem alles viel schwieriger werden würde.

Holger sah ihn jetzt einfach nur an. Faust machte eine raumgreifende Geste: »Zehntausend in bar sind sofort drin, wenn du etwas Interessantes zu bieten hast. Kannst du an ihre Personalakte kommen? Die soll ja voller Merkwürdigkeiten sein ...«

Holger Bloem reagierte nicht.

Faust fuhr fort: »Im neuen Fall wird sie scheitern. So oder so. Es muss einfach sein! Man findet immer etwas. Vielleicht ist sie zu lasch oder zu scharf. Zu langsam, oder sie reagiert überhastet ... Wir nehmen sie in die Zange, verstehst du? Jetzt wird ihr aus den Blättern mal der Wind entgegenpusten, statt dass ihr immer nur das Haar geföhnt wird. Ich will sie ungeschminkt. Verzweifelt. Überfordert. Am besten in den Armen eines Lovers – überhaupt, wenn ich sie mir so anschaue ... ist sie nicht eine heimliche Lesbe? Hat sie sich hochgeschlafen? So was kommt immer gut! Und wer schläft mit wem warum bei der ostfriesischen Kripo?«

Faust hob seine Tasse wie ein Sektglas, mit dem er anstoßen wollte. Das sollte wohl eine Herausforderung an Holger Bloem sein, er sei nun dran.

Holger Bloem strich sich einmal kurz über den gut ausrasierten Bart. Er erinnerte sich daran, dass es schon damals auf der Journalistenschule eine Situation gegeben hatte, bei der er sich gefragt hatte: Warum haue ich dem nicht einfach eine rein?

Er hatte sich beherrscht und es nicht getan, weil er ein Gentleman war. Ein Mann des Wortes, nicht der Gewalt. Aber er fragte sich, ob nicht vielleicht jetzt, nach all den Jahren, der Zeitpunkt reif war …

Statt zuzuschlagen biß er noch einmal in den wundervollen Baumkuchen und sagte dann: »Das trifft sich ja gut.«

Faust lehnte sich entspannt zurück. Er hatte gar nicht damit gerechnet, Bloem so schnell für seine Pläne gewinnen zu können. Er hatte gedacht, dass er sich länger zieren würde, um den Preis in die Höhe zu treiben.

Holger Bloem winkte ihn zu sich. Sie steckten die Köpfe überm Tisch zusammen, und Holger flüsterte geheimnisvoll: »Ich suche schon seit geraumer Zeit eine große, emotionale Geschichte. Wer träumt nicht davon, jemanden über die Klinge springen zu lassen, der von der Öffentlichkeit geliebt, von den Medien hofiert und bisher vom Schicksal verwöhnt wurde.«

Faust freute sich. »Eben. Das ist doch auch ungerecht.«

Holger Bloem stimmte ihm zu. »Genau. Und es wäre doch auch klasse, wenn es sich dabei um so ein richtiges Charakterschwein handeln würde … zum Beispiel um so einen Kotzbrocken wie dich!«

Faust bekam den Mund nicht mehr zu.

Holger Bloem stand auf und ging zur Tür.

»Ist das alles, was du zu sagen hast, Holger? Ist das echt dein letztes Wort?«

Holger Bloem blieb an der Glastür stehen. Die Gruppe mit der Stadtführerin, die den Krimirundgang machte, trat jetzt ins Café.

»Nein, Joachim, eins noch.«

Faust riss die Augen demonstrativ auf und war ganz Ohr.

»Verzieh dich!«

Diese Zelle kam ihr größer, moderner, ja, in gewisser Weise freundlicher vor als die U-Haft-Zelle damals. Diese hier war so neu, als hätte ein Designer eine Musterzelle für Häftlinge entworfen. Sie war überhaupt nicht schäbig und verschrammelt wie die in Aurich. Gleichzeitig aber auch auf eine einschüchternde Art endgültig, während die Zelle in Aurich suggerierte, eine Übergangsstation zu sein. Hier schien jeder Quadratzentimeter zu sagen: Du kommst hier nicht wieder raus. Finde dich damit ab. Du wirst den Rest deines verpfuschten Lebens in diesem gekachelten Raum verbringen, Svenja Moers.

Die rotweißen Absperrbänder der Polizei knatterten im Wind. Ein Dutzend Schafe, darunter ein schwarzes, hatte sich versammelt und verfolgte die Arbeit der Kriminaltechniker. Jens Warfsmann kniete im weißen Schutzanzug im Gras und suchte es nach Spuren ab. Von weitem sah es aus, als ob er zur Schafherde gehören würde und sich nur auf die andere Seite des Zauns verirrt hätte.

Unter seiner weißen Kopfbedeckung schwitzte er übermäßig. Er hatte einen Kater vom Abkränzen letzte Nacht bei seinem neuen Nachbarn und schwor sich, nie wieder Doornkaat zu trinken.

Jens hatte im Gras ein benutztes Präservativ gefunden und ließ es in eine Plastiktüte gleiten. Er konnte sich zwar kaum vorstellen, dass es vom Täter stammte, aber es war seine Aufgabe, mögliche Beweisstücke zu sichern, nicht, sie – im Rahmen des Falles – zu bewerten. Er hatte auch schon drei Zigarettenkippen aufgesammelt, zwei mit Filter von verschiedenen Herstellern und einen filterlosen, selbstgedrehten Zigarettenstummel, der für ihn verdächtig danach roch, als sei hier nicht nur Tabak drin, sondern auch Haschisch.

Jens hatte früher selbst gerne einen durchgezogen und erst aufgehört, nachdem er Vater zweier Söhne geworden und über den zweiten Bildungsweg bei der Kriminalpolizei gelandet war.

Er hörte hinter sich Ann Kathrin Klaasen und Frank Weller mit Ubbo Heide sprechen. Die ganze Zeit hatte er versucht, den Mann im Rollstuhl nach Hause zu schicken, aber ehemalige Chefs konnten verdammt anstrengend und beratungsresistent sein.

»Das Ganze muss aufhören, Ann. Carola hält das nicht mehr aus. Sie ist zusammengeklappt. So hatten wir beide uns den Ruhestand nicht vorgestellt.«

Weller verteilte Wasserflaschen und forderte Ann Kathrin und Ubbo auf, einen kräftigen Schluck zu nehmen. Weller kam sich vor, als müsse er für die zwei sorgen, weil sie sich selbst und ihre Körper völlig vergaßen über der Aufgabe, die es zu lösen galt.

»Der Kofferraum ist unbeschädigt, Ubbo. Jemand hat ihn geöffnet und wieder verschlossen, ohne einen einzigen Kratzer am Schloss zu hinterlassen. Dafür gibt es nur eine Erklärung«, sagte Ann Kathrin.

Die kannten sie alle drei.

Ubbo trank einen Schluck Wasser aus der Plastikflasche und grummelte: »Wir haben zwei Automatikschlüssel gehabt. Ein Klick, und die Türen öffnen und schließen sich. Außerdem legt der Wagen jedes Mal die Ohren an.« Er nahm noch einen Schluck aus der Flasche. Sie knisterte dabei. Er fuhr fort, als müsse er den Vorgang erklären: »Also, die Seitenspiegel klappen ein. Genauso haben wir den Wagen vorgefunden. Der Täter muss also erstens gewusst haben, dass wir hier parken, und zweitens hatte er einen Schlüssel für unser Auto.«

»Die kann man nicht so einfach nachmachen lassen«, warf Weller ein.

Ubbo Heide nickte. »Wir haben einen verloren, oder besser, wir dachten, wir hätten ihn verloren.«

»Wann? Wo?«, wollte Ann Kathrin wissen.

Ubbo winkte ab. »Keine Ahnung. Es war mein Schlüssel, und ich fahre doch sowieso nicht mehr. Carola hat ihren ja noch.«

»Wie geht es ihr jetzt? Wo ist sie?«, fragte Ann Kathrin.

Ubbo drückte sich im Rollstuhl hoch und suchte eine bequemere Sitzposition. »Die Kollegen haben sie nach Hause gefahren. Ich wollte hier auf euch warten.«

»Das ist auch gut so, Ubbo. Aber du leitest die Ermittlungen nicht, sondern ich ...«, stellte Ann Kathrin klar.

»Eigentlich leitet sie der Staatsanwalt«, belehrte Ubbo sie. »Wo ist die taube Nuss eigentlich?«

Ann Kathrin wurde streng. »Denk nach, Ubbo. Der Schlüssel ist wichtig. Wer kann ihn wann wo entwendet haben? Wann hast du ihn zum letzten Mal gesehen?«

Nachdenklich sagte er: »Ich glaube, im Reichshof. Wir haben dort gegessen. Ich war aus dem Krankenhaus raus und begann mich damit abzufinden, dass sich mein Leben von Grund auf ändern wird. Rein symbolisch habe ich den Schlüssel auf den Tisch geknallt und gesagt: Ab jetzt fährst du uns immer von einer Feier nach Hause, Carola. Nicht nur, wenn ich einen trinken will!«

Er blickte zu Ann Kathrin hoch gegen die Sonne. Sie stellte sich anders hin.

»Das sollte ein Scherz sein«, erklärte er, »aber mir war gar nicht zum Lachen zumute. Kennt ihr das? Man könnte heulen und macht stattdessen doch Witze?«

Ann Kathrin sah es Ubbo genau an. Er ging in Gedanken längst die Gäste durch, die an dem Abend ebenfalls im Reichshof gewesen waren. Früher hatte er eine Art fotografisches Personengedächtnis gehabt, aber das war lange her.

Jetzt versuchte er, sich zu erinnern, wer am Nachbartisch gesessen hatte. Wer in der Nähe der Garderobe. Wer hatte ihn begrüßt oder verschämt weggeguckt?

Sie hoffte schon, er würde gleich mit einem Namen herausplatzen, da schlug Weller vor, aus der Mittagssonne zu gehen, weil sie so erbarmungslos vom Himmel prügelte und es hier kein schattiges Plätzchen gab.

Als hätte Weller gar nichts gesagt, fuhr Ubbo Heide fort: »Ich glaube aber nicht, dass mir der Schlüssel schon im Reichshof geklaut wurde ... obwohl, wenn ich mir vorstelle, dass der Mörder vielleicht dort, zwei Tische weiter, saß und in Ruhe ein Filetsteak aß ...«

»Hast du den Schlüssel später noch einmal benutzt?«, fragte Ann Kathrin. Bevor Ubbo antworten konnte, mahnte Weller: »Wir sollten aus der Sonne, Leute.«

Jens Warfsmann stöhnte: »Wenn ihr wüsstet, wie gerne ich mitkäme. Dieser Scheiß-Schutzanzug bringt mich noch um.«

Weller wollte den Rollstuhl schieben, aber Ubbo bestand darauf, selbst zu fahren. Weller und Ann Kathrin hatten Mühe, mit ihm mitzuhalten, so schnell düste er über die holprige Wiese. Dabei fuhr er mehrfach durch hohe Maulwurfshügel statt ihnen auszuweichen. Sein Rollstuhl wackelte bedenklich.

Weller überlegte: »Du fährst doch oft und gern nach Wangerooge, Ubbo ...«

»Ja. Erholung ist eine Insel. Meine heißt Wangerooge.«

Weller fragte: »Hast du dein Auto vielleicht mal im Außenhafen geparkt?«

Ubbo Heide bremste seinen Rollstuhl, und Weller knallte dagegen. »Was soll die Frage?«

»Na, da muss man doch seinen Autoschlüssel abgeben, damit der Wagen, falls es eine Sturmflut gibt, weggefahren werden kann.«

»Und du meinst«, ergänzte Ann Kathrin, »da hat jemand die Chance genutzt und den Schlüssel kopiert? Wir können rasch überprüfen, ob mal ein Einbruch gemeldet wurde. Ich kann mich nicht daran erinnern, dass da jemals etwas vorgefallen wäre ...«

Ubbo wischte die Gedanken weg. »Ich habe nie im Außenhafenbereich geparkt. Immer nur nahe am Flugplatz. Und das, obwohl ich es hasse zu fliegen.« Ungebremst setzte er hinzu: »Ich weiß, was ihr denkt. Der Täter kennt mich.«

Ann Kathrin gab ihm recht. »Ja. Er weiß, wo und wann du Urlaub machst und wo du dein Auto parkst.«

Ubbo Heide relativierte das: »Alle, die nach Wangerooge wollen, parken hier.«

»Aber er hat deinen Autoschlüssel«, insistierte Ann Kathrin. Ubbo stoppte und schrie sie an: »Ja, verdammt noch mal! Er will mir Angst machen!«

»Nein, Ubbo, das glaube ich nicht. Er verehrt dich! Er schickt dir ein schön verpacktes Paket wie ein Geburtstagsgeschenk in deine Ferienwohnung.«

Ubbo verschränkte trotzig die Arme vor der Brust. »Ich hatte aber keinen Geburtstag.«

Weller sah seine Frau neugierig an. Er fragte sich, worauf sie hinauswollte.

Sie fuhr fort: »Und er deponiert einen zweiten Kopf gut verpackt in deinem Kofferraum, ohne den Wagen im Geringsten zu beschädigen. Und dann hat er ihn wieder verschlossen. Finde dich damit ab, Ubbo. Er mag dich.«

Ann Kathrins Provokation saß.

Ubbo bäumte sich im Rollstuhl auf: »Du meinst, das alles ist so eine Art Liebesbeweis? Na, herzlichen Dank! Darauf kann ich aber gerne verzichten. Meine Frau hatte einen Nervenzusammenbruch, und der Wagen ist voller Maden.« Er zeigte auf sein Fahrzeug hinten am Ende der Parkreihe. »Die Kiste kannst du doch jetzt vergessen. Wer will die denn noch fahren?«

»Er hat zuerst den einen Kopf hier im Kofferraum deponiert und dann den anderen per Post geschickt. Warum? Er hätte doch gleich beide Köpfe hier ins Auto legen können, das wäre risikolos für ihn gewesen.«

»Wie lange«, fragte Weller, »wolltet ihr auf der Insel bleiben?«

»Drei Wochen«, sagte Ubbo Heide.

»Das war dem Täter offensichtlich zu lange. Er wollte, dass du vorher abbrichst. Aber warum?«, rätselte Weller.

Sie bewegten sich weiter an den Autoschlangen vorbei in Richtung Kasse und Ausgang. Eine Touristengruppe diskutierte die Ereignisse. Eine junge Frau wollte nur noch zurück ins Sauerland. Sie hatte an den Waden und in den Kniekehlen einen schrecklichen Sonnenbrand.

»Ich wäre sowieso nicht die ganze Zeit geblieben. Ich habe doch noch zwei Lesungen in Gelsenkirchen und Delmenhorst.«

»Wie wärst du denn da hingekommen? Hätte Carola dich gefahren?«, fragte Ann Kathrin.

»Nein«, sagte Ubbo, »Insa wollte mich holen und begleiten. Carola wäre auf Wangerooge geblieben ...«

Ann Kathrin sprach mehr zu sich selbst. »Du hättest den Wagen also hier gar nicht benutzt ...«

»Nein.«

»Vermutlich«, mutmaßte sie, »wusste der Täter auch das. Er wollte nicht, dass der eine Kopf drei Wochen lang im Kofferraum herumliegt. Darum hat er dir den zweiten in die Ferienwohnung geschickt. Er konnte es kaum abwarten, dass das Spiel endlich losgeht.«

Weller suchte, während er redete, Blickkontakt zu Ann Kathrin, denn was er jetzt vorschlug, war nicht mit ihr abgesprochen: »Du solltest diese Lesungen unbedingt machen, Ubbo.«

»Warum?«

»Weil ich wette, dass der Typ dort aufkreuzt.«

Ann Kathrin stimmte ihm zu. »Ja, da hat Frank vermutlich recht.«

»Und jetzt bringt ihr mich in die Gerichtsmedizin, damit ich mir die Köpfe in Ruhe ansehen kann«, forderte Ubbo Heide.

»Du glaubst, du kannst sie identifizieren?«, fragte Weller. Er war sich nicht sicher, ob er das Ganze für eine gute Idee hielt. Ubbo sah schlecht aus.

Ubbo blickte Frank tadelnd an. »Irgendetwas muss es mit mir zu tun haben. Wenn ich es nicht kann, wer dann?«

»Der eine Kopf ist inzwischen in Oldenburg in der Pathologie und der andere unterwegs dorthin«, stellte Ann Kathrin fest.

»Dann fahren wir jetzt nach Oldenburg«, sagte Ubbo in einem Ton, als sei er immer noch der ostfriesische Kripochef. Freundlich, aber bestimmt.

Ann Kathrin und Weller fühlten sich beide nicht wohl bei dem Gedanken.

Ann Kathrin fragte: »Wäre es nicht besser, wenn du jetzt zu Hause bei Carola wärst? Sie macht sich bestimmt Sorgen und braucht dich. Wir könnten später mit Fotos zu dir kommen, und du kannst sie dir dann ganz in Ruhe ansehen und …«

Ubbo Heide seufzte. »Dir muss ich es doch wohl nicht erklären. Fotos liefern bei Leichen meist nur ein schlechtes Abbild der Wirklichkeit. Nein, das muss ich mir schon in echt anschauen.«

Später im Auto, auf dem Weg nach Oldenburg in die Taubenstraße, sagte Ubbo Heide: »So war das oft. Manchmal hat es mich richtig zerrissen. Ein kleiner Teil von mir hatte das Gefühl, ich solle bei Carola und meiner kleinen Tochter sein. Und ein anderer, meist stärkerer Teil, riet mir, das auf später zu verschieben und mich lieber durch Akten zu fressen oder noch eine Vernehmung durchzuführen.«

Ann Kathrin fuhr. Die Scheibe klebte voller toter Insekten. Sie hielten die Fenster geschlossen, und die Klimaanlage lief auf Hochtouren. Ann Kathrin fühlte sich verstanden durch Ubbos Worte. Sie gab ihm recht. »Wie oft hat mein Sohn die Erfahrung machen müssen, dass irgendwelche Verbrecher oder Mörder für seine Mutter wichtiger waren als er. Ich hasse mich noch heute dafür, wenn ich daran denke, dass ich seine erste große Geburtstagsfeier verpasst habe, weil ich hinter so einem Schwein von …«

Sie stockte und sprach nicht weiter. Weller legte eine Hand in ihren Nacken und streichelte sie. »Mir ging es mit meinen Töchtern nicht anders. Das bringt der Beruf eben so mit sich.«

»Irgendwann«, sagte Ubbo Heide von hinten, »gewöhnt man sich daran.«

Ann Kathrin widersprach: »Nein, man gewöhnt sich nicht daran, Ubbo. Man findet sich höchstens in einem langen, schmerzlichen Prozess damit ab.«

Es war stickig in der Zelle. Svenja Moers hatte Mühe, Luft zu bekommen. Ein glänzender Schweißfilm bedeckte ihr Gesicht. An ihrem Hals rannen Tropfen herunter wie schleimige Tiere, die aus ihren Poren krochen. Ihre Kleidung klebte am Körper. Hatte er die Klimaanlage absichtlich so eingestellt, dass ihr Gefängnis sich aufheizte? Oder spielte nur ihr Körper verrückt? Hatte sie eine Art Angstfieber ergriffen?

Sie spürte durchaus den Impuls, sich der feuchten Kleidung zu entledigen. Aber vielleicht wollte er das nur.

Wie viele Kameras beobachteten sie hier? Wurde das Ganze irgendwo im Netz an ein paar kranke Typen übertragen, die sich an ihrer Reaktion weideten?

Jenseits der Gitterstäbe, für sie unerreichbar, gab es eine Stahltür, die sich jetzt langsam mit einem Surren öffnete. Angeleuchtet durch Spots wie ein Schlagersänger beim Galaabend trat er ein.

Sie hätte ihn fast nicht erkannt. Die roten Locken waren weg. Der Vollbart auch. Sein Gesicht sah kantig aus. Hatte er sich kahlrasiert, um den anderen bösen Persönlichkeitsanteil besser zur Geltung kommen zu lassen? Oder – der Gedanke machte ihr noch mehr Angst – waren die langen Haare und der Bart nur Maskerade gewesen? Das bedeutete dann: Er hatte alles von langer Hand geplant.

Natürlich hatte er das! Schließlich war dieses Gefängnis ja

auch nicht in ein paar Stunden erbaut worden. Vor ihr stand ein Mann, der vielleicht irre war, aber einer, der konsequent seinen Plan verfolgte.

Er sah gutgelaunt aus und trug ein weißes Tablett, darauf ein Teller. Noch bevor sie erkennen konnte, was er ihr brachte, roch sie es: Grünkohl! Ja, er stand tatsächlich mit einer Portion Grünkohl vor ihr. Ein Wurstende ragte heraus und ein Stück Bauchspeck. Neben dem Teller lag Plastikbesteck. Ein Löffel und eine Gabel. Sogar an Senf hatte er gedacht.

Es gab eine Durchreiche zwischen den Stäben. Er ging zielstrebig dorthin und schob das Tablett hinein. Er tat es kommentarlos, als sei es seine tägliche Routine.

Der Geruch widerte sie an. Trotzdem nahm sie das Tablett an sich. Dann hörte sie sich selbst brüllen: »Du bringst mir Grünkohl mit Pinkel, du krankes Arschloch?! Das ist ein Winteressen! Wir haben Hochsommer! Willst du mich mästen, damit du und deine idiotischen Freunde zugucken können, wie ich dicker werde?«

Sie warf das ganze Tablett gegen die Gitterstäbe.

Er duckte sich nicht weg. Er blieb einfach gerade in fast militärischer Haltung stehen, ohne auch nur den Versuch zu machen auszuweichen. Eine Portion Grünkohl landete in seinem Gesicht und auf seinem Hemd, Bauchspeck auf seinem rechten Schuh. Die Wurst prallte an den Gitterstäben ab und fiel neben dem Tablett in ihre Zelle.

Er sagte kein Wort. Er sah sie nur an. Er bewegte sich nicht. Grünkohlklumpen platschten von seinem Gesicht runter auf den Boden.

Seine Bewegungslosigkeit erschreckte sie. Er hatte etwas von einem ferngesteuerten Roboter an sich. Machte ihm der heiße Grünkohl im Gesicht nichts aus? Spürte er sich denn gar nicht? War er schmerzunempfindlich?

Er stand einfach nur da. Dann verließ er wortlos den Raum.

Mit einem Surren schloss sich die Stahltür wieder hinter ihm. Auf dem Boden lag der glänzende Bauchspeck.

Seine Schuhe hatten Grünkohlinseln hinterlassen. Der Senf glitt an einem Gitterstab wie eine kleine, gelbe Schlange herab.

Etwas in ihr triumphierte, aber dann wich das kurze Triumphgefühl einer abgründigen Angst.

Rupert wollte eigentlich Bagger anfordern, um den Norddeicher Strand auf der Suche nach dem fehlenden Rumpf umpflügen zu lassen. Aber Sylvia Hoppe bat dann doch lieber um Spürhunde. Alles sollte ruhig, sensibel und ohne großes Aufsehen zu erregen vonstattengehen, hatte Büscher verlangt, denn in einer Touristenhochburg zur Hauptsaison machten sich Eisbuden besser als »Leichensuchhunde«, wie er sie nannte. Noch glaubte Büscher, mit Rupert als Einsatzleiter dieser Aktion einen guten Griff gemacht zu haben. Immerhin war es wichtig, den Kollegen Verantwortung zu übertragen.

Sylvia Hoppes hämisches Grinsen deutete Büscher falsch. Er vermutete, dass sie sich übergangen fühlte und nahm sich vor, ihr beim nächsten Mal ebenfalls eine wichtige Aufgabe zu übertragen.

Die Hunde kamen aus Aurich, und so waren Rupert, Sylvia Hoppe und vier Schutzpolizisten kurz vor den eigentlichen Suchkräften in Norddeich. Sie spazierten einmal vom Haus des Gastes zu Diekster Köken und wieder zurück, dann erhielten sie Verstärkung durch eine Diensthundestaffel.

Noch nie war die Schlange am Strandentgeltautomaten so lang gewesen wie an diesem Tag. Einige Touristen glaubten, dass die Kurverwaltung, die lange ruhig zugesehen und großzügig ein Auge zugedrückt hatte, nun rigoros durchgreifen würde. Selbst einige Norder Bürger, die sich bisher standhaft geweigert hatten, für die Strandbenutzung zu bezahlen, holten sich rasch ein Ticket, als sie das Polizeiaufgebot sahen.

Wolfgang Mix aus Bottrop machte mit seiner Familie seit Jahren jeden Sommer hier Urlaub. Schon als Kind war er mit seinen Eltern immer wieder nach Ostfriesland gefahren. Ewig hatten seine Eltern davon geträumt, hier ein Haus zu kaufen und ihren Lebensabend zu verbringen. So weit war es nie gekommen, aber Wolfgang Mix hoffte, dass er es schaffen würde. Er zahlte dafür in zwei Bausparverträge ein und war ein sparsamer Mann.

Über Strandentgeltgebühren konnte er nur lachen: »Die Ostfriesen sind die Nachfahren von Piraten und Strandräubern. Heute überfallen sie keine Leute mehr und murksen auch keinen mehr ab. Die stellen einfach Automaten auf, und wir sollen uns dann selbst beklauen. Das ist die moderne Form der Piraterie. Parkplatzgebühren und Strandgeldautomaten!«

Während die Hundestaffel am Drachenstrand mit der Suche begann, witterte kurz hinter der Absperrung vom Hundestrand ein Dackel aus Oberhausen bereits den gesuchten Rumpf. Aber weil er außerhalb des Hundegeländes so aufgeregt bellte und buddelte, holte sein Frauchen, die alleinerziehende Bäckereifachverkäuferin Irina Schanz, ihren Dackel, den sie ironischerweise Bello getauft hatte, zurück und zwang ihn, dort zu rennen und zu buddeln, wo es für Hunde vorgesehen war.

Jetzt beschnüffelte ihr Bello die Füße von Joachim Faust. Er entsprach genau der Sorte Mann, die in ihrem Leben immer wieder Katastrophen angerichtet hatten: eitel, egoistisch und auf eine oberflächliche Art gebildet. Aber er interessierte sich weder für sie noch für ihren Hund. Er beobachtete die Polizisten.

Ann Kathrin Klaasen war nicht dabei, aber vielleicht hatte er eine Chance, jemanden zu finden, der nicht gut auf die legendäre Serienkillerfahnderin zu sprechen war.

Als der Rumpf schließlich nicht weit vom Hundestrand entfernt gefunden wurde, sah Joachim Faust bei den Ausgrabungen zu. Wolfgang Mix aus Bottrop erkannte ihn und bat ihn um ein Autogramm. Für diesen Zweck hatte Faust immer ein paar Fotos in der Brusttasche.

Genau in dem Moment, als er seinen Namenszug unter das Foto setzte, hatte Faust eine zündende Idee. Hier hatte doch wieder ein neuer Serienkiller zugeschlagen. Er, Joachim Faust, würde Ann Kathrin Klaasen mit dem Gedanken konfrontieren, dass sie solche Menschen anzog wie eine Glühbirne Motten. Ja! Das würde der Kern seiner neuen These werden. Ann Kathrin Klaasen war schlecht für Ostfriesland, weil sie wie ein Magnet auf Schwerverbrecher wirkte.

Sylvia Hoppe telefonierte die Kriminaltechniker herbei. Rupert war sich, obwohl er den Einsatz hier leitete, nicht zu schade, Neugierige auf Abstand zu halten und den Tatort selbst mit Absperrband zu sichern.

Joachim Faust machte Fotos. Rupert versuchte, ihn daran zu hindern.

»Dies ist ein freies Land«, belehrte Joachim Faust Rupert, »ich kann an einem öffentlichen Strand so lange herumstehen, wie ich will, und ich darf auch Fotos machen. Dafür brauche ich keine Genehmigung.«

»Genau«, sagte Wolfgang Mix, »und man muss auch kein Strandentgelt bezahlen, das ist nämlich Betrug!«

Rupert ignorierte Mix, aber Faust war bei ihm genau an der richtigen Adresse. Seit seiner Schulzeit konnte Rupert Belehrungen nicht mehr ausstehen. Er warf einen Blick zu Sylvia Hoppe. Ja, sie sollte ruhig sehen, wie ihr Kollege Rupert mit solchen Typen Schlitten fuhr.

»Hör mal zu, du dämliche Arschgeige! Wenn du die Nacht gern in der Ausnüchterungszelle verbringen willst, dann musst du dafür nicht unbedingt vorher erst einen saufen. Wir können das auch so miteinander regeln, verstanden?«

Faust hatte sein Aufnahmegerät längst eingeschaltet. »Das ist ja interessant«, sagte er. »Sie sind ein Mitarbeiter von Ann Kathrin Klaasen und drohen mir damit, mich in eine Ausnüchterungszelle zu sperren, obwohl ich gar nichts getrunken habe? Ist das hier in Ostfriesland so üblich?«

Schon stand Sylvia Hoppe neben Rupert. Sie hatte Faust an der Stimme erkannt, die war wirklich markant.

»Mein Kollege meint das nicht so«, sagte sie. »Immerhin graben wir hier gerade einen Leichnam aus. Der Strand ist voller Menschen und … Wir stehen im Moment alle unter Hochspannung.«

Rupert verstand die Welt nicht mehr. Warum war Sylvia so nett zu diesem aufgeblasenen Fatzke?

Sie raunte Rupert zu: »Entschuldige dich bei ihm, Rupi. Das ist ein verdammt berühmter Journalist. Ich kenn den aus dem Fernsehen.«

Ruperte musterte Faust. »Journalist, na klar. Etwa so eine Knalltüte wie dieser Bloem?!«

Rupert konnte Presseleute nicht ausstehen. Ihn zum Pressesprecher der ostfriesischen Polizei zu machen, wäre die größte denkbare Strafversetzung für ihn gewesen.

»Entschuldige dich, Rupi!«, mahnte Sylvia Hoppe.

In letzter Zeit wurde Rupert von den weiblichen Kollegen gerne »Rupi« genannt, und er hatte keine Ahnung, warum.

Joachim Faust stand mit vor der Brust verschränkten Armen da. In einer Hand hielt er den Fotoapparat, in der anderen locker das digitale Aufnahmegerät.

Sylvia Hoppe stupste Rupert an. »Das gibt Stress, Rupi. Ich verspreche es dir. Du legst dich gerade mit dem Falschen an.«

»Okay«, sagte Rupert und versuchte eine Entschuldigung. »Also … ich … ich hab das wirklich nicht so gemeint. Ich wollte mich bei Ihnen gerne entschuldigen.«

Joachim Faust lächelte. »Ja, machen Sie nur weiter. Das war nämlich als Entschuldigung noch ein bisschen zu dünn!«

Es fiel Rupert schwer: »Ich bin ... sonst nicht so. Ich war vielleicht etwas zu schroff.« Rupert hielt Faust die ausgestreckte Hand hin. »Na komm, Kumpel, schlag ein.«

Faust hielt die Arme verschränkt.

»Jetzt sei nicht so eine Muschi!«, forderte Rupert. »Ich entschuldige mich echt. So was passiert mir sonst nicht ... nur manchmal, wenn vor mir so ein arroganter Fatzke steht wie du, dann kann das schon mal passieren, dass ich aus der Rolle falle und ...«

Faust guckte auf den roten Knopf. Sein Aufnahmegerät lief.

Rupert ruderte mit den Armen in der Luft herum. »Meine Frau sagt immer, das passiert mir nur, wenn das Arschloch vor mir mich an das Arschloch in mir erinnert.«

Sylvia Hoppe zog Rupert weg. »Sag mal, spinnst du?«

Irina Schanz, die Bäckereifachverkäuferin aus Oberhausen, konnte ihren Dackel Bello nicht länger halten. Er betrachtete den Leichenfund als sein Eigentum. Er war ja auch vor allen anderen Hunden darauf aufmerksam geworden. Jetzt flitzte er unter den Absperrbändern der Kriminalpolizei durch und verbiss sich in den linken Unterarm.

Zwei Uniformierte sprangen in die Sandgrube und versuchten, dem Hund den Arm zu entreißen.

Irina Schanz schrie: »Tun Sie ihm nicht weh! Tun Sie ihm nicht weh! Der will doch nur spielen!«

Faust machte Fotos.

Vielleicht, dachte Svenja Moers, ist die zweite Zelle ja gar nicht für mich als Strafraum gedacht, sondern er wird sich noch jemanden holen. Vielleicht jemanden aus unserem VHS-Kurs?

Fast wünschte sie sich, endlich einen Mitgefangenen zu bekommen. Sie wunderte sich über ihre Gefühle, doch ein Mann in der anderen Zelle wäre ihr lieber gewesen als eine Frau. Sie wusste nicht warum, aber sie wünschte sich, er würde sich einen Mann holen.

Sie stellte sich vor, zwischen den Gitterstäben Händchen zu halten. Nein, nicht mit ihrem Ingo. Den konnte sie sich in der Nachbarzelle gar nicht vorstellen.

Wen würde Yves Stern sich holen – und wann?

Es wurde immer heißer. Ihre Schleimhäute trockneten schon aus.

Es roch nach Grünkohl mit Speck. Der Boden war immer noch grünlich bekleckert. Die Bauchspeckscheibe lag glänzend auf dem weiß gekachelten Fußboden.

Der Wasserhahn am Waschbecken gab keine Flüssigkeit her, sondern machte nur ein gurgelndes Geräusch. Irgendwo außerhalb ihres Gefängnisses musste er ihr das Wasser abgedreht haben.

Ich brauche Waffen, dachte Svenja Moers. Waffen. Die Plastikgabel in ihrer Hand erschien ihr lächerlich. Trotzdem machte ihr allein die Tatsache Mut, dass sie überhaupt nach Waffen suchte. Das heißt doch, sagte sie sich selbst, ich habe mich noch nicht aufgegeben.

Die Stahltür öffnete sich mit einem Surren, als würde ein Motor die Türöffnung steuern. Und wieder stand er im Scheinwerferlicht.

Sein rechter Arm war angewinkelt. Daran baumelte eine Einkaufstüte mit einer Werbeaufschrift für den Kaufhof.

Er hatte sich gewaschen und umgezogen. Er musste ein Apfelshampoo benutzt haben, und etwas roch auch nach Kokos. Seine Haare waren flauschig, wie frisch geföhnt. Sie registrierte, wie intensiv ihr Geruchssinn hier im Gefängnis war.

Er hielt einen Fotoapparat in der Hand und suchte nun die beste Position für eine Aufnahme. Dabei kam er recht nah an die Gitterstäbe heran.

»Oh, hast du dich schick gemacht?«, fragte sie angriffslustig. »Steht dir toll, das Hemd. Kaufhof? Obwohl – es passt nicht ganz zu dir. Schweine sollten auch Schweinchenrosa tragen, findest du nicht?!«

Er fotografierte ohne Blitz.

»Was soll das?«

Sie fragte sich, was er in der Tüte mitschleppte. Lag darin das Messer, mit dem er sie töten wollte?

Die Fotos machten sie nervös. Sie wollte so nicht abgebildet werden. Und was immer er damit vorhatte, diesen Spaß wollte sie ihm vermiesen.

Sie streckte die Zunge raus, zeigte Doof, rollte mit den Augen, zog Grimassen.

Das gefiel ihm überhaupt nicht, und seine Ablehnung stachelte sie noch mehr auf.

Mit links und rechts zeigte sie ihm jetzt den Stinkefinger. Sie hielt die Hände nah an ihr Gesicht, damit sie auf jeden Fall mit auf die Aufnahmen kamen.

Er ließ den Fotoapparat sinken. Den Spaß hatte sie ihm auf jeden Fall vermiest.

Er öffnete seine Einkaufstüte, holte einen großen Block heraus und einen schwarzen Filzstift.

Will der perverse Irre mich jetzt auch noch malen?

»Falls das hier ein Malkurs werden soll, kannst du dir kein vernünftiges Modell leisten? Die Studentinnen stehen heutzutage Schlange für solche Jobs. Da muss man doch nicht eine Frau von der Straße fangen!«

Sie hörte sich selbst reden, und etwas in ihr wuchs. Es war der Mut der Verzweiflung, der unbedingte Wille, sich nicht aufzugeben.

Er legte den Block und den Stift in die Durchreiche zwischen den Gitterstäben, aber sie rührte die Sachen nicht an.

»Nimm das«, befahl er, »und schreib: Ich heiße Svenja Moers und sitze hier meine Strafe ab.«

»Nein, das werde ich nicht tun«, sagte sie.

»O doch«, erwiderte er, »das wirst du. Vorher gibt es nämlich nichts zu trinken und nichts zu essen. Ich kann die Raumtemperatur hier mühelos auf fünfundvierzig, fünfzig Grad hochfahren. Was glaubst du, wie lange du das durchhältst?«

Also doch, dachte sie. Er hat es hier absichtlich so heiß gemacht.

Sie knickte schneller ein, als er erwartet hatte. Sie nahm den Filzstift und den Block, setzte sich damit auf die Bettkante und schrieb.

Er machte bereits Fotos. »So kann ich es nicht richtig sehen«, sagte er. »Halt den Zettel hoch. Stütz dein Kinn darauf, damit ich ein gutes Foto machen kann. Dann fahre ich die Temperatur auch wieder runter …«

Sie setzte sich aufrecht hin und drehte das Blatt dann so, dass er es lesen konnte.

Er machte sogar ein Foto, aber dann ließ er den Apparat sinken. Auf dem Zettel stand: *Ich heiße Svenja Moers. Yves Stern hat mich entführt.*

Erst bekam er kaum Luft. Dann fuhr er mit dem Zeigefinger seiner rechten Hand zwischen seinem Hals und seinem Hemdkragen her. Auch er schwitzte.

»Du gottverdammtes Luder!«, zischte er. »Das wirst du noch bereuen!«

Mit großen, energischen Schritten stolzierte er zur Tür, rutschte dabei aber auf der Bauchspeckscheibe aus und klatschte in die Grünkohlreste, die auf dem Boden verteilt festklebten. Wie ein Hund, dem die Kamera um den Hals baumelte wie eine Leine, verließ er auf allen vieren das Gefängnis und zog Grünkohlstreifen auf den Kacheln lang.

»Toller Auftritt, Yves!«, brüllte sie hinter ihm her. »Ich hoffe, deine Kameras haben alles drauf!«

Dann applaudierte sie ihm höhnisch.

Weller hätte Frau Professor Dr. Hildegard fast nicht erkannt. Seit ihrem letzten Treffen hatte sie sich völlig verändert. Ihr Körper sah nicht mehr so durchtrainiert sportlich aus, und ihre Haare waren diesmal in einem satten Rot gefärbt und kinnlang. Auch ihre Gesichtshaut hatte sich verändert, oder sie benutzte ein anderes Make-up. Sie sah jetzt fast so alt aus, wie sie wirklich war und hatte ein paar Kilo zugenommen, und Weller gefiel das. Er mochte frauliche Rundungen.

Es tat Ann Kathrin gut, Weller und Ubbo Heide in ihrer Nähe zu haben. Zwischen diesen beiden Männern fühlte sie sich wohl.

Die Räume in der Pathologie waren angenehm kühl, der Geruch nach Desinfektionsmitteln wirkte beruhigend auf Ann Kathrin.

Die Köpfe waren gesäubert und bereits mit erkennungsdienstlichen Mitteln behandelt worden, was Ann Kathrin auf den ersten Blick sah. Das ganze Grauen lag vor ihnen, hatte aber durch seine klinische Art der Präsentation nichts Erschreckendes mehr, sondern die Köpfe wirkten, als seien sie für einen medizinischen Vortrag vorbereitet worden. Möglicherweise gar nicht echt, sondern aus Kunststoff.

»Ich kann Ihnen einiges über die Männer erzählen«, sagte Dr. Hildegard.

Ubbo Heide stoppte seinen Rollstuhl. »Ich auch.«

Sein Satz hatte etwas vom Zerplatzen eines Luftballons an sich, der zu heftig aufgeblasen wird. Noch bevor Frau Professor Hildegard mit ihren Ausführungen beginnen konnte, waren sie für Ann Kathrin im Grunde schon uninteressant geworden. Sie wandte sich direkt an Ubbo: »Du kennst sie?«

Er zeigte auf den Kopf, der in seinem Kofferraum gefunden worden war: »Den da, den kenne ich.«

Ann Kathrin bat Frau Professor Hildegard: »Bitte schicken Sie mir die Ergebnisse zu. Wir dürfen jetzt keine Zeit verlieren, Sie verstehen …«

Die Professorin nickte, sah aber ein bisschen pikiert drein. Im Grunde genoss sie diese Auftritte, wenn sie den Polizeibeamten die Welt erklären konnte. Sie mochte es, die Wissende zu sein. Gern streute sie so viele Fachausdrücke in ihre Ausführungen, dass irgendein Kripobeamter sie bitten musste, das Ganze doch für Normalbürger ins Deutsche zu übersetzen. Darauf wartete sie immer schon, und dann ließ sie sich natürlich zu einer allgemein verständlichen Sprache herab.

Dieser Moment, dachte sie, war manchmal besser als Sex.

In gewisser Weise fühlte sie sich nun um den Erfolg ihrer Arbeit gebracht, doch sie wusste, dass Protest jetzt nichts nutzte, denn sonst wäre sie von Ann Kathrin Klaasen belehrt worden, und sie hätte sich den Spruch anhören müssen, dass die meisten Täter kurz nach der Tat gefasst wurden, und je länger es bis zur ersten Vernehmung dauerte, umso schwieriger wurde es, weil die Emotionen sich gelegt hatten und die Verdächtigen Zeit hatten, sich eine Geschichte zurechtzulegen.

Das war für Frau Professor Hildegard so ziemlich das Einzige, was man auf der Polizeiakademie lernen konnte.

Sie sah hinter den dreien her, und es tat ihr gut, als Weller plötzlich umkehrte, weil er noch eine Frage hatte, die er unbedingt loswerden wollte: »Sagen Sie, Frau Professor, hatte einer der beiden Männer weißen Hautkrebs?«

Erstaunt blickte sie Weller an. »Ja, aber nur links und an der Nase ...« Und obwohl sie selbst so gerne Antworten gab, stellte sie jetzt eine Frage: »Woher wissen Sie das?«

Weller stellte sich anders hin. »Och«, flüsterte er, »das darf ich Ihnen nicht verraten. Könnte die Ermittlungen gefährden.«

Dann lief er hinter Ann Kathrin und Ubbo her und ließ eine frustrierte Pathologin zurück.

Weller fuhr. Ubbo Heide saß hinten und redete ununterbrochen. Ann Kathrin kniete halb – verrenkt auf dem Beifahrersitz –, so dass sie Ubbo anschauen konnte, als müsse sie ihm die Worte von den Lippen ablesen. Dabei konnte sie sich allerdings nicht anschnallen, deswegen blinkte die ganze Zeit ein rotes Licht, und es piepste.

Ann Kathrin schien das gar nicht zu hören. Sie war voll auf Ubbo konzentriert.

Ubbo dachte nach und redete, während Weller das Gepiepse fast wahnsinnig machte. Es traf ihn direkt in seinem Kopf wie ein Zahnschmerz, als wenn man mit einem entzündeten Zahn auf einen Kirschkern beißt.

»Es ist eine alte Geschichte. Der Fall Heymann. Fünfzehn, vielleicht zwanzig Jahre her. Die kleine Steffi, knapp zwei Jahre alt, verschwand auf Langeoog, wo sie mit ihrer Mama zelten war. Das Kind wurde nie gefunden. Bernhard Heymann war in einen fürchterlichen Scheidungskrieg mit seiner Frau verstrickt. Sie hatte die eindeutig besseren Karten, und das Gericht sprach ihr die Kleine zu. Heymann war lange mein Hauptverdächtiger. Er hatte seinen Wohnsitz in die Schweiz verlegt, ich glaube, nach Appenzell.«

»Das macht mich wahnsinnig!«, rief Weller und schlug gegen das Lenkrad.

»Mich auch. Jemand enthauptet in Ostfriesland Menschen!«

»Das meine ich nicht«, gab Weller kleinlaut zu, »das Gepiepse macht mich verrückt. Es erinnert mich an den Zahnarzt.«

Wortlos nahm Ann Kathrin den Sicherheitsgurt und ließ die Schnalle einrasten, ohne sich anzugurten. Jetzt kniete sie wieder auf dem Beifahrersitz, umschlang die Kopfstütze mit beiden Armen und hatte ihren Rücken der Windschutzscheibe zugewandt.

»Und warum sollte jemand fünfzehn oder zwanzig Jahre später Heymanns Kopf in deinen Kofferraum legen? Das ergibt doch keinen Sinn.«

»Nein«, sagte Ubbo Heide, »sicherlich nicht. Aber er ist es. Ich habe ihn erkannt. Ich habe ihn dreimal verhört und ins Schwitzen gebracht. Manchmal hat er sich in Widersprüche verstrickt. Ich habe ihn heulen sehen und auch ausflippen vor Wut. Ich habe alles mit ihm durchgezogen, das ganze Programm. Glaub mir, den erkenne ich genau.«

»Du hast gedacht, dass er die Tochter gegen den Gerichtsbeschluss zu sich geholt hat, damit sie mit ihm in der Schweiz leben kann?«, fragte Ann Kathrin.

»Ja, so sah es damals für mich aus. Zumindest für eine Weile. Aber wir konnten ihm das nie nachweisen. Er hatte bombensichere Alibis und außerdem … Na, das Kind wurde halt nie bei ihm gefunden. Ein paar Tage nach der Entführung hatte er – vielleicht waren es auch ein paar Wochen, so genau weiß ich das nicht mehr, aber die Akten existieren ja alle noch –, jedenfalls hatte er in der Schweiz einen schweren Autounfall. Die Kiste hat sich ein paarmal überschlagen und war Schrott.«

»War Alkohol im Spiel?«, wollte Weller wissen.

»Nein, er war stocknüchtern, hat alles mit der nervösen, angespannten Situation erklärt – kann man ja auch verstehen. Im Auto konnten aber Blutspuren der kleinen Steffi nachgewiesen werden. Er erklärte es damit, dass er früher mit seiner Tochter natürlich ständig in dem Auto herumgefahren sei. Das Komische war nur, die Blutspuren waren nicht hinten in der Nähe vom Kindersitz, sondern im Kofferraum. Auch dafür hatte er eine Erklärung. Angeblich hatte die Kleine sich verletzt und hinten im Kofferraum war der Verbandskasten. Er behauptete, er habe die Kleine in den Kofferraum gesetzt, den Verbandskasten geöffnet und ihr die Hand verbunden.

Die Mutter hat behauptet, das Ganze sei eine Lügengeschichte. Aber es gab sowieso keinen einzigen Punkt, über den die beiden einer Meinung waren …

Einige Kollegen vermuteten, er habe die kleine Steffi in irgendeine Berghütte seiner Freundin bringen wollen, um sie eine Weile in Sicherheit zu halten, bis sich der Trubel gelegt hatte. Dabei sei der Unfall passiert, und aus Schuldgefühlen habe er die Leiche seiner Tochter dann in den Bergen vergraben.«

»Was hast du von der Idee gehalten, Ubbo?«

Er wog den Kopf hin und her, als würde es ihm jetzt noch schwerfallen, sich festzulegen. »Nun, das wäre schon möglich gewesen. Er hatte die Schweizer Staatsbürgerschaft beantragt. Durch die Ehe mit seiner neuen Frau – ich glaube, sie kam aus St. Gallen, stand der Sache nichts im Weg. Vielleicht hat er gehofft, es würde nicht zu einem Entführungsfall hochgekocht werden, sondern die Schweizer Gerichte würden ihm das Kind zusprechen oder auf jeden Fall eine Auslieferung verhindern. Das alles wurde von einem Riesenfamiliendrama zu einem Kriminalfall mit einem toten Kind. Immerhin denkbar ... Aber er hat bis zum Schluss geleugnet.«

Nachdem das Gepiepse aufgehört hatte, brauchte Weller noch eine Weile, doch jetzt hatte er das Gefühl, wieder klar denken zu können. Er begann, wild herumzuspekulieren. Er wusste, dass Ann Kathrin es nicht mochte, aber die Sätze sprudelten geradezu aus ihm heraus: »Vielleicht hat die Mutter inzwischen einen neuen Lover, und der zieht jetzt irgend so eine Rachenummer durch, um ihr zu zeigen, was für ein toller Hecht er ist ...«

Noch während er sprach, erkannte Weller, dass er Unsinn redete und widerlegte sich selbst: »Aber der hätte ja dann vermutlich seiner Frau den Kopf auf einem Silbertablett präsentiert und ihn nicht dir in den Kofferraum gelegt ...«

»Und was«, fragte Ann Kathrin, »hat der andere Mann mit der Sache zu tun?«

Ubbo schluckte schwer, als würde er etwas zurückhalten: »Keine Ahnung.«

Büscher stand in seinem Auricher Büro im Fischteichweg und sah hinunter auf die Straße. Er fühlte sich, als sei er auf hoher See von Bord gefallen und würde jetzt ohne Rettungsring versuchen, in den hohen Wellen zu überleben.

Er wusste nicht mal, in welche Richtung er schwimmen sollte, um sich dem Festland zu nähern. Er sah keine Rettungsboote, und sein Heimatschiff tuckerte irgendwo vor Bremerhaven herum. Unerreichbar.

Ja, er sah sich selbst gern als harten Kerl, als einsamen Wolf. Aber gerade bekam er den Blues. Er gab es nicht gerne zu, aber er hatte die Facebook-Seite seiner Frau angeklickt. Sie hatte ihr Profilbild geändert.

Er kam sich alt, dumm und schäbig dabei vor, aber verdammt noch mal, was war schlimm daran, wenn er sehen wollte, wie es seiner Ex ging?

Sie sah gut aus, und das hatte ihm besonders weh getan. Im Gegensatz zu ihm war sie nicht älter geworden. Sie hatte ein paar Kilo abgenommen, sich die Haare renaturieren lassen, und räkelte sich im Bikini auf einem Liegestuhl.

Nein, kein Strandkorb an der Nordsee. Ein Liegestuhl. Vermutlich irgendwo in der Karibik.

Sie und ihr neuer Typ konnten sich nämlich solche Reisen leisten. Eine ganze Fotogalerie hatten sie von sich ins Netz gestellt. Knutschend, lachend in Strandcafés, vor sich Latte Macchiato mit Riesenmilchschaum obendrauf.

Er redete sich ein, im Grunde froh zu sein, dass er sie endlich los war. Ihre ganze kapriziöse Art hatte einfach nicht zu ihm gepasst. Doch wenn er Frank Weller und Ann Kathrin Klaasen so herumturteln sah, dann kam er an einen tiefsitzenden Schmerz.

Seine Freunde, falls er jemals welche gehabt hatte, lebten in Bremerhaven. Und er musste sich jetzt hier alleine durchkämpfen.

Es war warm, und er öffnete das Fenster. Der Wind ließ sein

Hemd flattern. Er breitete die Arme aus. Es tat gut, ihn zu spüren, wie ein Streicheln auf seiner Haut.

Nein, er spielte nicht mit dem Gedanken runterzuspringen. Aber in diesem Moment verstand er Leute, die ihr Leben auf so eine Art beendeten. Statt die Schwere weiter zu tragen, eine kurze Zeit den leichten Flug.

Er schüttelte die Gedanken von sich ab und schloss das Fenster wieder.

Ich muss mit der eigentlichen Chefin der Kripo reden, dachte er. Mit Ann Kathrin Klaasen. Wenn ich sie für mich gewinne, dann läuft hier alles gut. Vielleicht können wir ja auf gleichberechtigter Basis zusammenarbeiten oder …

Er setzte sich in den schwarzen Ledersessel und suchte die richtige Haltung darin. Dieses Büro kam ihm immer noch merkwürdig fremd vor. Würde er hier jemals heimisch werden? War er der falsche Mann am falschen Ort? Oder konnte das hier der Start in ein neues, vielleicht besseres Leben werden?

Er würde ein paar Bilder von der Wand nehmen und andere dafür aufhängen. Natürlich konnte er nicht damit beginnen, die gerahmten Ann-Kathrin-Klaasen-Artikel aus dem Ostfriesland-Magazin zu beseitigen. Das würde man ihm übelnehmen.

Aber was, dachte er, kann ich von mir aufhängen? Fotos, wie ich als Angler meine größten Erfolge gefeiert habe? Der 6,2-Kilo-Zander? Oder das Bild, wie ich stolz neben dem Blue Marlin stehe, den ich beim Hemingway-Cup auf Mauritius gefangen habe?

Würde das Ann Kathrin beeindrucken oder eher abschrecken? Jeder Schritt, den er tat, konnte falsch sein. Er befand sich auf unsicherem Gelände.

Ich muss sie privat treffen, dachte er. Nur wir beide. Und dann reden wir miteinander.

Er beschloss, sie zum Essen einzuladen. Er ballte die Faust auf dem Schreibtisch und klopfte damit dreimal aufs Holz.

Jawohl, jawohl, jawohl! Ich werde sie zum Essen einladen.

Aber gleich taten sich neue Probleme auf. Jedes Restaurant, das er aussuchte, sagte gleichzeitig auch etwas über ihn aus. War es zu Schickimicki, stand er in einer snobistischen Ecke, aus der es schwer war, später wieder herauszukommen. Zu einfach und zu billig durfte es aber auch nicht sein. Immerhin musste er ihr die Ehre geben, ihr zeigen, was sie ihm wert war.

Er kannte sich hier nicht aus. Vielleicht hatte sie ein Lieblingsrestaurant. Das konnte er vermutlich herausfinden. Zum Beispiel über Rupert. Aber würde er sich damit nicht gleich zu sehr unterwerfen? Sendete er damit nicht das Signal, dass ab jetzt alles nach ihrem Willen und Gutdünken laufen würde? War es nicht besser, mit etwas Neuem aufzutrumpfen, vielleicht gar einem Restaurant, das sie noch gar nicht kannte?

In Bremerhaven hätte er gewusst, wohin. Zu Natusch. Aber hier in Ostfriesland? Überhaupt, mochte sie Fisch? War es richtig, die einheimische Küche zu wählen, um Bodenständigkeit zu zeigen, oder sollte er sich besser weltmännisch präsentieren, sprich, in einem chinesischen, thailändischen oder griechischen Restaurant?

Er hing bei der Restaurantwahl fest. Die Situation machte ihm klar, wie schwierig es für ihn wirklich war, hier Fuß zu fassen.

Vielleicht, dachte er, ist es das Beste, ich lasse sie entscheiden, und ich lade sie einfach in ein Restaurant ihrer Wahl ein. Ja, das schien ihm der beste Weg zu sein. Und wenn alles gutgeht, dachte er, werden wir am Ende auf du und du anstoßen.

Er wählte Ann Kathrins Nummer.

In Bremerhaven hatte er immer ein Rasierwasser benutzt, das nach Weihrauch roch. Er hatte es nicht mitgenommen. Jetzt fragte er sich, ob es nicht Zeit wäre, sich einen neuen Duft auszusuchen. Oder vielleicht sollte er einfach mal versuchen, nur nach sich selbst zu riechen. Aber er konnte sich kaum vorstellen, dass das jemand angenehm fand.

Frauen konnten über so etwas reden. Aber Männer? Sollte er wirklich einen seiner Arbeitskollegen fragen: »Sag mal, welches Rasierwasser nimmst du eigentlich? Benutzt du Duftwässerchen oder Hautcremes?«

Nein, das war nicht möglich.

Er schaltete die Heizung auf Maximum.

Ich mach dich zur Dörrpflaume, dachte er grimmig. Glaub ja nicht, dass du bei mir mit deinen Zicken durchkommst.

Der Boden musste gereinigt werden. So machte das alles keinen Spaß. Der Schmutz brachte ihn aus dem Flow heraus. Er brauchte um sich herum eine saubere, ja fast klinische Atmosphäre, um zu wissen, dass das, was er tat, gut und richtig war.

Ordnung. Klarheit. Bakterien und Viren mussten bekämpft werden. Er liebte Desinfektionsmittel.

Er konnte schlecht eine Putzfrau engagieren, um den Vorraum der Zelle reinigen zu lassen.

Er überlegte, wie er sie zwingen konnte, es zu tun. Diese Demütigung wäre im Grunde genau richtig, um ihren Widerstand zu brechen. Aber er musste damit rechnen, dass sie das Putzwasser auf ihn schütten würde, und wenn er sich vorstellte, wie es dann weiterging, würde sie ihn vermutlich mit den Putzmitteln attackieren, mit dem Schrubber nach ihm schlagen und versuchen, sich den Weg zur Außentür freizukämpfen.

Nein, noch war sie nicht so weit. Er musste sie hinter den Gitterstäben lassen. Der Vorraum war nicht sicher genug. Noch nicht. Bald schon würde sie den mit der Zahnbürste reinigen. Aber so weit war es noch nicht. Ihr Stolz, ihr Wille, ihre Widerborstigkeit mussten erst Demut, Angst und Schmerzen weichen.

So sehr er sich darüber ärgerte, ihm blieb gar nichts anderes übrig, als es selbst zu tun. Wer Schmutz beseitigen wollte, kam mit Schmutz in Berührung.

Er zog sich die blauen Gummihandschuhe an.

Ann Kathrin entschied sich, ohne viel nachzudenken, für ein Essen im Smutje. Weller bekam das Telefongespräch mit. Der neue Chef lud sie offensichtlich zum Essen ein.

Weller, der die Speisekarte vom Smutje praktisch auswendig kannte, wog schon ab, was dafür sprechen könnte, sein geliebtes Deichlamm zu essen oder vielleicht doch lieber die Rinderrouladen, die ihn so sehr an die beste Zeit seiner Kindheit erinnerten, wenn er bei seiner Oma war, also sicher vor seinem strengen Vater, und die gute, alte Dame für ihn kochte.

Aber dann nahm das Gespräch für Weller eine merkwürdige Wendung. Er glaubte, aus Ann Kathrins Worten herauszuhören, dass er gar nicht miteingeladen war, was ihm komisch vorkam.

Sie verabschiedete sich von Büscher und sagte dann zu Weller: »Ich gehe heute Abend mit Büscher essen.«

»Du? Nicht wir?«, fragte Weller.

»Nein. Er hat ausdrücklich gesagt, er wolle mit mir essen gehen.«

»Wenn mich jemand zum Essen einlädt, gehe ich immer ganz selbstverständlich davon aus, dass du mit dabei bist«, sagte Weller ein bisschen pikiert.

Ann Kathrin zuckte mit den Schultern. »Komm. Mach es mir nicht so schwer. Er ist unser neuer Chef. Darf ich nicht mit ihm essen gehen?«

Weller hob die Hände. »Bitte, bitte, ich hatte heute Abend sowieso etwas anderes vor.«

Sie warf ihm einen erstaunten Blick zu. »So?«

Er tat gestisch, als hätte er ihr das schon längst erzählt, und wie üblich habe sie es nur vergessen. Mit leicht resignativem Tonfall sagte er: »Männerabend. Holger Bloem, Peter Grendel, Jörg Tapper …« Er winkte ab, als könne er sie gar nicht alle aufzählen. »Wir machen einen Zug durch die Gemeinde. Mittelhaus. Cage. Und zum Schluss vielleicht noch ein Absacker im Wolbergs.«

Nichts davon stimmte, aber Weller fand, dass es eine ganz gute Idee war … Er musste die Jungs nur noch anrufen.

Svenja Moers saß auf dem Bett. Sie war schweißgebadet. Der Dreckskerl hatte hier eine Fußbodenheizung eingebaut, und der Boden war jetzt so heiß, dass es nur noch wenige Stellen gab, die sie berühren konnte.

Sie hatte die Beine an den Körper gezogen, die Arme um die Knie geschlungen. Sie machte sich so klein wie eben möglich. Sie atmete flach.

Schlimmer noch als die Hitze kam ihr der Gestank vor. Alles roch nach Grünkohl und Speck.

Die Tür öffnete sich wieder surrend. Auch die Scheinwerfer beleuchteten den Zugang wieder für den großen Auftritt. Doch diesmal genoss er es nicht.

Er trug eine blaue Gummischürze. Seine Aufmachung erinnerte sie an einen Chirurgen im OP. Lange Gummihandschuhe, die bis zu den Ellbogen reichten, Stiefel.

Er hatte einen Putzeimer bei sich und einen Schrubber.

»Oh, die Putzkolonne kommt«, spottete sie. »Das wird aber auch Zeit. Es stinkt nämlich in dem Stall hier.«

»Sei still«, zischte er. »Sei still. Du machst alles nur noch schlimmer.«

Dann begann er, den Boden zu wischen.

Vielleicht hatte Ann Kathrin das Smutje ja auch deswegen vorgeschlagen, um ihre Freundin Melanie Weiß mal wiederzusehen. Als Melanie Ann Kathrin mit einer Umarmung in der Tür begrüßte, fühlte Büscher sich schon wieder ausgeschlossen. Gleichzeitig schaffte er es aber auch nicht, die freudig strahlende Wirtin genauso herzlich in den Arm zu nehmen. Es kam ihm unangemessen vor, schließlich kannten sie sich doch gar nicht.

Melanie spürte das und hielt ihm die Hand hin. »Sie sind also der Neue?«, fragte sie. Gäste, die nicht weit entfernt saßen, grinsten und winkten rüber, und Büscher fragte sich, ob er gerade rot wurde, denn »der Neue«, das konnte viel bedeuten. Neuer Chef oder neuer Lover. Es war ihm zu uneindeutig.

Er rang mit sich, ganz laut für alle im Restaurant hörbar, zu sagen: *Mein Name ist Martin Büscher, und ich bin Erster Hauptkommissar, Leiter Zentraler Kriminaldienst.* Aber das kam ihm zu angeberisch vor. Er fühlte sich linkisch, als würde er sich selbst im Weg stehen.

Es roch gut im Smutje, nach gebratenem Seefisch, Koriander, Lamm, und über all dem lag ein Hauch von Bourbon-Vanille. Die Gerüche hatten etwas Verwirrendes an sich.

Melanie Weiß hatte für die beiden einen Tisch reserviert, an dem Ann Kathrin wohl sehr gerne saß, nur normalerweise nicht mit Büscher. Eine Stufe führte zu einer Art Bühne hinauf. Hier hätten Künstler auftreten können, aber es standen mehrere Tische da.

An einem, bei der Fototapete, die den Gästen das Gefühl geben sollte, nicht in einem Raum, sondern draußen am Meer zu sitzen, war für die beiden eingedeckt.

Ann Kathrin begrüßte grinsend ihren Nachbarn, Peter Grendel, der mit seiner Frau Rita und seiner Tochter hier saß und sich über sein großes Steak freute.

Toller Herrenabend, dachte Ann Kathrin und fragte sich, warum Weller ihr solchen Mist erzählt hatte.

Eigentlich wollte Büscher einen guten Wein aussuchen oder einen Sekt ausgeben. Er fragte sich, ob ein Gläschen Champagner too much sei, er wollte ja nicht als Playboy rüberkommen. Aber Melanie Weiß machte ihm gleich einen Strich durch die Rechnung und brachte erst mal zwei Begrüßungsdrinks auf Kosten des Hauses. Sie nannte sie »Ostfriesenblut«. Für Büscher war das Prosecco mit Blaubeeren, aber in den tiefen Geheimnissen des Cocktailmischens hatte er sich nie zu Hause gefühlt, das war mehr Sache seiner Exfrau gewesen, aber an die wollte er jetzt nicht gerne denken.

Er blätterte in der Speisekarte, wählte aber nichts wirklich aus, ja, las nicht mal richtig, sondern überlegte nur, wie er denn anfangen sollte.

Als Ann Kathrin schließlich für sich bestellte, nickte er einfach, legte ein strahlendes Lächeln auf und sagte: »Großartige Idee. Ich nehme genau dasselbe.«

Ann Kathrin raunte Melanie zu: »Bring ihm lieber das Gleiche, nicht dasselbe.«

Über solche Feinheiten wollte Büscher jetzt gar nicht nachdenken. Er stieß mit Ann Kathrin an und versuchte, die Niederlage in einen Sieg zu verwandeln, indem er sagte: »Auf die deutsche Sprache.«

Da trank sie doch gerne mit.

Er hatte sich so viel zurechtgelegt. Es gab einen richtigen Plan, wie er sie für sich gewinnen wollte. Doch hier geriet alles durcheinander. Zu seiner Strategie gehörte es, dass er begann, doch er hatte wohl zu lange gezögert, denn nun fragte sie auch schon: »Also, warum dieses geheime Treffen? Ist das eine Dienstbesprechung? Soll das ein Date werden?«

»Mann, ihr geht hier aber ganz schön ran«, grummelte er und sagte dann laut: »Ich komme mir komisch dabei vor, Ihr Chef zu sein. Das ist keine ganz leichte Aufgabe, das müssen Sie doch sehen. Ich meine ... Mein Gott ...« Er versuchte, mit den Fingern die Welt zu beschreiben, doch sie wurde nicht größer als ein Globus auf dem Tisch. »Sie sind eine Legende. Ihnen eilt ein enormer Ruf voraus.«

Ann Kathrin winkte ab, als hätte er irgendwelche Schmeicheleien losgelassen, auf die sie nicht hereinfallen wollte, deshalb unterstrich er seine Aussage noch einmal: »Nein, nein, ich meine das ganz ernst. Im Grunde wäre es doch vernünftig, wenn Sie die Dienststelle leiten würden und nicht ich.«

Ann Kathrin schüttelte den Kopf, fasste den Stiel des Glases an und drehte es langsam in der Hand, so dass die Beeren darin zur Oberfläche hochtrudelten.

»Nein«, sagte sie und schaute dabei auf ihr Getränk, »das Beste wäre, wenn Ubbo Heide die Dienststelle leiten würde. Einen Besseren wie ihn gibt es nicht.«

»Ja, gut, meinetwegen. Aber er ist durch diesen traurigen Unfall ...«

Sie unterbrach ihn. »Es war kein Unfall, es war eine Messerattacke.«

»Jedenfalls ist er an den Rollstuhl gefesselt und pensioniert. Glauben Sie mir, Frau Klaasen, wenn ich es ändern könnte, würde ich es tun. Ich habe mich um diese Dienststelle nicht beworben, aber wir müssen jetzt alle versuchen, mit der Situation fertigzuwerden. Und wenn wir beide gut zusammenarbeiten, dann könnte es eigentlich eine schöne Zeit für uns alle werden. Ich habe Sie hierher eingeladen, um Ihnen meine ganz persönliche Verehrung auszudrücken und Ihnen zu sagen, wie sehr ich Sie bewundere. Als Kollegin und als Frau.«

Hups – hatte er sich gerade vergaloppiert?

Sie lächelte ihn an und hob noch einmal ihr Glas, und ihre Worte erleichterten ihn: »Ich will Ihren Job nicht. Und ich werde versuchen, Ihnen die Arbeit nicht schwerer zu machen, als sie ohnehin schon ist. Meinetwegen können wir auf Du und Du trinken und uns duzen, wie echte Kollegen.«

Büscher war erleichtert und nahm das Angebot an. Gleichzeitig wurmte es ihn. Hätte er nicht als Ranghöherer und auch als Älterer ihr das Du anbieten müssen?

»Ich habe schon kapiert, dass hier die Uhren etwas anders ticken als im Rest des Landes. Ich komme zwar auch von der Küste, aber obwohl es von Bremerhaven bis hierher keine hundertfünfzig Kilometer sind, kommt man sich vor wie auf einem anderen Planeten.«

Sie gab ihm recht. »Wir haben hier unseren eigenen way of life«, sagte sie schmunzelnd und trank ihr Glas leer. Dabei legte sie den Kopf so weit in den Nacken, dass alle Früchte aus dem Glas in ihren Mund rollen konnten. Dann drehte sie sich zu Melanie Weiß um und zeigte ihr wenig damenhaft den erhobenen Daumen.

»Noch einen?«, fragte Melanie, und Ann Kathrin nickte.

Den Gruß aus der Küche, Updrögt Bohnen auf gebratener Blutwurst mit Röstzwiebeln, der auf einem gebogenen Löffel serviert wurde, schob Büscher sich einfach in den Mund, als müsse das Zeug nur schnell weg, während Ann Kathrin sich mit Melanie darüber unterhielt, was Frank denn in der Küche da wieder gezaubert habe. Was immer es war, Melanie Weiß nannte es »Amuse-Gueule«, und Büscher tat so, als wisse er, wie man das schreibt.

Ann Kathrin sagte: »Ja, es ist wirklich eine Gaumenfreude.«

Warum bin ich so verdammt nervös?, fragte Büscher sich. Ich benehme mich wie bei meinem ersten Rendezvous. Was soll sie von mir denken?

Eigentlich hatte er vorgehabt, sie für sich zu gewinnen, indem er ihr ein wenig von sich erzählte. Doch nun begann sie selbst: »Ubbo Heide ist für mich, ja für viele meiner Kollegen, nicht einfach nur ein Chef gewesen, sondern eine Vaterfigur. Und das ist er immer noch. So etwas hört nicht einfach auf. Er hat uns in Krisen erlebt und hindurchbegleitet, er hat uns in unseren Niederlagen gestützt und unsere Erfolge mit uns gefeiert. Für mich bedeutet er besonders viel. Mein Vater war bei der Kriminalpolizei.«

»Ich weiß«, sagte Büscher, »ich weiß.«

»Ohne meinen Vater wäre ich diesen Weg vielleicht nie gegangen. Ihm zu Ehren habe ich versucht, die Beste zu sein.«

»Und du bist die Beste geworden«, sagte Büscher, doch sie schüttelte den Kopf. »Ja, nach außen mag das vielleicht so wirken, weil ich ein paarmal Glück hatte und im entscheidenden Moment an der richtigen Stelle war. Aber in mir sieht es ganz anders aus. Ich fühle mich oft als Versagerin, nicht dazugehörig. Ich würde lieber schreiend weglaufen, als hier die Chefin der ostfriesischen Kriminalpolizei zu werden. Noch vor kurzem habe ich mit meinem Mann darüber nachgedacht, in Norddeich eine Fischbude zu eröffnen, statt Verbrecher zu jagen.«

»Diese Rolle«, gab Büscher freimütig zu, »werde ich niemals einnehmen können … Ich meine, ich kann keine Vaterfigur für die ganze Truppe sein. Höchstens versuchen, ein …«

Sie ließ ihn nicht weitersprechen. »Ja, du trittst in verdammt große Fußstapfen.«

Schweigend löffelten sie die Nordseekrabbensuppe mit frittiertem Rucola, und noch bevor das Hauptgericht kam, versuchte Ann Kathrin, wieder zum rein Beruflichen, zum Fall, zurückzukommen. »Der Täter muss Zugang zu Ubbos Auto gehabt haben. Ubbo hat seinen Schlüssel im Restaurant Reichshof, praktisch hier gegenüber …«

»Jaja, ich weiß, wo der Reichshof ist.«

»Verloren oder besser gesagt, dort hat er ihn zum letzten Mal gesehen.« Sie kramte in ihrer Tasche. »Wir haben hier eine Liste all der Gäste, an die er sich erinnert. Ich wette, wenn wir sie besuchen, werden sich die wiederum an andere Gäste erinnern, so dass wir rasch ein komplettes Bild bekommen.«

Büscher wirkte auf Ann Kathrin, als würden ihn diese Ermittlungen kaum interessieren. Sie beugte sich vor, und es sah aus, als würde sie ihm jetzt etwas sehr Persönliches zuflüstern: »Wenn du«, raunte sie, »von den Kollegen wirklich Anerkennung willst, dann ist es das Beste, wenn du ihnen zeigst, dass du ein hervorragender Ermittler bist.«

Er erschrak fast über ihre Worte. »Ich wollte mich eigentlich gar nicht in die operativen ...«

»Sie sind es gewöhnt, dass ihr Chef einen außerordentlichen kriminalistischen Sachverstand hat. Ja, einen Riecher. Logisch denken können sie alle selbst.«

Büscher war froh, dass jetzt der Ostfriesische Snirtjebraa kam. Er stocherte mal im Apfelrotkraut, mal in den Speckböhnchen herum, während Ann Kathrin genüsslich aß.

»Ich weiß«, sagte er. »Du und Ubbo Heide, ihr gehört zu der Sorte Kripoleute, die eine Witterung aufnehmen. Ihr seid Spürhunde. Ich bin so etwas nie gewesen. Ich meine, wir brauchen solche Leute, aber ich bin so einer nicht.«

»Deshalb«, grinste Ann Kathrin, »hat man dich vermutlich auch zu unserem Chef gemacht. Wie schmeckt dir der Snirtjebraa?«, fragte sie und schob sich eine Gabel voll Kleikartoffeln mit Bratenjus in den Mund. Er versuchte, eine Genießermiene aufzusetzen, aber es gelang ihm nicht.

Er war überhaupt nicht so, wie sie sich den neuen Chef vorgestellt hatte. Aber sie begann, ihn zu mögen. Denn da war etwas, das sie sehr mochte: Er war ehrlich. Und er blies sich nicht gockelhaft auf, sondern versuchte, ein Teamspieler zu sein. Etwas, das ihr selbst sehr schwerfiel.

Ich muss wieder in den Flow kommen, dachte er. Diese blöde Torte bringt mich raus. Das geht nicht, dazu hat sie kein Recht.

Oh, er war so wütend auf Svenja Moers! Was bildete die sich eigentlich ein?

Er duschte abwechselnd heiß und dann wieder ganz kalt. Er mochte es, wenn die Haut rot wurde und zu kribbeln und zu brennen begann. Dann spürte er sich so richtig, dann war es fast, als wäre er wieder im Flow.

Natürlich war das nicht wirklich der ganz gigantische gute Flow, wenn er alles im Griff und unter Kontrolle hatte und die Welt sich anfühlte wie ein riesiges Theater, in dem er Regie führte. Nur er. Und alle anderen waren Zuschauer oder mussten nach seiner Regiepfeife tanzen.

Das kalte Wasser wurde ihm nicht kalt genug. Diese Schwüle heizte sogar die Wasserrohre auf. Es kam ihm lauwarm vor.

Alles verwischte in dieser Welt so schrecklich. Man konnte Männer und Frauen nicht mehr voneinander unterscheiden. Gut und Böse. Heiß und Kalt. Bio-Essen von irgendeinem Industriescheiß. Alles wurde sich immer ähnlicher.

Er spürte, dass er die Kraft hatte, den Dingen ihre alte Ordnung zurückzugeben. Schwarz sollte schwarz sein. Weiß weiß. Heiß heiß. Und kalt kalt. Frauen sollten Frauen sein und Männer Männer. Verbrecher Verbrecher. Kranke krank. Und Gesunde gesund.

Er trat jetzt nackt aus der Dusche heraus und ging, ohne sich abzutrocknen, durch die Räume. Hier lag alles am rechten Ort.

Er hasste Unordnung.

Am Buchregal blieb er kurz stehen. Bücher waren immer ein Problem. Sollte er sie alphabetisch ordnen? Nach ihrer Größe? Oder nach Farben?

Es gab noch viel mehr mögliche Ordnungsprinzipien. Er hatte sie auch mal nach Verlagen sortiert. Das sah besonders dämlich aus.

Dann nach Autoren. Auch das hatte ihm überhaupt nicht gefallen. Ein dickes Buch neben einem dünnen, ein Hardcover neben einem Taschenbuch – nein, so ging es auch nicht.

Er hatte jetzt eine Taschenbuchabteilung und eine für Hardcover. Völlig kirre machten ihn die Zahlen hinten auf den Büchern. Diese ISB-Nummern heuchelten ein Ordnungssystem vor. In Wirklichkeit war es aber das reine Chaos. So ließ sich ein Buchregal jedenfalls nicht in eine sinnvolle Reihenfolge bringen.

Schon zweimal hatte er in einem Wutanfall die Bücher herausgerissen und auf den Boden geworfen. Wenn es keine Möglichkeit gab, sie vernünftig zu sortieren, warum sie dann nicht gleich in Haufen mitten im Zimmer liegen lassen wie Abfall?

Er hatte schon daran gedacht, sie den Flammen zu übereignen. Ja, verdammt! Was sich nicht einreihen wollte, nicht ordnen ließ, sollte eben brennen.

Aber einige dieser Bücher gefielen ihm so sehr. Sie erinnerten ihn an seine Kindheit. Aus dem da hatte seine Mutter ihm vorgelesen. Krabat. Aber es passte nirgendwo wirklich rein. Warum gab es nicht mehr Bücher in dieser Aufmachung und Größe?

Er hatte ein paar Gesamtwerke gekauft, einfach, weil die Bücher, aufgereiht in der Kassette, so schön aussahen. Da stand Hemingway neben Jörg Fauser und Dürrenmatt.

Warum, dachte er, muss immer alles so kompliziert sein? Warum gibt es keine EU-Verordnung, in der für Bücher eine bestimmte Größe festgelegt wird? Stattdessen arbeiten die an der geraden Banane und der normierten Schlangengurke.

Er ging zu den Monitoren. Es tat gut zu spüren, wie die Wassertropfen auf seiner Haut langsam verdampften. Nur verweichlichte Muttersöhnchen, die eilig in ihre klimatisierten Büros hetzten, rubbelten sich mit ihren weichgespülten Mikrofaserhandtüchern ab.

Er hatte etwas über tibetanische Mönche gelesen, die sich nass in ihrer Kleidung hinsetzten und im Freien meditierten, selbst im Winter, bis ihr Körper die Kleidung getrocknet hatte. Ja, so einer wollte er sein! Aus seiner eigenen Kraft heraus leben, unabhängig und stark. Nur sich selbst verpflichtet, nicht dieser verrückten Gesellschaft.

So wie Svenja Moers auf dem Bett hockte, war sie kurz davor durchzudrehen. Vielleicht würde sie sich noch ein-, zweimal richtig aufbäumen, aber dann am Ende in ihr Schicksal fügen. Sie würde für das passende Foto posieren und auch sonst alles tun, was er von ihr verlangte. Da war er sich ganz sicher.

Er stellte sich vor, ihr eine Chance zu geben. Vielleicht dürfte sie irgendwann nicht nur ihre eigene Zelle reinigen, sondern auch den Vorraum. Und dann … eventuell … wenn sie sich bewährte, sogar andere Räume im Haus.

Er würde ihren Stolz brechen … Wer nicht im Schmutz leben will, muss lernen sauberzumachen. Und, er wusste es nur zu gut, das begann im Kleinen. Die meisten Toiletten waren genauso verdreckt wie die Seelen ihrer Besitzer.

Als würde Svenja Moers spüren, dass er sie ansah, begann sie plötzlich, aktiv zu werden. Sie reckte die Hände nach oben und brüllte, als würde sie zu Gott sprechen. Ja, wie ein zorniges Gebet sah es aus, ein Gebet an ihn:

»Ich habe Durst, verdammt, Durst! Willst du mich hier verdursten lassen, du Irrer? Wozu ist dieses scheiß Waschbecken da, wenn kein Wasser aus dem Hahn kommt?«

So gefiel sie ihm. Bald schon würden ihre Gebete flehender werden. Sehr bald schon. Sie würde nicht mehr schimpfen, sondern bitten. Nicht mehr fordern, sondern verhandeln.

Als Ann Kathrin nach Hause kam, war Weller schon im Schlafzimmer. Er hatte das Nachttischlämpchen neben sich an und saß mit einem Glas Rotwein und seinem Krimi im Bett. Aber als er sie hörte, schaltete er schnell das Licht aus und legte sich so hin, als ob er schon lange schlafen würde.

Er hatte gehofft, dass sie hereinkommen würde und sich dann bei ihm entschuldigen müsste, weil sie ihn ja anscheinend geweckt hatte. Doch sie kam einfach nicht. Sie machte noch endlos lange im Wohnzimmer und in der Küche herum.

Er hörte jeden ihrer Schritte. Dann das Klacken auf einer Tastatur. Checkte die etwa jetzt noch ihre E-Mails?

Er lag eine gefühlte halbe Stunde so und wartete auf sie. Jetzt ärgerte er sich, dass er nicht einfach weitergelesen hatte. Er war gerade an so einer spannenden Stelle gewesen. Mitten im Dialog hatte er das Buch einfach zugeklappt.

Hoffentlich, dachte er, ist sie nicht so rücksichtsvoll, dass sie sich im Gästezimmer oder im Wohnzimmer schlafen legt, um mich nicht zu wecken. Wenigstens diesen kleinen Auftritt sollte sie mir doch gönnen ...

Dann kam sie endlich. Sie machte zwar das Licht nicht an, um ihn nicht zu wecken, dafür war dann aber jede ihrer Bewegungen laut genug, so dass er doch noch die Chance hatte, so zu tun, als ob sie ihn geweckt hätte.

Er reckte sich und gähnte: »Oh ... du?«

»Nein«, kicherte sie, »wie kommst du denn darauf? Ich bin's nicht, sondern Marylin Monroe.«

Sie duftete nach Restaurantluft, und als sie sich ihm näherte, um ihm einen Kuss zu geben, roch er ihren Alkoholatem, obwohl er selbst gerade noch Rotwein getrunken hatte.

»Na, die Dienstbesprechung hat aber lange gedauert«, sagte er.

Sie reagierte gar nicht darauf, sondern zog sich aus und legte sich neben Weller. Sie seufzte: »Martin ist ganz anders, als man auf den ersten Blick denkt.«

»Ach, ihr duzt euch jetzt?«

»Na, unter Kollegen ...«

Weller knipste das Licht an und drehte sich demonstrativ zu ihr um. Ihre Schönheit traf ihn in dem Moment wie ein Zahnschmerz, als hätte er freudig in eine Tafel Schokolade gebissen, in der sich eine zu harte Nuss befand.

Er hatte etwas Bissiges auf der Zunge gehabt, aber jetzt war er froh, es nicht gesagt zu haben. Er sah sie nur an und wusste, dass sie nicht nur auf ihn, sondern auch auf andere Männer diese Wirkung hatte.

»Martin ist ein ganz sensibler Mensch. Der macht sich Gedanken und …«

»Na, herzlichen Glückwunsch«, sagte Weller, »dann hat er uns allen ja eine Menge voraus.«

Noch während die Worte im Raum hingen, bereute er schon, sie ausgesprochen zu haben.

Ann Kathrin lachte laut. »Du bist ja eifersüchtig!«

»Ich doch nicht«, grummelte er, »ich bin nur müde«, und drehte ihr den Rücken zu.

Ann Kathrin fuhr mit den Fingern durch seine Haare und kraulte seine Kopfhaut.

»Ich bin müde«, log er, »ich hab keine Lust mehr«, und drückte sein Gesicht tief ins Kissen.

Was bin ich nur für ein Idiot, dachte er.

Rupert hatte sich einen Ostfriesentee aufgebrüht. Das Büro roch danach. Die weiße Kanne mit dem Rosenmuster stand auf einem silbernen Stövchen. Das Teelicht darin flackerte, und Rupert trank seinen Tee ohne Kluntje und Sahne, einfach so, schwarz. Er tat das seiner Mutter zu Ehren, die der Liebe wegen aus dem Ruhrgebiet nach Ostfriesland gekommen war. Sein Vater brauchte Kandis und Sahne im Tee, die Mutter dagegen behauptete, das seien Dickmacher, worauf sein Vater immer wieder stereotyp geantwortet hatte: »Sahne im Tee macht nicht dick, und der Zucker wird ja schließlich aufgelöst.«

Aber meist fühlte Rupert sich seiner Mutter näher als seinem Vater.

Als Rupert die Liste der Gäste aus dem Restaurant Reichshof

sah, an die Ubbo und Carola Heide sich erinnern konnten, wusste er zwei Dinge: Erstens, der Laden brummte, und zweitens, das würde eine Mörderarbeit werden und mehrere Tage in Anspruch nehmen.

»Wie«, fragte er Rieke Gersema, »sollen wir das denn schaffen? Dafür brauchen wir Verstärkung. Und was sollen die uns überhaupt erzählen? Glaubst du, irgendjemand zeigt auf und sagt, na klar, ich hab gesehen, wer an dem Abend Ubbo Heides Autoschlüssel geklaut hat, ich hab damals nur nichts gesagt, weil ich die schöne Stimmung nicht kaputt machen wollte?« Er klopfte auf die Liste. »Das hier«, prophezeite er, »ist sinnloser Mist. Mit der Befragung der Gäste könnten wir ein paar Schüler beauftragen, die hier ihr Praktikum machen wollen oder …«

Rieke hatte selbstgebackenen Apfelkuchen mitgebracht, und den mochte Rupert. Da griff er gerne zu.

Er bot Rieke eine Tasse Tee an, aber sie lehnte ab. Sie stand merkwürdig verträumt an seinem Schreibtisch. Er wusste gar nicht, was sie in seinem Büro überhaupt wollte. Normalerweise hielt sie eher Abstand zu ihm und brachte ihm keinen Kuchen. Die Platte reichte für die ganze Polizeiinspektion, und sie behauptete, noch eine zweite mit dabeizuhaben.

Hat sie etwa Geburtstag, fragte Rupert sich, und ich bin jetzt der Trottel, der es wieder vergessen hat? Sollte ich ihr etwas schenken?

Er hasste es, wenn so ein Wichtelmist losging, bei dem man Lose ziehen und dann für irgendjemanden ein Geschenk besorgen musste. Das vergaß er dann schon mal ganz gerne.

»Rate mal, Rupi«, sagte Rieke, »wer mich eingeladen hat.«

Rupert sprach mit vollem Mund. »Vermutlich so ein toller Hecht, der seit Jahren Bodybuilding macht, ein Sixpack hat und eine Harley Davidson fährt, stimmt's?«

Sie stupste ihn an. »Nein, Mensch! Joachim Faust!«

»Das ist doch diese …«, *eingebildete Tunte*, wollte Rupert schon sagen, schluckte das aber gerade noch herunter, denn er sah am Glanz in Riekes Augen, wie sehr sie diesen Mann bewunderte.

Irgendetwas, dachte Rupert, mache ich falsch. Warum fahren Frauen nur auf solche Blender ab?

Reichte es wirklich, ein paarmal auf dem Bildschirm zu sein, um attraktiv zu werden? Zählt denn sonst nichts?

»Und was will der von dir?«, fragte Rupert. »Das Rezept für den Apfelkuchen wird es doch vermutlich nicht sein. Obwohl ich finde, darauf kannst du stolz sein …«

Rupert nahm sich das zweite Stück. Sein Schreibtischplatz war jetzt vollgekrümelt, was ihn aber nicht weiter störte.

Sie schien sich etwas auf die Einladung einzubilden, und den Zahn wollte Rupert ihr nur zu gern ziehen.

»Ich glaube«, sagte er, »dem geht es nicht so sehr um dich, Rieke. Der will was über den Fall wissen. Mich hat er auch schon angequatscht. Am Strand, als wir mit den Rettungshunden …«

»Ich weiß«, erwiderte sie. »Du sollst ihn ganz schön beleidigt haben.«

»Na ja, wenn die Wahrheit eine Beleidigung ist, dann wird die Lüge schnell zur Schmeichelei.«

Sie nahm einen Schritt Abstand, legte den Kopf schräg und sah ihn aus dieser Perspektive an.

»Was ist?«, fragte er.

»Wenn die Wahrheit eine Beleidigung ist, dann wird die Lüge schnell zur Schmeichelei – das stammt doch nicht von dir, Rupert. Das ist doch ein Zitat, oder?«

»Ja«, sagte Rupert, »von meiner Mutter.«

Rieke Gersema stieß einen unterdrückten Lacher aus, so, als wäre sie verblüfft darüber, dass selbst einer wie er mal eine Mutter gehabt hatte.

Sie nahm ihren restlichen Apfelkuchen und ging zur Tür.

»Lass dich nicht von ihm flachlegen«, mahnte Rupert. »Der ist zu blöd, um Bünting-Tee von Thiele-Tee zu unterscheiden.«

Sie drehte sich um und staunte Rupert an. Eigentlich wollte sie sagen: *Du bist nicht mein Vater. Solche Tipps brauche ich nicht von dir.* Stattdessen wiederholte sie seinen Satz: »Zu blöd, um Bünting-Tee von Thiele-Tee zu unterscheiden?«

Rupert nickte selbstzufrieden und nahm einen Schluck aus seiner Rosentasse.

»Ja«, sagte Rieke Gersema, als sei die Sache damit völlig klar. »Welche Frau würde sich schon mit so einem einlassen? Das ist doch das Mindeste, was man erwarten kann: dass ein Kerl Bünting-Tee von Thiele-Tee unterscheiden kann.«

»Eben«, sagte Rupert.

Rieke schloss die Tür.

Ubbo Heide war froh, auf seine Carola gehört zu haben. Schon vor zehn Jahren, als sie beide noch fit waren und er beim Boßeln für seine Bogenweitwürfe berühmt war, hatte sie darauf gedrungen, ihr verwinkeltes Elternhaus in Aurich altersgerecht umbauen zu lassen.

Altersgerecht, wie sich das damals für ihn angehört hatte … Er hatte dem nur zugestimmt, um keinen Konflikt heraufzubeschwören. Jetzt profitierte er davon. In der unteren Etage konnte er sich mit dem Rollstuhl in allen Räumen bewegen. Besonders der Umbau des Badezimmers hatte sich gelohnt.

Der Maurer Peter Grendel, der für Ubbo ja so etwas wie ein Freund der Familie war, hatte all die Arbeiten schnell, fachgerecht und preiswert ausgeführt und mit eigenen Ideen die Baumaßnahmen bereichert.

Die oberen Räume waren für ihn praktisch uninteressant, doch Carola bestand darauf, einen Lift einbauen zu lassen, damit er sein Reich zurückerobern konnte.

Vielleicht braucht sie ja diese Aktivitäten, so dachte er, und er ließ sie gewähren, genauso, wie er ihr nicht widersprochen hatte, als sie damals mit der »altersgerechten« Planung begonnen hatte.

Ihn plagten ganz andere Sorgen. Er ahnte, wem der Kopf gehörte, den Carola auf Wangerooge auf dem Frühstückstisch ausgepackt hatte. Alles passte zusammen und gleichzeitig auch wieder nicht.

Er wunderte sich über sich selbst, warum er Ann Kathrin und Weller nicht ins Vertrauen gezogen hatte. Er glaubte, sich selbst so gut zu kennen, aber da gab es doch eine Stelle in ihm, die kippte ihn aus der Professionalität. Er schämte sich, weil er damals so falsch gelegen hatte. Wurde er auch jetzt wieder Opfer seiner eigenen Phantasie? Er wollte den Bereich der Logik nicht verlassen und wieder aus Vorstellungen, Möglichkeiten und Spekulationen ein Puzzle zusammensetzen, das am Ende ein schräges, falsches Bild ergab.

Er beschloss, die Sache selbst in die Hand zu nehmen. Zumindest die ersten Ermittlungsschritte. Er brauchte zuerst für sich selbst eine Spur von Gewissheit, bevor er den Verdacht erneut aussprach, und er hoffte so sehr, nicht recht zu behalten. Er war pensioniert. Die Meinung der übergeordneten Stellen hatte ihn schon während seiner aktiven Dienstzeit nie sehr interessiert. Jetzt konnte sie ihm restlos gleichgültig sein. Sie hatten jede Macht über ihn verloren. Sie konnten ihn ja nicht mal mehr mit Schimpf und Schande aus dem Dienst entlassen.

Aber ihn würgte die Vorstellung, in den Augen von Ann Kathrin und vor seiner Frau schlecht dazustehen. Er wusste, dass er für beide eine Art Denkmal war an Aufrichtigkeit und kriminalistischem Sachverstand. Er wäre so gerne dieses Denkmal geblieben.

Für seine Tochter Insa war er es vermutlich schon lange nicht mehr oder noch nie gewesen. Sie war sein Augenstern, und es tat ihm weh, so wenig von ihr zu hören und an ihrem Leben teilzunehmen. Er wünschte ihr jedes Glück der Welt, doch komischerweise hatte er keine Angst, sich vor ihr zu blamieren. Es ging mehr um Ann Kathrin und Carola.

Er versuchte, diese Gedanken beiseitezuschieben, um sich bei der Arbeit, die vor ihm lag, nicht selbst zu blockieren.

Seine üblichen Arbeitsmittel standen ihm nicht zur Verfügung. Er kam weder mit dem Computer in die Lichtbilddatei noch in die aktuelle Fahndungsliste. Er bekam immer noch digital die Zeitschrift »Die Kriminalpolizei«. Die Gewerkschaft der Polizei gab das Magazin heraus. Er hatte selbst schon dafür geschrieben. Aber jetzt half ihm die Zeitschrift nicht weiter.

Er griff auf die Dinge zurück, mit denen er einst begonnen hatte. Kein Computer, sondern ein Block. Kariert, nicht etwa liniert. Nicht größer als eine Postkarte, so dass er ihn schnell in der Tasche verschwinden lassen konnte. Und dazu ein Bleistift.

In seiner Schreibtischschublade lagen noch ein paar. Er brach die Bleistifte immer in der Mitte durch, weil sie ihm sonst zu lang waren. Dann spitzte er sie an und steckte beide Hälften in seine Jackentasche.

Ich kann nicht überallhin fahren. Ich muss versuchen, einiges einfach am Telefon zu erledigen, sagte er sich. Obwohl er wusste, dass die Arbeit damit nicht gerade leichter werden würde, freute er sich über die Ausrede, die er jetzt vor sich selbst hatte, denn es wäre ihm nicht leichtgefallen, Sophie Stern leibhaftig gegenüberzutreten. Es war schon schwer genug, sie überhaupt anzurufen.

Er tat es. Jetzt, während Carola einkaufen war.

Er holte sich gedanklich das Bild von ihr zurück, so, wie er sie damals erlebt hatte. Eine frauliche Frau, deren Wohlfühlgewicht zwanzig Kilo über dem offiziellen Idealgewicht lag. Der Kumpeltyp. Grundschullehrerin aus Leidenschaft.

Sie selbst hatte keine Kinder, was sowohl sie als auch ihr Mann sehr bedauerten. Jeder, der jemals mit ihr zu tun hatte, kannte ihren Standardspruch: »Ich habe viele Kinder. Ich brauche einen ganzen Klassenraum, wenn ich sie morgens begrüßen will.«

Er mochte diese Frau und hatte von Anfang an geahnt, dass sie selbst nichts damit zu tun hatte. Aber ihrem Mann traute er keine fünf Schritte weit.

Yves Stern, Sohn einer französischen Mutter und eines deutschen Vaters, hatte etwas Abgründiges, Verschlagenes an sich. Seine Witze waren aufgesetzt, sein Lachen humorlos, sein Grinsen falsch.

Ubbo Heides Mutter nannte solche Menschen »Falsche Fuffziger«. Als Kind hatte er diesen Ausdruck oft von ihr gehört und ihn nicht richtig verstanden. Es musste etwas mit Falschgeld zu tun haben, aber als er Yves Stern sah, glaubte er zu wissen, was seine Mutter mit »Falscher Fuffziger« gemeint hatte.

Vielleicht war das damals schon falsch, dachte er. Vielleicht bin ich da einfach in eine Falle hineingeraten und habe ihn nur verdächtigt, um meiner Mutter zu gefallen, die zu dem Zeitpunkt sogar schon verstorben war. Manchmal holen einen Dinge der Kindheit ein und bringen den Menschen dazu, im ganz normalen Alltag furchtbare Fehler zu machen – oder sie leiten ihn an, das Richtige zu tun.

Er hatte sich immer im christlichen Wertesystem seiner Mutter bewegt. Vieles war ihm zu eng erschienen, zu klein gedacht, aber doch im Grundsätzlichen richtig.

Im Fall Yves Stern war es, als sei er in eine Fallgrube gestürzt, die seine Mutter für ihn gegraben hatte, ohne ihm Böses zu wollen. Sie hatte gehofft, dort ein Bäumchen zu pflanzen, aber irgendwie die seelische Gartenarbeit nicht richtig beendet, so dass er am Ende darüber ins Stolpern geriet.

Er schüttelte sich und walkte sein Gesicht durch. Er musste die Geister der Vergangenheit jetzt loswerden und ganz klar vorgehen.

Er nahm den karierten Block und den Bleistift.

Schon ihre Stimme signalisierte zur Begrüßung Abwehr. Damit machte sie es Ubbo Heide noch schwerer.

Als müsse er sich vergewissern, sie wirklich am Telefon zu haben, fragte er noch einmal nach: »Spreche ich mit Sophie Stern?«

»Ja, und wer sind Sie?«

Er räusperte sich und musste dabei an seine eigenen Lehrsätze denken. *Wenn sich jemand im Verhör räuspert, achte auf die Stelle in seiner Aussage. Vielleicht will er nur Zeit gewinnen, um sich eine Ausrede zurechtzulegen, vielleicht ist es ihm peinlich, oder er hat etwas zu verbergen. Nur selten ist ein Räuspern einfach ein Räuspern.*

»Vielleicht erinnern Sie sich noch an mich. Mein Name ist Ubbo Heide. Wir hatten damals miteinander zu tun, im Fall der verschwundenen Steffi Heymann.«

Sie ließ ihn nicht weiterreden. Sie holte tief Luft und fauchte: »Ich weiß, wer Sie sind! Und Sie haben die Chuzpe, mich jetzt anzurufen? Was bilden Sie sich eigentlich ein?«

»Beruhigen Sie sich, Frau Stern. Glauben Sie mir, ich belästige Sie nicht gerne. Aber es sind Ereignisse eingetreten, die ein neues Licht auf den Fall werfen ...«

»Na, wie schön für Sie«, schimpfte sie. »Dann können Sie ja jetzt eine andere Sau durchs Dorf hetzen und jemand anderen fertigmachen. Opfer gibt's doch sicherlich genug!«

»Bitte, gute Frau, ich habe nur eine einfache Frage: Kann ich Ihren Mann sprechen?«

Sie lachte bitter. »Meinen Mann wollen Sie sprechen? Na, herzlichen Dank. Brauchen Sie wieder einen Schuldigen? Sie haben sein Leben doch schon zerstört. Ich gönne Ihnen nichts Schlechtes, aber wenn es eine Gerechtigkeit gibt, dann werden Sie eines Tages am Pranger stehen, und ich bin mal gespannt, wie viele Freunde *Sie* dann noch haben!«

So gemein ihre Worte auch waren, erleichterten sie Ubbo Heide, denn er glaubte herauszuhören, dass Yves Stern noch lebte.

»Liebe Frau Stern, ich will Ihnen wirklich nichts Böses. Ich ...«

»Fahren Sie zur Hölle!«, fauchte sie und legte auf.

Ubbo Heide sah auf seinen Zettel. Was sollte er aufschreiben?

Er notierte den Namen Yves Stern und setzte ein Fragezeichen dahinter. Als Chef der Kripo hätte er nur wenige Minuten gebraucht, um herauszufinden, ob Yves Stern noch lebte. Als Privatmann war das wesentlich komplizierter. Aber er versuchte, sein altes Wissen zu nutzen.

Stern hatte, wie viele, die einmal unter solch schlimmem Verdacht gestanden hatten, seine Adresse anonymisiert, seine Telefonnummer stand nirgendwo. Es war schon ein Wunder, dachte Ubbo, dass seine Frau noch über den alten Festnetzanschluss erreichbar war.

Er zögerte nicht lange, sondern rief Rieke Gersema an. Er hatte sie von Anfang an gefördert, und seit einigen Jahren war die junge Frau Pressesprecherin der ostfriesischen Kriminalpolizei, und Ubbo fand, sie machte ihren Job ausgesprochen gut.

Sie redete ihn mit »Chef« an und fragte freundlich nach seinen Wünschen.

»Ich brauche ein paar Informationen über Yves Stern. Seinen augenblicklichen Aufenthaltsort …«

»Klar«, antwortete Rieke, »die harten Fakten. Hab ich gleich. Und das Ganze soll natürlich vertraulich sein, und niemand darf es erfahren.«

»Woher weißt du das, Rieke? Ich habe nichts davon gesagt.«

»Aber, Chef, das erkenne ich an deiner Stimme. So war es doch immer. Vor jeder Pressekonferenz hast du mir genau gesagt, das dürfen alle Journalisten wissen und das andere höchstens unser Holger Bloem.«

Sie fühlte sich geehrt, dass er sie angerufen und nicht Ann Kathrin ins Vertrauen gezogen hatte. Sie dachte nicht lange darüber nach, warum er die Informationen brauchte. Sie besorgte ihm einfach, was er haben wollte.

Nach dem Abschluss der Ermittlungen war es mit Yves Stern bergab gegangen. Zwar konnte ihm nichts nachgewiesen werden, aber er war trotzdem für Schulen untragbar geworden. Nachdem Eltern gegen seinen weiteren Verbleib an der Grundschule protestiert hatten, war er zunächst beurlaubt und schließlich »krankheitshalber« aus dem Dienst entlassen worden. Psychische Probleme machten es ihm nicht mehr möglich, eine Schule zu betreten oder eine Klassenfahrt zu leiten.

Die Ehe mit Sophie hielt der Belastung nicht stand, und er zog nach Emden-Früchteburg, zunächst in die Schützenstraße, später dann in den Steinweg.

Interessanterweise stand in dem Bericht, dass beide Hauptstraßen Radwege hätten, die täglich von vielen Schülern benutzt würden. Er selbst hätte oft den Bus Linie 502 benutzt.

Ubbo fragte sich, wer diese Informationen über Yves Stern gesammelt haben könnte. Er selbst sicherlich nicht. Oder konnte er sich nur nicht mehr daran erinnern?

Ihm wurde ganz komisch bei dem Gedanken, dass möglicherweise sein Gedächtnis langsam nachließ.

Oder hatte es später noch einmal eine Ermittlung gegen Yves Stern gegeben? Wenn ja, warum hatten die Emder Kollegen ihn nicht darüber informiert?

Yves Stern hatte einen Selbstmordversuch hinter sich. Sophie hatte aber offensichtlich noch sehr lange zu ihm gehalten. Die Ehe war erst vor fünf Jahren geschieden worden, obwohl sie schon viele Jahre nicht mehr zusammengelebt hatten.

Yves Stern verdiente sich als Aushilfstaxifahrer in Emden sein Geld. Zweimal war er dabei behördlich auffällig geworden. Einmal, als er in einen Unfall verwickelt war und eine Überprüfung des Taxiunternehmens ergab, dass er dort seit längerem schwarzarbeitete. Ein zweites Mal, weil er bei einer Verkehrskontrolle einen Emder Kollegen beleidigt und schließlich sogar tätlich angegriffen hatte.

Wenn die Informationen von Rieke Gersema richtig waren, und daran zweifelte Ubbo Heide keine Sekunde, dann lebte Yves Stern jetzt im Steinweg in Emden in einer Mietwohnung. Weder seine Telefon- noch Handynummer waren registriert.

Ubbo Heide stellte sich eine restlos gescheiterte Existenz vor, und er gab sich die Schuld daran. Kein Wunder, dachte er, dass Sophie Stern so wütend auf mich ist.

Ubbo Heide verfluchte seinen Rollstuhl. Seine Hand krampfte sich um den Bleistift zusammen, als hätte er vor, sich die Spitze in den Oberschenkel zu rammen, um durch den Schmerz die Nerven wieder zu reaktivieren.

Er dachte an sein christliches Elternhaus, das voll war mit Geschichten, in denen Lahme wieder gehen konnten, Blinde wieder sehen, und das alles ohne Hilfe der modernen Medizin, aber er war an diesen verdammten Rollstuhl gefesselt.

Wie sollte er alleine ermitteln? Wie in Emden die Treppen hoch kommen zu Yves Stern?

Nein, er konnte keinen Kollegen fragen. Er wollte niemanden in diesen Gewissenskonflikt bringen. Was maßte er sich eigentlich an, von den Kripokollegen zu erwarten, dass sie untereinander plötzlich Geheimnisse hatten und dichthielten, nur weil ihr Chef sich verschwörerisch verhielt?

Nein, so ging es nicht. Er ärgerte sich schon darüber, dass er Rieke angerufen hatte, aber den Rest musste er irgendwie alleine erledigen.

Und auch seine Tochter und seine Frau würde er nicht mit hineinziehen. Er brauchte jemanden, der neugierig genug war, gleichzeitig aber auch schweigen konnte. Jemanden, dem er zutiefst vertraute.

Er rief bei Holger Bloem an und sagte: »Holger, ich habe ein Problem ...«

»Ich kann in knapp dreißig Minuten hier weg und könnte dann sofort kommen.«

»Danke, Holger. Wenn meine Frau zurückkommt, musst du ihr ja nicht unbedingt sagen, dass wir …«

Holger beruhigte ihn sofort: »Schon klar.«

Svenja Moers konnte nicht mehr unterscheiden, ob in ihr so ein Feuer brannte, das Fieberschübe auslöste oder ob die Hitze von außen sie fertigmachte. Sie hatte den Wasserhahn voll aufgedreht, aber kein Tropfen kam heraus, und die Hoffnung, er könne Mitleid haben und das Wasser wieder anstellen, schwand mit jeder Minute.

Ihre Gedanken wurden schwer, ihre Bewegungen zäh. Es fühlte sich für sie an, als würde sie in einer Kaugummimasse sitzen, und jede Bewegung müsse sie gegen einen klebrigen Widerstand durchsetzen.

Über dem Waschbecken war ein Spiegel angebracht. Sie traute sich kaum, hineinzugucken. Sie kam sich fremd vor. Die bemitleidenswerte Person im Spiegel hatte aufgeplatzte Lippen und tiefe, schwarze Ränder unter den Augen. Sie hatte mit der lebenslustigen Svenja Moers, die sie einmal gewesen war, kaum noch etwas gemeinsam. Die Haare waren strähnig und fettig. Die Augen glasig.

Sie hatte das Gefühl, als würden Spinnen über ihr Gesicht krabbeln. Sie konnte die kleinen, zittrigen Beinchen spüren. Und wenn sie mit der Hand über ihr Gesicht wischte, war da nichts. Doch das Gefühl blieb: Spinnen liefen über ihr Gesicht!

Inzwischen krabbelten diese unsichtbaren Tiere auch auf ihren Unterarmen und ihrem Handrücken herum. Sie ekelte sich vor sich selbst. Gleichzeitig wurde der Druck ihrer Blase unerträglich. Sie hatte nicht vor, ihm ein Schauspiel zu bieten. Aber dann war ihre Not so groß, dass ihr der Ausweg logisch erschien.

Sie hatte in der Volkshochschule sogar mal einen Vortrag darüber gehört, dass Urin früher ein Heilmittel gewesen war. Kranke tranken ihren eigenen Urin. Es gab angeblich sogar Hinweise darauf in der Bibel, in den Sprüchen Salomons.

Sie riss das Bettlaken herunter, hockte sich in eine Ecke zwischen Bett und Wand, warf das Laken wie ein Zelt über sich und urinierte in den Zahnputzbecher.

Gierig trank sie den warmen Saft. Sie hustete und spuckte, aber es ging.

Am liebsten wäre sie unter der Decke geblieben, um wenigstens vor seinen Blicken und den Kameras sicher zu sein, aber hier war es noch stickiger und die Fliesen auf dem Boden erinnerten sie daran, dass sie einmal in Emden im China-Restaurant Jade-Garten knusprig geröstete Ente vom heißen Stein gegessen hatte. Nur dass sie in diesem Fall die Ente war …

Als sie es unter dem Laken nicht mehr aushielt und sich von den heißen Fliesen aufs Bett flüchtete, öffnete sich die Tür mit einem Surren.

Lächelnd stand er da, wie ein äußerst freundlicher Oberkellner. Mit der Linken trug er ein Tablett. In der Mitte stand ein Glas mit Eiswürfeln, daneben ein Fläschchen Cola Zero. Sogar an die Zitronenscheibe hatte er gedacht.

Er hob mit Grandezza die Flasche an und füllte das sprudelnde Getränk ins Glas. Ein Blubbern und Zischen erfüllte den Raum.

Sie starrte ihn an, den Zahnputzbecher in der Hand.

Vielleicht könnte es ihr gelingen, den Becher durch die Gitterstäbe an seinen Kopf zu werfen. Es würde ihn nicht umbringen, aber ihm zeigen, dass sie noch nicht erledigt war.

»Wenn du Durst hast, dann sag doch etwas«, lachte er. »Gehe ich richtig in der Annahme, dass die Dame auf die Figur achtet und nicht viel Zucker zu sich nimmt? Cola Light? Cola Zero? Oder spielt die schlanke Linie inzwischen schon keine Rolle mehr?«

»Was willst du von mir, Yves?«, fragte sie. »Ich dachte, du stehst auf Agneta Meyerhoff.«

Er verzog den Mund, als würde allein der Gedanke an Agneta

Meyerhoff ihm Übelkeit bereiten und stellte die leere Colaflasche auf dem Tablett ab, hielt es dabei so, als habe er lange in der Gastronomie gearbeitet und nicht das geringste Problem damit, ein volles Tablett auf engem Raum zu balancieren. Er nahm das volle Glas, ließ die Eiswürfel darin an seinem Ohr klimpern, dann leerte er das Glas in einem Zug.

Er rülpste genüsslich und sagte: »Also, mir schmeckt's. Aber du hast ja wohl etwas Besseres …«

Carola Heide und Holger Bloem trafen fast gleichzeitig ein. Carola hatte einen ganzen Korb voller Obst und Gemüse mitgebracht. Sie wollte selbst Brot backen. Sie musste sich langsam die Welt zurückerobern. Es sollte frische Sachen geben. Der Gedanke an Fleisch bereitete ihr Übelkeit. In nächster Zeit würden sie garantiert vegetarisch leben. Sie hatte sogar ein neues Kochbuch mitgebracht. Es lag in großen Stapeln an der Kasse aus. Sie wollte sich mit veganer Ernährung auseinandersetzen. Sie, die immer so gerne Hähnchen gegessen hatte, auf die Grillabende mit Freunden im Garten eine magische Wirkung hatten, und die Mettbrötchen mit Zwiebelringen lieber aß als Sahnetorte.

Sie wusste, dass der Kopf auf ihrem Frühstückstisch ihr Leben auf einschneidende Weise verändert hatte. Sie versuchte, den Schock als Chance zu sehen, auf ein neues, vielleicht besseres Leben.

Sie mochte Holger Bloem, weil er ein aufrechter Kerl war, der auch in schwierigen Situationen besonnen handelte, genau wie ihr Mann.

»Was habt ihr denn vor?«, fragte sie.

Holger und Ubbo mussten nicht mal Blicke wechseln, um sich zu verständigen. Das hier sollte Carola nicht wissen.

Ubbo lachte: »Nun, wir werden uns gemeinsam ins Auricher

Nachtleben stürzen. Ein paar Drinks nehmen, ein paar Striptease-lokale besuchen, ein paar Puppen aufreißen, und wer weiß, vielleicht laden wir ein paar hübsche Mädels ein, das Wochenende mit uns in Paris zu verbringen.«

Carola ließ den Jungs den Spaß. Es gefiel ihr, dass Ubbo versuchte, wieder auf die positive Seite zurückzukommen.

»Das sagen Männer wohl immer, wenn sie irgendwo einen Milchkaffee trinken gehen, um über ihre Prostataprobleme zu sprechen. Stimmt's?«, feixte sie.

Ubbo und Holger zwinkerten sich kurz zu, dann schob Holger den Rollstuhl zur Tür.

Ubbo protestierte: »Ich kann mit meiner Harley selber fahren.«

»Lass mich schieben«, sagte Holger, »dann gewöhne ich mich schon mal an den Rollator.«

»Falls eure Mädels nicht gut kochen können und ihr lieber bei Muttern essen wollt, ich habe genug eingekauft!«, rief Carola ihnen hinterher.

Kaum auf der Straße, platzte es aus Ubbo Heide heraus: »Danke, dass du sofort gekommen bist, Holger. Meine Kollegen dürfen nicht wissen, was wir hier machen ...«

»Du weißt schon, was du da von mir verlangst?«, gab Holger zu bedenken. »Ich möchte Ann Kathrin gegenüber nicht gerne einen Vertrauensbruch begehen.«

»Ich auch nicht«, gab Ubbo zu. »Ich will nur nicht die Pferde scheu machen und den ganzen Apparat zu schnell in Gang setzen. Vielleicht ist das alles ja nur ein Hirngespinst von mir. Wenn sich mein Verdacht bewahrheitet, werden wir natürlich die Kollegen einweihen.«

»Und denen dann auch die kriminalistische Arbeit überlassen«, forderte Holger.

Ubbo nickte. »Ja, verdammt. Aber jetzt bring mich bitte zu Yves Stern in den Steinweg.«

Das Haus im Steinweg machte keinen guten Eindruck. Hier investierte niemand Geld, um den Laden instand zu halten. Hier holte nur einfach eine Erbengemeinschaft so viel Geld wie möglich aus dem Bau.

Yves Stern wohnte im dritten Stock.

»Es gibt keinen Fahrstuhl«, sagte Holger. »Ich würde dich gerne hochtragen, Ubbo, aber ich hatte einen Bandscheibenvorfall.«

»Ich weiß.« Lächelnd sagte Ubbo: »Ich muss im Prinzip nur wissen, ob er noch lebt. Geh einfach hoch, klingle, und damit wir ganz sichergehen können, mach ein Foto von ihm.«

»Wird der nicht komisch gucken, wenn plötzlich jemand vor der Tür steht und ein Foto von ihm macht?«

Ubbo Heide zeigte ihm sein Handy. »Kriegst du das nicht mit so einem Ding heimlich hin? Die Kids machen das doch an jeder Bushaltestelle. Man denkt, sie schreiben eine SMS, und in Wirklichkeit filmen sie die jungen Mädchen beim Ein- und Aussteigen.«

»Echt? Das hab ich noch gar nicht mitgekriegt …«

»Ja, wenn man im Rollstuhl sitzt, Holger, sieht man die Welt aus einer ganz anderen Perspektive.«

Holger versuchte, wieder zum Eigentlichen zurückzukommen. »Ich soll also einfach nur feststellen, ob er lebt oder nicht?«

»Ich brauche hundertprozentige Gewissheit.«

Holger Bloem klingelte, aber niemand öffnete. Die Gegensprechanlage hing halb herausgebrochen an drei Kabeln lose an der Wand. Holger schloss nicht aus, dass die Klingel überhaupt nicht funktionierte, aber die Tür unten ließ sich problemlos öffnen, und er lief die Treppen hoch in den dritten Stock.

Die Sache kam Holger Bloem sofort komisch vor. Es gab drei Wohnungen auf der Etage. Eine schien leer zu stehen. Die Tür war offen. Drinnen standen Kisten, und jemand hatte versucht, Tapeten abzureißen und dann mitten in der Arbeit aufgegeben.

Vor der Tür von Yves Stern lag eine blaue Fußmatte, auf der früher mal in weißen Buchstaben *Moin* gestanden hatte. Jetzt war das Weiß zu einem Grauschwarz geworden und das *i* nicht mehr erkennbar. Der Fußabtreter lag quer auf dem Boden, die Spitze klemmte unter der Tür fest.

Holger Bloem klopfte. Die Tür öffnete sich einen Spalt. Holger wählte die Nummer von Ubbo Heide und hielt sein Handy ans Ohr. »Also, reich ist er sicherlich nicht. Ich glaube, er ist nicht zu Hause. Die Tür steht aber einen Spalt offen.«

»Geh rein und mach ein paar Fotos«, bat Ubbo Heide, und Holger wiederholte: »Der Chef der ostfriesischen Kriminalpolizei schlägt mir vor, dass ich in eine Wohnung einbrechen soll?«

»Der ehemalige Chef. Und es ist kein Einbruch, sondern höchstens unbefugtes Betreten. Ein guter Anwalt macht daraus eine Gefahrenabwehr. Riecht es nicht vielleicht nach Feuer? Musst du nicht dringend mal nachgucken, damit auch nichts Schlimmes passiert?«

»Ich bin stolz darauf, dein Freund zu sein«, sagte Holger, »aber glaub mir, Ubbo, ich möchte dich nicht zum Feind haben.«

Holger Bloem spürte einen Adrenalinschub, und sein Herz raste, als er die Tür aufdrückte.

Die Fußmatte unter der Tür leistete nur kurz Widerstand. Dann stand Holger in einer Wohnung, in der ganz deutlich ein Kampf stattgefunden hatte.

»Entweder ist das hier völlig verwahrlost, oder hier haben zwei Leute heftig miteinander gerungen, vermutlich sogar beides«, sagte er und machte ein paar Fotos.

Ein Sessel war umgefallen, der Tisch stand schräg zum Sofa. So, als sei jemand vom Sofa aufgesprungen, hätte den Tisch dabei zur Seite gedrückt und sei bei dem Versuch zu fliehen mit dem Sessel umgefallen.

Er machte Fotos und schickte zwei gleich an Ubbo, denn er konnte sich denken, wie aufgeregt der unten im Rollstuhl saß.

»Hier sind auch Blutflecken an der Tischkante«, sagte Holger. »Ich glaube, ich will jetzt hier nicht weitermachen. Das ist wohl mehr ein Fall für eure Kriminaltechniker.«

»Okay. Geordneter Rückzug. Fass nichts an, Holger.«

»Die Info kommt jetzt ein bisschen spät …«

Holger Bloem wusste gar nicht, wie schnell er Treppen hinunterlaufen konnte. Er versuchte, in Ubbo Heides Gesicht zu lesen, was die Nachricht für ihn bedeutete.

Ubbo wirkte wie versteinert.

»Was machen wir jetzt?«, fragte Holger.

»Jetzt rufen wir Ann Kathrin an und beichten.«

Spielplätze waren gefährlich für ihn. Fast so schlimm wie die Planschbecken im Schwimmbad.

Er liebte die ganz Kleinen. Sobald sie in vollständigen Sätzen sprechen konnten, wurden sie im Grunde schon uninteressant für ihn. Aber je kleiner sie waren, umso schwieriger war es, sich ihnen unerkannt zu nähern. Die Vorschulkinder wurden praktisch immer beaufsichtigt, bewegten sich nur sehr selten alleine und kaum weit weg von zu Hause und wurden von Eltern, Erziehungsberechtigten, Kindergärtnerinnen oder – ganz gefährlich – kritischen Großeltern bewacht. Omis und Opis konnten zu unberechenbaren Monstern werden, wenn sich jemand ihren Enkelkindern näherte. Manch ein Rentner sah aus, als hätte er ständig einen Armeerevolver in der Tasche und sei auch bereit, ihn zu benutzen.

Grundregel Nummer Eins: Vergiss kleine Mädchen, die mit dem Opa ausgehen!

Am einfachsten waren die älteren Geschwister. Mit Pubertierenden, die genervt davon waren, auf die verwöhnten Nachzügler aufpassen zu müssen, hatte er leichtes Spiel. Mit ihnen konnte er über Musik reden. Da kannte er sich aus. Ständig lud er die neuesten Hits auf sein iPhone.

Picklige Kids ließen sich mit Zigaretten kaufen. Sie fanden es cool, wenn er ihnen zuhörte. Er tat so, als würde er sie für Erwachsene halten. Er siezte Fünfzehnjährige. Das tat denen gut, stärkte ihren Selbstwert. Sie fühlten sich gemeint und waren viel zu selbstverliebt und unerfahren, um zu begreifen, dass es nicht um sie selbst, sondern um ihr kleines Geschwisterchen ging.

Im Störtebeker-Park in Wilhelmshaven hatte er sich in diesen engelhaften Jungen verguckt.

Marcos vierzehnjährige Schwester Lissa hatte den kleinen Racker täglich mehrere Stunden an der Backe und verlor deshalb den Kontakt zu ihrer eigentlichen Peergroup. Natürlich zog es sie zu den Gleichaltrigen.

Er hatte sich inzwischen die ganze schnöde Geschichte zweimal angehört. Warum der Supertyp aus der Parallelklasse, auf den alle Mädchen abfuhren – Patrick hieß er –, jetzt nicht mehr mit ihr zusammen war, sondern mit dieser Bitch vom Käthe-Kollwitz-Gymnasium.

Er hatte ihr zu ein bisschen Freizeit verholfen und war mit Marco auf der Mini-Eisenbahn gefahren, und den Spielteich hatten sie gemeinsam mit einem Floß überquert. Inzwischen hielten andere Stammgäste ihn schon für Marcos Vater.

Er wollte nicht wieder rückfällig werden. Er redete sich ein, das hier sei nicht der Beginn einer neuen Katastrophe. Er stand nicht auf Jungen, sondern auf Mädchen. Also war das hier ungefährlich. Ein Ersatzspiel, um das eigentliche, gefährliche, nicht mehr spielen zu müssen.

Er sprach oft mit sich selbst. Dann nannte er sich »Odysseus«, weil er sich fühlte, als habe er sich selbst an den Mast des Schiffes gekettet, während der Gesang der Sirenen ihn fast irre machte, so sehr verzehrte er sich nach ihnen. Aber er durfte nicht zulassen, dass sein Schiff den Felsen zu nahe kam. Es würde sonst unweigerlich daran zerschellen.

Deshalb hielt er sich von kleinen Mädchen fern und versuchte, den Leidensdruck durch die Nähe zu Jungen zu lindern. Marco war Balsam für seinen brennenden Schmerz. Sein engelhaftes blondes Haar. Die pfirsichzarte Haut. Wäre er ein Mädchen gewesen ... Aber er war ja zum Glück ein Junge. Also ungefährlich ...

Wenn uns jemand beobachtet, wird er mich eher verdächtigen, etwas mit der minderjährigen Schwester im Sinn zu haben als mit dem Kleinen.

Er musste vorsichtig sein. Er konnte keinem Menschen trauen. Nicht einmal sich selbst.

Büscher registrierte erstaunt, mit welcher Selbstverständlichkeit Ubbo Heide in sein altes Büro gebracht wurde, und er bewegte sich darin, als sei es immer noch seins.

Büscher selbst stand am Fenster, fühlte sich deplatziert, wie ein Störenfried.

Ann Kathrin, Weller und Holger Bloem waren ganz auf Ubbo Heide konzentriert. Holger Bloem, der eigentlich ein Journalist war und nach Büschers Meinung hier gar nichts zu suchen hatte, schien auf eine selbstverständliche Art dazuzugehören. Viel mehr als er selbst, fand Büscher.

Er wartete im Grunde darauf, dass irgendjemand versuchte, ihn rauszuschicken, und malte sich geistig schon aus, wie er darauf reagieren würde. Sollte er mit entschuldigenden Gesten den Raum verlassen oder mal richtig auf den Putz hauen und hier ein paar Sachen klarstellen?

»Wo ist die Karte, die immer da hing?«, fragte Ubbo Heide und zeigte auf den weißen Fleck an der Wand.

Büscher schluckte. »Ich habe sie abgenommen.«

Sofort suchte er in seinem Schreibtisch nach der Karte. Er war froh, sie nicht gleich weggeworfen zu haben. Immerhin hatte er sie zusammengefaltet in die Schublade gelegt. Die Spitzen der Karte waren durchlöchert von den Reißnägeln.

Er hängte die Karte tatsächlich wieder auf, und es kam ihm vor wie eine Niederlage, zumal Ubbo Heide gar keinen Bezug darauf nahm, sondern Ann Kathrin fragte ihn stattdessen: »Du gehst also davon aus, dass die zweite Leiche Yves Stern ist?«

»Wir sollten es in Betracht ziehen«, sagte Ubbo Heide. »Yves Stern und Bernhard Heymann waren Freunde. Sie haben sich öfter gegenseitig Alibis gegeben. Vielleicht echte, vielleicht auch nicht. Wir konnten das nie wirklich nachweisen.«

Weller mischte sich ein. »Yves Stern war eine Weile dein Hauptverdächtiger im Fall der verschwundenen Steffi Heymann.«

»Ja. Ich hatte da etwas in seinem Leben gefunden, das …«

Ann Kathrin sah Weller an. »Woher weißt du das?«

Weller machte eine Geste, als würde er an alle Geschenke im Raum verteilen. »Nun, ich habe Ubbos Buch seiner ungelösten Fälle gelesen … Lesen hilft im Leben …«

»Zunächst habe ich gedacht, dass dieser Yves Stern Bernhard Heymann deckt, ja, ihm vielleicht sogar geholfen hat. Jedenfalls war er auf Langeoog, als das Kind verschwand. Und dann gab es Auffälligkeiten in seinem Lebenslauf. Es ist schon mal ein Kind aus seiner Nähe verschwunden. Er war Grundschullehrer in Hannover. Da hat er wohl auch seine Frau kennengelernt.

Ein Mädchen aus der ersten Klasse ist damals verschwunden. Nicola Billing. Das Kind wurde lange vermisst. Es gab keine Erpresserbriefe, nichts. Die Kollegen stocherten monatelang im Dunkeln.«

»Und damit hatte er etwas zu tun?«, fragte Büscher hart in den Raum, im Grunde nur, um zu zeigen, dass er auch noch da war.

Ubbo Heide wehrte ab. »Nein, nein, so war das nicht, Leute.

Vielleicht haben wir dem Mann auch schrecklich Unrecht getan. Aber es war doch eine auffällige Geschichte, dass zweimal ein Kind aus seiner näheren Umgebung verschwunden ist. Nicola Billings Leiche wurde ein halbes Jahr später im Maschsee gefunden. Ich habe die Ermittlungen damals vielleicht ein bisschen ...«, Ubbo Heide wog seine Worte genau ab, »unsensibel gestaltet. Jedenfalls haben Eltern davon etwas mitbekommen.«

Ubbo Heide wischte sich mit dem Handrücken über die Lippen. Wenn Ann Kathrin sich nicht irrte, zitterte er.

»Stern hat dann einen Albtraum mitgemacht. Die typische Verfolgung ohne Gerichtsverhandlung. Für die Leute war er natürlich schuldig. Wir konnten ihm aber nie etwas nachweisen. Er hat seinen Job verloren und ...«

»Verfluchte Scheiße«, sagte Weller, »und jetzt hat ihn irgendeiner enthauptet und dir den Kopf geschickt?«

»Es sieht ganz so aus«, sagte Ubbo Heide und sah auf seine Knie.

»Warum tun Menschen so etwas?«, fragte Ann Kathrin.

»Meine Eltern«, sagte Ubbo Heide, »haben mich im Glauben erzogen, dass es einen Gott gibt und einen Teufel. Ich bin mir inzwischen nicht mehr so sicher, ob ein Gott existiert. Ein Teufel aber ganz bestimmt.«

Ann Kathrin war mit Ubbos Aussage nicht zufrieden: »Das ist keine Antwort auf meine Frage: Warum?«

Büscher fühlte sich unwohl. Das Ganze hier schien in eine Art philosophisches Gespräch abzugleiten. Dies hatte aus seiner Erfahrung wenig mit der Alltagsrealität des Polizeidienstes zu tun. Obwohl er es für verlorene Zeit hielt, schwieg er und hörte zu.

»Das Böse in seiner reinen Form existiert im Grunde nicht wirklich. Es ist mir nur sehr selten begegnet, in totalen Soziopathen, die andere leiden sehen wollten. Aber meistens war es anders, und das wirklich Böse verkleidet sich als etwas Gutes, Richtiges, Logisches, Folgerichtiges. Nur selten will ein Böser wirklich böse sein. Viele verrichten Teufelswerk im Glauben an das Gute.«

»Du definierst das Böse als Irrtum?«, fragte Ann Kathrin.

Ubbo Heide hob die Hände, als müsse er die Worte in der Luft formen: »Nein, als Denkfehler. Ich selbst habe auch schon Böses bewirkt. Ich war, wenn du so willst, der Handlanger des Teufels.«

Weller lachte gekünstelt auf. »Ha! Gerade du! Wenn alle Menschen so wären wie du, wäre die Welt entschieden besser.«

»Da ist Sophie Stern sicherlich ganz anderer Meinung. Sie glaubt, dass ich ihren Mann vernichtet habe und ihren Ruf und ihre Ehe zerstört, und vermutlich hat sie damit sogar recht. Denn als meine Ermittlungen abgeschlossen waren, ging die Hetzjagd gegen ihn weiter. Aber ich hatte den Reigen eröffnet ...«

Holger Bloem hatte die ganze Zeit ruhig zugehört, praktisch ohne sich zu bewegen. Jetzt fragte er: »Und nun glaubt ihr, hat jemand dieses Werk beendet?«

Ubbo Heide sprach schmallippig. »Zwei Leute, die eng mit einem ungelösten Fall zusammenhängen, sind tot. Ich habe damals ermittelt. Wir sollten das nicht ignorieren.«

Es gab zwei gute Gründe, warum diese Zeugenvernehmung Rupert Spaß machte.

Erstens: Die junge Frau war ausgesprochen attraktiv. Sie passte wundervoll in sein Beuteschema, obwohl er sich während des Gesprächs die ganze Zeit fragte, was ihn eigentlich an ihr so faszinierte, ja, ob er überhaupt ein Beuteschema hatte.

Waren es die großen Augen, die an ein aufgescheuchtes Reh erinnerten, das schon die Gefahr witterte, kurz bevor der Jäger aus dem Hochstand den entscheidenden Schuss abfeuerte? Oder ihre schmalen Hüften? Würde sie mich weniger jeck machen, wenn sie zwanzig Kilo mehr drauf hätte, fragte er sich.

Jedenfalls machte es ihm mehr Freude, eine schöne, junge Frau zu befragen als einen hässlichen, alten Mann.

Außerdem konnte Merle Ailts sich an den Abend im Reichshof erinnern. Sie schwärmte von ihrem Essen und beschrieb Rupert genau, wie die Speisen zueinander auf dem Teller geordnet lagen. Sie machte es so plastisch, dass er es praktisch riechen konnte. Dabei sah sie aus, als würde sie sich von Salatblättern ohne Dressing, Mineralwasser, Luft und vermutlich einer Menge Liebe ernähren.

Bestimmt joggt sie, dachte Rupert, und hat einen knackigen Hintern. Leider konnte er den jetzt aber nicht sehen, denn sie saß darauf.

Unter ihrem engen T-Shirt trug sie keinen BH. Rupert hoffte, dass dieser Modetrend sich bald durchsetzen würde, und es fiel ihm schwer, woanders hinzugucken, denn unter dem dünnen Stoff formten sich ihre Nippel ab wie süße, reife Kirschen, die er nur zu gern probiert hätte.

Er hatte sie hierher in den Reichshof gebeten. Er hoffte, dass sich die Gäste vor Ort besser an den Abend erinnern würden. Außerdem fand er es hier wesentlich gemütlicher als in der Polizeiinspektion Aurich. Er aß und trank im Reichshof auf Spesen und würde das Ganze »Ortsbesichtigung« nennen.

»Also, ich habe dort gesessen, zusammen mit meinem Opa.«

»Warum geht eine schöne, junge Frau wie Sie abends mit ihrem Opa aus?«

Sie lächelte, und Rupert schmolz dahin. »Mein Opa ist fünfundachtzig und wohnt bei der AWO in Norden in der Schulstraße. Er wird dort gut betreut und fühlt sich wohl. Ganz allein kommt er nicht mehr klar. Aber einmal im Monat führt er mich zum Essen aus.«

Rupert hatte durchaus Respekt davor, wie sie mit ihrem Opa umging.

»Und dann«, sagte er, »hören Sie sich die ganzen alten Geschichten an, die Sie vermutlich auswendig kennen.«

Sie schüttelte den Kopf, wobei ihr ihre frisch geföhnten Haare ins Gesicht fielen. Überhaupt, ihre Haare! Sie waren auf eine herrliche Art unordentlich. Immer wieder fuhr sie mit der Hand hinein, um sie zu ordnen oder aus dem Gesicht zu wischen. Sie sah verwuschelt aus, als würde sie nicht im Reichshof sitzen, sondern auf der Deichkrone.

»Nein, im Gegenteil. Er erzählt nur sehr wenig. Bei ihm passiert ja auch nicht mehr allzu viel. Aber er interessiert sich für mich. Er will wissen, was läuft in meinem Leben. Wissen Sie, wenn wir hier sitzen, dann rede ich den ganzen Abend. Manchmal komme ich kaum dazu zu essen.«

»Man sieht's«, grinste Rupert.

Sie sah ihn irritiert an und lächelte verschmitzt.

»Also, Sie saßen dort, Ihr Opa da – und wo war Ubbo Heide?«, fragte Rupert.

Merle Ailts deutete auf exakt den richtigen Platz. Genau so war es auf der Karte eingezeichnet.

»Sie hatten ihn also die ganze Zeit im Blick?«

»Ja, ja. Ich habe sogar gehört, wie er mit seiner Frau geredet hat. Also, da drüben an dem Tisch, die waren ziemlich laut. Eine Geburtstagsfeier oder so. Er und seine Frau, die waren ganz ruhig. Aber auf einmal platzte er heraus. Er knallte seinen Autoschlüssel auf den Tisch. Mein Opa und ich, wir schwiegen ganz erschrocken, wir dachten, es gibt Streit. Das war aber gar nicht so, sondern es war im Grunde eine sehr anrührende Szene. Er sagte so etwas Ähnliches wie, ab jetzt könne er ja immer ein Bier trinken, sie müsse in Zukunft Auto fahren.«

»Kannten Sie die beiden?«

»Nein, aber ich mochte ihre Art. Ich komme mit älteren Menschen gut klar. Manchmal besser als mit jüngeren«, sagte sie und senkte ihren Blick.

Rupert spürte genau, dass da eine Verletzung mitschwang. Wahrscheinlich hatte sie ein paar miese Erlebnisse mit jungen

Kerlen hinter sich. Das gefiel Rupert, denn es verbesserte seine Chancen.

Er schätzte sie auf Mitte, Ende zwanzig, aber er wusste, dass er nicht gut schätzen konnte.

»Sie haben den Schlüssel also auf dem Tisch liegen sehen?«

»Ja. Ganz sicher.«

»Wissen Sie, für uns geht es jetzt darum – dieser«, er beugte sich vor und sprach leise, »dieser Schlüssel ist für uns sehr wichtig. Haben Sie mitbekommen, dass er an diesem Abend von jemandem entwendet wurde?«

Sie verschränkte die Arme vor der Brust, was Rupert sehr leidtat.

Sie rieb sich die Oberarme, als ob sie frieren würde. »Nein. Wenn ich das gesehen hätte, dann wäre ich doch eingeschritten. Ich meine, niemand guckt einfach zu, wenn jemand beklaut wird.«

»Stimmt«, sagte Rupert. »Aber vielleicht haben Sie den Diebstahl ja nicht als solchen zur Kenntnis genommen. Erinnern Sie sich an jemanden, der nah am Tisch vorbeigegangen ist oder vielleicht am Tisch stehen geblieben ist? Möglicherweise, um ein paar Worte mit Ubbo Heide zu wechseln.«

»Ja. Mein Opa.«

»Bitte?«

»Die beiden kennen sich. Und weil Herr Heide im Rollstuhl saß, ging mein Opa zu ihm hin. Ich weiß aber nicht, was sie geredet haben. Ich habe derweil«, es war ihr ein bisschen peinlich, »mein Handy gecheckt. Ich war mit meinem Freund gerade in der Krise, und der war tierisch eifersüchtig, hat mir alle paar Minuten geschrieben ...«

»Klar«, lachte Rupert, »wenn eine so schöne, junge Frau wie Sie abends mit ihrem Opa essen geht, da muss ein junger Schnösel ja vor Eifersucht durchdrehen.«

»Die beiden haben dann noch einen Klötenköm zusammen getrunken.«

»Einen was?«

»Klötenköm. Eierlikör. So nennt mein Opa das. Hat er bis vor kurzem noch selber gemacht. Ein Rezept von seiner Mutter ...«

»Jaja, schon gut«, sagte Rupert. »Die beiden haben sich hier also ein Schnäpschen genehmigt. Und als Ihr Großvater wegging, lag der Schlüssel noch auf dem Tisch?«

»Das weiß ich nicht. Aber eins kann ich Ihnen mit Sicherheit sagen: Mein Opa hat den Schlüssel nicht geklaut. Erstens fährt der nicht mehr Auto und zweitens, wenn er Auto fahren wollte, dann würde er sich einfach eins kaufen. Mein Opa ist nicht ganz arm. Er hat mir zum achtzehnten Geburtstag einen Golf geschenkt und zahlt auch die Steuern und die Versicherung seit zig Jahren, obwohl das eigentlich gar nicht nötig wäre, denn ich ...«

So schön dieses Gespräch für Rupert auch war, er ahnte, dass er hier nicht viel weiterkommen würde. Gern hätte er sich mit der jungen Dame noch verabredet, aber Merle Ailts schaute auf ihr Handy und fragte, ob es noch lange dauern würde, denn sie hätte ein – ja, Rupert bildete sich sogar ein, dass sie bei dem Wort errötete – »Date«.

»Gibt es zwischen einem Date und einem Rendezvous eigentlich einen Unterschied?«, fragte Rupert.

Sie sah ihn groß an.

Rupert erklärte seine Frage: »Heißt Date, dass man gleich beim ersten Mal zusammen in die Kiste hüpft, während man bei einem Rendezvous nur Milchkaffee zusammen trinkt und sich über die Schönheit der Landschaft austauscht?«

Ihre Unterlippe fiel unwillkürlich schlaff herunter. »Wollen Sie jetzt von mir ein paar Flirttipps, oder was?«, fragte sie.

Rupert reichte ihr seine Karte. »Falls Ihnen noch was einfällt, können Sie mich jederzeit anrufen.«

»Meinen Sie jetzt in Bezug darauf, wie ein ordentliches Date abläuft oder mehr, ob mir noch etwas zu dem Abend einfällt?

Wissen Sie, da war nämlich noch etwas.« Sie blickte wieder auf ihr Handy, als müsse sie überprüfen, ob die Zeit überhaupt noch reichte, um die Geschichte zu erzählen.

»Da ist jemand von dem Tisch da hinten, von dieser Geburtstagsfeier, gestolpert. Also, ich glaube, der hatte schon ganz schön getankt, ging mit einem Glas Rotwein in der Hand hier so vorbei, als ob er zur Toilette wolle oder seinen Platz suche. Dann ist er gestolpert, hat sich an der Tischdecke festgehalten und so ziemlich alles runtergerissen. Jedenfalls landete Herrn Heides Essen auf dem Boden. Es waren sofort Kellner da, alles wurde saubergemacht, man hat sich entschuldigt, eine neue Tischdecke war da. Das funktioniert hier blitzartig. Herr Heide hat auch kein Drama daraus gemacht. Seine Frau hat sich kurz aufgeregt, weil eine Garnele in ihrem Ausschnitt gelandet war oder auf ihrer Bluse, das weiß ich nicht mehr so genau. Also, ich fand es eher lustig als schlimm.«

Es lief Rupert heiß den Rücken runter. War das einer dieser Momente, von denen Ann Kathrin Klaasen manchmal sprach? Der kurze Augenblick, in dem einfach alles geschieht – in dem eine Geschichte umkippt, ein Fall vor der Lösung steht, ein Beschuldigter vor dem Geständnis …

Jetzt kam es nur darauf an, die einzig richtige Frage zu stellen. Und das tat Rupert: »Lag der Schlüssel danach wieder auf dem Tisch?«

Merle Ailts zuckte mit den Schultern. »Keine Ahnung.«

Zur Verabschiedung gab die junge Frau ihm nicht die Hand, sondern umarmte ihn kurz und drückte ihn einmal an sich. Es war ein elektrisierender Augenblick für ihn.

So machen die das heute, dachte er. So haben wir es ja früher auch gemacht. Wann ging uns das verloren, dieses kurze Umarmen, dieses Drücken, einmal den anderen spüren, bevor man sich trennt? Stattdessen schütteln wir uns nur doof die Hände, als müsse jeder dringend dafür sorgen, dass sich seine Viren und

Bakterien mit denen des anderen in den Handinnenflächen paaren können.

Sein Gedanke ließ ihn kurz innehalten. Fast hätte er Merle Ailts gefragt, ob sich Viren und Bakterien eigentlich paaren oder ob sie wusste, wie die sich vermehren. Aber dann hielt er lieber den Mund.

Damit tat er, was seine Frau Beate ihm empfohlen hatte. »Manchmal ist es für dich wirklich besser, einfach den Mund zu halten, Rupert.«

Vielleicht war dies so ein Moment.

Die Geschäftsführerin des Reichshof, Martina Haver-Franke, war sehr hilfsbereit und konnte Rupert ein paar wichtige Informationen geben: »Ich weiß genau, welche Geburtstagsfeier Sie meinen.«

Sie konnte sich an den Namen der Leute nicht erinnern, fand aber alles in ihren Aufzeichnungen. »Gebucht hat den Tisch ein Herr Kaufmann. Die Rechnung wurde komplett per Kreditkarte bezahlt.«

Sie konnte Rupert die Höhe der Rechnung, die Kreditkartennummer und den Namen des Besitzers nennen. Sechs Personen hatten dort gegessen und einer von ihnen, das Geburtstagskind Wilhelm Kaufmann aus Brake an der Unterweser, hatte ein Wellness-Wochenende für alle sechs Personen im Reichshof bezahlt und auch das Abendessen spendiert.

»Es geht doch nichts«, sagte Frau Haver-Franke, »über eine ordentliche Buchhaltung.«

Rupert gab ihr recht. Er nahm noch ein Pils im Stehen an der Theke, und dann fuhr er mit dem Gefühl weg, einen Schritt weitergekommen zu sein.

Rieke Gersema stampfte ins Badezimmer, riss die silberne Box mit den Papiertaschentüchern an sich, zupfte zwei heraus, schnaubte hinein und begab sich auf dem schnellsten Weg ins Bett. Dabei kam sie an drei Spiegeln vorbei. Dem im Badezimmer, dem im Flur und dem Ankleidespiegel im Schlafzimmer.

Sie gab sich große Mühe, in keinen zu schauen. Sie wusste genau, was sie jetzt hatte: Ihr Therapeut nannte es »postkoitale Depression«.

Sie kam sich schmutzig vor und wertlos. Vielleicht benutzte sie deshalb jedes Papiertuch nur einmal, und wenn sie sich damit geschnäuzt hatte oder die Tränen abgeputzt, dann warf sie es weit von sich weg, so als könnten daran tödliche Keime kleben.

Wenn sie sich aus dem Bett bewegte, um sich etwas aus dem Kühlschrank zu holen, nahm sie die Box unterm Arm mit und verteilte überall um sich herum die weißen Papierwolken, die wie zu groß geratene Schneeflocken ihren Gang durchs Haus markierten.

Manchmal half Eiscreme. Eine Familienportion, gleich aus der Packung gelöffelt, mit Sprühsahne, die sie zu großen Bergen auf dem Eis aufhäufte.

Sie fand den Geschmack im Grunde eklig, und genau das brauchte sie jetzt. Das Eis dagegen brachte ein bisschen Kühlung in die Glut der inneren Hölle.

Sie war allein und konnte ihre Gedanken laut herausschreien: »Nie geht es um mich! Nie!«

Den ganzen Abend hatte Joachim Faust an ihr herumgebaggert, und in Wirklichkeit wollte er nur ein paar Geheimnisse über Ann Kathrin Klaasen herausfinden.

Der verabredet sich mit mir, und es geht den ganzen Abend eigentlich nur um Ann Kathrin.

»Verflucht, verflucht, verflucht!«, schrie sie und warf ein Papiertaschentuch gegen ihr unerträgliches Spiegelbild.

So war das immer, dachte sie. Auch in meiner Ursprungsfamilie. Es ging nie um mich. Auch nicht bei meinen Eltern. Es ging immer nur darum, den Jähzorn meines Vaters in Grenzen zu halten, damit er meine Mutter nicht wieder verkloppte. Alle Gedanken richteten sich dahin, wie wir verhindern können, dass er wieder zu viel trinkt und am Ende zum Wüterich wird. Vorausschauend haben wir jeden Abend geplant. Das Fernsehprogramm ausgesucht, von dem wir hofften, es könne ihm am besten gefallen. Die Wohnung so aufgeräumt, dass er auch wirklich nichts finden konnte, was meine Mutter oder mich in seinen Augen zu Schlampen machte.

Aber er fand immer etwas, und mit unseren Versuchen, ihn zu besänftigen, demütigten wir im Grunde nur uns selbst und fühlten uns am Ende noch als Versagerinnen, weil wir es wieder nicht geschafft hatten. Und wenn er meiner Mutter dann ein blaues Auge gehauen hatte oder einen Arm gebrochen, dann, verdammt noch mal, habe ich mich dafür schuldig gefühlt. Ja, ich, weil ich dachte, dass meine Mutter die Prügel einsteckt, die eigentlich mir galten, und dass meine Eltern ohne mich viel glücklicher gewesen wären.

Und jetzt bin ich mit diesem berühmten Dreckskerl ins Bett gegangen, diesem B-Promi. Oder sollte ich besser C- oder D-Promi sagen?

Sie biss sich vor Wut auf sich selbst in den linken Unterarm. Es tat gut, den Schmerz zu spüren. So wusste sie wenigstens, dass es sie noch gab.

Welch einen schrecklichen Abend hatte sie hinter sich! Schon gleich zu Beginn hatte sie gespürt, dass es nicht um sie ging. Faust war reizend, strahlend, aufmerksam. Der Wein richtig temperiert. Die Atmosphäre, in der er sich in Szene setzte – all das stimmte. Und sie spürte doch die ganze Zeit: Es geht nicht um mich.

Und dann – dafür hasste sie sich besonders – stand sie nicht etwa auf und ließ ihn abblitzen, sondern sie begann zu zappeln und tat alles, um als eigenständige Person von ihm wahrgenommen zu werden.

Sie gab ihm, was er über Ann Kathrin wissen wollte, damit endlich das Thema gewechselt werden konnte, und schließlich bot sie sich ihm so offen an, dass sie sich jetzt dafür schämte.

Nein, sie war nicht mit ihm ins Bett gegangen, weil sie ihn so attraktiv fand. Nein, sie wollte keine Beziehung zu ihm aufbauen. Sie wollte lediglich auch mal eine Rolle spielen, auch mal vorkommen.

Als er dann mit ihr im Bett war und nicht mit Ann Kathrin, als er ihre Haut spürte und sie seine, da fühlte sie für einen Moment, dass sie wirklich lebte. Einen kurzen Moment.

Schon während er in sie hineinstieß und dabei sein Gesicht so irre verzerrte, dass er aussah, als sei er schwer auf Droge, da hätte sie am liebsten alles abgebrochen und wäre weggelaufen, doch das schaffte sie nicht. Sie musste es jetzt irgendwie zu Ende bringen, zu einem Abschluss, und dann so schnell wie möglich vergessen.

Warum tue ich das, dachte sie. Warum lasse ich mich mit solchen Typen ein? Er hat meinen Körper nur benutzt, um sich zu befriedigen! Hatte ich überhaupt etwas davon, außer dem Gefühl, dass es mich wirklich gibt und dass es endlich mal um mich geht dabei?

Und das war die eigentlich schlimme Erkenntnis: Nicht einmal dabei war es um sie gegangen!

Im Bett war sie austauschbar gewesen gegen hundert andere, die er gehabt hatte. Und sie schauderte bei dem Gedanken, dass er sie jetzt mit denen verglich.

Sie sprang aus dem Bett und stampfte wieder durch ihre Wohnung, fühlte sich wie ein Trampeltier, und genauso wollte sie sich auch bewegen, die Box mit den Taschentüchern unterm Arm. Sie zupfte das letzte Tuch heraus, dann ging sie ins Badezimmer. Hier gab es noch zwölf Boxen. Sie hatte zwei Sechserpackungen gekauft.

Jetzt sah sie diesen Vorrat an und bekam einen Heulkrampf.

»Das habe ich doch alles nur gekauft, weil ich genau wusste, dass es geschehen würde«, schluchzte sie. »Ich hab es gekauft, bevor ich Faust überhaupt kannte. Er ist im Grunde auch austauschbar. Es hätte genauso gut ein anderer Typ sein können.«

Sie nahm sich gleich zwei Packungen aus dem Regal, und auf dem Weg zurück ins Schlafzimmer sah sie ihr Handy an. Gab es jemanden, den sie anrufen konnte? Hatte man für solche Dinge nicht eine Freundin?

Sie spielte sogar mit dem Gedanken, Ann Kathrin anzurufen und ins Telefon zu schreien: *Ich war mit ihm im Bett, als Ersatz, weil du nicht da warst!*

Aber sie tat es nicht. Sie wurde nur sehr traurig, weil ihr klarwurde, dass sie nicht mal eine Freundin hatte, bei der sie sich jetzt aussprechen konnte.

Vielleicht, dachte sie, reden andere in so einer Situation ja einfach mit ihrer Mutter. Aber das tat sie schon lange nicht mehr. Ihre Mutter war mit dem schwierigen Ehemann und dem eigenen Leben schon belastet genug. Da wollte sie nicht noch eine Schippe draufpacken.

Sie hatte immer das Gefühl gehabt, ihre Mutter könne jederzeit unter der schweren Last zusammenbrechen. Wenn überhaupt, dann war sie es, die ihrer Mutter Probleme abnahm. Und sie selbst spielte für die Mama das unkomplizierte, fröhliche Töchterchen, das gute Laune verbreitete, einen sicheren Job hatte und um das man sich keine Sorgen machen musste.

Sie ließ sich ins Bett fallen, schrie: »Scheiße«, strampelte wie ein kleines Kind und schoss die Taschentuchschachteln gegen die Wand. »Scheiße, das stimmt doch alles nicht! Mein ganzes Leben ist eine einzige Lüge!«

Büscher, der sich vorgenommen hatte, in Norden auf seine schlanke Linie zu achten, mümmelte schon an der zweiten Banane herum. Die Schale der ersten lag auf seinem Schreibtisch.

Er gehörte noch zu einer Polizistengeneration, die nicht nur gelernt hatte, Akten anzulegen, sondern auch, Akten zu lesen. Hinter Vernehmungsprotokollen fand er nicht nur die Persönlichkeit des Verdächtigen, sondern darin offenbarte sich auch der Beamte, der mit seinen Fragen das Gespräch in die richtige oder falsche Richtung lenkte. Um die Leute, die ihn umgaben, besser kennenzulernen, vielleicht aber auch nur, weil er sich irgendwie sinnvoll beschäftigen musste, fraß er sich durch die Akten.

Er stellte gleich eine Besonderheit fest: Ubbo Heide hatte veranlasst, dass alle Mitarbeiter am Ende eine persönliche Einschätzung ihres Gesprächspartners notierten. Vor Gericht war so etwas nicht weiter von Belang, ja, konnte unter Umständen sogar die Voreingenommenheit eines Beamten belegen. Aber in den laufenden Ermittlungsverfahren war es sehr hilfreich, wenn ein Kollege die Arbeit eines anderen fortführte.

Auch in der kurzen Phase, in der POR Diekmann die Geschicke der Polizeiinspektion geleitet hatte, war diese ostfriesische Besonderheit nicht aufgegeben worden.

Ann Kathrin Klaasen schrieb zum Beispiel unter Vernehmungsprotokolle:

Obwohl sich der Verdächtige in keinerlei Widersprüche verstrickte, hatte ich doch die ganze Zeit das Gefühl, von ihm belogen zu werden. – KHK Ann Kathrin Klaasen

Büscher hatte so eine Art der Aktenführung noch nie gesehen, und in Bremerhaven hätte man ihm dafür vermutlich ein Disziplinarverfahren angehängt oder sich zumindest an die Stirn getippt.

Unter einer anderen Vernehmung hatte Ann Kathrin die schlichten Sätze gesetzt: *Das alles hört sich unglaubwürdig an und kann im Grunde gar nicht so gewesen sein. Immer wieder verstrickte sich die Zeugin in Widersprüche. Trotzdem glaube ich, dass es sich bei ihr um eine ehrliche Haut handelt, die keineswegs versucht, uns zu belügen, sondern wirklich glaubt, was sie erzählt. – KHK Ann Kathrin Klaasen*

Martin Büscher blätterte weiter.

Die Person ist sehr narzisstisch und hört sich selbst gerne reden. Obwohl sich seine Aussagen mit denen anderer Zeugen decken, vermute ich, dass er gar nichts gesehen hat, ja möglicherweise nicht mal vor Ort war, sondern sich nur in Szene setzen will und die Vernehmungen genießt wie ein Filmsternchen Interviews in der Yellow Press. – KHK Ann Kathrin Klaasen

Die Banane machte Büscher einfach nicht satt. Er hatte das Gefühl, im Mund würde der Brei immer mehr werden. Eine Banane war ja ganz okay, aber die zweite auch noch? Nein ... er war doch kein Affe! Er brauchte einen Brathering, einen Matjes oder am besten eine große Fischplatte mit Bratkartoffeln. Die Salatgarnierung konnten sie sich seiner Meinung nach schenken.

Er blätterte jetzt in Ruperts Arbeit und staunte nicht schlecht. Er hatte das Gespräch mit Merle Ailts sehr genau, ja akribisch, notiert und dann als persönliche Einschätzung dazu geschrieben:

Merle Ailts möchte am liebsten ein Berg sein.

Büscher rief Rupert zu sich, um zu erfahren, was es mit diesem sinnschwangeren Satz auf sich hatte.

Als Rupert hereinkam, hatte er einen Big Mac in der Hand. Mayonnaise und Ketchup klebten in seinen Mundwinkeln, und Rupert sah aus, als könne ein Mensch in diesem Leben nichts Besseres essen als so einen Big Mac mit doppelt Käse. Ungeniert aß er weiter, während er in Büschers Büro herumstand.

Als Büscher fragte: »Was soll das hier? Als persönliche Einschätzung von Merle Ailts hast du geschrieben: *Merle Ailts möchte am liebsten ein Berg sein.* Ist das irgendein Code, den ich nicht verstehe?«

Rupert packte den Big Mac in die Pappschachtel zurück und legte ihn neben Büschers Bananenschale auf den Schreibtisch.

Büscher erwischte sich bei dem Gedanken, wie es wäre, wenn Rupert gleich eilig das Büro verlassen und den Big Mac vergessen würde. Er konnte sich gut vorstellen, ihn mit zwei Happen zu verschlingen.

Rupert wischte sich mit dem Handrücken die Lippen ab. Er breitete die Hände aus und lachte: »Aber bitte, sie möchte gerne ein Berg sein. Das versteht doch jeder!« Er unterstrich seine Worte gestisch. »Sie will einfach so in der Landschaft rumstehen, bewundert werden und sich ab und zu mal besteigen lassen ...«

Büscher räusperte sich. »So etwas«, sagte er, »gehört nicht in eine Akte. Das ist unseriös.«

»Unseriös? Das hat Ubbo uns eingebläut. Ich würde an deiner Stelle hier nicht gerade gegen ihn vom Leder ziehen.«

»Euer ehemaliger Chef hat euch sicherlich nicht gesagt, dass ihr eine Frau als Berg bezeichnen sollt.«

»Nein, das ist meine genaue psychologische Einschätzung. Exakt so ist sie. Ich kenne eine Menge von der Sorte, glaub mir.«

Büscher wusste jetzt gar nicht mehr, ob es so gut gewesen war, dass er allen gleich das Du angeboten hatte. Vielleicht wäre ein bisschen Distanz in manchen Fällen besser gewesen, zum Beispiel zu Rupert.

Er versuchte, Rupert seine Sicht der Dinge zu erklären: »Das geht so einfach nicht. Dann könnte man ja gleich die Kleidergröße der Dame hier eintragen, ihre ...«

Interessiert sah Rupert Büscher an.

»Ich meine, Körbchengröße und so etwas ... Sexuelle Vorlieben ...«

Rupert nickte. »Ja, das hab ich ja auch vorgeschlagen, aber die Frauenfraktion war dagegen. Ann Kathrin hat einen richtigen Aufstand gemacht, und dann waren sie alle gleich mit von der Partie.« Er zählte an den Fingern auf: »Sylvia Hoppe, Rieke Gersema und allen voran der Bratarsch.«

»Wer?«

Rupert winkte ab. »Die Marion Wolters aus der Einsatzzentrale. – Die Körbchengröße kann ich gut schätzen. Merle Ailts hat allerdings gar keinen BH getragen. Also, B war es garantiert, vielleicht 75 oder 80.«

Büscher donnerte mit der Faust auf den Schreibtisch. Er traf die Bananenschale, die an seiner Hand kleben blieb, dann über den Schreibtisch segelte und sich wie eine gelbe Krake auf Ruperts Hamburgerbox niederließ. »Halt die Fresse, Rupert! Das alles hier ist viel zu ernst, um …«

Rupert richtete den Zeigefinger auf Büscher und schoss Sätze ab, die er von Ubbo Heide in Erinnerung hatte: »Alles ist wichtig, hat Ubbo gesagt! Am Ende ergeben viele tausend kleine Stückchen ein großes Puzzle.«

»Neue Chefs«, grummelte er, »werden hier selten alt. Meinst du, ich weiß nicht, dass du mit Ann Kathrin essen warst? So was spricht sich in Ostfriesland schnell rum. Hat sie dich gegen mich aufgehetzt? Schlägst du dich jetzt auf die Seite dieser Lesbenfraktion?«

Rupert knallte die Tür hinter sich zu.

Büscher schielte zu der Bananenschale. Dann griff er kurzentschlossen zu, feuerte die Schale in den Papierkorb, packte Ruperts Big-Mac-Rest und biss rein.

Das wabbelige Zeug war im Mund immer noch angenehmer als dieser Bananenbrei.

Für einen kurzen Moment sehnte er sich zurück nach Bremerhaven.

Er musste Svenja jetzt eine Weile alleine lassen. Auf dem Display seines iPhones konnte er die Bilder sämtlicher Überwachungskameras sehen und sie sogar bewegen. Sie wäre also keinen Moment unbeobachtet.

Trotzdem gefiel es ihm nicht, sie alleine zu lassen. Mit ihrer bockigen Art brachte sie sich selbst an den Rand des Todes. Wie lange würde sie noch ohne Wasser durchhalten?

Er hatte kein Interesse daran, hier später eine verdurstete Frau vorzufinden. Aber er wollte ihr auch nicht unverdient Erleichterungen zukommen lassen.

Er musste einen logischen Grund finden, warum er das Wasser andrehte. Er wollte ihr nicht sagen, dass er jetzt für eine Weile verschwinden musste. Es war besser, sie im Unklaren zu halten, damit sie erst gar nicht auf dumme Ideen kam und ihr Widerstand angestachelt wurde.

Er ging zu ihr. Sie durfte auf keinen Fall spüren, unter welchem Druck er stand. Er musste immer wieder improvisieren, dabei hasste er es. Warum war das Leben nicht planbar wie ein Schachspiel?

Bei Clausewitz hatte er es so ähnlich gelesen. »Alle Theorie von der Kriegskunst gilt so lange, bis die Schlacht beginnt. Ab dann herrscht das Chaos.«

Und im Chaos konnte nur der siegen, der schnell und spontan war. Improvisieren hieß nicht, schnell etwas hinzupfuschen, sondern sich überlegt und konzentriert auf eine neue Situation einzustellen, um sie zu beherrschen.

Das hatte er in den letzten Tagen geübt. Wieder und wieder.

Die Tür öffnete sich mit einem Zischen, und er stand vor ihr.

Sie sah schrecklich aus. Lange würde sie es nicht mehr machen.

»Ich werde dir jetzt drei Fragen stellen. Und wenn du sie wahrheitsgemäß beantwortest, bekommst du Wasser.«

Sie kniete aufrecht im Bett. Ihre Augen lagen tief in den Höhlen. Ihre Finger krallten sich in ihre Oberschenkel. »Mach die Heizung aus«, sagte sie. »Ich ersticke hier. Hier muss Luft rein! Gib mir Wasser und mach die Heizung aus.«

Er fuhr sich mit dem Finger zwischen Hemdkragen und Hals einmal entlang und lächelte. »In der Hölle wird es noch heißer sein als hier. Glaub mir, das hier ist so eine Art Trainingslager für die Hölle. Es steht dir nicht zu, Forderungen zu stellen.

So. Und jetzt meine Fragen: Hatte dein erster Mann eine Lebensversicherung?«

Sie schrie ihm die Antwort entgegen, froh darüber, die Prüfung bestehen zu können: »Ja!«

Sie rieb die Hände an ihren Oberschenkeln und wibbelte unruhig auf dem Bett auf und ab.

»Wie hoch war sie?«

»Fünfzigtausend.«

»Und dein zweiter Mann? Der hatte doch auch eine Lebensversicherung.«

»Ja.«

»Und wie hoch war die?«

»Hunderttausend.«

»Also doppelt so hoch. Dachte ich es mir doch.«

»Was sollen diese Fragen? Ich hab sie alle richtig beantwortet. Krieg ich jetzt Wasser?«

»Das waren erst zwei Fragen.«

»Nein, verdammt, das waren drei! Das waren im Grunde sogar vier!«

So, wie sie ihn ansah, wusste sie, dass er die völlige Macht hatte. Er musste sich nicht an ein Wort halten, das er ihr gegeben hatte. Er konnte einfach lachend gehen und sie hier sterben lassen.

»Hast du die Männer getötet, um an ihr Geld zu kommen?«

»Nein!«, schrie sie. »Nein, verdammt, das habe ich nicht getan!«

»Schade«, sagte er. »Du hast nicht die Wahrheit gesagt. Dann wird's wohl nichts mit dem Wasser.«

Während er seine eigenen Worte hörte, dachte er: Verdammt, verdammt, wie konnte ich nur so blöd sein? Natürlich gesteht sie die Taten nicht so einfach. Jetzt muss ich einen anderen Grund finden, warum ich die Wasserleitung öffne. Oder ich riskiere, dass sie verreckt, bis ich wieder da bin.

Er wog schon ab, was eigentlich so schlimm daran wäre, wenn sie hier verdursten würde.

»Ist das hier so etwas wie ein Hexenprozess?«, kreischte sie. »Hab ich sowieso keine Chance? Man steckt die Hexe in einen Sack, bindet ihn zu und wirft ihn ins Wasser. Wenn sie ertrinkt, war sie unschuldig, wenn nicht, ist sie eine Hexe und wird verbrannt?«

Ihre Unterlippe platzte auf, und ein Blutstropfen quoll hervor. Er zog rote Schlieren auf ihren Zahnreihen.

Ich muss irgendwie einen Dreh finden, großzügig sein zu können, dachte er.

»Hast du deine Männer betrogen?«

»Ja!«, schrie sie, »ja, verdammt! Alle beide!«

»Warst du froh über ihren Tod?«

Sie sprang vom Bett und ging zu den Gitterstäben. Sie fasste sie an und rüttelte daran. »Was sollen die Fragen? Ist das hier das Jüngste Gericht? Bist du Gott?«

Er zog sich langsam zurück. Es sollte bedächtig aussehen. Nicht so, wie bei jemandem, der sich davonstiehlt.

In der Tür drehte er sich noch einmal zu ihr um und sagte großzügig: »Ich werde dir Wasser geben.«

Kaum hatte sich die Stahltür geschlossen, war Svenja Moers auch schon beim Wasserhahn, um ihn aufzudrehen. Dabei hatte sie ihn bisher noch gar nicht zugedreht. Panisch wusste sie plötzlich nicht mehr, in welche Richtung man drehen musste, damit Wasser kam.

Sie wollte sich jetzt nicht selbst im Weg sein. Sie hatte keine Ahnung, wie lange dieser Wahnsinnige das Wasser fließen lassen würde. Sie brauchte Behälter, um es aufzufangen. Es gab einen Stöpsel für den Abfluss im Waschbecken. Den drückte sie sorgfältig hinein.

Die leeren Leitungen machten Geräusche in der Wand. Dann gurgelte es und tatsächlich spritzte Wasser ins Waschbecken.

Sie hielt die Hände unter den Hahn und trank aus ihren Handflächen. Es war köstlich! Es war Leben!

Mit jedem Schluck kehrte Energie in sie zurück und das Wissen darum, dass sie sich nicht verloren geben würde. Niemals!

Sie hatte ihre kapriziöse Mutter überlebt, zwei Ehen und einen Konkurs. Sie würde auch das hier überstehen!

Sie tagten in Ubbo Heides Wohnung, nicht weit entfernt von der Polizeiinspektion.

Seine Frau Carola hatte, obwohl es sehr warm war, eine Decke über seine Knie gelegt, so, als müsse sie ihn schützen oder wolle vergessen machen, dass er im Rollstuhl saß.

Sie tranken Tee, wie er ihn gern mochte. Nicht mit Kluntje und Sahne, sondern Schwarztee mit frischen Pfefferminzblättern darin. Trotz der stehenden Luft in Aurich erfrischte der heiße Tee.

Ann Kathrin und Weller saßen links und rechts von Ubbo. Die bequemen Möbel nutzten sie kaum. Jeder hockte nur mit dem halben Hintern auf den Polstern, beide in Haltungen, als wollten sie gleich aufspringen, vollständig fixiert auf Ubbo und das, was sie vorhatten.

Weller spürte einen leichten Rückenschmerz, den er manchmal bekam, wenn in seinem Leben etwas nicht ganz rund lief und er Beziehungsprobleme hatte. Er versuchte, das jetzt zu ignorieren.

»Der Schlüssel zu allem liegt auf Langeoog«, sagte Ubbo Heide. »Es geht um Steffi Heymann. Irgendjemand macht hier reinen Tisch. Rächt sich oder …«

Er sprach nicht weiter.

Weller ergänzte: »Oder beseitigt Mitwisser, weil er Angst hat, doch noch aufzufliegen?«

Ubbo nickte. »Denkbar.«

»Im Grunde müssen wir den ganzen Fall noch einmal aufrollen. Uns die Personen genau anschauen und …«, Ann Kathrin zückte ihren Stift und nahm den karierten Block zur Hand. »Mit wem hast du damals zusammengearbeitet, Ubbo?«

Er lächelte, weil sie die gleichen Schreibutensilien benutzte wie er.

»Ich war Teil einer SOKO. Eigens für diesen Fall hatte man die besten Leute zusammengetrommelt«, er entschuldigte sich gestisch dafür, sich in die Reihe der besten Leute eingeordnet zu haben. »Ihr wisst ja, was für einen Pressewirbel so etwas verursacht. Wenn es um ein Kind geht, das weckt ja die tiefsten Ängste.«

»Hast du die Ermittlungen damals geleitet?«, fragte Ann Kathrin.

»Nein. Das war KHK Wilhelm Kaufmann. Der ist dann aber aus dem Dienst entfernt worden.«

»Wilhelm Kaufmann?«, fragte Ann Kathrin. »Der war doch bei dieser Geburtstagsparty im Reichshof.«

»Ja«, warf Weller ein, »das hat Rupert herausgefunden.«

Ubbo Heide lachte: »Wie? Das hat Rupert herausgefunden? Hab ich euch das nicht erzählt?«

»Nein«, sagte Ann Kathrin, »ich glaube nicht.«

»Das wäre aber wichtig gewesen«, sagte Weller mit einem merkwürdigen Ton, so als würde er befürchten, dass Ubbo Heide langsam dement wurde.

Ubbo lachte verunsichert: »Ihr glaubt doch wohl nicht, dass ein ehemaliger Kollege meine Schlüssel geklaut hat, um dann zwei Verdächtige zu köpfen, die wir damals nicht überführen konnten.«

Weller und Ann Kathrin schwiegen. Um die entstehende Peinlichkeit zu überbrücken, die die Ruhe mit sich brachte, nippten beide am Tee, und Weller griff auch beim Krintstuut zu, den Carola dick mit Butter bestrichen hatte. Weller hielt den Rosinenstuten hoch und winkte in Richtung Carola: »Köstlich. Ganz köstlich!«

Dann wollte er von Ubbo wissen: »Hat Kaufmann sich irgendwelcher Vergehen schuldig gemacht?«

»Also, ich habe damals zu ihm gestanden. Wir waren alle recht nervös, und da hat es bestimmt auch mal überzogene Handlungen gegeben. Ich kenne seine Personalakte nicht in allen Einzelheiten. Ich war damals empört, als er geschasst wurde. Ich glaube, er hat sich dann ganz aus dem Polizeidienst zurückgezogen. Er hat an der Unterweser ein Hotel aufgemacht, oder was weiß ich. Jedenfalls ist er nach Brake gezogen. Er hatte, glaube ich, in Emden sein Elternhaus geerbt. Vielleicht hat er das verkauft und dann mit dem Geld etwas Neues gegründet. Ich weiß es nicht genau. Wir waren nicht die besten Freunde, aber ich habe ihn geschätzt. Er war ein guter Mann. Manchmal werden die Guten geopfert, wenn ganz oben einer Scheiße gebaut hat.«

Ann Kathrin nahm einen Schluck und stellte dann ihre Teetasse ab. Das klirrende Geräusch des Porzellans gefiel ihr, so dass sie die Tasse noch einmal anhob und erneut auf den Tisch stellte. Sie kam sich komisch dabei vor, als würde das kleine Mädchen in ihr gerade die Töne entdecken, die Gegenstände machen. Sie kämpfte mit sich, weil sie Lust verspürte, den Bleistift durchzubrechen, den sie in der Hand hielt, nur, um das Holz knacken zu hören.

»Wir werden Wilhelm Kaufmann brauchen. Meinst du, dass er uns gegenüber hilfsbereit ist, oder hegt er noch einen tiefen Groll auf unsere Firma?«

»Nein, das glaube ich nicht. Er war ein Vollblutpolizist, und er wird uns in dieser Sache zur Seite stehen. Wir müssen alle alten Akten herausholen und mit ihm jedes Detail durchgehen. Vielleicht erinnert er sich an Dinge, die für uns wichtig sind.«

»Heute Abend«, sagte Ann Kathrin, »ist deine Lesung in Gelsenkirchen. Willst du wirklich da hin, Ubbo?«

»Ja. Selbstverständlich.«

»Warum tust du dir das an?«, fragte Weller, obwohl er selbst die Idee gehabt hatte. Aber jetzt fürchtete er, Büscher und Ann Kathrin könnten gemeinsam mit Ubbo nach Gelsenkirchen fahren. Und dabei fühlte er sich gar nicht wohl. Wenn überhaupt, dann wollte er dabei sein. Auf keinen Fall wollte er Büscher und Ann Kathrin zu lange allein lassen. Er mochte den Gedanken nicht, dass sie beide gemeinsam eine Nacht in einem Hotel bleiben würden.

Er hatte sofort ein Gespür dafür, dass Ubbo die Sache trotz aller Schwierigkeiten durchziehen würde. Es war ihm einfach zu wichtig. Also schlug Weller vor: »Ich fahre dich. Das ist ja wohl eine Selbstverständlichkeit.«

Ann Kathrin nickte. »Ja, das wird ein gemeinsamer Trip.«

Weller wirkte erleichtert. »Die Kollegen vor Ort in Gelsenkirchen unterstützen uns natürlich, Ubbo.«

Ubbo winkte ab. »Um Himmels willen! Ich will doch bei meiner Buchpräsentation keine Polizeiwagen vor der Tür stehen haben! Wie sieht das denn aus?«

Ann Kathrin versuchte, es anders darzustellen: »Aber bitte – du bist Polizeichef. Dass die Kollegen kommen, um dir die Ehre zu geben, wenn du dein Buch vorstellst, werden alle ganz normal finden. Das Ganze ist doch praktisch eine Werbeveranstaltung für die Sicherheitskräfte ...«

»Erstens«, sagte Ubbo Heide, »bin ich euer ehemaliger Chef, und zweitens ist es garantiert keine Werbung, denn ich rede nur über ungelöste Fälle, über Fehler, die wir gemacht haben und ...«

»Eben«, sagte Ann Kathrin. »Das finde ich ja so toll. Nur jemand, der wirklich souverän ist, kann so etwas tun. Wir müssen zu unseren Fehlern stehen und über unsere Schwierigkeiten sprechen. Das macht uns menschlich und zu einem Teil der Gesellschaft.«

»Wir fahren bestimmt gut drei Stunden bis Gelsenkirchen. Wann musst du da sein, Ubbo?«, fragte Weller.

Ubbo Heide blickte auf seine Uhr. »Die Lesung beginnt um zwanzig Uhr in der Stadtbibliothek. Aber vorher habe ich noch ein Interview. Ich habe der Journalistin Silke Sobotta vom Stadtspiegel gesagt, wir könnten uns eine Stunde vorher unterhalten.«

»Na, dann«, sagte Weller, »sollten wir bald los. Die Bibliothek hat für Ubbo ein Zimmer im Intercity-Hotel gebucht. Wir brauchen da auch Zimmer. Sie haben einen Fahrstuhl, also alles gar kein Problem für Ubbo.«

Ubbo Heide staunte über so viel vorausschauende Planung von Weller. Offensichtlich lief es auch ohne seine Anwesenheit gut in der Firma. Er hatte seine Leute eben ordentlich eingearbeitet.

Carola Heide stand plötzlich am Tisch, sah in die Teekanne, fragte, ob sie noch Tee nachfüllen solle und ob es sinnvoll wäre, Ubbo zu begleiten.

»Klar«, sagte Weller, »beides gerne.«

Aber Ann Kathrin erkannte an Ubbos Blick, dass er genau das nicht wollte. Sie legte eine Hand auf Carolas Unterarm und sagte: »Sie hatten keine leichte Zeit, Frau Heide. Vielleicht wäre es besser, wenn Sie sich ein bisschen ausruhen. Ihr Mann ist bei uns in besten Händen.«

Carola Heide sah Ann Kathrin liebevoll an. »Ja. Aber er kann sich nicht gut alleine an- und ausziehen. Auch morgens beim Waschen braucht er …«

»Kein Problem«, rief Weller. »Das regeln wir, nicht wahr, Ubbo?«

»Mach dir keine Sorgen, Carola«, sagte Ubbo. »Wir kommen schon klar.«

»Eigentlich«, gab Carola zu bedenken, »wollte Insa dich doch begleiten. Aber ich habe seit Tagen nichts von ihr gehört.«

»Unsere Tochter hat ihr eigenes Leben, Carola. Wir sollten sie nicht mit unserem Kram belasten.«

»Ja«, sagte Carola Heide, »vielleicht hast du recht.«

Der Maurer Peter Grendel bog mit seinem gelben Bulli in den Distelkamp ein. Dort stand bereits Joachim Faust und wartete auf ihn.

Peter Grendel hielt Faust für einen Touristen, der hier spazieren ging und keineswegs für einen Kunden, der einen Auftrag vergeben wollte. Weil Joachim Faust auf ihn zukam, grüßte Peter Grendel ihn freundlich. »Moin.«

Faust zeigte auf das Werbeschild an Peters Bus: *Eine Kelle für alle Fälle*. »Klasse Spruch«, sagte er. »Geht nichts über prägnante Kundenwerbung heutzutage.«

Verglichen mit Peter Grendel war Joachim Faust ein Hänfling. Faust trug einen weißen Leinenanzug und dazu ein blaues Hemd im gleichen Farbton wie seine Stoffschuhe.

Er kam Peter Grendel vor wie ein Dandy, der Karibik-Urlaub machen wollte und sich nach Ostfriesland verirrt hatte.

»Darf ich Sie mal sprechen, Herr Grendel?«

Peter nickte, lehnte sich an seinen Bulli und hörte dem Mann zu.

»Kennen Sie mich?«, fragte Joachim Faust hoffnungsvoll.

Peter Grendel zuckte mit den Schultern. »Sollte ich?«

Faust streckte seine Hand aus. »Faust. Joachim. Faust. *Der* Joachim Faust.«

Peter nahm die Hand, schüttelte sie und machte Faust nach. »Grendel. Peter Grendel. *Der* Peter Grendel!«

Er drückte wohl ein bisschen fest zu, denn Faust verzog das Gesicht.

Etwas an dem Mann gefiel Peter Grendel nicht, und es war

nicht so sehr seine Aufmachung, sondern sein Geruch. Er roch nicht nach ehrlicher Arbeit, sondern nach einem aufdringlichen Parfüm, das auf Peter Grendel wirkte, als würde es eingesetzt werden, um etwas zu verbergen. Peter grinste in sich hinein. Er konnte diesen Typen im wahrsten Sinne des Wortes nicht riechen.

»Sie gelten als Freund von Ann Kathrin Klaasen. Es gibt ein paar erstaunliche Zeitungsberichte über Sie. Sie hat sich mal von Ihnen einmauern lassen. Stimmt das?«

Peter antwortete nicht. Er sah den Mann nur an und wartete. Worauf wollte der hinaus?

»Nun, wie dem auch sei. Es ist doch bestimmt nicht immer einfach, mit so einer berühmten Frau befreundet zu sein. Sie wohnt ja immerhin hier bei Ihnen in der Straße. Nummer dreizehn, glaube ich.«

»Was wollen Sie von mir?«, fragte Peter Grendel und verschränkte demonstrativ beide Arme vor der Brust. Er wirkte jetzt wie ein undurchdringliches Hindernis auf Faust.

»Nun, ich will ganz offen zu Ihnen sein, Herr Grendel. Ich arbeite an einer Geschichte über Ann Kathrin Klaasen, und da sammle ich jetzt Meinungen über sie. Geschichten, Anekdoten. Es soll Ihr Schaden nicht sein, wenn Sie mir Auskunft geben ...«

»Weiß Ann Kathrin, dass Sie mit mir sprechen?«

Faust lächelte. »Nein. Das kann ganz unter uns bleiben, Herr Grendel. Ich lade Sie gern auf ein Gläschen ein, und dann führen wir ein Gespräch unter Männern.«

»Nein, danke«, sagte Peter, löste sich vom Bulli und bewegte sich in Richtung Haustür.

»Hey, hey, warten Sie!«, rief Faust und war mit zwei Schritten hinter Peter Grendel her. »Gibt es so dunkle Geheimnisse um Frau Klaasen, dass Sie lieber nicht darüber sprechen wollen?«

»Ich habe *Nein* gesagt«, antwortete Peter. »Welchen Teil dieser Aussage haben Sie nicht verstanden?«

Weil Peter Grendel einfach weiterging, hielt Faust ihn am

T-Shirt fest. Im gleichen Moment wusste Faust, dass dies ein Fehler war, denn Peter blieb stehen und drehte sich um.

»Hast du einen am Baum, Alter? Glaubst du jetzt ernsthaft, dass ich irgendwelche Geschichten über Ann Kathrin Klaasen auspacke, damit du ihr eins reinwürgen kannst?«

»Na ja, ich … ähm …«

»Weißt du, woran man merkt, ob man einen Freund hat oder nicht?«

Faust schaute und wartete fast demütig auf die Antwort. Peter Grendels Erscheinung schüchterte ihn durchaus ein.

»Na gut«, sagte Peter, als sei er plötzlich einsichtig geworden, »ich will Ihnen was verraten: Ann Kathrin und ich, wir sind im Lobe-Club.«

»Lobe-Club? Was ist das denn?«

»Die Mitglieder des Clubs sagen sich untereinander klar und offen die Meinung – wenn sie alleine sind. Aber nach außen hin wird nie ein Mitglied ein böses Wort über einen anderen verlieren. Nach außen hin loben wir uns höchstens. Das ist der ostfriesische Lobe-Club. Sie brauchen gar nicht versuchen, einen Aufnahmeantrag zu stellen. Sie kriegen eher den Nobelpreis, als dass Sie bei uns Mitglied werden.«

Dann ließ Peter ihn stehen und ging ins Haus. Er freute sich auf einen Grillabend mit den Nachbarn.

Weller war stinksauer, versuchte aber, es sich nicht anmerken zu lassen, was ihm überhaupt nicht gelang. Im letzten Moment hatte Büscher versucht, das Rad herumzureißen und vorgeschlagen, dass er Ann Kathrin und Ubbo Heide nach Gelsenkirchen begleiten würde.

Normalerweise hielten Chefs in seiner Position sich aus dem operativen Geschäft heraus, kümmerten sich mehr um Personalfragen und die gesamte Struktur des Apparats. Das hier war ohnehin mehr eine Aufgabe des Personenschutzes, und Weller konnte sich keinen anderen Grund vorstellen, als dass Büscher die Chance nutzen wollte, um Ann Kathrin anzugraben.

Plötzlich hatte Büscher sich etwas Neues überlegt, Weller solle doch mit den Leuten der ehemaligen SOKO Steffi Heymann reden. Aber das hatte Weller mit der Begründung abgelehnt, im Grunde habe er noch Urlaub – und sei noch auf Langeoog –, aber er wolle jetzt bei Ubbo sein. In Wirklichkeit schämte Weller sich ein bisschen dafür, dass er mehr bei seiner Frau sein wollte, um auf die aufzupassen, als auf Ubbo. Das wurmte ihn, er fühlte sich kleinlich und blöd.

Er malte sich die Bilder aus … Nach der Lesung würden die beiden an der Hotelbar sitzen, sich noch einen genehmigen und darüber nachdenken, ob die Sache was gebracht hatte oder nicht. Es gab ja immer viel beruflich zu besprechen, und Büscher tat das offensichtlich gern bei einem Gläschen Wein.

Hatte er die Sache von Anfang an geplant? Plötzlich fragte Weller sich, warum eigentlich zwei Zimmer gebucht worden waren. Er würde doch mit Ann Kathrin in einem Doppelzimmer schlafen. Hatte Büscher die ganze Zeit vorgehabt, mitzufahren und ihn auszubooten?

Missgunst und Misstrauen nagten an Weller. Er fuhr den zwanzig Jahre alten blauen Chevy. Seit die ostfriesische Kriminalpolizei, um Geld zu sparen, für verdeckte Ermittlungen beschlagnahmte Fahrzeuge einsetzte, gab es drei amerikanische Schlitten in ihrer Flotte.

Rupert fand es großartig, Weller gefiel das Ganze überhaupt nicht. Es war eine Beleidigung für seinen linken Fuß. Alle drei Autos waren Automatikwagen, und immer wieder trat Weller unbewusst ins Leere, wenn er einen anderen Gang einlegte.

Ubbo Heide und Martin Büscher saßen hinten, Ann Kathrin auf dem Beifahrersitz.

Ubbo bereitete sich auf seinen Auftritt vor. Er suchte die passenden Stellen in seinem Text aus.

Büscher hob zu einer Ermahnung an: »Wenn du ein Interview gibst, Ubbo, dann denk daran, du bist nicht die Pressesprecherin der ostfriesischen Polizei. Das ist Rieke Gersema. Keine Aussagen zum aktuellen Fall …«

»Das kannst du nicht von mir verlangen, Martin. Ich trete dort nicht als Kripochef auf, sondern als Schriftsteller.«

»Aber du hast doch über diesen Fall geschrieben, und selbstverständlich werden sie dich danach fragen. Es wird rappelvoll sein, und die Presse wird dich bestürmen. Eigentlich wollte ich, dass Rieke mitfährt … aber die hat sich krankgemeldet … vielleicht ist ihr die Sache ein bisschen zu heiß.«

Ann Kathrin verteidigte ihre Kollegin sofort: »O nein, Rieke ist sehr zuverlässig. Wenn die sich krankmeldet, dann ist sie auch krank. Die kneift ganz bestimmt nicht. Mit der haben wir ganz andere Situationen durchgestanden.«

Büscher hob entschuldigend die Hände. »Schon gut, schon gut. Ich wollte deiner Freundin nicht zu nahe treten. Aber es gibt halt günstige und ungünstige Situationen, um krank zu werden.«

Wellers Laune hellte sich ein bisschen auf. Sprang Büscher für Rieke Gersema ein, weil er Angst hatte, das Ganze könne in Gelsenkirchen aus dem Ruder laufen? Oder betonte er jetzt nur, dass er für sie eingesprungen war, um den Verdacht von sich abzulenken, dass er eigentlich nur wegen Ann Kathrin mit dabei sein wollte?

Wenn alles normal gelaufen wäre, dachte Weller, würden Ann Kathrin und ich jetzt auf Langeoog sitzen, aufs Meer schauen und Espresso trinken. Aber Urlaub ließ sich verschieben. Das hier nicht.

Wenn es nach Büscher gegangen wäre, würde ich gar nicht hier im Auto sitzen, grummelte Weller innerlich, sondern wäre unterwegs zur Zeugenvernehmung. Den Job hatte jetzt Rupert übernommen.

Auf der Autobahn gerieten sie in einen durch Baustellen verursachten Stau.

»Die Zeit wird knapp«, sagte Büscher, und Weller gab pampig zurück: »Wir können jetzt schlecht ein Blaulicht aufs Dach setzen, um die Straße frei zu machen, nur damit Ubbo pünktlich zum Interview kommt.«

Aufs Stichwort genau erreichte ein Anruf Ubbo Heide. Es war die Journalistin Silke Sobotta vom Stadtspiegel. Sie hörte sich geknickt an und bedauerte, das Interview absagen zu müssen. Sie hatte sich ein Magen-und-Darm-Virus eingefangen und wollte sich separieren, um andere Menschen nicht anzustecken.

»Das ist vorbildlich von Ihnen«, sagte Ubbo.

»Ach, es tut mir so leid. Ich hätte so gerne mit Ihnen gesprochen. Ihr Buch hat mich fasziniert. Vielleicht können wir das Interview ja nachholen. Ich mag Ostfriesland, und ich kann ja mal hoch zu Ihnen kommen, oder wenn Sie wieder in der Gegend sind … Aufgeschoben ist ja nicht aufgehoben, obwohl ich auch gern über diesen Abend berichtet hätte.«

Rupert hätte lieber ein paar kesse Bienen auf Langeoog interviewt statt ausgerechnet einen geschassten Kripomann der damaligen SOKO.

Er versuchte zweimal halbherzig, Wilhelm Kaufmann zu erreichen. Als nach dem dritten Klingeln niemand dranging, notierte Rupert: *Erfolgloser Versuch einer Kontaktaufnahme.*

Nach Hause wollte Rupert heute nicht. Seine Frau Beate traf sich mit ihren Reiki-Freunden, und dann war so viel »gute Energie« im Raum, dass Rupert es kaum aushalten konnte.

Bei einer von den Reiki-Frauen wusste Rupert nicht, ob er sie schon mal verführt hatte oder nicht, und er wollte ihr lieber nicht begegnen. Das hätte unangenehm werden können, denn damals war er schon mit Beate verheiratet. Vielleicht hatte er aber auch nie was mit dieser Brigitte gehabt. Er wusste es nicht mehr so genau. Er hatte sie nur einmal auf der Terrasse mit seiner Frau gesehen und, mein Gott, Frauen wie die gab es halt Dutzende in seinem Leben, und Rupert hatte Mühe, sie auseinanderzuhalten. In der Erinnerung verwischten die Unterschiede immer mehr.

Gerne wäre er auch mit nach Gelsenkirchen gefahren. Nicht so sehr, weil er auf zusätzliche Überstunden stand oder eine Autorenlesung von Ubbo Heide nicht verpassen wollte, sondern weil er glaubte, das Ganze könne eine recht spektakuläre Aktion werden. Möglicherweise gipfelte es in der Verhaftung eines Doppelmörders, und da wäre er dann doch gerne dabei gewesen. Obwohl – je länger er darüber nachdachte, konnte das Ganze auch ein Rohrkrepierer werden und nicht mehr als eine teure Dienstreise. Die Überstunden würden hinterher nicht anerkannt werden, weil sie in Gelsenkirchen praktisch nichts zu suchen hatten, und wenn diese Aktion nicht von Erfolg gekrönt war, dann brauchte man hinterher einen Schuldigen dafür, und den wollte er nicht gerne geben.

Weil er mit Wilhelm Kaufmann nicht weiterkam, beschloss er, zunächst mit Roswitha Wischnewski zu reden. Er hatte sie gegoogelt. Sie leitete eine Massagepraxis in Oldenburg. Vielleicht, dachte Rupert, kann ich da ja eine Massage abstauben. Ob das als Undercover-Recherche durchgeht?

Er rief an. Sie hob ab, und ihre Stimme elektrisierte ihn sofort.

Ja, mit der wollte er gerne einen Termin! Auf jeden Fall viel lieber als mit diesem ehemaligen Hauptkommissar Wilhelm Kaufmann.

Roswitha Wischnewski hatte Yves Stern durch eine Aussage schwer belastet. Sie hatte behauptet, ihn damals auf der Fähre von Langeoog nach Bensersiel gesehen zu haben. Er sei zum Festland zurückgefahren und habe ein Kind auf dem Arm gehabt.

Yves Stern schwor jeden Eid, es sei nicht die kleine Heymann gewesen, sondern das Kind einer Touristin. Sie habe ihn gebeten, die Kleine kurz festzuhalten, weil sie sich an die Reling gelehnt fotografieren lassen wollte und die Kleine so geschrien habe.

Leider konnte er sich nicht an den Namen der Frau erinnern und spätere Ermittlungen, ob diese Frau wirklich existierte, verliefen im Sande.

In der Akte wurde Sterns Aussage durch einen persönlichen, handschriftlichen Eintrag von Ubbo Heide als Schutzbehauptung gewertet.

Rupert fuhr nach Oldenburg zur Massagepraxis.

Ann Kathrin war in ihre Gedanken versunken. Seit sie mit den Leichenteilen konfrontiert worden war, musste sie immer wieder an ihre Mutter denken. Dabei war die doch friedlich im Bett bei der AWO eingeschlafen.

Ann Kathrin hatte das Grab ihrer Mutter am Anfang fast täglich besucht. Es war, als müsste sie ihrer Mutter noch etwas sagen, etwas, das sie zu Lebzeiten nicht hingekriegt hatte. Doch immer, wenn sie am Grab stand, war ihr Kopf leer, und ihr fehlten die Worte.

Sie schwieg einfach und dachte an ihre Mutter, vor allen Dingen an die letzte Zeit, als sie wieder zum Kind geworden war und die Welt um sich herum und ihre Erfahrungen im Sumpf des Vergessens versunken waren.

Jetzt wusste Ann Kathrin plötzlich, was sie ihrer Mutter sagen wollte, aber sie konnten ja schlecht umkehren. Sie hatten einen wichtigen Termin in Gelsenkirchen. Sie wollte ihre Mutter um Verzeihung bitten, wusste aber gar nicht genau, wofür. Trotzdem war es ihr ein dringendes Anliegen. Am liebsten wäre sie sofort zum Grab gefahren.

Ubbo Heide riss sie aus ihren Erinnerungen, weil er Weller ansprach, dessen Gesicht er die ganze Zeit im Rückspiegel beobachtete: »Mein Gott, du siehst aus, als hättest du eine tote Katze verspeist. Geht's dir nicht gut, Frank?«

Weller räusperte sich. »Doch, alles super.«

Ann Kathrin erläuterte noch einmal ihren Plan, den jeder längst kannte, aber sie tat es nicht für die anderen, sondern um sich selbst aus den schweren Gedanken herauszuholen.

»Also, ich hab mir das so gedacht: Die Gelsenkirchener Kollegen haben uns volle Unterstützung zugesichert. In der Tiefgarage unter der Stadtbibliothek wird jeder, der dort parkt, gefilmt werden. Außerdem sind zwei oder drei Kameras im Raum, so dass wir hinterher ein komplettes Bild der Gästeliste haben.

Die Buchhändlerin, Frau Piechaczek, hat mir eine Adressenliste von all ihren Kunden versprochen, die sich bei ihr Karten haben reservieren lassen. Sie hat mir am Telefon gesagt, es kämen auch erstaunlich viele Leute von außerhalb, die keine Stammkunden von ihr seien. Sie haben auch Anrufe aus Essen, Duisburg und Wanne-Eickel erhalten. Wir wissen natürlich nicht, ob die Adressen richtig sind.

Ubbo wird auf einer Bühne sitzen, die zwei Zugänge hat. Am linken wird Frank stehen, am rechten ich. Ich will später von jedem, der in den Saal rein- oder rausgeht, ein Foto haben. Zusätzlich mit den Videoauswertungen aus der Tiefgarage werden wir ein ziemlich gutes Bild bekommen.«

»Bist du dir wirklich so sicher, dass er kommen wird?«, fragte Büscher, und in seiner Stimme klang Zweifel mit.

Ubbo antwortete für Ann Kathrin: »Ja, das ist sie. Und ich bin es auch. Er hat versucht, mir etwas zu sagen, und jetzt will er wissen, ob ich es verstanden habe.«

»Genau«, sagte Ann Kathrin. Sie wechselte mit Ubbo einen kurzen Blick. Das tiefe Verstehen darin rührte sie so sehr, dass sie einen Augenblick mit den Tränen kämpfen musste.

Sie sah aus dem Fenster.

Ubbo legte von hinten eine Hand auf ihre Schulter und sagte nur: »Ich weiß.«

Weller parkte den Chevy aus dem früheren Jahrtausend direkt vor dem Intercity-Hotel hinter der alten Post. Am Eingang stand ein hochgewachsener Mann, der aussah wie ein Langstreckenläufer, der für den nächsten Marathon trainiert. Aber er sog an einer dünnen Filterzigarette, die eher zu Frauenhänden gepasst hätte als zu seinen vom Hanteltraining gestärkten Sportlerfäusten.

Weller half Ubbo Heide aus dem Auto und sah, dass der Mann direkt auf Ubbo zuging. Weller stand noch hinterm Rollstuhl.

Ann Kathrin nahm Wellers Verhalten als sehr umsichtig wahr. Er positionierte sich sofort so, dass er zwischen Ubbo Heide und dem näher kommenden Mann stand, wie ein lebender Schutzschild.

Der Mann versuchte, mit einem Ausfallschritt an Weller vorbeizukommen, aber Weller war schneller, bereit, den anderen mit einem Hieb oder einem Tritt zu stoppen. Wortlos sah der Mann ein, dass er sich jetzt erklären musste, wenn er nicht gleich mit dem Bauch auf dem Straßenpflaster, die Hände auf dem Rücken, mit Handschellen gefesselt, daliegen wollte.

Er zeigte seine offenen Handflächen vor. »Kowalski. Ich komme, um Herrn Heide zu interviewen.«

Ubbo rief: »Schon gut, Frank! Der ist vom Stadtspiegel. Frau Sobotta ist krank geworden.«

Weller musterte den Mann kritisch, sagte immer noch nichts, nickte nur und gab den Weg frei. Kowalski und Ubbo Heide begrüßten sich mit Handschlag.

»Wenn Sie vor oder nach der Lesung ein bisschen Zeit für mich hätten, Herr Heide, wären meine Leser Ihnen bestimmt sehr dankbar, und ich natürlich auch.«

Freundlich antwortete Ubbo Heide: »Aber klar doch. Da ich nicht glaube, dass man hier einen anständigen Ostfriesentee kriegt, lade ich Sie gleich gerne zu einer Tasse Kaffee ein.«

Kowalski nickte und schickte sich an, den Rollstuhl zu schieben. Ubbo wollte das aber nicht und schaltete den Motor ein.

Weller hatte eigentlich vor, auf gleicher Höhe neben den beiden her zu gehen, aber Ann Kathrin hielt ihn zurück. Sie fand es nicht nötig, dass er sich jetzt hier als Bodyguard aufspielte.

Während Büscher, Ann Kathrin und Weller oben im Hotelzimmer mit den Gelsenkirchener Kollegen die Strategie des Abends durchsprachen, gewährte Ubbo großzügig ein Interview.

Es war ungemütlich, aber Ann Kathrin hatte darauf bestanden, dass die Besprechung nicht im Gelsenkirchener Polizeipräsidium am Rathausplatz stattfinden sollte, sondern im Hotel, denn sie wollten sich auf keinen Fall aus Ubbos Nähe entfernen. So saßen sie gemeinsam in Büschers Zimmer, wo sie sicher vor unerwünschten Zuhörern waren.

Büscher und Weller setzten sich nebeneinander auf die Bettkante, Ann Kathrin wählte für sich den einzigen Stuhl im Raum. Die beiden Gelsenkirchener Kripokollegen standen ein bisschen linkisch herum. Das Hotelzimmer war nicht gerade geeignet für eine Dienstbesprechung.

Eine Etage tiefer, unten im Frühstücksraum, fühlte sich Ubbo Heide gebauchpinselt, denn Kowalski hatte sein Buch gelesen, war bestens informiert und auch tatsächlich interessiert. Im letzten halben Jahr hatte Ubbo oft erlebt, dass Journalisten ihn interviewen wollten, die sein Buch gar nicht gelesen hatten, sich im Grunde auch nicht für Kriminalliteratur interessierten, aber eben nun diesen Artikel schreiben mussten. Da tat so ein Gespräch wie das mit Kowalski richtig gut.

Sie saßen nicht weit von der Theke entfernt an einem kleinen Tisch. Am Tresen hockte ein einsamer Trinker und starrte sein Bierglas an. Ganz in der Ecke des Raumes, um möglichst ungestört zu sein, kuschelte ein Pärchen und flüsterte die ganze Zeit miteinander.

Die Frau von der Rezeption brühte für Ubbo Heide und Kowalski einen Kaffee auf, und der war sogar genießbar, wie Ubbo Heide betonte.

»Ich bin eigentlich Sportjournalist«, sagte Kowalski. »Offen gestanden wollte ich Basketballer werden, aber ein Rückenproblem hat zwischen mir und den Dallas Mavericks gestanden.«

Ubbo Heide lächelte: »Ich habe früher leidenschaftlich geboßelt. Kennen Sie das? Es ist eine norddeutsche, na ja, im Grunde eine ostfriesische Sportart.«

»Man wirft so eine Kugel auf der Straße?«

»Ja«, lachte Ubbo Heide, »genau. Aber Sie sind ja nicht gekommen, um sich mit mir über Sport zu unterhalten.«

»Nein, bestimmt nicht. Ich finde Ihr Buch *Meine ungelösten Fälle* faszinierend. Ich frage mich, Herr Heide, was Sie für ein Mensch sind. Sie veröffentlichen am Ende Ihrer Berufslaufbahn kein Werk über Ihre Erfolge – die es ja zweifellos auch gegeben hat –, sondern über Ihre Misserfolge. Sie haben das alles doch als Niederlagen erlebt, oder nicht?«

»Ja, das kann man so sagen. Wenn ich davon überzeugt war zu wissen, wer der Täter ist und es mir nicht gelang, es zu beweisen, dann habe ich das als persönliches Versagen gewertet. Manchmal hat mich das nachts nicht schlafen lassen. In dem Sinne war das Buch auch ein Befreiungsschlag, endlich frei und offen darüber zu sprechen.«

»Ist das Ganze nicht vielmehr ein Versagen der Justiz? Ich meine, Sie haben denen alle Beweise geliefert, und die sprechen dann den Täter frei?«

Ubbo Heide schüttelte den Kopf und unterstrich seine Worte mit dem erhobenen Zeigefinger: »Sie verwechseln Beweise und Indizien. Ich hatte jeweils Indizien, die dafür sprachen, dass jemand der Täter war. Manchmal gelang es mir, ganze Indizienketten zusammenzustellen. Aber ein Indiz ist kein Beweis. Es ist schon mehr als eine Vermutung, es ist eine Möglichkeit, vielleicht sogar eine Wahrscheinlichkeit. Aber mehr auch nicht.« Er versuchte, es zu erklären: »Wenn Ihr Auto in der Straße stand, dann könnte das ein Indiz darauf sein, dass Sie bei der Tat dabei waren. Aber ein Beweis ist es nicht. Wenn man am Tatort Ihr Feuerzeug findet, ist das zunächst ein Indiz. Ein Beweis ist es nicht. Das Feuerzeug kann Ihnen gestohlen worden sein, vielleicht haben Sie es verloren ...«

Kowalski hörte genau zu, machte sich aber keine Notizen. Stattdessen stellte er ein silbernes Diktiergerät der Marke Olympus auf den Tisch. Es blinkte, und er fragte: »Sie erlauben doch, dass ich ...«

»Natürlich.«

Das Pärchen in der Ecke kicherte. Der einsame Trinker an der Theke leerte sein Glas und bat um »noch ein Pilsken«.

Kowalski sprach jetzt, nachdem er das Diktiergerät eingeschaltet hatte, besonders klar akzentuiertes Hochdeutsch, als würde das Interview nicht in der Zeitung gedruckt, sondern im Radio gesendet werden: »Also, Herr Heide, Ihre Geschichte handelt von verlorenen Indizienprozessen.«

»Ja, im Prinzip ist es auch gut, dass man in Indizienprozessen hohe Maßstäbe anlegt. Es muss schon eine Kette von Indizien geben, die eine Kausalität nahelegen. Am Ende unterliegt das aber alles der Bewertung eines Richters. Einfacher ist es natürlich, wenn Sie fünf Zeugen haben, die sagen, ich hab gesehen, wie der Karl die Eva umgebracht hat. Nun, dann haben Sie noch das Messer, daran sind seine Fingerabdrücke, und im Gesicht sind Kratzer. Und Eva hat Hautpartikel von Karl unter ihren Fingernägeln. Das war es dann für Karl, da kommt er nicht raus. So einfach ist es aber selten ...«

Oben in Büschers Hotelzimmer liefen die Dinge nicht ganz so harmonisch wie im Frühstücksraum des Intercity-Hotels. Ann Kathrin bekam vor Empörung kaum Luft, und Büscher schüttelte fassungslos den Kopf: »Dann können wir das alles hier also im Grunde abblasen?«

»Die Lesung findet ja auch ohne all das statt«, warf Weller ein. Er wirkte auf Ann Kathrin verbittert, und sie sah ihm an, dass in ihm etwas reifte. Er stand kurz vor einem Wutausbruch.

Was Ann Kathrin jetzt machte, hatte sie von Ubbo Heide gelernt. Sie fasste das Gespräch noch einmal zusammen, um dem Gegenüber die Möglichkeit zu geben, etwas zu korrigieren oder zurückzunehmen. Sie schaffte es nicht, dabei auf dem Stuhl sitzen zu bleiben, sondern verfiel in ihren Verhörgang. Drei Schritte, eine Kehrtwendung, drei Schritte. Statt beim letzten Schritt einen Blick auf den Beschuldigten zu werfen, fixierte sie jedes Mal die zwei Kollegen der Gelsenkirchener Kripo, die sich zunehmend unwohler fühlten.

»Wenn ich euch also richtig verstanden habe, Kollegen, bedeutet das, wir bekommen weder die Videoaufzeichnung aus der Tiefgarage noch werden Kameras im Veranstaltungsraum installiert, sondern wir dürfen lediglich mit zwei Beamten zu Ubbos Schutz rechnen?«

Der junge Kommissar aus Schalke mit dem Stoppelhaarschnitt, der aussah wie ein Oberschüler kurz vor dem Abitur, trat von einem Bein aufs andere. »Wir können doch auch nichts dafür. Wir haben den richterlichen Beschluss nicht bekommen. Im Gegenteil. Das Ganze verstößt gegen Datenschutzgesetze, und die nimmt man neuerdings sehr …«

Weller klatschte sich mit der flachen Hand gegen die Stirn. »Datenschutzgesetze? Wir haben es mit einem Doppelmord zu tun und erwarten, dass der Mörder heute Abend hier aufkreuzt!«

»Das ist eine reine Vermutung von Ihnen, und die steht auf sehr wackligen Beinen«, gab der ältere Beamte, der roch, als sei er gerade erst aus einer Zahnarztpraxis gekommen, zu bedenken. Seine Unterlippe hing schlaff herab, und er tupfte sich immer wieder mit einem Papiertaschentuch Speichel von der Lippe. »Laut Richter würden wir damit das literarisch interessierte Publikum Gelsenkirchens zu potentiellen Tätern machen und grundlos verdächtigen. Die Filmaufnahmen hätten ja Konsequenzen. Sie würden jeden Einzelnen überprüfen. Wir sind hier nicht in Ostfriesland. Wir müssten also auch noch Amtshilfe leisten. Freunde, das alles sprengt jeden Rahmen, und wir haben weder die rechtlichen Möglichkeiten noch die Kapazitäten, um ...«

»... einen Doppelmörder zu überführen«, ergänzte Weller.

»Nein, verdammt! Nun drehen Sie uns doch nicht die Worte im Mund herum!«, schimpfte der Gelsenkirchener Kollege, der sich nun wirklich ungerecht behandelt fühlte. Er blieb die ganze Zeit beim »Sie«, obwohl Weller ihn konsequent duzte. »Wenn es nach mir ginge, würden wir alle Möglichkeiten zur Verfügung stellen. Aber ...« Er schwieg und schlug mit der geballten Faust einen Haken in die Luft, als hätte er vor, den Richter auszuknocken.

Sein Schalker Kollege sprang ihm bei: »So eine Überwachung ist kein Kinderspiel. Da finden sich Leute hinterher als Verdächtige in einem Mordprozess wieder, die nur zu einer Autorenlesung gegangen sind. Außerdem – wie soll das denn weitergehen? Wollen Sie in Zukunft bei allen Veranstaltungen von Ubbo Heide alle Leute filmen und dann in einer Riesenaktion deren Alibis überprüfen?«

Weller stöhnte. »Wenn ihr schon keine Aufnahmen im Veranstaltungsraum macht, können wir dann wenigstens die Bilder der Überwachungskamera aus der Tiefgarage bekommen? So ein paar Nummernschilder helfen ja auch schon weiter. Ich glaube kaum, dass der Täter mit der Straßenbahn kommt.«

Der Kommissar mit dem Mecki druckste herum. »Die Bilder dürfen wir nicht einfach so herausgeben, wenn ich den Richter richtig verstanden habe … Es liegt ja kein Grund vor. Die Aufnahmen werden später automatisch gelöscht. Sie sind nur dazu da, um ein Verbrechen aufzuklären. Wenn eine Frau in der Tiefgarage angegriffen oder ein Auto gestohlen wird, dann können wir die Bilder benutzen, um …«

Weller sprang vom Bett auf und fasste Ann Kathrin am Ärmel. »Komm. Ich hör mir das nicht länger an! Wir haben zwei Tote, und die warten auf ein Verbrechen?!« Weller klopfte sich mit der flachen Hand gegen die Stirn, dass es nur so patschte.

»Es tut uns wirklich leid. Wir hätten euch gerne geholfen. Aber die Gesetzeslage …«

Weller schrie den Kollegen mit der dicken Backe und der hängenden Unterlippe an: »Laber, laber, laber!«

Büscher deutete Weller an, er solle jetzt den Mund halten.

Das Pärchen in der Ecke knutschte leidenschaftlich, und die junge Frau setzte sich bewusst so hin, dass Ubbo Heide nicht mitbekam, wie sich die Hand ihres Lovers unter ihr T-Shirt schob. Der einsame Trinker an der Theke bekam dadurch im Spiegelbild einen umso schöneren Einblick.

Kowalski nahm das alles gar nicht zur Kenntnis. Er versuchte, das intensive Gespräch weiter voranzutreiben: »Sie sind im Dienst von einem Kriminellen niedergestochen worden, und seitdem sind Sie auf den Rollstuhl angewiesen …«

Ubbo Heide unterbrach ihn. »Nein, ich war nicht im Dienst. Ich kam aus einem Café, gemeinsam mit meiner Frau. Wenn Sie so wollen, wurde ich in meiner Freizeit zum Opfer.«

»Hat Sie das veranlasst, Ihren Dienst zu quittieren?«

»Ich hab den Dienst nicht quittiert, ich bin pensioniert worden.«

»Schreiben Sie Bücher, weil Sie gerne weiter Polizist wären?«

Ubbo Heide trank seinen Kaffee, um eine kurze Bedenkpause zu haben. Dann antwortete er: »Ich habe meine Arbeit immer als Kampf des Guten gegen das Böse erlebt. Es ist ein schönes Gefühl, auf der Seite der Guten zu sein. Obwohl ich mir da manchmal in letzter Zeit nicht mehr so sicher war.«

»Was hat Sie so nachdenklich gemacht?«

»Manche Menschen behaupten auch, ich hätte mit meiner Arbeit ihr Leben zerstört.«

Kowalski merkte, dass Ubbo Heide sich nicht mehr wohlfühlte und hatte Angst, er könne das Gespräch gleich abbrechen, deshalb schwenkte er um: »Natürlich interessiert es unsere Leser auch, wie Sie das Leben neu erleben. Im Rollstuhl. Das ist doch eine ganz neue Perspektive auf die Welt.«

»Stimmt«, sagte Ubbo Heide. »Nur manchmal frage ich mich, ob ich jetzt behindert bin oder behindert werde. Zum Beispiel, wenn ich irgendwo nicht reinkomme, weil mir Treppen den Weg versperren.«

Kowalski überprüfte das Aufnahmegerät, ob auch alles stimmte. Er schien zufrieden zu sein und fuhr fort: »Ist das im Privatleben auch so? Ich meine, sind Sie da auch der Polizist? Suchen Sie da auch nach der Wahrheit? Wie ist es für Ihre Frau, neben jemandem zu leben, der immer recht hat ...«

»Ich hatte nicht immer recht. Das war auch nie mein Anspruch. Ich habe nach der Wahrheit gesucht. Außerdem merke ich, dass Ihre Fragen mir jetzt zu privat werden. Ich möchte, dass Sie meine Frau und meine Tochter aus dem Spiel lassen.«

Der Journalist lachte. »Schon gut, schon gut. Sie gefallen mir, Herr Heide. Sie stehen für all das, was es bald nicht mehr geben wird, und woran auch mein Herz hängt.«

Ubbo Heide sah ihn nur fragend an. Kowalski zählte auf: »Bücher. Bibliotheken. Videotheken. Buchhandlungen. Briefkästen. Postkarten. Privatsphäre. Das alles wird in einem digitalen Meer versinken.«

Die Worte beeindruckten Ubbo Heide durchaus. Er lehnte sich zurück und begann, diesen nachdenklichen, sportlichen Menschen zu mögen. Der fuhr fort: »Ich selbst lese zum Beispiel keine E-Books, sondern ich liebe richtige Bücher. Ich brauche das Papier in der Hand. Ich muss den Leim riechen und die Druckerschwärze.« Er lachte. »Ich rauche ja auch keine E-Zigaretten, sondern richtige.«

Er legte seine Packung auf den Tisch, als müsse er damit beweisen, dass er ein wirklicher Raucher sei.

»Das sind doch«, sagte Ubbo Heide, »Frauenzigaretten.«

»Stimmt«, grinste Kowalski. »Meine Mutter hat die Sorte schon geraucht, und das war auch meine erste. Damit begann meine Leidenschaft. Ich hab sie meiner Mutter aus der Packung geklaut.«

Er steckte die Zigaretten wieder ein und schielte zur Theke rüber. »Kann ich ein Mineralwasser haben?«

Die Frau hinter der Theke rief: »Eins oder zwei?«

»Zwei«, antwortete Ubbo Heide, der vorhatte, die Rechnung für den Kaffee und das Wasser zu übernehmen. »Und dann zahle ich das auch gleich.«

»Ich weiß, dass Sie nicht viel Zeit haben, Herr Heide. Ihre Veranstaltung beginnt ja bald. Ich werde natürlich dabei sein und mir alles anhören. Aber eine Frage habe ich natürlich noch: Was glauben Sie – gibt es da einen Zusammenhang zwischen den Morden in Ostfriesland und Ihrem Buch?«

»Wie meinen Sie das?«

»Na ja, immerhin berichten Sie in Ihrem Buch über diesen Fall. Jetzt schickt man Ihnen einen Kopf zu. Zwei Menschen, die Sie verdächtigt haben, wurden getötet und …«

Ubbo Heide wehrte ab, beugte sich vor und sprach ganz leise: »Bitte, um Himmels willen, tun Sie mir einen Gefallen: Bringen Sie mein Buch nicht in Zusammenhang mit den Morden! Wissen Sie, das könnte als billiger PR-Gag missverstanden werden. Ich will keine hohen Auflagen haben auf Kosten eines schweren Verbrechens. Zwei Menschen sind tot. Daraus will ich keinen Profit schlagen. Das könnte man mir sofort vorwerfen.«

Die Bedienung brachte zwei 0,2-Liter-Fläschchen Mineralwasser und zwei Gläser mit Eiswürfeln drin. Während sie die Gläser vollgoss, schwieg Ubbo Heide und begann erst wieder zu sprechen, als sie hinter der Theke verschwunden war.

»Das ist ein sehr sensibles Thema. Es könnte auch sein, dass irgendeiner dieser Fälle irgendwann wieder aufgerollt und gelöst werden wird. Auch daraus möchte ich keinen Profit schlagen. Verstehen Sie mich? Mein Buch ist mein Buch, und die Realität ist die Realität.«

»Aber Sie haben doch ein Buch über reale Fälle gemacht. Müssen Sie nicht damit rechnen, dass ...«

»Ich bitte Sie! Die ganze Sache ist schon schlimm genug. Wenn zum ersten Mal der Zusammenhang in einer Zeitung gesetzt wird, dann stürzen sich alle darauf.«

»Das wird Ihrer Auflagenhöhe nicht schaden.«

»Nein, aber mir. Und der Ernsthaftigkeit des Falles und den damit verbundenen Ermittlungen ...«

Anders als Ubbo Heide erwartet hatte, protestierte Kowalski nicht, sondern sagte: »Ich habe Respekt vor Ihrer Haltung, Herr Heide. Sie müssen sich keine Sorgen machen. Ich werde keinen Zusammenhang herstellen, obwohl der sich natürlich dem Leser aufdrängt ...«

Kowalski trank sein Glas mit einem Zug leer.

Ann Kathrin, Weller und Büscher traten aus dem Fahrstuhl. Ann Kathrin sah Ubbo Heide an, dass er erschöpft war. Es war nicht dieses Überstundengesicht, das sie aus früheren Jahren von ihm kannte, wenn er Nächte durchgearbeitet hatte. Nein. Das hier war anders. Eine Art seelischer Erschöpfung.

Schade, dachte sie, dass er jetzt noch eine Veranstaltung hat. Im Grunde kann er nicht mehr.

Am liebsten hätte sie ihn ins Bett gepackt.

»Ubbo, möchtest du dich noch mal frisch machen und einen Moment hinlegen? Vielleicht willst du vorher noch eine Kleinigkeit essen?« Zu Kowalski gewandt, sagte sie: »Ich glaube, er braucht jetzt eine kleine Pause. Solche Abende vor Publikum sind anstrengend, das sollte man nicht unterschätzen.«

Kowalski bedankte sich fast überschwänglich und versprach nochmals im Hinausgehen aus sechs, sieben Metern Entfernung mit erhobenem Daumen: »Keine Sorge, Herr Heide, ich halte mich an unsere Abmachung.«

Ubbo Heide lächelte Ann Kathrin müde an. Dann zog er einen Marzipanseehund aus der Jackentasche und sagte: »Jörg Tapper hat mir nach dem Schock auf Wangerooge eine ganze Ladung vorbeigebracht. Du glaubst ja nicht, was für ein mieses Marzipan so im Rest der Welt verkauft wird.«

Dann biss er dem Seehund den Kopf ab.

Die beiden Gelsenkirchener Kripobeamten standen mit Büscher und Weller am Fahrstuhl herum. Sie sahen geknickt aus. Der mit dem Abiturientengesicht bot an, sie seien beide gern bereit, ihre Freizeit zu opfern, um Ubbo Heide zur Lesung zu begleiten. Büscher bedankte sich für diese Hilfsbereitschaft, lehnte aber ab.

Weller atmete schwer, als hätte er eine Prügelei hinter sich oder zumindest eine schwere körperliche Anstrengung. Er war blass und schmallippig. Mit schnellen Schritten bewegte er sich zu Ann Kathrin und Ubbo.

»Hört mal zu«, sagte Weller. »Wenn wir keine offizielle Hilfe kriegen, werde ich die Fotos eben machen. Ich stelle mich einfach an die Tür und knipse jeden, der reinkommt. Oder wir kontrollieren am Schluss der Veranstaltung von allen die Personalausweise.«

»Nein«, sagte Ann Kathrin, »das werden wir nicht tun, Frank. Dann beschwören wir einen Skandal herauf. Aber deine Idee ist gar nicht so schlecht. Du wirst hier den Holger Bloem geben.«

»Häh? Was?«

»Nun, wenn Holger hier wäre, würde der doch auch die ganze Zeit fotografieren. Und niemand findet es merkwürdig, wenn ein Pressefotograf Fotos macht.«

Ubbo Heide erinnerte sich an viele solcher Situationen und sprach mit erhobenem Zeigefinger: »Ja, Holger stand manchmal auf der Bühne hinter mir und machte ein Bild, so dass man nicht nur mich mit meinem Buch sah, sondern auch noch den vollen Saal, sprich, das Publikum.«

»Super Idee«, sagte Weller, »aber dafür brauche ich einen richtigen Fotoapparat. Ich kann doch nicht mit meinem Handy den Fotografen spielen, der für die Zeitung Fotos macht.«

»Wie sollen wir denn jetzt noch an einen Fotoapparat kommen?«, fragte Büscher, der erst jetzt dazukam. »Soll ich vielleicht die Gelsenkirchener Kollegen bitten, uns einen Fotoapparat ...«

Weller hob die Hände. »Bloß nicht! Die brauchen dafür einen richterlichen Beschluss, und wer weiß, wie lange das dauert und ob sie ihn am Ende bekommen. Vielleicht entscheidet der Richter ja, wir sollten lieber Tusche- oder Bleistiftzeichnungen machen ...«

Ann Kathrin ermahnte ihn: »Frank!«

»Ach, ist doch wahr«, schimpfte er.

Dann gab Ann Kathrin zu bedenken: »Wir können schlecht Holger Bloem anrufen. Bis der hier ist, ist deine Veranstaltung längst zu Ende, Ubbo.«

In dem Moment klingelte Ubbo Heides Telefon. Die Buchhändlerin Sabine Piechaczek war am Apparat. Sie fragte, ob sie Ubbo Heide abholen solle, ob alles in Ordnung sei und ob er noch etwas brauche.

Das kam Ubbo Heide sehr gelegen. Er hustete. »Ja, Sie könnten mir einen großen Gefallen tun. Ein Journalist aus Ostfriesland hat mich hierher begleitet. Er möchte gerne ein paar Fotos machen und später über die Veranstaltung berichten. Nun«,

Ubbo lachte demonstrativ, »die ganze Sache ist ihm ein bisschen peinlich. Er hat seinen Fotoapparat in Ostfriesland liegen lassen. Also, den ganzen Koffer mit dem teuren Material. Können Sie uns vielleicht aushelfen?«

»Ich habe zwar keine professionellen Fotosachen, aber eine Digitalkamera kann ich besorgen.«

»Damit würden Sie uns sehr helfen. Kann ich mich irgendwie dafür revanchieren?«

»Ja«, lachte sie, »Sie könnten mir später für den Laden noch ein paar Bücher signieren.«

»Na klar, gerne«, sagte Ubbo Heide. Dann verabredeten sie sich im Foyer der Stadtbibliothek.

Ubbo Heide knipste das Gespräch weg und strahlte aus dem Rollstuhl die drei anderen an. »So«, sagte er, »einen Fotoapparat hätten wir schon mal.«

»Na klasse«, grinste Weller, »dann gebe ich heute Abend den Holger Bloem.«

Der Empfang war hier gut. Er konnte auf dem Bildschirm seines iPhones Svenja Moers in ihrem Gefängnis beobachten. Er zoomte das Bild heran.

Sie hatte das Waschbecken bis zum Rand mit Wasser gefüllt. Sie legte sich einen Vorrat an. Unter dem Waschbecken glänzten feuchte Fliesen.

Er holte sich ihr Gesicht jetzt ganz nah. Sie sah nicht mehr so apathisch aus. Ihre Augen hatten einen fiebrigen Glanz. Es war, als würde sie ihn direkt anschauen. Wusste sie, dass er ihr jetzt zusah? Machte die Kamera Geräusche oder sichtbare Bewegungen? Er ärgerte sich, weil er das nicht vorher überprüft hatte. Er musste doch alles ganz genau wissen, wollte die Situation immer völlig im Griff haben.

Wollte sie ihm etwas sagen? Oder sprach sie mit sich selbst?

Er kannte das. Auch er redete manchmal mit sich. Es gab ihm ein gutes Gefühl, die eigene Stimme zu hören, sich in seinem Tun zu bestätigen.

Er blickte sich um. Er saß im Auto, wie immer bereit, jeden Moment unerkannt unterzutauchen. Er konnte gar nicht vorsichtig genug sein.

Hier auf dem Parkplatz fühlte er sich unbeobachtet. In der Nähe seines Autos standen nur noch wenige andere Fahrzeuge.

Er schaltete den Ton ein und hörte sie rufen: »Yves! Yves, verdammt! Lass uns miteinander reden! Du kannst mich doch nicht ernsthaft hier gefangen halten wollen! Was soll der Scheiß? Sprich mit mir, verdammt noch mal! Komm jetzt und rede mit mir!«

Dann hustete sie, war ruhig und kämpfte mit den Tränen. Noch gelang es ihr aber, sie zu unterdrücken.

Das ist gut, dachte er. Sehr gut. Ich krieg dich weich.

Er schaltete von hier aus das Radio ein. Es gab keinen Grund dafür. Er tat es nur, um sich und ihr zu beweisen, dass er es konnte und jederzeit die Kontrolle hatte.

Sie zuckte zusammen, als hätte ein Unsichtbarer den Raum betreten, und sie müsste vor ihm fliehen. Sie suchte Schutz in einer Ecke hinterm Bett.

Sie hörte *Radio Ostfriesland – heel wat Besünners*. Ein paar Worte Platt reichten aus, um Svenja Moers wieder mutiger zu machen. Sie stand auf.

Er schaltete einen anderen Sender ein, um ihr seine Präsenz zu demonstrieren. Schollmayers fröhliche Stimme und seine Scherze waren wohl der härteste Kontrast zu der gruseligen Situation, in der Svenja Moers sich befand. Die Monstrosität ihrer Lage wurde ihr dadurch erst wirklich bewusst.

Sie brach in Tränen aus. Sie drückte ihr Gesicht in die Kissen, um ihn das nicht sehen zu lassen.

Er reckte sich auf dem Fahrersitz und schloss die Augen. Er war wieder voll im Flow.

Da Büscher nur wenig konkrete Dienstanweisungen gab, genoss Rupert die Freiheit. Dieser ganze Fall Heymann musste neu aufgerollt werden, und da standen viele Leute auf der Liste, die vernommen werden mussten. Rupert redete lieber mit jungen Frauen als mit alten Männern, und danach suchte er sich seine Termine aus.

Roswitha Wischnewski hatte eine rauchige Stimme, die Rupert einen Schauer über den Rücken jagte. Mit dieser Stimme passte sie eher in eine schummrige Bar als in diese hell erleuchtete Massagepraxis. Rupert nannte sie »Masseuse«, sie legte aber Wert darauf, Masseurin und Chiropraktikerin zu sein, was in Ruperts Ohren noch viel verruchter klang.

Chiropraktikerin – wie sich das schon anhörte! Als würde sie Stellungen beherrschen, die Rupert noch nie mit Beate ausprobiert hatte. War sie so eine Kamasutra-Tantra-Spezialistin?

Um Eindruck zu schinden, zeigte er erst mal seinen Dienstausweis vor, gab an, in einem heiklen Auftrag unterwegs zu sein und ein paar Fragen zu haben.

Er kam auf den alten Fall zu sprechen. Sie winkte ab, sie habe das alles doch zigmal erzählt. Wieso das jetzt wieder neu aufgerollt werden würde? Mehr als sie damals zu Protokoll gegeben habe, könne sie heute auch nicht sagen. Nur so viel: Sie habe sich damals garantiert nicht geirrt und Yves Stern mit hundertprozentiger Sicherheit auf der Fähre erkannt. Er habe dieses Kind auf dem Arm gehabt. Von einer Frau und einem Foto habe sie damals nichts gesehen, das sei erst hinterher alles zu Protokoll gegeben worden.

»Wie kam es denn«, fragte Rupert, »dass Sie diesen Herrn Stern so genau erkannt haben? War er Ihr Typ? Kann ich mir kaum vorstellen. Der war doch mindestens zwanzig, wenn nicht dreißig Jahre älter als Sie. Oder?«

»Stimmt«, lachte sie. »Nein, er war nicht mein Typ. Er war in der Grundschule mal mein Lehrer. Deshalb habe ich ihn erkannt. Ich habe ihm zugewinkt, aber er hat mich überhaupt nicht beachtet. Das dachte ich damals zumindest. Vielleicht war es ihm aber auch nur unangenehm, dass ich ihn mit dem Kind erwischt habe.«

»Aber wenn er damals die kleine Steffi Heymann von der Insel entführt hat, warum trug er sie dann so offen herum? Der war doch kein Idiot, oder? Ich hätte sie hinten im Auto verstaut.«

Roswitha Wischnewski lachte hellauf. »Ja, das wäre wohl noch auffälliger gewesen. Im Auto?! Auf der Fähre von Langeoog nach Bensersiel? Sie leben wohl noch nicht lange in Ostfriesland, was? Langeoog ist eine autofreie Insel!«

»Ja«, gab Rupert zu, »stimmt. Na klar ... Ich wollte nur mal testen, ob Sie das wissen ...«

»Ach, Sie sind ein ganz Schlauer! Sie dachten, ich sei gar nicht auf der Insel gewesen? Ich habe damals Ihren Kollegen sogar meine Fahrkarte für die Fähre gezeigt. Ich hab nämlich alles gesammelt und in ein Album geklebt – ja, damals hatte ich noch Zeit für so was. Heute habe ich die Praxis.«

»Apropos«, sagte Rupert, »könnte ich Ihre Dienste vielleicht in Anspruch nehmen?«

Sie sah ihn abschätzend an. »Eigentlich bin ich mit Terminen ausgebucht bis Ende August, aber für heute habe ich sowieso schon Feierabend. Also, wenn Sie drauf bestehen ...«

Wieder lief Rupert ein Schauer den Rücken runter.

»Machen Sie sich mal frei, und stellen Sie sich dorthin«, sagte sie.

Ihr dominahafter Ton deutete für Rupert ein bevorstehendes Abenteuer an. Er hatte sich eigentlich mehr auf eine Wohlfühlmassage gefreut, aber die konnte er auch von seiner Frau Beate kriegen. Nun, er war gespannt darauf, welche Praktiken so eine Chiropraktikerin draufhatte.

Er stieg erstaunlich schnell aus seiner Kleidung. Er schwitzte.

Sie saß hinter ihm und gab Befehle wie:

»Heben Sie mal den linken Fuß. Jetzt stellen Sie die Beine schulterbreit nebeneinander, dann heben Sie mal den rechten Fuß. So, das Knie anziehen bis zum Bauch. Ja. Jetzt den Rücken beugen, so weit runter, wie Sie nur können.«

Rupert bekam den Kopf fast bis an die Knie, und mit den Händen langte er knapp auf den Fußboden. Dabei reckte er ihr seinen Hintern entgegen, aber er erhielt keinen Schlag auf die Pobacken. Stattdessen sagte sie nur: »Danke. Und jetzt richten Sie sich bitte wieder gerade auf.«

Mit tastenden Berührungen ging Roswitha Wischnewski an seiner Wirbelsäule hoch. Rupert seufzte wohlig.

»Sie stehen schief. Das linke Bein ist kürzer als das rechte. Dadurch kommt es zu einer Beckenschrägstellung, und das verursacht Ihnen vermutlich Schmerzen im Sakralgelenk.«

Sie legte die Hand hin und drückte genau in die Stelle, von der Rupert so oft gequält wurde. Er stöhnte.

Das von ihm erwartete Liebesspiel fand dann nicht statt, sondern sie bog ihn durch, seine Wirbel krachten, und er hatte Angst, nie wieder laufen zu können. Er schwankte dazwischen, sich jetzt heftig zu wehren oder sich ihr einfach zu überlassen.

Am Ende verlangte sie fünfundvierzig Euro und prophezeite, es könne zuerst eine Verschlimmerung seiner Symptome eintreten. In den nächsten vierundzwanzig Stunden würde er sich vermutlich müde fühlen, aber danach würde es ihm besser gehen.

Sie schlug ihm vor, viel spazieren zu gehen und mit einem Rückentraining und mit Wirbelsäulengymnastik zu beginnen. Sie wollte ihm noch ein paar Tricks zeigen.

»Fünfundvierzig Euro«, betonte Rupert und zahlte brav. Dabei habe ich nicht mal ihre Brust gesehen, dachte er. Was ist aus dieser Welt nur geworden? Gibt es nirgendwo mehr wilden, hemmungslosen Sex? Immer nur solche Ersatzhandlungen?

Da waren ihm die Reiki-Stunden seiner Beate schon lieber. Er haute sich aufs Bett, sie legte ihre Hände auf seinen Kopf, und er schlief regelmäßig dabei ein, ohne mitzukriegen, wie die Sitzung weiterging ...

Als Rupert wieder im Auto saß, glühte seine Wirbelsäule.

Die Touristen mit Kindern, die an dem Tag die Insel verlassen haben, sind garantiert alle überprüft worden, dachte er sich. Das kann kein großes Problem gewesen sein. In den Hotels und Pensionen und bei der Kurverwaltung haben sie schließlich die An- und Abreisen registriert. Aber trotzdem kann die Geschichte von Yves Stern der Wahrheit entsprechen. Vielleicht war die Mutter mit dem Kind eine Tagestouristin gewesen, die morgens von Bensersiel aus zu einem Ausflug nach Langeoog gefahren war und abends mit der letzten Fähre wieder zurück. Dann war sie nirgendwo registriert worden ...

Rupert überlegte, ob er jetzt nach Hause fahren sollte oder lieber auf ein paar Bierchen ins Mittelhaus, denn er musste befürchten, dass die Reiki-Fraktion bei ihm noch jede Menge guter Lebensenergie verbreitete ...

Ein Anruf riss ihn aus den Gedanken. Die Gegensprechanlage war auf Laut geschaltet, und Rupert erfuhr von seinen Kollegen aus Cuxhaven, dass ihre Ermittlungen im Sande verlaufen waren. Sie hatten sämtliche Männer überprüft, die in Cuxhaven und Umgebung in der letzten Woche zur Fußpflege gewesen waren. Alle lebten noch.

Rupert konnte wenig damit anfangen, freute sich aber darüber, dass die Fußpflege in Cuxhaven von so vielen Männern überlebt wurde. Er meldete die Sache direkt auf Ann Kathrins Mailbox weiter.

Odysseus fürchtete, die Geister der toten Kinder seien zurückgekommen. In der letzten Nacht war er wieder schreiend aufge-
wacht und hatte sie vor sich gesehen. Sie hatten neben seinem
Bett gestanden und daran gerüttelt.

Steffi Heymann hielt den Lolli in der Hand, den er ihr geschenkt hatte, und lutschte daran herum. Nicola Billing nippte an
der Cola, die sie sich damals geteilt hatten …

Kinder waren so leicht zu kriegen und so einfach zu beseitigen.
Er wollte es nie, nie wieder tun. Er kämpfte dagegen an.

Wie neidisch war er auf diese Hetero-Männer, die heiraten
konnten und dann ihre Frauen nach Lust und Laune betrogen,
die Bordelle zur Verfügung hatten, Striptease bars und Millionen
Stunden legaler Pornofilme im Internet. Nichts mussten sie befürchten, wenn sie ihre Sexualität ausleben wollten.

Es war auch kein Problem mehr, schwul zu sein. Alles war möglich. Alles wurde akzeptiert. Nur seine verfluchte sexuelle Aus-
richtung würde niemals Anerkennung finden. Die Hoffnung darauf hatte er verloren.

Die Menschen würden ihn immer hassen für das, was er war.
Er hasste sich ja selbst dafür.

Er hatte es sogar mit einer Therapie versucht, bis der Therapeut aus Gewissensgründen die Therapie abbrach, ihn an andere
Stellen weiterempfahl und kurz davor war, der Polizei einen Wink
zu geben.

Und der Therapeut wusste längst nicht alles. Er glaubte, sie
würden miteinander über Phantasien reden, nicht über gelebtes
Leben. Trotzdem, ihm war damals nichts anderes übriggeblieben,
als diesen schmalbrüstigen Intellektuellen umzubringen. Zeugen
und Mitwisser konnte er sich nicht leisten.

Er hatte sich nie einer Szene angeschlossen. Er lud keine Bilder
aus dem Internet runter. Er machte keine Filmchen von seinen
Taten. Er tauschte nichts. Er versuchte, ein anständiges, unauffäl-
liges Leben zu führen.

Seit gut einem Jahr hatten die Phantasien ihn wieder eingeholt. Er wusste, dass alles auf die neue Realisierung einer Tat hinauslief.

Er wollte den mädchenhaften Jungen nicht töten. Er wollte ihm nur nah sein.

Aber das war in den letzten Tagen immer schwieriger geworden, seitdem diese Hölle losgebrochen war. Die Meldungen in den Zeitungen über einen abgeschlagenen Kopf auf Wangerooge hatte er zunächst nicht beachtet. Er war mit ganz anderen Dingen beschäftigt, versunken in seinem eigenen Abgrund, verstrickt im Kampf gegen sich selbst, Ersatzhandlungen suchend.

Doch dann hatte er während der Autofahrt diese Namen gehört. Heymann. Stern. Dieser Reporter, Joachim Faust, war mal wieder mitten im Geschehen und rollte den alten Fall auf. Alles hing irgendwie mit diesem Ubbo Heide zusammen, einem Ermittler von damals.

Das alles kam ihm vor wie ein Albtraum aus einem anderen Leben.

Hatte jemand diese Männer getötet, um ihn an seine Taten zu erinnern? Worum ging es hier überhaupt? War dieser Mörder auch hinter ihm her?

Den Gedanken fand er unwahrscheinlich, aber er wollte keine Möglichkeit außer Acht lassen. Er musste vorsichtig sein. Er ging über sehr dünnes Eis.

Joachim Faust war für ihn eine Ratte, die sich in ein Stück saftigen Braten verbissen hatte. Der würde nicht aufgeben und die Kripo sicherlich auch nicht.

Würde er selbst am Ende doch noch vor einem Richter landen?

Es hatte alles so gut für ihn ausgesehen … Damals …

Die Karten wurden neu gemischt, und er wollte nicht den Schwarzen Peter ziehen. Er musste diesen Mörder stoppen.

Den kleinen Jungen mit dem Mädchengesicht aus Wilhelmshaven musste er fürs Erste vergessen. Es gab wichtigere Aufgaben. Seine eigene Tarnung.

Er würde sich diesen Henker holen. Das Ganze lief auf ein Duell hinaus.

Er grinste. Seine Art, sich zu duellieren, war diese Dschihadisten-Imitation sicherlich nicht gewöhnt.

Ich krieg dich, bevor du auch nur weißt, wie ich aussehe, dachte er und machte sich selbst Mut.

Darin war er gut. Er brauchte niemanden, der ihm gute Ratschläge erteilte oder ihn bestärkte. Er war daran gewöhnt, als einsamer Wolf zu leben. Völlig autonom in seinem eigenen Universum.

Er war nach Gelsenkirchen gekommen, um diesen Ubbo Heide zu erleben. Irgendwie liefen bei dem alle Fäden zusammen. Wenn der Mörder auch hierherkäme, würde er ihn erkennen. Er hatte ein Gespür für so etwas. Es gab Opfer, und es gab Täter. Es gab Blinde, und es gab Sehende. So wie es Männer und Frauen gab und Wesen wie ihn. Und er konnte sie alle voneinander unterscheiden.

Dazu musste er nicht mit ihnen sprechen. Er hatte Antennen dafür. Er nahm etwas wahr. Er wusste auch genau, wer so war wie er. Dafür reichte es, kurze Zeit mit der Person im gleichen Raum zu sein. Manchmal genügte es sogar, auf der Straße an jemandem vorbeizugehen, und er wusste Bescheid.

Andere hörten einen Ton und konnten ihn im Notensystem genau bestimmen. Das ist ein C, das ist ein dreigestrichenes A.

Er erkannte Täter, Opfer und Seinesgleichen.

Die Buchhändlerin Sabine Piechaczek erklärte Frank Weller geduldig den Fotoapparat, und sie ließ ihn nicht spüren, wie irritiert sie darüber war, dass ein professioneller Fotograf sich so dämlich anstellte, sich nicht für Blenden, Beleuchtung und Brennschärfen interessierte, sondern lieber einfach auf Automatik schaltete.

Aber sie fand ihn sympathisch, verzieh ihm seine Unkenntnis, schob es auf seine Nervosität und sagte: »Wenn Sie eine Reportage über Ubbo Heide schreiben, dann erwähnen Sie bitte auch, dass er im Ruhrgebiet unglaublich viele Fans hat. Ich habe in meinem Laden schon im Vorfeld der Lesung mehr als hundertzwanzig Exemplare verkauft. Die Menschen wissen dieses ehrliche Buch sehr zu schätzen. Endlich behauptet mal jemand nicht, die Wahrheit zu kennen, sondern auf der Suche nach ihr zu sein. Das tut einfach gut …«

Weller gab ihr recht: »Ja, ja«, und fummelte an dem Fotoapparat herum und löste versehentlich den Blitz aus.

Ubbo Heide saß bereits im Rollstuhl auf der Bühne und machte eine Mikrophonprobe. Es klang noch ein bisschen zu dumpf. Dann war plötzlich ein Hall da. Aber der Tontechniker beherrschte sein Handwerk, und nach kurzer Zeit klang Ubbo Heides Stimme über die Lautsprecher genauso wie im Original, nur war sie eben viel lauter.

Im Foyer warteten bereits viele Gäste. Da es keine Platzkarten gab, kamen zahlreiche Zuhörer sehr früh, um einen guten Platz zu ergattern. Noch hielt der Bibliotheksleiter, Friedhelm Overkämping, die Tür geschlossen. Er wollte ein paar Worte sprechen und sich mit Ubbo Heide abstimmen. Dabei bemerkte er sehr genau, dass Ann Kathrin Klaasen und Frank Weller abwechselnd die Nähe zu Ubbo Heide suchten und sich benahmen wie Bodyguards, die sich jedes Mal zwischen Ubbo Heide und eine Person stellten, die ihn begrüßen wollte.

Auch er hatte Schwierigkeiten, an Ubbo Heide heranzukommen. Er fühlte sich von Ann Kathrin Klaasens Blicken abgecheckt. Am liebsten hätte sie ihn abgetastet, doch sie ließ ihn dann zu Ubbo Heide durch, blieb aber so nah bei ihm stehen, dass er, als er in die Tasche griff, um ein Taschentuch zu ziehen, kurz zusammenzuckte, denn seine Bewegung schien ihr Angst zu machen, und sie reagierte darauf, indem sie einen schnellen Schritt auf ihn zu machte. Als sie das Taschentuch sah, stoppte sie in der Bewegung und lächelte.

Dann strömte das Publikum in den Saal. Gleich zu Beginn versuchte ein Mann, auf die Bühne zu kommen. Frank Weller schlug ihm scheinbar versehentlich die Beine weg. Es sah aus, als wäre Weller nur sehr ungeschickt nach vorne gestolpert und hätte den anderen mit sich gerissen. Jetzt lagen sie gemeinsam auf dem Boden, und Friedhelm Overkämping erkannte genau, dass Weller den anderen abtastete.

»Mensch, Willi«, rief Ubbo Heide, »du hier?«

Wilhelm Kaufmann raffte sich auf, warf Weller einen wütenden Blick zu und ging zu Ubbo Heide. Er schüttelte ihm die Hand. »Ich hab gelesen, dass du hier auftrittst, und da wollte ich doch dabei sein. Mensch, altes Haus!« Er kniete fast vor Ubbo Heides Rollstuhl, und die beiden Männer umarmten sich.

Ubbo Heide wusste nur zu genau, dass Wilhelm nicht einfach nur gekommen war, um sich seine Lesung anzuhören. Das war nur, was er offiziell laut zu allen sagte. Dann raunte er in Ubbos Ohr: »Sag, stimmt es tatsächlich, dass sie dir den Kopf von Bernhard Heymann geschickt haben?«

Ubbo nickte. »Ja. Und den von Yves Stern.«

»Mein Gott, das alles wird plötzlich wieder so lebendig für mich. Ich muss dich einfach sprechen.«

»Ja. Nach der Lesung. Ich wohne im Intercity-Hotel«, sagte Ubbo Heide. »Ich freue mich, dass du da bist, Willi. Wirklich!«

Weller lief jetzt auf der Bühne die ganze Zeit um Ubbo Heide herum, als würde er ihn fotografieren. In Wirklichkeit bemühte er sich, ins Publikum zu knipsen und so viele Gesichter wie möglich draufzubekommen.

Er sah auch die beiden Gelsenkirchener Kripoleute, die gerade in Büschers Hotelzimmer so eine schlechte Nummer abgeliefert hatten. Sie standen nah am Eingang bei Büscher. Sie guckten, als hätten sie sich in die Hosen gemacht und müssten befürchten, dass jeder roch, was ihnen gerade passiert war.

Auch der Journalist Kowalski war anwesend. Der große Mann überragte die meisten anderen Gäste um einen ganzen Kopf. Er arbeitete sich zu Ubbo Heide durch und überreichte ihm als Dankeschön für das wirklich tolle Interview eine Schachtel Pralinen.

»Ich weiß doch, wie gern Sie Süßigkeiten essen. Ich hoffe, Sie mögen nicht nur Marzipan, sondern vielleicht auch *Bochumer Taubendreck*.«

Ubbo Heide betrachtete die hübsche Blechschachtel. Er öffnete sie und fand darin weiße Pfefferminzpastillen. Er probierte gleich eine und zwinkerte Kowalski zu. »Klasse, euer Taubendreck.«

Ann Kathrin sah es Weller an. Er war mit sich unzufrieden. Er war in der Holger-Bloem-Rolle nicht wirklich gut. Seine Bewegungen waren hektisch, seine Wangen röteten sich. Die ruhige Gelassenheit, mit der Holger Bloem die beste Perspektive für seine Aufnahmen suchte, fehlte Weller völlig. Die ganze Zeit hatte er das Gefühl, wichtige Leute nicht draufzukriegen, außerdem als Fotograf nicht ernst genommen zu werden, so als wisse eh längst jeder, dass er ein Polizist war, der hier Fotos für eine mögliche Fahndung machte. Immer wieder drehten sich im entscheidenden Moment Leute um oder weg, bückten sich und verschwanden aus dem Bildausschnitt.

Weller erlebte die Veranstaltung wie unter Strom. Er war unglaublich wütend darauf, dass hier nicht alles so lief, wie sie geplant hatten. Am liebsten hätte er den Saal abgeriegelt und die Personalien aller Anwesenden feststellen lassen. Es wurmte ihn, dass er das nicht so einfach tun durfte.

»Warum«, zischte er in Ann Kathrins Richtung, »muss immer erst etwas Schlimmes passieren, bevor wir tätig werden dürfen?«

»Es ist bereits etwas Schlimmes passiert, Frank«, antwortete sie. »Zwei Menschen sind tot. Aber möglicherweise hat niemand der hier Anwesenden irgendetwas damit zu tun.«

Weller glaubte, den Mann wiederzuerkennen, der im Intercity-Hotel an der Theke gesessen hatte. Er versuchte, ihn heranzuzoomen, aber der Mann – falls er es denn überhaupt war – hatte sich hinter Kowalski platziert, der ihn mindestens zur Hälfte verdeckte.

Friedhelm Overkämping hieß die Gäste willkommen und sagte ihnen, wie glücklich er sich schätzte, Ubbo Heide, einen Mann, der im Augenblick so sehr im Zentrum der öffentlichen Aufmerksamkeit stehe, nach Gelsenkirchen geholt zu haben.

Sabine Piechaczek stellte den Buchverkauf jetzt ein, um die Veranstaltung nicht zu stören. Sie hatte schon drei Partien Bücher verkauft und zweifelte gerade daran, ob ihr Vorrat überhaupt ausreichen würde. Sie gab einer Auszubildenden einen Wink, sie solle noch mal zum Laden fahren und die Bücher aus dem Schaufenster holen.

Vorsichtig begann Ubbo Heide zu lesen. Seine Stimme wackelte am Anfang ein wenig, aber dann wurde sie fest, und schon nach wenigen Sätzen hatte Ubbo die Zuhörer in seinen Bann gezogen.

»Manchmal hatte ich als junger Kommissar das Tatgeschehen genau vor Augen. Ich konnte es sehen wie in einem Film. Aber es war mein Film. In meinem Kopf. Beweisen konnte ich es nicht. Mein Kopfkino nannte der Richter nur zu oft Spekulation. Die von mir vorgelegten Indizienketten waren nicht stichhaltig genug, Gutachter zerpflückten Beweismittel, und Anwälte pulverisierten Zeugenaussagen. Manchmal verließ ich ein Gerichtsgebäude als geschlagener Mann, während der Täter – vermutlich müsste ich juristisch korrekt sagen, der mutmaßliche Täter – triumphierte.

Ich habe mich dann immer schuldig gefühlt, und ich wachte nachts nach Angstträumen schweißnass auf, weil der Täter noch einmal zugeschlagen hatte … In meinem Albtraum …

Ich rechnete mir das Verbrechen zu, fühlte mich schuldig, weil ich bei den Ermittlungen nicht akribisch genug und vor Gericht nicht überzeugend genug gewesen war ...«

Mehrfach wurde Ubbo Heide von Zwischenapplaus unterbrochen. Nach knapp sechzig Minuten klappte Ubbo sein Buch zu und trank ein Glas Wasser mit einem Zug leer. Er bat das Publikum, heute auf Fragen zu verzichten. Er sei erschöpft und wolle sich bald zurückziehen. Dafür hatte jeder Verständnis. Doch trotzdem bildete sich eine lange Schlange, denn die Menschen wollten sich ihr Buch signieren lassen.

Weller fand die Gelegenheit großartig. Jetzt flatterte er geradezu mit seinem Fotoapparat um Ubbo Heide herum, knipste ihn beim Signieren und bekam immer zwei, drei der Leute aufs Bild, die Schlange standen.

Der Gelsenkirchener Kollege mit dem Stoppelhaarschnitt, dessen Name Weller nicht wusste, gab Weller ein deutliches Zeichen, er solle eine bestimmte Person fotografieren. Aber die hatte Weller sowieso schon ein paarmal abgelichtet. Weller wollte sich nicht ablenken lassen.

Eine kleine, rundliche Frau tätschelte Ubbo Heides Hand. Sie sah aus, als hätte sie ihn am liebsten abgeknutscht und strahlte ihn an: »Geben Sie nicht auf, Herr Heide. Wir brauchen Männer wie Sie. Bitte schreiben Sie in mein Buch: Für Erika. Das wäre eine große Ehre für mich.«

Ubbo Heide tat es und malte sogar noch ein Herzchen dazu.

Odysseus hatte sich mitten im Raum befunden, dieser Lesung gelauscht und seine Fühler ausgestreckt. Aber diesmal war es anders gewesen als sonst. Er hatte Jäger und Beute nicht auseinanderhalten können, als hätte er jedes Gespür dafür verloren.

Er war gekommen, um den Mörder zu finden, doch jetzt beschlich ihn das Gefühl, dass der Mörder ihn gefunden hatte.

Waren die ersten zwei Leichen nicht mehr gewesen als eine Botschaft an ihn, um ihn aufzuscheuchen, damit er sich endlich wieder blicken ließ?

Wer bist du, verdammt, dachte er. Wer bist du? Und was willst du von mir?

Da waren Polizisten im Raum gewesen. Die hatte er sofort erkannt. Der tölpelhafte Pressefotograf auf der Bühne war garantiert von der Kripo. Die Frau, die sich stets in Ubbo Heides Nähe aufgehalten hatte, war mit Sicherheit eine aus Ubbo Heides Talentschuppen. Ob die Buchhändlerin echt war oder auch zur Kripo gehörte, konnte er nicht sagen. Die zwei Typen direkt am Eingang waren ohne Frage auch Polizisten.

Noch vor kurzem hätten so viele Ordnungshüter in einem Raum ihn nervös gemacht. Jetzt fühlte er sich fast sicherer in ihrer Nähe, und das machte ihm Sorgen. War er inzwischen zum Gejagten geworden?

Er hatte sich immer geschworen, dass er sich niemals stellen würde. Nein, Leute wie er hatten nicht mit Pardon zu rechnen. Weder vor Gericht noch später im Gefängnis.

Bevor ich auffliege und verhaftet werde, bringe ich mich um, hatte er sich geschworen. Seit dem Mord an Nicola Billing führte er eine Kapsel mit sich. Er hatte sie für viel Geld in Thailand gekauft. Angeblich war darin ein Gift, stärker als Arsen. Ein kurzer Biss darauf genügte, und er würde sich jedem weltlichen Gericht entziehen.

Ein paarmal, in schweren Krisen, hatte er daran gedacht, die Kapsel zu benutzen. Heute war wieder so ein Tag. Es erschien ihm besser als geköpft zu werden.

Er sah Willi Kaufmann. Das war dieser Bulle! Wenn er in seine Richtung sah, schien die Luft zu vibrieren, und die alte, intensive Zeit kam zurück, als er das Leben noch auf der Haut gespürt hatte ...

Er sog die Luft tief ein und hatte das Gefühl, nicht in Gelsenkirchen in der Volkshochschule zu sitzen, sondern auf Langeoog am Flinthörn, barfuß im Sand, und sich an der Meeresluft zu berauschen.

Nachdem alle zahlenden Gäste den Raum verlassen hatten, half Sabine Piechaczek Weller dabei, die Chipkarte aus dem Fotoapparat zu nehmen. Sie gestand, sich den Apparat selbst geliehen zu haben. Die Chipkarte dürfe Weller aber natürlich behalten.

Er wollte sie ersetzen, doch sie winkte ab. Es sei ihr eine Freude gewesen, und sie hätte lieber den Bericht, den er über Ubbo Heide schreiben würde, um ihn in ihrem Schaufenster, gemeinsam mit dem neuen Buch von Ubbo Heide, auf das so viele Leser warteten, zu präsentieren.

Weller versprach das und kam sich schäbig dabei vor, sie so sehr hereinzulegen. Dann ging er zu dem Gelsenkirchener Kollegen und fragte: »Wer war das da vorhin, den ich unbedingt fotografieren sollte?«

»Ein gefährlicher Mann. Er hat wegen schwerer Körperverletzung und versuchten Totschlags gesessen.«

»Und? Hat er etwas mit unserem Fall zu tun?«, fragte Weller.

Der Gelsenkirchener Kommissar zuckte mit den Schultern. »Keine Ahnung. Aber er war der einzige Gast, der mir als Klient bekannt ist ...«

Noch einmal versuchte Weller, die Kollegen breitzuschlagen, ihnen die Aufnahmen der Videokameras im Parkhaus zu geben, doch da biss er auf Granit.

Ubbo Heide, Ann Kathrin Klaasen und Martin Büscher standen im Licht einer Laterne vor der Volkshochschule und hielten Ausschau nach einem offenen Lokal.

»Früher«, sagte Ann Kathrin, »hat es da hinten mal ein Restaurant und eine Kneipe gegeben. Tigges. Bin gespannt, ob die noch existiert. Da war mein Vater oft auf ein Bierchen.«

Weller ging ins Parkhaus, um den Chevy zu holen. Er tänzelte leichtfüßig, ja fröhlich, wie ein Lausbub, der einen Streich vorhat. Später erinnerte er sich nicht mehr daran, wann der Entschluss in ihm gereift war. Aber Ann Kathrin vermutete, es müsse spätestens in diesem Moment völlig klar gewesen sein.

Weller zog sein Hemd aus und wickelte es sich wie einen Turban um den Kopf. Dabei knöpfte er es so, dass sein Mund und seine Nase verdeckt waren. Nur seine Augen waren noch frei. Ein Ärmel baumelte neben seinem linken Ohr nach unten.

Als er auf den blauen Chevy zuging, waren die meisten anderen Parkplätze bereits frei. Weller sah sich nach einem geeigneten Gegenstand um und fand ihn sofort. An eine Säule gelehnt lag ein Drehkreuz.

Er hob das kalte, silberne Teil hoch und schmetterte es gegen die Scheibe auf der Fahrerseite. Sie knackte und bekam Risse, hielt aber erstaunlich gut stand. Das Drehkreuz prallte ab und flog in Wellers Richtung. Er duckte sich. Fast hätte er das Drehkreuz an den Kopf gekriegt. Es schepperte auf den Boden.

Weller nahm es noch einmal und feuerte es ein zweites Mal gegen die Scheibe. Diesmal zersplitterte die Scheibe, und eine Alarmsirene heulte auf.

Weller freute sich. Er lief nach oben, dabei zog er sich sein Hemd wieder richtig an. Bei Ann Kathrin, Büscher und Ubbo Heide standen noch die zwei Gelsenkirchener Kollegen, die sich gerade verabschieden wollten. Der mit der dicken Backe spuckte eine Mischung aus Blut und Schleim auf den Asphalt.

»Tja«, sagte Weller, »da muss wohl jemand während der Veranstaltung versucht haben, in unser Auto einzubrechen. Ein Glück, dass es Überwachungskameras gibt. Den Typen greifen wir uns!«

Die Gelsenkirchener Kripomänner sahen sich an. Der mit der

Hängelippe, der nach Zahnarzt roch, glaubte, Weller zu durchschauen. Aber es war ihm letztendlich egal.

»Können wir uns«, fragte Weller, »die Aufnahmen jetzt gleich mit euch gemeinsam angucken, oder schickt ihr uns die Filmchen nach Hause, und wir erledigen die Arbeit dann für euch?«

»Das ist nicht unser Ressort«, sagte der mit dem Mecki.

Ann Kathrin war sehr ernst. »Es könnte sich hier um ein versuchtes Attentat handeln. Wer weiß, ob der Täter etwas im Wagen deponiert hat oder versuchen wollte …«

Der mit der dicken Unterlippe hob beide Hände: »Ja, ja, verdammt, schon gut! Meinetwegen!«

Weller wirkte durchtrieben. Heißspornig. Gutgelaunt. Er erzählte Ann Kathrin laut, so dass die anderen es hören mussten: »Ich hatte mal einen Schulfreund, der war immer besser als ich. So ein Einsenschreiber. Aber dann, eines Tages, haben sie ihm einen Weisheitszahn gezogen. Und – Schluss, Ende, aus mit der Intelligenz! Der war nur noch Durchschnitt, schrieb höchstens noch Dreien.«

Der Gelsenkirchener Kommissar verstand die Anspielung genau und schimpfte: »Das war kein Weisheitszahn, Herr Weller, sondern ein Backenzahn, hinten links!«

Nicht weit von ihnen stand Wilhelm Kaufmann. Er beobachtete seine ehemaligen Kollegen, hielt aber Abstand.

Im Gelsenkirchener Polizeipräsidium gab es guten Kaffee, und als sie gemeinsam vor dem Monitor den Film ansahen, notierte Weller jedes einzelne Nummernschild. Viele Gäste waren mit dem Wagen gekommen, und längst nicht alle waren aus Gelsenkirchen, genau wie Sabine Piechaczek angegeben hatte.

Die Kameras waren mit Bewegungsmeldern synchron geschaltet und machten nur Aufnahmen, wenn ein Fahrzeug herein- oder herausfuhr.

Als der Mann mit der seltsamen Vermummung und dem Hemd um den Kopf auf dem Bildschirm erschien, hoffte Büscher, das alles hier nur zu träumen. Er war ganz sicher, dass das auf dem Film Weller war.

Büscher hatte das Gefühl, krank zu werden. Hitzewellen jagten durch seinen Körper. Sein Herz raste, und sein Hals war trocken. Er sah zu Ann Kathrin und Ubbo Heide.

Man sagte Ubbo Heide nach, er habe dem Leben gegenüber eine heitere Gelassenheit. Büscher fand das vollkommen unangemessen. Erst redet Ubbo einen Abend lang über existentielle Fragen, über Recht und Gerechtigkeit, geißelt die Fehler der Justiz, und dann schmunzelt er in sich hinein, wenn er sieht, wie sein Schützling Frank Weller einen Wagen demoliert, um eine juristische Situation herbeizuführen, die einer Fahndung gleichkommt, dachte er.

Der Kollege mit der dicken Lippe pflaumte Weller an: »Das ist doch jetzt nicht Ihr Ernst! Sie haben das alles inszeniert, nur um …«

»Moment, Moment«, sagte Weller. »Werde ich hier etwa beschuldigt? Ich hab das doch nicht selber gemacht. Kollegen! Warum sollte ich? Bin ich wahnsinnig? Gelte ich als Wüterich? Habe ich jemals im Leben Autos beschädigt? Der Typ da hat vielleicht eine ähnliche Statur wie ich, und er trägt auch so ein Hemd, aber das Hemd ist Massenware von der Stange. Tausende tragen so etwas. Aber – wie ihr seht, hab ich mein Hemd nicht auf dem Kopf, sondern ich steck mit dem ganzen Oberkörper drin. Nee, nee, nee, die Sache könnt ihr mir jetzt nicht anhängen!«

Büscher atmete so schwer, dass es sich anhörte wie ein tiefes, schmerzhaftes Seufzen.

»Ich muss meinen Kollegen Weller jetzt auch in Schutz nehmen«, sagte Ann Kathrin. »Der Wagen gehörte mal einem bekannten norddeutschen Zuhälter und Drogendealer. Er wurde von uns beschlagnahmt. Unter dem Rücksitz lagen vier Kilo Heroin. Es ist ein auffälliges Fahrzeug. Möglicherweise hat irgendein ehemaliges Opfer den Wagen erkannt und wollte sich am Besitzer rächen. Die Leute können ja schließlich nicht riechen, dass wir diesen Ganovenschlitten inzwischen zu einem Polizeiwagen umfunktioniert haben.«

»Tja«, sagte Weller. »Das sind die Ergebnisse, wenn man uns die Mittel immer mehr zusammenstreicht und wir improvisieren müssen.«

Der Kollege, der nach Zahnarzt roch, stöhnte in Büschers Richtung: »Das war wirklich ein Scheißtag. Und Ihre gottverdammte Truppe hat ihm noch die Krone aufgesetzt. Mein Zahnarzt wollte mir ein Implantat in den Kiefer bohren oder nageln, jedenfalls ist das schiefgegangen. Ich stehe bis zur Halskrause unter Schmerztabletten. Eigentlich gehöre ich ins Bett. Und dann kommen diese ostfriesischen Clowns und ziehen hier so eine Nummer ab?!«

Bevor Ubbo Heide das Gebäude mit seinen Leuten verließ, bat der mit dem Mecki-Haarschnitt ihn noch um ein Autogramm in sein Buch und flüsterte ihm ins Ohr: »Ich verehre Sie, Herr Heide. So einen Chef wie Sie einer sind, wünschen wir uns im Grunde alle.«

An der Theke im Intercity-Hotel nahmen sie noch einen Absacker. Den hatten sie nach dem Abend alle nötig. Sie lehnten mit dem Rücken gegen den Tresen und schauten auf Ubbo Heide, der in seinem Rollstuhl saß und ihnen zugewandt genüsslich ein Pils trank.

Sie waren die einzigen Gäste, und jetzt machte Büscher sich Luft: »Ihr habt doch alle gemeinsame Sache gemacht! Wie konntet ihr so ein Ding abziehen?« Er tupfte sich Schweiß vom Hals.

»Da schlägt der ein Dienstfahrzeug kaputt, um einen Alarm auszulösen!«

»Nein«, sagte Weller, »nicht, um einen Alarm auszulösen, sondern, um an die Autonummern zu kommen.«

»Ach«, sagte Ann Kathrin lächelnd, »du warst das wirklich, Frank? Hätte ich nicht gedacht.«

Er grinste. »Ja, Liebste, manchmal kann ich ein verdammt böser Junge sein.«

Ubbo Heide hielt sich eine Hand vor den Mund, um nicht laut loszulachen.

»Was soll das hier werden?«, schimpfte Büscher. »Legal, illegal, scheißegal? Mensch, Leute! Wir sind die Kripo!«

»Eben«, sagte Ubbo Heide. »Wir sind dazu da, den Fall zu lösen.«

Büscher machte eine hilflose Geste. »Ja, verdammt, was soll das jetzt heißen?«

»Wenn man ein Omelett machen will, muss man ein paar Eier in die Pfanne hauen«, sagte Ann Kathrin, und Weller betonte: »By the way, ich hab jetzt echt Hunger. Kriegen wir hier nicht noch irgendwo was zu essen?«

Weller erinnerte sich daran, dass Rupert mal behauptet hatte, eine der besten Currywurstbuden der Welt befinde sich in Gelsenkirchen, und von solchen Sachen hatte Rupert nun wirklich Ahnung. Aber Weller wusste nicht mehr genau, wo. Er dachte ernsthaft darüber nach, Rupert anzurufen und ihn nach der Adresse zu fragen.

Da betrat Wilhelm Kaufmann zögernd das Hotel. Er ging auf die Gruppe an der Theke zu und fragte: »Darf ich mich zu euch gesellen?«

»Klar, Willi«, rief Ubbo Heide erfreut.

Svenja Moers hatte jedes Zeitgefühl verloren. Sie konnte ihrer inneren Uhr nicht mehr trauen. Wie lange hatte sie Yves Stern schon nicht mehr gesehen?

War er seit ein paar Stunden weg oder seit ein paar Tagen?

Sie begann tatsächlich, den Kerl zu vermissen. Sie kam sich lächerlich dabei vor, aber mit ihm erschien ihr die Gefangenschaft erträglicher als ohne ihn.

Sie hoffte, dass ihm nichts passiert war. Vielleicht war er irgendwohin gefahren, um einzukaufen. Möglicherweise über eine Autobahn. Er war garantiert aufgeregt und in einer emotional schwierigen Situation. Vielleicht hatte er nicht auf den Straßenverkehr geachtet und war verunglückt.

Was, verdammt noch mal, würde dann aus ihr werden? Sie würde hier einfach verhungern …

Sie, die den Glauben an Gott schon vor langer Zeit verloren hatte, begann zu beten, dass Yves Stern wohlauf sei.

Vielleicht, dachte sie, ist er unterwegs und holt den Insassen für die andere Zelle. Sie erwischte sich bei dem Gedanken, ihm dabei alles Gute zu wünschen.

»Bitte, lieber Gott«, flehte sie, »lass Yves nichts geschehen.«

Ohne ihn, ohne den menschlichen Faktor, hätte sie keine Chance, sich aus diesem Gefängnis zu befreien.

Als ihr dies bewusst wurde, begann sie, einen Plan zu schmieden. Sie musste Yves Stern für sich gewinnen. Ohne ihn wäre sie erledigt.

Sie trank aus dem Waschbecken einen Schluck Wasser. Es fiel ihr schwer, in den Spiegel zu blicken. Sie sah schrecklich aus.

Sie klatschte sich mit den Händen auf die Wangen.

Ich muss mich ein bisschen herausputzen. Ich muss versuchen, etwas aus mir zu machen. Ich muss ihn für mich einnehmen. Ich darf nicht aussehen wie ein Haufen Kompost.

Sie leckte ihren Zeigefinger an und wischte an ihrem verlaufenen Lidstrich herum.

Sie sah die leere Zelle nebenan. Sie wünschte sich so sehr, nicht länger allein zu sein. Und gleichzeitig schämte sie sich, weil sie einem anderen Menschen so ein Schicksal gönnte, wie sie selbst es gerade durchlebte.

Sie brauchte einfach jemanden, an den sie sich klammern konnte.

Büscher knetete sein Gesicht durch. Er war hundemüde. »Wir sehen uns morgen früh um halb acht hier unten zum Frühstück. Ich will, dass wir früh starten. Wir haben in Ostfriesland noch eine Menge Arbeit vor der Nase.«

Weller sah auf seine Uhr. »Es ist verdammt spät geworden. Ich finde, wir sollten Ubbo ruhig ein bisschen mehr Schlaf gönnen.«

Büscher verzog den Mund. »Na gut. Acht Uhr dreißig.«

»Wir müssen«, sagte Weller kleinlaut, »vorher noch die Scheibe reparieren lassen. Sonst wird es zugig während der Rückfahrt.«

»Lass dir was einfallen«, forderte Büscher. »Das soll mein Problem nicht sein …«

Er stieß sich von der Theke ab, so, als sei es gar nicht leicht, sich von dem Holz zu lösen, und schlurfte in Richtung Fahrstuhl. Er sah aus, als könne er auf dem Weg dahin bereits einschlafen.

Ann Kathrin sah ihm nach. Dann schaute sie unschlüssig zu Weller und Ubbo Heide. Ubbo war ganz ins Gespräch mit Wilhelm Kaufmann vertieft und schien überhaupt noch keine Lust zu haben, ins Bett zu gehen.

Ann Kathrin wog ab, was dagegen sprach, ihn mit Kaufmann hier unten an der Hotelbar allein zu lassen. Im Grunde gar nichts, dachte sie. Aus ihrer Sicht befand Ubbo sich nicht im Geringsten in Gefahr, und er würde allein sicherlich mehr aus Wilhelm Kaufmann herausbekommen, als wenn sie und Weller noch dabei mitmischten.

Ubbo zwinkerte ihr zu, als sie sich von ihm verabschiedete. Sie hatte das Gefühl, die Lesung habe Ubbo gut getan. Die Publikumsgunst hatte ihn geradezu euphorisiert.

Weller hätte gern noch ein Bier getrunken, aber Ann Kathrin deutete an, er solle mit ihr kommen und die beiden hier unten allein lassen.

»Kommst du alleine klar?«, fragte Weller.

Die Antwort gab Wilhelm Kaufmann: »Ich fahre heute Nacht nicht mehr zurück. Ich übernachte auch hier im Hotel. Also keine Sorge, ich bringe Ihren Chef ins Zimmer.« Grinsend fügte er hinzu: »Und decke ihn auch noch ordentlich zu.«

Ubbo Heide gab Weller ein Zeichen, er könne sich getrost zurückziehen.

Kaum waren sie im Fahrstuhl verschwunden, schob Wilhelm Kaufmann den Rollstuhl mit Ubbo Heide weg von der Theke hin zu einem abseits stehenden Tisch, bestellte noch zwei »Pilsken« und sagte komplizenhaft: »Endlich sind wir alleine und können mal von Mann zu Mann reden.«

»Gut, dass du gekommen bist.«

»Ich dachte, ich muss dich sehen, jetzt, nachdem das passiert ist, Ubbo. Wir haben damals doch beide das Gleiche gedacht. Heymann und Stern hingen bis zur Halskrause in der Sache drin.«

»Ja«, sagte Ubbo, »und jetzt hat einer reinen Tisch gemacht.«

Dann holte er die Blechdose, die er geschenkt bekommen hatte, aus seiner Rollstuhltasche und stellte sie auf den Tisch.

»*Bochumer Taubendreck.* Magst du?«

Wilhelm Kaufmann nickte und griff zu. Sie kauten, während sie auf ihr frisches Bier warteten.

»Ich dachte«, sagte Kaufmann fast ein bisschen enttäuscht, »du würdest mehr über den Fall reden. Stattdessen hast du ja eine richtige Dichterlesung gemacht. Du liebe Güte!«

»Ich habe den Fall bewusst außen vor gelassen. Ich wollte

nicht, dass man mir vorwirft, ich hätte Kapital daraus geschlagen ...«

Kaufmann legte den Kopf in den Nacken, warf ein Stück Taubendreck hoch und fing das Pfefferminzbonbon mit den Lippen auf. Er zerkrachte es laut mit den Zähnen, sah Ubbo Heide dann an und fragte: »Bist du erleichtert, weil sich jetzt einer diese beiden Drecksäcke geholt hat? Wir haben ja damals versagt. Wobei, wenn ich es recht bedenke, waren wir eigentlich ziemlich gut. Der Scheißrichter hat uns damals ausgebremst.«

Ubbo Heide klopfte gegen seinen Rollstuhl. »Ich war es jedenfalls nicht. Und ich kann auch nicht sagen, dass es große Freude in mir auslöst, wenn Leute geköpft werden. Obwohl ... wenn ich es jemandem gegönnt hätte, dann den beiden. Der Gedanke, dass sich jemand an Kindern vergeht und sie dann tötet, hat etwas so Unerträgliches an sich ... Ich habe all die Jahre in der Angst gelebt, sie tun es noch einmal. Irgendwie im Zusammenspiel. Vielleicht waren sie nur die Speerspitze von einem Kinderschänderring ... Da ist mir der Gedanke, dass Heymann nur sein eigenes Kind entführt hat, lieber ... und dann ist vielleicht etwas schiefgelaufen ...«

Wilhelm Kaufmann ereiferte sich: »Komm mir nicht mit dieser ›*Er hatte einen Unfall, bei dem das Kind starb*‹-Theorie. Den Mist habe ich nie geglaubt! Yves Stern ist der Schlüssel. Heymann war vielleicht sogar sein Opfer. Oder er hat Stern seine Tochter geopfert, um sich selbst freizukaufen von irgendeinem Scheiß. Was denkst du – hat Yves Stern Heymann erpresst?«

Ubbo Heide winkte ab. »Ach, was weiß ich.«

Die Servierkraft brachte die beiden Biere, und die Männer tranken in langen Zügen aus den Halbliterkrügen. Ubbos Hals war trocken vom vielen Reden und Vorlesen. Er stöhnte genüsslich und setzte das Bierglas laut auf dem Pappdeckel ab. Er wischte sich mit dem Handrücken Schaum vom Mund, und dann schoss er seine Frage ab wie einen giftigen Pfeil: »Hast du bei unserem letzten Treffen – der Geburtstagsfeier im Reichshof – meinen Autoschlüssel an dich genommen?«

Wilhelm Kaufmann hob die Arme hoch, als wollte er sich ergeben. Dann lachte er: »Na klar. Ich hab deinen Autoschlüssel geklaut und dann einen Kopf in deinen Kofferraum gelegt ... Glaub mir, ich habe oft mit dem Gedanken gespielt, die Typen kaltzumachen. Ich dachte, wenn die Justiz nicht mit denen fertig wird, müssen wir das vielleicht tun. Aber ich hab's nicht gemacht.«

»Du hast damals deinen Job verloren, weil du ihn zu hart angegangen bist ...«

Kaufmann sah nicht gerade aus, als sei er stolz darauf, aber er erzählte es mit einem Schulterzucken: »Ich hab Heymann eine reingehauen. Der hat kein großes Ding daraus gemacht. Aber der Anwalt von Yves Stern war ein gerissener Hund. Er hat aus mir vor Gericht einen Folterknecht gemacht, bloß, weil ich ...« Er sprach es nicht aus.

»Hast du dem auch eine reingehauen?«

»Nein. Ich hab ihm gedroht, wenn er nicht mit der Wahrheit herauskäme, würde ich mit ihm Schlitten fahren und ...«

»Dann hast du ihn gewürgt.«

»Nein, ich habe ihn nur ein bisschen durchgeschüttelt.«

Ubbo fuhr ihn an: »Wir sind hier unter uns, nicht vor Gericht.«

»Ja, verdammt, du hast recht. Ich bin völlig ausgeflippt ...«

»Wenn ich mich recht entsinne«, sagte Ubbo Heide, »bist du damals zu seiner Frau gefahren und hast ihr erzählt, er habe den Mord an Steffi Heymann gestanden.«

»Ja, verflucht, ich habe die Würfel rollen lassen. Ich dachte, dann rückt sie mit der Wahrheit raus. Ich wollte diese Mauer des Schweigens durchbrechen, und daraus wurde hinterher ein Riesending gemacht. Na ja, jedenfalls hat es mich die Dienstmarke gekostet.«

Ubbo Heide sprach leise: »Und jetzt hast du dich an den beiden gerächt?«

»Denkst du das wirklich?«, fragte Kaufmann und fixierte sein Gegenüber.

Ubbo Heide hielt dem Blick nicht lange stand. Er sah auf den *Bochumer Taubendreck*, nahm die Dose und schloss sie. Er legte sie in seinen Schoß. »Ich glaube«, sagte er, »ich bin müde. Ich muss ins Bett.«

»Ich helfe dir.« Kaufmann stand auf und schob Ubbo in Richtung Fahrstuhl. Er sprach mit belegter Stimme. »Die Sache hat uns alle verändert, Ubbo. Du hast ein Buch geschrieben, um mit dem ganzen Mist fertigzuwerden … Ich fahre immer noch nach Langeoog. Jedes Jahr mindestens vierzehn Tage. Immer allein in derselben Ferienwohnung. Ich rede mir selber ein, ich würde dort Urlaub machen … In Wirklichkeit laufe ich immer die gleichen Stellen ab.«

Ubbo stoppte den Rollstuhl, so dass Wilhelm Kaufmann ebenfalls stehen bleiben musste. Als hätte er genug von dem schweren Thema, sagte Ubbo Heide: »Jeder braucht so eine Insel für sich. Meine Lebensinsel ist Wangerooge. Wenn es irgendwie geht, bin ich da, sitze am Fenster und schaue aufs Meer.«

»Und du versuchst dort auch nicht mehr, als die alten Geister loszuwerden, oder?«

»Ja«, sagte Ubbo Heide, »vielleicht.«

Wilhelm Kaufmann drückte auf den Knopf, und die Fahrstuhltür öffnete sich augenblicklich.

Ubbo Heide sah sein eigenes Gesicht im Spiegel. Er erschrak. Der Mann, der ihn dort ansah, wirkte alt, gebrechlich und müde.

Wenn sie sich in der Ecke beim Waschbecken befand, hatte sie den günstigsten Winkel, um in den dahinterliegenden Flur zu schauen, sobald die Stahltür sich öffnete. Genau dahin begab sie sich jetzt, denn sie hörte Geräusche. Da war ein Klappern wie

Metall, das auf Metall stößt. Dann Räder, die über einen unebenen Boden rattern.

Sie spielte sogar mit dem Gedanken, ihn zu verführen. O ja, sie konnte das Luder heucheln, das schwanzgeile Weibchen. Damit hatte sie noch jeden ihrer Ehemänner und Zwischendurch-Typen um den Finger gewickelt.

Es war eine Rolle, die sie mimte. Mehr nicht. Abgeguckt aus dem Fernsehen, bis zur Lächerlichkeit Fassade. Ein Lecken mit der Zunge über die Oberlippe, ein koketter Blick – es war so einfach, Männer verrückt zu machen.

Vielleicht, dachte sie, gelingt es mir, ihn in meine Zelle zu locken. Und dann werde ich mit ihm kämpfen. Auf Leben und Tod.

Sie stellte sich vor, wie er vor Schmerzen brüllend auf dem Boden kniete, weil sie ihm zwischen die Beine getreten hatte. Dann würde sie einen Faustschlag gegen seinen Kehlkopf ausführen.

In ihrer Phantasie sah sie ihn bereits vor sich auf dem Boden liegen. Sie musste es dann schaffen, ein paar Tritte zu landen. Sie durfte nicht zimperlich sein. Wenn überhaupt, dann hätte sie nur diese eine Chance, sagte sie sich. Sie war bereit, sich die Möglichkeit auf die Freiheit zu erarbeiten.

Die Stahltür öffnete sich surrend. Nach einem kurzen Flackern blitzten die Lichter auf und beleuchteten den Eingang wie eine Bühne.

Sie drückte ihre Brust raus und stellte sich so lasziv hin wie nur möglich.

Ich sehe schrecklich aus, dachte sie. Wenn ich wenigstens eine Dusche hätte, Shampoo, einen Haartrockner. Ein paar Schminkutensilien!

Aber was war das? Sie hielt eine Hand hoch, denn sie wurde geblendet. Er schob etwas in den Raum. Nein, er war es gar nicht. Eine Frau kam.

Sie ging krumm, ihre Haare hingen strähnig herab. Der Dutt an ihrem Kopf war nicht richtig gebunden, so, als habe sie lange darauf gelegen und sei gerade erst aufgestanden, ohne sich zu frisieren. Ihre Haut war faltig, ihre Lippen schmal. Ihre Schultern nach vorn gebeugt.

Svenja Moers stellte sich sofort anders hin. Wie ein Sechser im Lotto schoss der triumphale Gedanke durch ihr Gehirn: seine Mutter!

Er wohnt noch mit seiner Mutter zusammen, und sie hat den Weg hier runter zu mir gefunden. Sie wird mich befreien. Sie wird ihrem Sohn diese Schweinereien nicht durchgehen lassen. Herr im Himmel, ich danke dir!

Die alte Frau stand mit dem Rollator da und sah Svenja Moers an, als ob sie im Museum ein expressionistisches Gemälde betrachten würde. Sie war sehr interessiert und staunte, sagte aber nichts, als sei Svenja kein Mensch, sondern nur ein Kunstobjekt … ein Gegenstand.

Sie summte eine Melodie, und nun begann sie, leise zu singen:
»Hänsel und Gretel verliefen sich im Wald,
es war schon finster und auch so bitter kalt.«

Ein Schauer lief Svenja Moers den Rücken runter. War die alte Dame verrückt?

»Ich heiße Svenja Moers. Ich werde hier gefangen gehalten. Haben Sie einen Schlüssel? Können Sie mir helfen?«

Die alte Frau nickte und sang weiter:
»Sie kamen an ein Häuschen, von Pfefferkuchen fein.
Wer mag der Herr wohl von diesem Häuschen sein?«

Dann wiegte sie sich im Takt hin und her, summte nur noch und versuchte, sich mit dem Rollator im Tanz zu drehen.

Svenja ging zu den Gitterstäben und streckte ihre Hand nach der alten Dame aus. »Bitte helfen Sie mir! Gibt es hier ein Telefon? Können Sie mir ein Telefon reichen? Haben Sie einen Schlüssel?«

Die alte Dame ging mit dem Rollator ein Stückchen zurück, ganz so, als hätte sie Angst, von Svenja Moers ergriffen zu werden. Aber die hatte nicht die geringste Chance.

Mit ihren dicken, orthopädischen Schuhen steppte die strubbelige Frau einen Tanz auf dem Boden.

»Huhu, da schaut eine alte Hexe raus,
lockt die Kinder ins Pfefferkuchenhaus ...«

Sie kicherte und zeigte mit ihren langen, dünnen Fingern auf Svenja Moers.

Sie tat so freundlich ...

»Sie stellte sich gar freundlich, oh, Hänsel, welche Not!
Ihn wollt sie braten im Ofen braun wie Brot!«

»Am Ende des Märchens«, schrie Svenja Moers, »waren nicht Hänsel und Gretel tot, sondern die gottverdammte Hexe!«

Mit einem Lachen, das mehr wie ein Gackern klang und Svenja Moers an Möwengeschrei erinnerte, zog die Alte sich zurück.

»Nicht! Nicht! Bleiben Sie hier! Ich wollte Sie nicht beleidigen! Bitte, gehen Sie nicht! Ich bin in höchster Not! Das hier ist nicht in Ordnung! Rufen Sie Hilfe! Bringen Sie mir ein Telefon! Ihrem Sohn wird nichts passieren, ich werde nicht gegen ihn aussagen, aber helfen Sie mir hier raus!«

Die Stahltür schloss sich hinter der Frau. Svenja Moers hörte noch das Klappern des Rollators.

Dann begann sie, hemmungslos zu weinen.

Ein Psychopath, der mit seiner verrückten Mutter zusammenlebt, hat in seinem Haus ein Gefängnis gebaut und mich dort hingebracht. Ich bin so etwas wie sein Spielzeug.

Ein Gedanke deprimierte sie und gab ihr gleichzeitig Hoffnung. Vermutlich war sie nicht die erste. Jemand, der so verrückt war, musste doch auffällig werden. Vielleicht hatte sie diese eine Chance, dass die Polizei aufmerksam werden würde ...

Die zweite Zelle sollte garantiert nicht für immer leer stehen. Vielleicht würde er bei dem Versuch, jemanden zu kidnappen, gefasst werden.

Ich muss durchhalten, dachte sie. Die Zeit spielt für mich.

Doch dann versuchte sie, sich jede einzelne Situation mit Yves

Stern zurückzurufen. Das gemeinsame Kochen in der Volkshochschule. Die Witzchen. Seine geschickte Art, mit dem Messer beim Zwiebelschneiden umzugehen.

Nein, dieser Mann war überhaupt nicht auffällig. Im Gegenteil. Er lebte angepasst. Ein freundlicher Herr, zu dem man gern ins Auto stieg, um sich nach Hause bringen zu lassen. Mehr Gentleman als Sittenstrolch. Mehr der besonnene Intellektuelle als der Psychopath. Möglicherweise Vegetarier, vermutlich Grünenwähler. Ja, so schätzte sie ihn ein. Der war nach außen hin ein netter Kerl, der sich rührend um seine alte Mutter kümmerte. Frau und Kinder hatte er garantiert nicht.

Als Ann Kathrin am nächsten Morgen vom Handywecker aus den Träumen gerissen wurde, brauchte sie einen Moment, um die traurige Banalität des Alltags zu begreifen. Sie saß keineswegs in ihrem Strandkorb auf der Terrasse. Kater Willi schnurrte auch nicht um ihre Beine, sondern sie lag alleine in diesem Hotelbett. Diffuses Licht warf helle Flecken an die Wand, die rauf und runter wanderten wie glänzende Krabbeltiere.

Weller hatte ihr keine Nachricht hinterlassen, ganz gegen seine Gewohnheit war er einfach kommentarlos nicht da. Sie vermutete, dass er bei Ubbo war und ihm beim Ankleiden half.

Als sie in den Frühstücksraum kam, sah sie einen frisch rasierten Ubbo Heide in ein Käsebrötchen beißen. Er wirkte aufgeräumt und voller Tatendrang. Martin Büschers Bewegungen dagegen hatten etwas Marionettenhaftes. Mit äußerster Präzision köpfte er sein Ei, als hätte er Angst, dabei könnte etwas dramatisch schiefgehen.

An solch kleinen Reaktionen erkannte Ann Kathrin, wie sehr ein Mensch unter Druck stand. Büscher plagten Versagensängste. Er bekam das alles hier nicht richtig in den Griff. Er presste die

Lippen aufeinander und sah aus, als hätte er in der Nacht kaum Schlaf gefunden.

Ann Kathrin setzte sich zu den beiden. Sie hatte keinen Hunger, trank nur eine Tasse Kaffee. Sie sah sich nach Weller um. Hatte er etwa schon gefrühstückt? Es stand kein benutztes Geschirr herum.

Gegen neun kam Weller gutgelaunt in den Frühstücksraum. Er ging leichtfüßig und wirkte durchtrieben, als sei eine Last von seinen Schultern genommen worden.

Alle gingen davon aus, dass Weller ein Ersatzfahrzeug besorgt hatte und der Chevy in Gelsenkirchen repariert werden musste. Aber vor der Tür stand der blaue Chevy im Sonnenlicht.

»Sollen wir etwa damit fahren?«, fragte Büscher sauer.

Weller nickte. »Klar.«

»Das wird aber zugig«, gab Büscher zu bedenken.

Weller zuckte mit den Schultern. »Warum? Ich kann ja die Scheibe hochdrehen.«

»Ist die denn schon repariert?«

»Aber sicher«, lachte Weller.

»Wie hast du das denn so schnell gemacht?«, fragte Büscher.

»Manchmal kann ich zaubern«, grinste Weller, zwinkerte Ann Kathrin zu, und sie nickte. »Stimmt. Manchmal kann er das.«

Carola Heide wartete ungeduldig auf ihren Mann. Ein schöner, sonniger Tag kündigte sich an. Gern wäre sie mit ihm ein bisschen im Park spazieren gegangen. Er brauchte dringend frische Luft, dachte sie, weil sie selbst welche nötig hatte.

Sie lief beim Klingeln gleich zur Tür, aber so früh waren sie nun doch nicht aus Gelsenkirchen zurück.

Der Postbote überreichte ihr eine Telefonrechnung, eine Postkarte von Insa, die in ihrer kleinen, krakeligen Schrift behauptete, sich frisch verliebt zu haben, und sich mit ihrem neuen Freund in Venedig befand.

Und dann war da noch ein Brief an Ubbo. Eine Todesnachricht, mit schwarzem Rand drumherum, ohne Absender. Da Carola für die sozialen Kontakte zuständig war, Geburtstagsgrüße schrieb und alle Einladungen beantwortete, öffnete sie den Trauerbrief mit der Selbstverständlichkeit einer Ehefrau, die ihren Mann zu gern vor einer schlechten Nachricht schützen will.

Der Brief duftete nach Rosen.

Ihre Hand zitterte, als sie den Briefumschlag mit dem Frühstücksmesser öffnete. Sie waren beide in dem Alter, in dem die besten Freunde wegstarben. Trotz der morgendlichen Wärme fröstelte es sie.

Aber in dem schwarzumrandeten Briefumschlag befand sich keine Todesanzeige.

Zunächst fielen gepresste Rosenblätter heraus, wie sie selbst sie früher als Kind zwischen ihren Buchseiten getrocknet hatte. Dann ein Foto. Darauf eine Frau hinter Gittern. Sie sah aus, als habe sie Todesangst.

Carola Heide ließ den Brief auf den Tisch fallen und lief ins Badezimmer. Sie brauchte sofort ein Glas Wasser.

Sie beschloss, ihren Mann nicht sofort anzurufen und zu informieren. Sie befürchtete, durch einen Anruf schnelle Autofahrten mit überhöhter Geschwindigkeit auszulösen und eine Hektik, die nicht gut für sein Herz war. Sie wollte ihn erst einmal einfach wiedersehen.

Carola trank zwei große Gläser Leitungswasser. Dann ging sie in die Küche zurück und sah sich das Bild noch einmal an. Nein, an einen dummen Scherz glaubte sie nicht. Das hier war genauso eine Botschaft an ihren Mann wie der abgeschlagene Kopf aus dem Paket auf Wangerooge. Und wieder lag die Botschaft auf dem Frühstückstisch.

Sie überwand ihren Widerwillen und sah sich die Frau auf dem

Foto genau an, ohne das Papier dabei in die Hand zu nehmen. So viel hatte sie inzwischen gelernt, dass sie nach Möglichkeit keine Spuren verwischen durfte.

Nein, sie kannte diese Frau nicht. Und in gewisser Weise fühlte sie sich dadurch erleichtert.

Sie ließ alles auf dem Tisch liegen. Sie räumte weder Butter noch Honig oder Marmelade weg. Sie sah schon die Spurensicherung durch ihre Wohnung laufen, und der Gedanke gefiel ihr überhaupt nicht.

Sie begann aufzuräumen. Dabei war es hier so sauber und ordentlich wie in der Puppenstube ihrer Kindheit, die sie täglich umräumte und sorgsam pflegte.

»Bitte, Ubbo«, sagte sie leise gegen das Fenster, »beeil dich. Lass mich nicht lange mit diesem Horror allein.«

So tief, wie sie sich ihrem Mann verbunden fühlte, glaubte sie tatsächlich, er könne es spüren.

Vielleicht waren es ihre Gedanken, die ihn dazu veranlassten, möglicherweise auch ein eigenartiger Zufall. Jedenfalls sagte er genau in dieser Sekunde zu Frank Weller: »Gib Gas, Junge. Ich will nach Hause. Mir reicht's.«

Sie waren ohne Pause zwei Stunden gefahren. Ann Kathrins Blase platzte fast. Sie hatte lange versucht, sich zu beherrschen. Doch jetzt ging es nicht mehr. Sie bat Weller, einen Rastplatz anzusteuern. Sie waren längst aus dem Ruhrgebiet raus, und hier in Richtung Norden gab es nicht mehr viele Raststätten. Weller steuerte den Wagen auf einen Parkplatz für Lkws. Es gab zwar ein Toilettenhäuschen, das war aber defekt und abgesperrt.

Ann Kathrin lief ein paar Meter bis zu den ersten Bäumen, und dann hockte sie sich in die Büsche.

»Wir bringen Ubbo nach Hause, und dann geht es direkt zur Lagebesprechung«, sagte Büscher in befehlsmäßigem Ton.

Ubbo Heide schüttelte den Kopf, und Büscher befürchtete schon, Heide habe vor, an der Besprechung teilzunehmen, ja, vielleicht gar, sie zu leiten. Doch der sagte: »Nach solchen Aktionen komme ich gern erst wieder zu mir, bevor ich mit dem Mist das Familienleben zu sehr belaste. Bei uns ist ein Café an der Ecke. Bringt mich bitte erst dorthin.«

Svenja Moers suchte irgendeine Möglichkeit, sich die Zeit einzuteilen. Nicht zu wissen, ob sie seit Tagen, Wochen oder Monaten in Gefangenschaft war, hatte eine desaströse Wirkung auf sie. Sie brauchte etwas, um sich in der Zeit zu orientieren.

Sie hatte nur seine unregelmäßigen Besuche. Sie nahm sich vor, wenigstens einen Blick auf seine Armbanduhr zu erhaschen. Er trug doch eine Armbanduhr, wenn sie sich recht erinnerte …

Er stand vor ihr und machte einen zufriedenen Eindruck. Ein unwiderstehlicher Duft umgab ihn, als ob er gerade aus einer Imbissstube gekommen sei. Es roch nach frisch gegrillten Hähnchen.

Er hielt eine Tüte hoch und wackelte damit, so dass es in der Tüte raschelte, als sei das halbe Hähnchen darin zwar knusprig, aber noch lebendig.

»Hmm. Ich habe etwas zu essen mitgebracht. Zu trinken hast du ja wohl genug. Warst du denn auch ein braves Mädchen? Hast du mir etwas zu sagen?«

Ja, er trug eine Uhr. Sie konnte das Zifferblatt aber nicht erkennen. Die Uhrzeit war ihr auch schon fast egal. Sie wusste ja nicht, welcher Tag heute war. Nur noch dieses Hähnchen wurde wichtig. O ja, das wollte sie haben! Fleisch. Eiweiß. Frische Energie.

Sie war sich sicher, dass sie eine Möglichkeit hatte, ihm jetzt Widerstand zu leisten. Sie spielte ihre Karte sofort aus: »Ich habe mich mit deiner Mutter unterhalten.«

Er staunte. »Ach, sieh an. Mit meiner Mutter?«

»Ja. Sie war bei mir. Wir verstehen uns ganz gut.«

Sie versuchte, in seinem Gesicht zu lesen, wie das für ihn war. Sie hoffte, es würde ihm etwas ausmachen. Wollte er, wie alle Jungs, vor seiner Mama gut dastehen? Sich nicht vor ihr blamieren, nicht von ihr verachtet oder verurteilt werden? Egal, wie verrückt die alte Dame war, sie konnte zum großen Trumpf für Svenja werden. Zur Lebensrettung.

»Ich habe ihr gesagt, dass du ein guter Sohn bist, Yves, und das hier sei nur ein Spiel zwischen uns beiden. Gefängniswärter und Gefangene. Ich glaube, deine Mutter hat für solchen SM-Mist kein großes Verständnis. Mach jetzt auf, und lass mich raus. Alles kann gut werden. Das Ganze bleibt unter uns. Ich hab ihr gesagt, dass ich dich schon immer mochte und den Kurs an der VHS eigentlich nur besucht habe, um dich zu treffen.«

Er reagierte nicht. Stand nur starr und hielt die Tüte mit dem halben Hähnchen hoch.

Der Speichelfluss in ihrem Mund nahm zu. Svenja Moers schluckte.

»Deine Mutter würde sich bestimmt freuen, wenn wir gemeinsam für sie kochen. Was hältst du davon? Lass uns eine richtige kleine Familie sein. Ich glaube, das täte der alten Dame gut.«

Die Durchreiche in den Gitterstäben benutzte er nicht. Er ließ die Tüte einfach fallen. Sie platzte auf. Fett lief heraus.

»Was bist du nur für ein gottverdammtes Luder«, sagte er, drehte sich um und verschwand wieder hinter der Stahltür.

Svenja Moers kniete sich an die Gitterstäbe, reckte einen Arm hindurch und fingerte nach der Hähnchentüte.

Marion Wolters brachte im Waschraum ihre Frisur und ihren verlaufenen Lippenstift in Ordnung. Sie übte den Rupi-Song, der neuerdings im Gesangverein der ostfriesischen Polizistinnen geprobt wurde. Alles begann mit der Zeile:

Supi – supidupi, Rupi,
Rupert geht ran wie Supermann,
Das kann er eben, das süße Leben.
Supi – supidupi, Rupi

Inzwischen gab es mehrere Strophen, und viele Kolleginnen steuerten eigene Ideen bei.

> *»Rupert ist Ostfrieslands Top-Kriminalist,*
> *so einer, den man auf der Straße grüßt«,*

trällerte Marion Wolters. Da drückte jemand in der Toilette hinter ihr die Spülung.

Marion erschrak und stellte sich vor, Rupert sei auf der Toilette und hätte ihr zugehört. War nicht neulich das Männerklo wegen irgendeiner geplatzten Leitung gesperrt worden?

Aber dann ertönte zu ihrer Erleichterung die Stimme von Sylvia Hoppe. Sie sang weiter:

> *»Ein Fachmann, den hier jeder achtet,*
> *der heimliche Chef – wenn man's genau betrachtet.«*

Beide Frauen lachten. Sie wussten noch nicht, wann und wie sie ihren Song zum Besten geben würden oder ob überhaupt jemals, aber das spielte keine Rolle. Hier ging es erst mal nur um den Spaß am Singen und das kreative Verarbeiten des täglichen Alltagsstresses und der Frustration, die die Arbeit mit solchen Machos mit sich brachte, wie Polizeipsychologin Elke Sommer es ausdrückte.

Die Lagebesprechung in der Polizeiinspektion Aurich hatte gerade erst begonnen. Staatsanwalt Scherer nahm teil, um sich über den Stand der Dinge zu informieren, deswegen traute Weller sich nicht, mit seiner Heldentat herauszurücken. So, wie Scherer auf seinem Stuhl Platz genommen hatte, lag ein Gewitter in der Luft.

Rupert hatte etwas zwischen den Vorderzähnen, das ihn verrückt machte. Es fühlte sich an wie abgebissene Zahnseide oder Sauerkraut. Mit der Zunge stieß er ständig dagegen.

Weller las emotionslos die Autokennzeichen vor, mit deren Überprüfung Marion Wolters bereits begonnen hatte.

Staatsanwalt Scherer hüstelte: »Äh ... hab ich das also richtig verstanden? Alle Besucher irgendeiner Autorenlesung in Gelsenkirchen sollen erkennungsdienstlich behandelt werden?«

»Nein«, sagte Weller, »Sie haben nicht an nicht irgendeiner Autorenlesung teilgenommen, sondern an der von Ubbo Heide.«

Scherer guckte, als müsse er sich gleich übergeben.

Weller fuhr fort: »Wir werden Alibis überprüfen und ...«

»O nein«, sagte Scherer und stieß sauer auf, »das werden Sie nicht tun.«

Büscher blätterte in einer Akte und wollte nur zu gern von dem brenzligen Thema ablenken. Er suchte einen Weg.

Ann Kathrin lächelte Weller an. Sie fand, er schlug sich tapfer gegen den Staatsanwalt, den sie oft mehr als Bremse denn als treibende Kraft empfunden hatte.

Scherer sprach mit erhobenem Zeigefinger giftig in Wellers Richtung: »Dazu fehlt alles. Weder das Personal steht uns zur Verfügung noch haben wir einen vernünftigen, vertretbaren Grund ... Mit einer sauberen Ermittlung hat das alles nichts zu tun, Herr Weller. Es ist eher ein Stochern in einem Heuhaufen. Sehe ich das richtig?«

Rupert schwieg und hoffte, dass die Blitzeinschläge ihn nicht treffen würden. Außerdem hatte er Angst, beim Sprechen könnte ihm der Faden, der zwischen den Schneidezähnen festhing, aus dem Mund baumeln. Er spielte weiter mit der Zunge daran herum.

Büscher machte jetzt etwas, das Ubbo Heide nie getan hatte. Er schlug mit seinem Kugelschreiber gegen sein Wasserglas. Der Ton verschaffte ihm sofort Aufmerksamkeit. Ubbo Heide hätte sich ganz auf seine Stimme verlassen.

»Wir sollten«, sagte Büscher, »unsere Aufmerksamkeit auf Wilhelm Kaufmann richten. Er flog ja nicht wegen der behaupteten Kinkerlitzchen aus dem Dienst.«

»Ja, ja, wissen wir. Er ist damals mit diesem Yves Stern mächtig Schlitten gefahren.«, sagte Ann Kathrin.

Büscher beugte sich vor: »Aber das war nicht der einzige Grund, warum er kaltgestellt wurde ...«

»Sondern?«, fragte Ann Kathrin, und Büscher ging nur zu gern darauf ein, um eine Eskalation zwischen Weller und Scherer zu umschiffen. Er war um ein gutes Verhältnis zu den Kollegen bemüht, aber er brauchte auch dringend konstruktive Beziehungen zur Staatsanwaltschaft.

»Es gab Gerüchte, er habe Akten manipuliert und entlastendes Material verschwinden lassen.«

Rieke Gersema stöhnte und griff sich an die Stirn.

»Gerüchte?«, hakte Ann Kathrin nach. »Wegen Gerüchten wird doch niemand vom Dienst suspendiert.«

Büscher steckte den Kuli ein und trank einen Schluck aus dem Wasserglas. Er wollte Zeit gewinnen, um ganz genau zu formulieren, ohne eine zu große Angriffsfläche zu bieten.

»Es gab ganz konkrete Anschuldigungen. Er ist juristisch nie verurteilt worden, aber ...«

Ann Kathrin formulierte eine Frage: »Ist er auf Yves Stern losgegangen, um ihn zum Reden zu bringen oder zum Schweigen?«

Weller pfiff durch die Lippen: »Daraus könnte ein Schuh werden, Ann! Ich glaube, Kaufmann ist unser Mann.«

Staatsanwalt Scherer plusterte sich auf: »Es ist noch nicht

Weihnachten, Herr Weller, und Sie backen hier schon wieder ziemlich viel Spekulatius.«

Ann Kathrin machte sich gleich für Weller stark. Sie konnte diese Hahnenkämpfe nicht ausstehen. Sie zählte es an den Fingern auf: »Von wegen Spekulatius!

Erstens: Wilhelm Kaufmann wusste genau, wo Ubbo Heide zum gegebenen Zeitpunkt war.

Zweitens: Er kennt seine Vorliebe für Wangerooge.

Drittens: Es gibt eine direkte Verbindung zwischen ihm, Ubbo und den beiden Toten.

Viertens: Wilhelm Kaufmann war im Reichshof, als der Schlüssel für Ubbos Auto abhandenkam.«

Weller freute sich über Ann Kathrins Beitrag: »Und er war in Gelsenkirchen zur Autorenlesung.«

Büscher bestätigte das gestisch, aber Scherer brauste auf: »Gelsenkirchen, Gelsenkirchen! Was soll der Scheiß? Sie versteigen sich da in etwas! Ubbo Heide hat dort eine Lesung gemacht. Na und? Dafür interessiert sich doch kein Schwein!«

In dem Moment jaulte der Seehund in Ann Kathrins Handy auf. Scherer fand den Klingelton genauso albern wie Wellers *Piraten ahoi!.* Er guckte genervt zur Decke. Dann hielt er sein Handy hoch und zeigte, dass es auf Lautlos gestellt war.

»Wir hatten doch«, zeterte er, »während der Sitzung Waffenstillstand vereinbart, oder nicht?«

Rupert bestätigte Scherer demonstrativ und sah unterm Tisch nach, ob sein Handy auch wirklich auf Lautlos gestellt war. Dann versuchte er, den verfluchten Faden zwischen seinen Schneidezähnen herauszuzupfen. Jetzt war es ihm egal, ob die anderen hinguckten oder nicht. Ann Kathrin zog ja den Unmut mit ihrem Telefongespräch auf sich.

Ann Kathrin deutete mit einer großen Geste über den Tisch an, alle sollten jetzt schweigen. Dann sagte sie: »Ja, Ubbo?«

»Sind alle da?«, fragte der.

»Ja. Frank, Martin, Rieke ... Staatsanwalt Scherer ... und Rupert.«

»Stell mich laut!«, forderte Ubbo.

Sie tat es, da ja eh längst alle über den Tisch vorgebeugt lauschten. Sie hielt ihr Gerät hoch.

»Ich habe einen Trauerbrief bekommen, mit getrockneten Rosenblättern und einem Foto. Darauf ist eine Frau hinter Gittern zu sehen. Ich denke, das ist genauso ein Hinweis wie die beiden Köpfe. Der hält die Frau gefangen.«

»Kennst du sie?«, fragte Ann Kathrin.

»Ja. Sie heißt Svenja Moers. Ich habe mal gegen sie ermittelt. Sie wurde verdächtigt, ihren zweiten Ehemann umgebracht zu haben.«

»Ich erinnere mich«, rief Ann Kathrin lauter als nötig.

»Verflucht«, sagte Weller. Er sprach nach oben, so, als würde Ubbo Heide unter der Decke schweben. »Und darüber hast du auch in deinem Buch geschrieben.«

»Ja«, gab Ubbo kleinlaut zu, »im Laufe der Ermittlungen hielt ich es sogar für sehr wahrscheinlich, dass sie auch ihren ersten Ehemann auf dem Gewissen hat. Ich konnte ihr aber nichts nachweisen.«

»Ich bin«, stellte Staatsanwalt Scherer fest, »von Dilettanten umgeben!« Dann zeigte er auf Ann Kathrins Hand mit dem Handy, die über dem Tisch schwebte wie eine Drohung, und fragte spitz in Büschers Richtung: »Leitet der jetzt die Besprechung per iPhone?«

Büscher zuckte nur mit den Schultern. Er sah resigniert aus, wie jemand, der gleich die Klamotten hinschmeißt und kündigt.

»Ich brauche hier sofort die Kriminaltechniker. Kann mir zwar nicht vorstellen, dass der Kerl so blöd ist, verwertbare Fingerabdrücke zu hinterlassen, aber ...«

Rupert bekam den Faden nicht los. Er glitschte ihm immer wieder zwischen den Fingerkuppen weg.

»Der Brief wurde in Gelsenkirchen aufgegeben«, stellte Ubbo Heide fest. »Gestern.«

»Also doch!«, rief Weller eine Spur zu begeistert, so als sei die Nachricht ein Triumph für ihn. »Er war in Gelsenkirchen bei der Lesung. Ich wusste es!«

Staatsanwalt Scherer ballte die rechte Hand zur Faust und knirschte vor Zorn mit den Zähnen.

Rupert spuckte etwas auf den Tisch.

Ann Kathrin gab gleich klare Anweisungen. »Ich will alles über diese Svenja Moers wissen: Freunde. Bekannte. Feinde.«

»Ja«, sagte Rupert und fuhr sich erneut mit der Zunge über die Zahnreihen, »finden wir sie, bevor Ubbo ihren Kopf auf dem Frühstückstisch stehen hat ...«

»Ich schick dir ein Foto aufs Handy. Ich hoffe, es klappt«, sagte Ubbo. »Meine Frau kann das besser. Warte mal.«

Ann Kathrin senkte die Hand und legte ihr Telefon auf die Tischplatte, so dass das beleuchtete Display zu sehen war. Die Verbindung zu Ubbo bestand weiter. Sie konnten ihn mit Carola reden hören.

»Ich denke nicht, dass er Svenja Moers köpfen will«, sagte Ann Kathrin. »Dann hätte er Ubbo kein Foto geschickt.«

»Was geht hier vor?«, fragte Rieke.

Das Foto erschien auf dem Display. Alle reckten sich über den Tisch. Ihre Köpfe berührten sich fast.

»Er will uns nur verblüffen«, schlug Weller vor.

Ruperts Magen knurrte, als er sagte: »Er wird sie verhungern lassen.«

»Was für eine Scheiße läuft hier eigentlich?«, brüllte Scherer.

Agneta Meyerhoff hatte Schaschlik aus Rinder- und Schweine-filet zubereitet, mit Zwiebeln und Paprika waren die Filetstücke voneinander getrennt. Die Spieße lagen in der roten Soße, die vor sich hin blubberte und den Raum mit appetitanregenden Düften füllte.

Sie hatte Yves Stern zum Essen eingeladen. Ihr Mann war immer noch auf Montage, und sie verkehrten seit zehn Tagen nur noch per SMS miteinander. Er hatte sich zu allem Überfluss um eine Baustellenleitung in Dubai beworben.

O ja, das brachte eine Menge Geld. Aber sie wollte leben, und zwar jetzt. Sie sehnte sich nach Lachen, Zärtlichkeit und Komplimenten und war zu der Überzeugung gekommen, dass sie statt frustrierender One-Night-Stands einen festen Liebhaber brauchte. Diese kurzen sexuellen Abenteuer hatten ihr nicht wirklich gutgetan. Meist war sie am Ende froh, es hinter sich gebracht zu haben und wollte den Mann nur noch rasch loswerden.

Sie suchte jetzt etwas Festes nebenbei. Noch dachte sie nicht daran, sich scheiden zu lassen. Aber sie brauchte einen Mann, um die einsame Zeit zu überbrücken.

Im VHS-Kurs hatte Yves Stern heftig mit ihr geflirtet. Sie mochte Männer, die größer waren als sie selbst, und er hatte eine Art feinen Humor, der die Welt für verrückt erklärte und signalisierte, dass die Lage zwar hoffnungslos war, aber eben nicht ernst zu nehmen.

Sein Blick sagte ihr: Wir sind von dummen Spießern umgeben. Lass uns abhauen, Agneta!

Sie trug die Dessous, die ihr Mann ihr zu Weihnachten geschenkt, aber bisher noch nicht an ihr gesehen hatte. Sie fand es besonders pikant, dass Yves vor ihrem Ehemann in den Genuss kommen sollte.

Sie hatte Yves einen Zettel zugesteckt mit ihrer Telefonnummer und ihn zum Essen eingeladen. Er hatte während des Koch- und Sportkurses einmal kurz gelästert, dass er eigentlich lieber ein scharfes Schaschlik essen würde als diese Misosuppe aus Wakame-Algen, Tofu, Enokipilzen und Frühlingszwiebeln. Auch die Aussage der Kursleiterin über die Biowirkstoffe Isoflavin und Saponin, die angeblich Wechseljahresbeschwerden lindern und außerdem Brustkrebs vorbeugen konnten, überzeugten ihn nicht wirklich.

Sie wollte ihn heute mit Schaschlik verwöhnen, den neuen Dessous, und falls er darauf stand, war sie sogar bereit, ihm einen Bauchtanz vorzuführen. Das hatte sie im VHS-Kurs letztes Jahr gelernt. Beim *Killer-Bauchtraining* hatte er immer wieder zu ihr rübergeschielt, wenn sie ihre Sit-ups machte. Sie war genau sein Typ, sie wusste es. Er war nur eben kein Anbagger-Weltmeister. Nicht wirklich schüchtern, aber doch auf eine angenehme Art zurückhaltend. So überhaupt kein Vorstadt-Casanova.

Es nervte sie, dass er weder zu- noch abgesagt hatte. Er ließ sie einfach auf dieser Einladung hängen, als sei sie nicht ausgesprochen worden oder als habe er sie nicht verstanden.

Gleichzeitig gefiel ihr dieses Spiel mit den Möglichkeiten. Natürlich würde Yves Stern kommen. Ganz sicher sogar. Und dann war nur noch die Frage: Vernaschte sie ihn vor dem Essen oder besser danach?

Ann Kathrin Klaasen hatte alle Aufgaben verteilt. Freunde, Arbeitskollegen, Nachbarn von Svenja Moers übernahmen Rupert, Sylvia Hoppe und Schrader. Weller checkte alle Handys und Telekommunikationsdaten.

Sie selbst nahm sich die Wohnung in Emden vor. Allein. Sie wollte sich ein Bild vom Lebensraum dieser Person machen, bevor die Kriminaltechniker mit ihren Sprays und Tinkturen die Gerüche veränderten und die Atmosphäre in der Wohnung unleserlich gemacht hatten. Ja, für Ann Kathrin war es, als hätte eine Wohnung eine Seele, und zu viele Menschen und zu viel Technik vertrieben diese Seele wie der Nordwestwind die Nebelbänke vor Norderney.

Die Wohnung entpuppte sich als ein Einfamilienhaus im Grachtenviertel von Emden mit verwildertem Vorgarten. In den Rosensträuchern und im Schmetterlingsflieder tummelten sich Zitronenfalter, Großer Fuchs und Distelfalter. Alles war so voller Leben. Insekten summten. Hier wohnte eine Frau, die, so folgerte Ann Kathrin, sich wenig darum scherte, was die Nachbarschaft dachte. Zwischen den gepflegten Vorgärten sah ihr Häuschen aus wie das Tor zum Dschungel. Ann Kathrin fand das durchaus sympathisch.

Ein weißer Schmetterling flatterte in ihre Haare und verfing sich darin. Sie blieb stehen und atmete nur ganz flach, bis der Schmetterling weiterflog.

Faustdicke gelbe, lachsfarbene und rote Rosen umgaben das Gebäude wie ein von Hippies gepflanzter verzauberter Schutzwall. Ein zugewuchertes Rosentor führte zum Eingang. Als Ann Kathrin durch das Rosentor ging, fühlte sie sich schwindlig. Sie blieb einen Moment stehen und atmete tief durch. Schon bei der Haustür ging es ihr besser.

Der Mann vom Schlüsseldienst öffnete fachmännisch in Sekunden die Tür und brauchte nur eine Unterschrift von Ann Kathrin Klaasen.

Sie sah sich den Briefkasten an. Darin war eine Rechnung der Telekom und eine Werbung vom ADAC. In der Zeitungsablage das Heimatblatt.

Ann Kathrin ging allein ins Haus. Manchmal hatten sich, wenn sie Wohnungen betrat, in denen ein Verbrechen geschehen war, ihre Nackenhaare aufgerichtet. Dies war jetzt nicht so. Das Grauen, das Erschrecken hing nicht spürbar in der Luft. Kein Geruch nach Blut und Angst. Trotzdem hätte sie am liebsten ein Fenster geöffnet, denn die Luft roch abgestanden und muffig. Aber da war kein Verwesungsgestank.

In einer vermutlich selbstgetöpferten Vase kämpften Rosen ums Überleben, in einer anderen ließen Gerbera die Köpfe hängen. Die Blütenblätter waren bereits runtergefallen. Eine halbe geschälte Orange auf dem Wohnzimmertisch vertrocknete in einer Schale neben den Weintrauben, die noch recht gut aussahen. Svenja Moers hatte also hier noch rasch eine halbe Orange verspeist, die andere Hälfte aber liegen lassen, um irgendwohin zu gehen.

Und dort ist sie vom Täter geschnappt worden, dachte Ann Kathrin. Unwahrscheinlich, dass er sich Svenja Moers aus der Wohnung geholt hat. Es sei denn, er ist ein guter Bekannter, und sie ist freiwillig mitgegangen. Hier hat jedenfalls kein Kampf stattgefunden.

Im Biomüll in der Küche fand Ann Kathrin die Schalen der Orange. Svenja Moers hatte also Zeit gehabt, die Wohnung ordentlich zu verlassen.

Die Teekanne war nicht ganz leer, das Teelicht darunter hatte jemand – vermutlich sie selbst – ausgepustet, bevor es völlig ausgebrannt war. Ann Kathrin schätzte, dass es noch genug Wachs hatte, um zehn, vielleicht gar zwanzig Minuten zu brennen.

Auch das sah nicht nach Eile aus.

An der Teetasse Lippenstift.

Ann Kathrin öffnete den Kühlschrank. Drei Gläser Biojoghurt. Eine Schale Himbeeren. Käse, in Alufolie verpackt. Brie. Gouda. Appenzeller.

Im Gemüsefach geputzte, verzehrfertige Möhren. Eine angebissen.

Zwei Flaschen Prosecco. Eine davon war angebrochen, aus dem Flaschenhals ragte ein Silberlöffel. Ann Kathrin lächelte. So hatte ihr Vater auch immer versucht, angebrochenen Sekt am Verschalen zu hindern.

Auf der Spüle ein Brettchen, ein Messer und ein Kaffeepott. Darauf stand »Langeoog – Urlaub hat einen Namen«.

Für einen Moment gingen Ann Kathrins Gedanken zurück zur Insel, zu ihrem abgebrochenen Urlaub auf Langeoog. Sie sah

Weller vor sich sitzen, wie er im Restaurant Seekrug mit geradezu weltentrücktem Gesichtsausdruck sein Rindfleisch gegessen hatte. Er wirkte dabei, als sei er auf Droge. Er hatte ihr von den Rindern erzählt, die das ganze Jahr über auf Langeoog draußen standen und nur zum Schlachten von der Insel weggebracht wurden. Der Besitzer, den er sogar beim Namen nannte, begleitete angeblich seine Rinder auf die Fähre und fuhr mit ihnen zum Festland, damit sie nicht solche Angst hätten.

Später musste sie mit Weller sogar die Rinderherde besichtigen, und er wollte mit ihnen fotografiert werden.

Wenn das hier vorbei ist, dachte sie, werden wir wieder zur Insel fahren und unseren Urlaub dort fortsetzen. Dann fielen ihr ihre Koffer ein, die sich immer noch im Dünenhotel Strandeck befinden mussten.

Langsam bewegte Ann Kathrin sich zum Schlafzimmer. Ein Boxspringbett, mindestens ein Meter achtzig breit, schätzte sie ein bisschen neidisch. Sie selbst schlief gemeinsam mit Weller auf einer schmaleren Matratze.

Links neben dem Bett eine Flasche Mineralwasser ohne Kohlensäure. Das Bett zerwühlt. Helle, lebensfrohe Bettwäsche. Eine Sommerwiese. Kornblumen als Fototapete. Neben dem Bett auf dem Nachtschränkchen ein aufgeklapptes Buch über eine Diät, mit der man angeblich vier Kilo pro Monat abnehmen konnte, ohne zu hungern.

Im Bett neben dem Kopfkissen ein Roman über eine unglückliche Liebesgeschichte. Ann Kathrin kannte die Autorin nicht.

Im Schlafzimmer gab es ein kleines Buchregal mit Liebesromanen und erotischer Literatur.

In ihrem Kleiderschrank nur Markenartikel. Keine billigen Teile, aber auch nichts übertrieben Protziges. Kaschmirpullover. Seidene Blusen. Viel Cremefarbenes und Bordeauxrot. Mehr Röcke und Kleider als Hosen. Der Jeanstyp war Svenja Moers nicht.

In ihrem Wäschekorb fand Ann Kathrin neben Damenkleidung auch ein tailliertes Männerhemd, Größe 42, mit einem Rotweinfleck, und einen Männerslip.

Sie hat also einen Lover. Er wohnt nicht bei ihr, aber er hat sein schmutziges Hemd und seinen Slip hiergelassen. Er musste also Ersatzkleidung hier haben.

Sie schaute noch einmal nach und fand zwischen Svenja Moers' Blusen noch ein tailliertes Männerhemd. Im Badezimmer drei Zahnbürsten, weich, in hellblau, gelb und rosa. Und dann eine in dunkelblau mit harten Borsten. Zwei Sorten Zahnpasta. Viele Wässerchen und Cremes für Frauen, kein Rasierwasser. Ein Lady-Shave, aber kein Rasierapparat für Männer.

Ann Kathrin tippte darauf, dass er verheiratet oder zumindest gebunden war.

Sie ging zurück ins Wohnzimmer und sah sich dort das Buchregal an. Viele Fachbücher und Populärwissenschaftliches. Zwei Dutzend verschiedene Diät- und Fitnessberater, ein paar Bücher über Sternzeichen. Offensichtlich war Svenja Moers Krebs. Drei Bücher beschäftigten sich jedenfalls mit dem Sternzeichen.

Viel juristische Fachliteratur und Ratgeber, wie man sein Geld vor dem zu erwartenden Wirtschaftscrash und der drohenden Hyperinflation retten konnte. Niemand, der wirklich arm war, befasste sich mit solchen Fragen.

Dann ein ganzes Regal mit Lyrik: Rose Ausländer. Hugo-Ernst Käufer. Ringelnatz.

An den Wänden Aquarelle. Küstenlandschaften. Tiere in zarten Farben. Jeweils DIN A4 und gerahmt hinter Glas. Unter jedem Bild die Initialen S. M.

Ann Kathrin stellte sich eine Frau vor, die auf ihren Körper achtete und sich gern mit schönen Dingen umgab. Sie hatte zwei Ehemänner durch Tod verloren und möglicherweise sogar dabei nachgeholfen. Finanziell geschadet hatte ihr der Verlust jedenfalls nicht, sondern sie hatte dicke davon profitiert. Sie malte und töpferte. Sie war lebensfroh und empfing Gäste. In ihrem großen Bett las sie nachts Liebesromane und erotische Literatur, genierte sich aber wohl ein wenig deswegen und hatte dann im Wohnzimmer andere, vorzeigbarere Bücher.

Sie hatte das Haus verlassen oder war herausgelockt worden. Ann Kathrin sah sich den Zeitungsstapel an. Die Emder Zeitung. Die vorletzte Ausgabe des Heimatblatts. Eine Samstagsausgabe der OZ.

Vermutlich kaufte sie sich ab und zu eine Tageszeitung, vielleicht nur samstags. Oder jemand leerte ihren Briefkasten regelmäßig, dachte Ann Kathrin.

Eine Brigitte. Ein Ostfriesland-Magazin. Ein Unterwäschekatalog. Ein Programmheft der Volkshochschule.

Ann Kathrin blätterte darin. Zwei Kurse waren eingekringelt. Hinter dem »Koch- und Sportkurs« ein Ausrufezeichen.

Bingo, dachte Ann Kathrin. Sie setzte sich in den Ledersessel, der vom alten Fernsehgerät abgewandt stand, so als wolle seine Besitzerin demonstrieren, dass sie sich nicht fürs Fernsehprogramm, sondern mehr für Bücher interessierte.

Ann Kathrin rief Weller an. »Sie besucht Kurse an der Volkshochschule. Ich will wissen, welche und …«

Weller unterbrach seine Frau: »Am Mittwoch um kurz nach zwanzig Uhr hat ihr Handy die letzten Kontaktdaten gesendet, und rate mal, von wo.« Er beantwortete seine Frage gleich selbst: »Bei der alten Berufsschule! Also der VHS.«

»Ich brauche eine Liste aller Personen, die mit ihr in den Kursen waren.«

»Außerdem«, freute Weller sich, »habe ich alle Halter der Fahrzeuge, die in Gelsenkirchen während Ubbos Lesung …«

»Gut.«

»Willst du sie nicht wissen?«

»Später.«

»Was ist mit dir, Ann?«

»Ich will sie nicht verlieren, Frank. Wir dürfen keinen Fehler machen. Diese Frau lebt noch. Ich kann es spüren.«

»Es gibt nur eine Verbindung zwischen Svenja Moers, Stern und Heymann: Ubbo hat gegen alle drei ermittelt und über sie geschrieben!«

Die Information war für Ann Kathrin nicht neu, aber so, wie Weller es sagte, klang es geheimnisvoll bis vorwurfsvoll.

»Was willst du damit sagen?«

Weller blätterte in Ubbos Buch, obwohl er die Sätze auswendig konnte. »Hör dir das an: *Ich hatte mir so sehr vorgenommen, sie hinter Gitter zu bringen, aber ich habe versagt. Ich war von ihrer Schuld überzeugt, aber ich konnte ihr die Morde nicht schlüssig nachweisen. Ich habe mir das nie verziehen und hoffe, sie hat nicht inzwischen den nächsten wohlhabenden Ehemann gefunden ...*«

»Scheiße«, stöhnte Ann Kathrin. Ihr war flau. Sie fühlte sich müde und krank.

»Ja, das hat Ubbo geschrieben. Er nennt sie im Buch nur *Rosenprinzessin*, aber irgendjemand hat ihren richtigen Namen herausgefunden. Das war ja auch nicht allzu schwer, wenn man zum Beispiel Zugriff auf die Zeitungsarchive oder auf unseren Polizeicomputer hat.«

»*Rosenprinzessin*?!«

»Weil sie angeblich Rosen so gern mochte und ihre Männer ihr immer wieder Rosen schenkten.«

»Mir wird schlecht«, sagte Ann Kathrin, stand auf und lief in die Küche, um ein Glas Wasser zu trinken.

Ingo Sutter war unterwegs zu Svenja Moers. Wie immer, wenn er sich von Oldenburg näherte, mischten sich spätestens auf der A 28 Zweifel in die Vorfreude. Sollte er es wirklich riskieren und sich von seiner Heike trennen? Sie konnte zu einer Furie werden, das wusste er. Unter dem Mantel der liebreizenden Ehefrau verbarg sich eine gnadenlose Kriegerin.

Sie wusste von seinen Schwarzgeldkonten in der Schweiz. Zweimal hatte sie ihn nach Zürich begleitet. Sie hatten im Hotel Scheuble im Niederdorf gewohnt, und aufgeschreckt durch den Ankauf einer CD durch das Land Niedersachsen mit Daten von Schweizer Bankkunden, die angeblich Steuern hinterzogen hatten, hatte er all sein Geld abgehoben und es bar in Schweizer Franken in einem Banksafe deponiert. Es ging, so hatte er seiner Heike erklärt, schließlich nicht darum, Zinsen zu bekommen, sondern Steuern zu sparen.

Die meisten Tipps bekam die Steuerfahndung von gekränkten und betrogenen Ehepartnern, die sich rächen wollten. Seiner Heike traute er genau so etwas zu. Statt eines neuen, freien Lebens mit Svenja würden ihn stattdessen Anwaltstermine und Gerichtsprozesse erwarten. Statt Liebesnächten in guten Hotels mit Blick aufs Meer Untersuchungshaft und vielleicht gar ein richtiger Knast.

Er musste an Uli Hoeneß denken. Ganz so einen Presserummel hatte er sicherlich nicht zu befürchten, aber in Oldenburg war er ein bekannter Geschäftsmann, Mitglied im Presbyterium seiner Gemeinde und im Vorstand von drei Vereinen. Immer wieder war er als Mitglied des Lions Clubs fotografiert worden, wenn er großzügig Schecks an Behindertenorganisationen überreicht hatte.

Er hatte nicht nur Geld zu verlieren, sondern auch seine Freiheit und seinen guten Ruf. Trotzdem – Svenja war es wert. Mit ihr war er ein ganz anderer Mensch, fühlte sich frei, besser, gesünder. Er erzählte ihr die alten Geschichten, und es hörte sich für ihn selbst an, als würde er sie zum ersten Mal erzählen. Er entdeckte mit ihr sein eigenes Leben neu.

Neben ihm auf dem Beifahrersitz lag der Rosenstrauß. Rote

und weiße langstielige Rosen, die herrlich dufteten, so, wie sie es liebte.

Ja, verdammt, er wollte mit ihr leben, und wie immer, wenn er auf dem Weg zu ihr diesen Entschluss fasste, gab er, wie um sich zu beschäftigen, Gas und fuhr zwanzig, wenn nicht gar dreißig Stundenkilometer schneller als erlaubt, je nachdem, wie stark sein Wille zur Veränderung gerade war. Am Ende blieb davon nicht viel mehr übrig als ein Strafzettel, der ihn daran erinnerte, wie kraftvoll seine Entschlossenheit gewesen sein musste.

Meist kostete es zwanzig bis dreißig Euro, so viel wie ein gutes Abendessen bei seinem Lieblingsitaliener oder das Gefühl, satt zu sein.

Es irritierte Ingo Sutter nicht, dass die Tür nur angelehnt war. Schließlich stand der Termin zwischen ihnen schon lange fest.

Er trat durch das Rosentor und sprintete die letzten Meter zur offen stehenden Haustür. Er stieß sie mit einem Freudenschrei weit auf und hoffte, sie liebesbereit vorzufinden. Er wieherte wie ein Pferd und rief: »Hier ist dein Hengst, du wilde Stute!«

Da stand er vor Ann Kathrin Klaasen. Er erschrak so sehr, dass er taumelte und hinfiel. Der Rosenstrauß platzte aus dem Papier.

»Moin. Mein Name ist Ann Kathrin Klaasen. Ich bin von der Kriminalpolizei. Und wer sind Sie?«

Sie vermied das Wort »Mordkommission«, denn sie wollte keine unnötige Panik auslösen.

Ganz im Gegensatz zu seinem überschwänglichen Auftritt wirkte Ingo Sutter jetzt eher steif, alt und verdattert. Er rappelte sich nur mühsam auf. Er trug einen leichten, silbergrauen Sommeranzug, der mit dünnen roten und blauen Fäden durchzogen war, die dem Stoff bei jeder Bewegung einen regenbogenhaften Schimmer gaben.

»Ich bin ... Ich wollte nur ... Also, warum sind Sie ... Wo ist denn ...«

Er, der sonst so wortgewandte Geschäftsmann, der eloquent Leute für sich gewinnen konnte und in der Mitarbeitermotivation geradezu Glanzleistungen vollbrachte, stammelte herum und suchte nach Worten.

Ann Kathrin half ihm: »Sie sind verheiratet und befürchten jetzt, dass Ihre Frau etwas erfährt. Aber keine Angst, die Kripo ist nicht für Ehebruch zuständig. Wir haben Grund zu der Annahme, dass Frau Moers entführt wurde, und wir hoffen, dass Sie uns bei der Suche nach ihr behilflich sein können, Herr ...«

»Sutter. Ingo Sutter«, sagte er und wirkte, als sei ihm sein Name jetzt gerade erst wieder eingefallen. »Wie, entführt? Wann denn? Von wem? Was will der Entführer?«

Bevor er Ann Kathrin mit weiteren Fragen bombardieren konnte, wollte sie von ihm wissen: »Wann haben Sie Frau Moers zum letzten Mal gesehen?«

Er tat, als müsse er nachdenken. »Sie hat seit zwei, drei Tagen nicht mehr auf meine SMS geantwortet. Aber das war nicht das erste Mal. Manchmal ist sie ganz fleißig, simst mir dauernd und dann wieder ...« Er zeigte seine leeren Handflächen vor.

»Wann haben Sie die letzte Nachricht von ihr bekommen?«

Er schaute auf sein Handy. »Am Mittwoch um sechzehn Uhr. Da hat sie diesen Termin hier heute bestätigt.« Er las laut vor: »*Ich freue mich auf dich, mein wilder Hengst.*«

Eigentlich hätte Joachim Faust lieber eine Sendung zur Primetime gehabt. Er gehörte doch einfach ins Abendprogramm, nicht in diese popligen Magazine für ein bildungsfernes, milieugeschädigtes Publikum, das schon am frühen Nachmittag gelangweilt auf dem Sofa durch die Programme switchte. Aber er musste nehmen, was er kriegen konnte. Noch!

Dieser Fall würde ihn am Ende in die ganz wichtigen Talkshows katapultieren und in die Primetime-Sendezeit.

Er hatte das Waloseum in Norden als Drehort durchgesetzt. Eigentlich sollte er nach Hamburg ins Studio kommen, doch die Redakteurin hatte sofort eingesehen, dass ein Interview, geführt im Skelett eines Wals, einfach eine unschlagbare Kulisse war. Sie fragte sich, warum noch keiner ihrer Kollegen darauf gekommen war. Es sah gigantisch gut aus, unheimlich, und es gehörte an die Küste, genau wie diese ganze Geschichte. So war alles gleich richtig verortet. Es ging um Tod, und es ging um Ostfriesland. Jeder wusste so gleich Bescheid. Sie war sicher, dass ihr Beitrag mehrmals wiederholt werden würde.

Mit der Redakteurin hatte Faust mal ein kurzes Techtelmechtel gehabt. Mehr Gymnastik als Sex. Mehr Wellness als Leidenschaft.

Sie waren im Guten auseinandergegangen. Sie war inzwischen seit drei Jahren mit einem Hauptabteilungsleiter verheiratet, vermutlich ziemlich genau drei Jahre zu viel, mutmaßte Faust. Jedenfalls signalisierte sie ihm, nach der Aufnahme noch Zeit zu haben.

Faust musste sich leider mit einem Moderator unterhalten, den er für einen aufgeblasenen Gockel und völligen Idioten hielt, denn er war jünger, sah besser aus und sprach dieses oxfordenglischeingefärbte Deutsch, das den Damen vermitteln sollte, sie hätten es mit einem weltgewandten Hecht zu tun. Dabei hatte er lediglich ein halbes Jahr bei der BBC gejobbt. Seitdem tat er so, als könne er nicht mehr richtig Deutsch.

Faust hätte als Gegenüber lieber eine blonde Moderatorin, auf jeden Fall unter dreißig, gehabt. Aber er musste die Kröte schlucken. Verglichen mit dem Moderator, der Hinnerk oder Henrik oder so ähnlich hieß, kam Faust sich alt vor. Plump und fett. Kurz: unattraktiv. Aber er wollte heute ja nicht als Mister Universum kandidieren, sondern ein Denkmal demontieren: Ann Kathrin Klaasen. Ihre stümperhafte Ermittlung in zwei spektakulären Mordfällen gab ihm die Trümpfe in die Hand.

Hinnerk oder Henrik oder wie der Fatzke hieß, kündigte Joachim Faust als eine »Journalistenlegende« an, die immer wieder mit aufsehenerregenden Recherchen von sich reden gemacht habe.

Ja, schleim du nur rum, dachte Faust grimmig. Ich werte hier im Grunde deine Sendung auf. Man wird von dir später nur noch reden, weil ich mal bei dir zu Gast war, du Kretin.

»Wir freuen uns, heute in dieser besonderen Kulisse in Norden den Journalisten Joachim Faust begrüßen zu dürfen, dessen Bestseller mit Interviews vor einigen Jahren in den Top Twenty war. Ja, meine Damen und Herren, wir befinden uns im Inneren eines Walskeletts.« Er klopfte mit der Faust gegen Knochen. »Das sind echte Knochen von einem fünfzehn Meter langen Pottwalbullen. Der Wal ist 2003 vor Norderney gestrandet.«

Faust konnte es kaum fassen. Jetzt quasselte dieser Schönling über Walbullen! Vielleicht hatte er sich mit dieser Kulisse auch ein Ei gelegt, statt sich so klasse in Szene zu setzen und als etwas Besonderes zu inszenieren, stahl dieses Scheißskelett ihm nun die Show.

Die Redakteurin stand beim zweiten Scheinwerfer und gab ihrem Moderator Zeichen, er solle jetzt mal zu Potte kommen. Dann zwinkerte sie Faust zu. Der legte sein berühmtes Zahnpastalächeln auf und sah in die Kamera, so dass die Fernsehzuschauer, besonders die Zuschauerinnen, das Gefühl bekamen, er würde ihnen direkt in die Augen schauen und zu ihnen persönlich sprechen.

Einige schalteten dann aus. Andere fühlten sich gemeint. Und genau um die ging es Faust.

»In aller Bescheidenheit«, sagte er lächelnd, »es waren die Top Ten, nicht die Top Twenty. Und es war auch kein Band mit Interviews, sondern mit Reportagen über die Schönen und Reichen unserer Republik.«

Der Moderator versuchte, die Zurechtweisung scherzhaft zu nehmen. Er wusste, dass nichts entwaffnender war als Humor.

»Die Schönen und Reichen? Na, dann komme ich ja wohl nicht darin vor.«

»Stimmt«, grinste Joachim Faust und brachte jetzt seine schärfste Waffe ins Spiel: sein Schlüpferstürmer-Lächeln. Seit seiner Schulzeit lief ihm dieser Ausdruck nach: »Jetzt hat er wieder sein Schlüpferstürmer-Lächeln aufgesetzt.«

Seine Klassenkameraden hatten einen Likör, der eklig süß schmeckte, aber den Mädels gefiel. Er machte rasch blau und manchmal auch wuschig und wurde deshalb »Schlüpferstürmer« genannt. Faust glaubte, solche Hilfsmittel nicht nötig zu haben. Er versprühte stattdessen Charme und probierte es mit diesem unwiderstehlichen Blick, der viele Schenkel für ihn geöffnet hatte.

Der Moderator, dessen Name gerade eingeblendet wurde und der garantiert mit H anfing, wusste, dass er verloren hatte, wenn dieses Gespräch schon beim Vorgeplänkel zum Duell wurde, also fragte er: »Sie sind an einem ganz heißen Fall dran, Herr Faust. Berichten Sie doch mal.«

Faust setzte sich in Positur. »Ein psychopathischer Killer mordet in Ostfriesland. Er hat schon zwei Menschen die Köpfe abgeschlagen und sie an die Polizei geschickt.«

Du Drecksack! Sag die Wahrheit! Nicht an die Polizei, an Ubbo Heide. Psychopathischer Killer? Willst du einen Kranken aus mir machen? Einen, der sie nicht mehr alle beisammen hat?

»Das Pikante ist: Beide Köpfe landeten im Einsatzbereich der berühmten – oder sollte ich besser sagen berüchtigten – Kommissarin Ann Kathrin Klaasen. Da will sie offensichtlich jemand herausfordern.«

»Sie waren in den letzten Tagen ganz nah dran. Sie genießen das Vertrauen der ostfriesischen Polizei. Wie müssen wir uns einen solchen Menschen vorstellen, Herr Faust?«, fragte der Moderator.

»Nun, ich fürchte, der Erfolg hat sie vielleicht nicht blind gemacht, wohl aber ihren Blick eingeengt, verwässert, wenn Sie so wollen.«

»Ich meinte nicht Frau Klaasen, sondern den Täter. Hatten Sie die Möglichkeit, mit Profilern zu reden?«

Bring mich nicht aus dem Konzept, du Arsch, dachte Faust und versuchte, das diesem Hinnerk oder Henning mit einem Blick zu vermitteln.

»Der Täter ist eine gestörte Persönlichkeit. Geltungssüchtig. Er ist nicht der gewöhnliche Triebtäter. Hier geht es nicht um die Befriedigung sexueller Lust. Er heischt nach Aufmerksamkeit, deshalb die seltsame Tötungsart. Es ist für den Täter wie ein inszeniertes Theaterstück. Wir alle sind die Zuschauer. Im Moment sitzen wir im ersten Akt. Er baut Spannung auf. Bald werden weitere Spannungselemente folgen.«

»Sie meinen, Morde?«

Faust zog demonstrativ die Schultern hoch, zeigte seine Handflächen vor und schickte die Mundwinkel in Richtung Boden, so wie Taxifahrer es gerne tun, wenn sie sagen: »Ich bin leider nicht frei, tut mir leid.«

»Ich weiß nicht, was dieses kranke Hirn sich noch einfallen lässt, damit wir uns alle mit ihm beschäftigen.«

Krankes Hirn? Geltungssüchtig? Heischt nach Aufmerksamkeit? Du sprichst wohl von dir selbst, du Mistkerl! Was erlaubst du dir? Verspottest mich in aller Öffentlichkeit? Lenkst ab von Ubbo Heide, von dem Fall Steffi Heymann? Verdammt, was tust du?!

»Jedenfalls wird Frau Klaasen diesen Fall nicht so bald lösen. Gut, es haben sich bei ihr ein paar Serienkiller im Netz verfangen. Aber jetzt bringt jemand unschuldige Menschen um, und sie wirkt auf mich konzeptionslos, müde, ja ausgebrannt.«

Unschuldige Menschen? Was ist das für eine Dreckspresse? Ihr Schweine! Ihr gottverdammten Schweine ...

Weller parkte vor der VHS. Er war mit Herrn Feier, dem Leiter der Volkshochschule, verabredet. In den meisten Fällen gab es kurze Dienstwege, die vielleicht nicht die vorgeschriebenen waren, dafür aber umso effektiver.

Sein Handy meldete sich mit der Anfangsmelodie von Bettina Göschls Song *Piraten ahoi!*. Weller sah Ann Kathrins Porträt auf dem Display, nahm das Gespräch an und machte es sich im Fahrersitz gemütlich wie im Wohnzimmersessel.

»Frank, du hast doch viel geangelt.«

»Ja?« Er hatte keine Ahnung, worauf sie hinauswollte.

»Wenn man einen Aal fängt, wie tötet man den?«

Er hatte sich abgewöhnt, sie zu fragen, warum sie etwas wissen wollte. Er ging einfach davon aus, dass sie einen Grund hatte. »Eigentlich sollte der Angler einen Fisch betäuben, bevor er ihn tötet, mit einem kurzen Schlag auf den Kopf geht das meist. Bei Aalen ist es aber schwer, das sind so Urviecher. Die sind kaum zu töten, geschweige denn zu betäuben. Ein Stich ins Herz ist da besser. Aber das findet der Anfänger meist nicht. Es ist winzig, und der Aal windet sich ...«

»Also, was machst du?«

»Die meisten schneiden ihm – nicht ganz waidgerecht – den Kopf ab, zumindest habe ich das als Junge immer so gemacht und auch alle anderen Jungen, die ich kannte.«

»Dachte ich mir.«

Jetzt konnte er sich doch nicht zurückhalten. »Warum fragst du?«

»Und einem Huhn schlägt man auch den Kopf ab. Als ich als kleines Mädchen auf dem Bauernhof Urlaub gemacht habe, da hat der Bauer ein Huhn geschlachtet, indem er ihm den Kopf abschlug. Ich habe zugesehen und wollte nie wieder Fleisch essen.«

Frank Weller erinnerte sie nicht daran, dass sie diesen Vorsatz nicht eingehalten hatte. Stattdessen sagte er: »Und Heymann und Stern werden bei Ubbo Heide Aal und Hahn genannt!«

»Genau. Deshalb rufe ich an.«

Sie beendete das Gespräch, und Weller saß noch einen Moment in Gedanken versunken da. Dann, gerade als er aussteigen wollte, erhielt er eine WhatsApp-Nachricht von Sylvia Hoppe mit einem Link zu einer Fernsehsendung. Er klickte ihn an, und gleich darauf erschien Faust auf seinem iPhone.

Weller kochte sofort vor Wut und informierte Ann Kathrin, die es aber im gleichen Moment bereits von Sylvia Hoppe erfahren hatte.

»Da die ostfriesische Polizei ja eine Art Schweigekartell gegründet hat, habe ich sogar mit einem Nachbarn von Frau Klaasen gesprochen. Ein Mann wie ein Kleiderschrank. Hände wie Bratpfannen. Ein Maurer. Er hat mir bestätigt, dass es in Ostfriesland einen Lobe-Club gibt, also so nennen die sich. Nach außen halten sie dicht und geben keine Infos raus, die einem aus ihrem Club schaden könnten. Verglichen mit ostfriesischen Verhältnissen ist der berühmte Kölsche Klüngel eine Geburtstagsparty für christliche Pfadfinder. Allein die Tatsache, dass hier ein Ehepaar gemeinsam ermittelt, ist doch eine Unmöglichkeit.« Er verzog demonstrativ angewidert den Mund. »Die könnten doch im Ernstfall vor Gericht sogar die Aussage verweigern, um den Ehepartner nicht zu belasten.«

Weller ballte zornig die Faust. Dann schickte er eine WhatsApp an alle: »Was für ein Arsch!«

Die erste Antwort kam von Sylvia Hoppe und war eine Frage: »Was will der Mistkerl?«

»Den knöpf ich mir vor«, versprach Weller und garnierte seine Nachricht mit zwei symbolischen Dampfwolken.

Rieke meldete sich: »Das ist der GAU.« Als hätten es alle ganz vergessen, bekräftigte sie: »Ich bin die Pressesprecherin!«

»Dir wirft keiner etwas vor«, schrieb Sylvia Hoppe, die sich sofort in Riekes Lage versetzte und ihr beistehen wollte.

Dann meldete sich Ann Kathrin: »Hat er nicht im Grunde mit allem, was er sagt, recht?«

Weller empörte sich: »Recht? Soll das ein Scherz sein? Ich hau dem was aufs Maul, wenn ich ihn zu packen kriege.«

Ann Kathrin reagierte merkwürdig kalt, ja unbeeindruckt auf die Vorwürfe von Faust. »Seine Analyse der Täterpersönlichkeit ist stimmig. Der Mörder inszeniert eine Art Theaterstück, aber nicht für eine große Öffentlichkeit, wie Faust denkt, sondern für ein ausgewähltes Publikum, nämlich für uns. Er will uns beeindrucken.«

»Das bedeutet«, folgerte Weller schriftlich, »er kommt aus dem Apparat?«

»Ja«, stimmten Sylvia Hoppe und Rieke Gersema sofort zu, »er gehört zur Firma.«

»Also doch Wilhelm Kaufmann?«, mutmaßte Sylvia Hoppe.

Rupert schaltete sich ein. »Ich weiß nur eins: Ich war es nicht.«

Staatsanwalt Scherer griff zum Telefon und rief Martin Büscher an. Er hielt sich nicht mit Vorgeplänkel und Begrüßungsfloskeln auf. Er war ostfriesisch direkt. Er ging davon aus, dass Büscher in seiner Stellung die Sendung inzwischen gesehen haben musste, und wenn nicht, dann war er ein uninformierter Schwachkopf, der von den Mitarbeitern hängengelassen wurde.

»Sie haben ein Problem, Herr Büscher. Lösen Sie es, sonst werden Sie in Ostfriesland nicht alt, das kann ich Ihnen versprechen. Wenn einer erst einmal ins Gerede gekommen ist, dann …«

»Ja, verdammt«, polterte Büscher, »was soll ich denn machen? Ich kann dem Mann doch nicht den Mund verbieten!«

»Haben Sie in Bremerhaven nicht gelernt, wie man solche Pressefritzen händelt?«

»Ich bin doch hier nicht als Publicitymanager angestellt!«, verteidigte Büscher sich. »Wir leben in einem freien Land, und da müssen wir eben mit einer freien Presse leben.«

»Genau! Gewinnen Sie diese Gestalten für sich. Dann haben Sie bessere Karten. Wer die Presse gegen sich hat, ist rasch erledigt. Der Mann hat mit jedem Wort recht. Schade nur, dass er uns öffentlich darauf aufmerksam machen muss. Stellen Sie die Missstände ab!«

Büscher klopfte gegen den Hörer und sagte mit verstellter Stimme: »Mayday. Mayday. Raumschiff an Erde. Ich habe die Probleme auf diesem Planeten nicht gemacht, sondern nur vorgefunden.«

Scherer legte auf. Dann sah er das Telefon an, als ob Büscher vor ihm stehen würde. »Du mich auch«, sagte er mürrisch.

Er hatte es schon beim Aufstehen geahnt: Das würde heute nicht sein Tag werden. Warum hat dieser Schwachkopf von Moderator mich nicht in seine Sendung eingeladen? Ich hätte ihm genau das Gleiche erzählen können wie dieser Faust, nur eben sachlich viel fundierter. Aber Staatsanwälte hatten ja leider keine eigenen Pressebüros wie Rockstars, Politiker oder Schriftsteller. Es wurmte ihn, dass Ubbo Heide dieses Buch geschrieben hatte. Er empfand es als Angriff auf die Justiz, ja, auf sich selbst.

Jetzt fragte er sich, warum Ubbo Heide nicht zu Gast in der Sendung gewesen war. Stand ihm dieser Ärger noch bevor?

Musste er damit rechnen, von diesem Auricher Fossil öffentlich vorgeführt zu werden?

Nein, das Letzte war nicht zu befürchten, denn Ubbo Heide hatte ihn in seinem Buch nicht einmal mit einem Halbsatz erwähnt. Das ärgerte Scherer am meisten. Er kam, verdammt noch mal, in diesem Machwerk gar nicht vor. Und da wurde ein völlig falsches Licht auf die Arbeit der Kriminalpolizei geworfen. Sie standen als Helden da, und dem Justizapparat wurde die Schuld zugeschoben. Kein Wort über die Gewaltenteilung in unserem Land.

Mit Sorge erwartete Scherer Ubbo Heides neues Buch, von dem bereits viel gesprochen wurde, obwohl nicht einmal der Titel feststand. Er wusste nicht, wovor er mehr Angst hatte: darin vorzukommen oder eben genau nicht darin erwähnt zu werden. Die echten Namen hatte Ubbo Heide ohnehin nicht verwendet, vermutlich, um Klagen aus dem Weg zu gehen. Viele Menschen wurden nur mit Buchstaben bezeichnet, Herr A, Frau B. Das waren Randfiguren. Andere bekamen richtige Namen, meist aus der Tierwelt. Frau Fuchs. Herr Hund.

Scherer fragte sich, ob er, falls er überhaupt Erwähnung fand, nur eine Buchstabenexistenz war: Staatsanwalt X sagte ... Oder ob er einen richtigen Namen bekam. Wenn ja, was für ein Tier würde Ubbo Heide für ihn wählen? Rehpinscher? Kakadu? Löwe oder Rhinozeros? Solche Namen waren doch nicht wertfrei. Sie sagten bereits etwas über einen Menschen aus, oder sie sollten eine Haltung widerspiegeln.

Seine Frau, mit der er sich in letzter Zeit wieder besser verstand, nannte ihn zum Beispiel »mein kleiner Goldhamster«. Wenn sie das sagte, klang es meist sehr liebevoll, obwohl es ganz sicher eine Anspielung darauf war, dass er sich beim Essen gern zu viel in den Mund stopfte. Aber er wollte nicht in Ubbo Heides Buch als Staatsanwalt Goldhamster auftauchen.

Weller wurde in der Volkshochschule von Herrn Feier freundlich empfangen. Feier merkte natürlich, wie zornig Weller war. Er konnte praktisch seine Magensäure blubbern hören.

Weller sprach mit ganz sanfter Diplomatenstimme, um sich die Wut nicht anmerken zu lassen. Herr Feier bot Tee und Kekse an, und Weller biss in die Kekse wie eine Giftschlange in den Körper einer Ratte, die sie töten und verspeisen möchte.

Feier kannte Svenja Moers. Sie war Stammgast in der VHS und besuchte immer wieder Kurse. Herr Feier hatte die Liste für Weller schnell ausgedruckt. In so einem wichtigen Fall – wenn es vielleicht gar um das Leben von Frau Moers ging – wollte Feier gern behilflich sein.

Weller guckte nur flüchtig auf die Namen, aber einer schien geradezu in Leuchtschrift blinkend darauf zu warten, entdeckt zu werden. Weller sah plötzlich nur noch diese Buchstaben: YVES STERN.

All der Ärger mit Faust war sofort vergessen. Weller fragte: »Hat dieser Stern noch mehr Kurse bei Ihnen besucht?«

Feier sah im Computer nach. »Das lässt sich rasch überprüfen. Aber ich glaube … nur einen.«

Weller bat um Verständnis. Er müsse telefonieren.

Ann Kathrin ging sofort ran. »Ja, Frank?«

»Stern hat mit Svenja Moers einen Kochkurs besucht.«

»Yves Stern?«, fragte Ann Kathrin irritiert zurück.

»Ja, Yves Stern.« Weller wendete sich an Feier: »Können Sie feststellen, wann Yves Stern und Svenja Moers zum letzten Mal im Kurs mit dabei waren?«

»Ja, das ist kein Problem. Es gibt Teilnehmerlisten. Aber wir können auch die Kursleiterin fragen. Nach meinen Unterlagen haben die beiden bisher an jeder Stunde teilgenommen. Zuletzt am Mittwoch.«

»Hast du das mitgehört, Ann?«, fragte Weller.

»Ja, Mittwoch. Aber da war Yves Stern längst tot. Es sei denn, der Mann, dessen Kopf in Ubbos Kofferraum lag, war nicht Yves Stern.«

»Das halte ich für ausgeschlossen. Wir haben seine DNA und ...«

»Irgendjemand«, sagte Ann Kathrin, »führt uns an der Nase durch den Ring.«

»Das kannst du laut sagen«, schimpfte Weller. »Was hat der Scheißkerl vor?«

»Er will uns zu etwas bringen, aber ich habe keine Ahnung, wozu.«

Der Drucker ratterte, und Herr Feier reichte Weller einen Ausdruck der Adressen.

Weller atmete tief durch. Er winkte Feier zu und ging in den Flur, um ungestört mit Ann Kathrin reden zu können. Er hatte von ihr gelernt, in Schrecksekunden nicht den Atem anzuhalten, sondern genau das Gegenteil zu tun: auszuatmen und dann tief Luft zu holen. »So grenzt du dich am besten von der miesen Energie ab, statt sie in deinen Körper zu lassen«, hatte sie gesagt.

Er fuhr gut damit. Auch schlimme Fälle nahmen ihm nicht mehr die Luft zum Atmen. Er hatte merkwürdige Dinge von ihr gelernt in den letzten Jahren. Manchmal kam sie ihm vor wie ein Wesen von einem anderen Planeten, das sich den menschlichen Körper nur zugelegt hatte, um sich frei unter den Menschen bewegen zu können.

»Rate mal, wo Yves Stern laut seinen Angaben wohnt.«

»Frank, das ist kein Quiz«, ermahnte sie ihn.

Er trumpfte auf: »In Hude in der Ruwschstraße.«

»Das war der Absender des Pakets«, sagte Ann Kathrin. »Er ist es. Der Mörder hat definitiv am VHS-Kurs teilgenommen und jetzt Svenja Moers in seiner Gewalt.«

»Und warum nennt der Schleimscheißer sich Yves Stern?«

»Er will uns eine Verbindung aufzeigen. Er will, dass wir Zusammenhänge sehen ...«

»Ja. Oder er will uns nur verwirren.«

»Eine Straße in Hude, die es gar nicht gibt«, raunte Ann Kathrin, als würde sie zu sich selbst sprechen. »Warum?«

Dann beendete sie das Gespräch mit Weller, und der ging wieder in den Raum zu Herrn Feier zurück.

Ingo Sutter hatte die Zeit genutzt und inzwischen ein paar persönliche Sachen zusammengepackt, die er mitnehmen wollte. Er sah Ann Kathrin schuldbewusst an. Er hatte für sie spürbar mehr Angst davor, seine Frau könne von der Affäre erfahren, als dass er sich um Svenja Moers sorgte. So, wie Ann Kathrin ihn einschätzte, sagte er die Wahrheit und hätte am liebsten alles ungeschehen gemacht.

Was bist du nur für ein Jammerlappen, dachte sie und hoffte, dass Svenja Moers, sollte sie diesen Albtraum überleben, Schluss mit ihm machen würde. Lebenskrisen führten nach ihrer Erfahrung am Ende immer zu Klärungen oder wenigstens zu Erkenntnissen. Und dieser Mann liebte sich und seine wohlsituierten Verhältnisse viel mehr als alles andere auf der Welt. Dagegen hatte Svenja Moers keine Chance, egal, wie gut der Sex mit ihr war.

»Sie wissen doch bestimmt aus zig Krimis, dass man an einem Tatort nichts verändern darf«, sagte sie und zeigte auf die Tüte mit den Sachen. »Es könnte so gewertet werden, als würden Sie Spuren verwischen.«

Er wurde blass, öffnete den Mund, konnte aber nichts sagen.

»Im Grunde verwischen Sie ja auch Spuren. Ehebruchspuren. Gehen Sie zurück zu Ihrer Frau. Versuchen Sie, das zu werden, was Sie in der Tiefe Ihrer Seele am liebsten immer geblieben wären: ein treuer Ehemann und …« Sie reichte ihm ihre Karte. »Rufen Sie mich an, wenn Ihnen noch etwas einfällt. Vor allen

Dingen, ob Frau Moers über Bekannte, Männer oder Exmänner gesprochen hat.«

Er nahm die Karte katzbuckelnd an und sagte: »Ihre Exmänner sind verstorben.«

»Ja, ich weiß. Erzählen Sie mir etwas, das ich noch nicht weiß ...«

»Kann ich jetzt gehen?«

»Ja. Und nehmen Sie die Rosen mit. Ihre Frau freut sich bestimmt darüber.«

Carola Heide sah ihren Mann nach so vielen gemeinsamen Jahren ganz anders. Er, der kluge Entscheider, der sich immer bemühte, wenigstens den Anschein zu vermitteln, er habe alles im Griff, wirkte verunsichert, ja schutzbedürftig auf sie. Der Sportler, der im Urlaub morgens vor Sonnenaufgang aufstand, um auf der Terrasse Dehnungsübungen zu machen, Liegestützen und Kniebeugen, um fit zu bleiben, saß jetzt im Rollstuhl und hatte Mühe, sich selbständig an- und auszuziehen.

Einerseits war er plötzlich eine Art Schriftsteller geworden, ein gefragter Diskussions- und Interviewpartner, andererseits ging sein Leben irgendwie den Bach runter, und ihres gleich mit.

In der Nacht hatte sie geträumt, er sei enthauptet worden, und sein Kopf stand auf ihrem Frühstückstisch.

Lief alles darauf hinaus?

Als ihre Tochter Insa, von der sie viel zu lange nichts gehört hatte, vor der Tür stand, brauchte Insa eigentlich Zuwendung, Rat und wollte ein bisschen bemuttert werden. Aber obwohl Carola es sich so sehr wünschte, für ihre Tochter da zu sein, war sie im Moment genau dazu nicht in der Lage. Sie brauchte jetzt selbst sensible Hilfe und jemanden, der ihr das Gefühl geben konnte, gehalten zu werden.

Sie umarmte ihre Tochter noch im Türrahmen heftiger als sonst. Die Berührungen hatten etwas Verschlingendes, ja Erdrückendes an sich, so dass sie Insa rasch unangenehm wurden. Ihre Mutter kam ihr so bedürftig vor, und Insa fragte: »Mama, was hast du?«

Als Antwort bekam sie nur stumme, noch heftigere Umarmungen, ja Umklammerungen.

»Ist was mit Papa?« Für einen Moment waren Insas eigene Sorgen wie weggefegt. Der Gedanke, ihr Vater könnte verstorben, ja vielleicht gar beerdigt sein, ohne dass sie davon erfahren hatte, jagte wie ein Stromschlag durch ihren Körper. Aber es gab doch Telefone! Handys! E-Mails!

Nein, das konnte nicht sein! Ihr Vater lebte oder war gerade erst vor Minuten verstorben.

Gleichzeitig fragte Insa sich, ob sie ihren Eltern eigentlich ihre neue Handynummer mitgeteilt hatte. Sie hatte den Anbieter gewechselt, nicht nur, weil der neue billiger war und das bessere Netz hatte, sondern vor allen Dingen, um die paar ungeliebten Freunde loszuwerden, die ihr inzwischen lästig geworden waren und über eine App ihr Handy mittlerweile überall orten konnten:

»Ach, du bist auch in Düsseldorf, sehe ich gerade? Dann lass uns doch gemeinsam etwas machen, du untreue Nudel!«

Auch bei Facebook war sie nicht mehr unter ihrem richtigen Namen, sondern hatte sich dort ein Pseudonym zugelegt, und man sah kein Gesicht im Profilbild, sondern einen Sanddornzweig.

Hatte sie mit all den Nervbolzen auch ihre Eltern entsorgt?

Sie fühlte sich schuldig und mies. Sie führte ihre Mutter, die an ihr klebte wie Kaugummi, ins Haus.

Die Wohnung sah gut aus. Aufgeräumt wie immer.

»Wo ist Papa?«, fragte Insa.

Die beiden Frauen setzten sich aufs Sofa. Es gab so viel zu erzählen.

Joachim Faust hoffte, ja erwartete, dass die Sendung aus dem Waloseum ihn jetzt auch in Norden und Norddeich bekannt gemacht hatte. Er zog los – ohne die Redakteurin mitzunehmen –, um sich dem staunenden Volk zu zeigen. Aber weder bei Diekster Köken am Deich, wo er einen Fischteller aß, noch auf dem Dörper Weg, wo er betont langsam entlangschlenderte und vor Grünhoff stehen blieb und ins Schaufenster guckte, als hätte er noch nie Teekuchen gesehen, wurde er erkannt.

Er hatte sein Auto auf dem Parkplatz am Ocean Wave stehen. Er hatte einen Euro Parkgebühr gezahlt, was ihm lächerlich wenig vorkam, sich aber doch eine Quittung für die Steuer ausdrucken lassen, schließlich war er dienstlich hier.

Er fuhr nach Norden, parkte hinter der alten Piratenschule und hoffte, wenigstens hier auf der Einkaufsmeile Aufsehen zu erregen.

Bevor er in die Hauptstelle der Sparkasse ging, blieb er kurz vor dem großen Löwen stehen und bewunderte ihn überschwänglich mit großen Gesten, als müsse er sich vor dem Tier verneigen. In Wirklichkeit hoffte er aber nur, von vorbeilaufenden Touristen erkannt zu werden. Das geschah nicht.

In der Sparkasse zog er Kontoauszüge, sah sich nach rechts und links um, aber auch hier erwarteten ihn nicht gerade kreischende Fans.

Immerhin, vor dem Mittelhaus saßen Touristen und tranken Altbierbowle mit Erdbeeren. Eine Frau mit heruntergezogenen Mundwinkeln betrachtete Faust. Sie war mit vier Männern hier, ihrem Mann und drei Söhnen, und hatte versprochen zu fahren. Sie hatten alle schon kräftig einen genommen, wirkten fröhlich und angetrunken.

Ein Sohn versuchte, seine Mutter aufzuheitern, stupste sie an und rief: »Guck mal, das ist doch der Vollhorst aus dem Fernsehen!«

Sie zischte: »Nicht so laut!«

Faust zog es vor, nicht ins Mittelhaus zu gehen.

Vor ten Cate herrschte auch noch reges Treiben. Er setzte sich. Die Häuser warfen schon lange Schatten, und sonnen konnte man sich jetzt nicht mehr. Aber er war ja auch hier, um Komplimente zu fischen und nicht, um braun zu werden.

Er trank einen Kaffee und ein Bier. Er registrierte, dass Menschen über ihn redeten. Sie steckten die Köpfe zusammen und sahen in seine Richtung, oder sie guckten bewusst weg, um sich keine Blöße zu geben.

Er genoss es. Er brauchte das, wie andere ihre vom Arzt verschriebenen Medikamente. Fröhlich bestellte er: »Noch eine Tasse von diesem hervorragenden Kaffee.«

Monika Tapper trat an seinen Tisch. Sie lächelte. Es fiel ihr nicht leicht, und sie wirkte gequält. Sie wischte sich eine blonde Haarsträhne aus dem Gesicht: »Sie brauchen nicht zu zahlen. Sie waren unser Gast.«

Er fühlte sich gebauchpinselt. Jetzt, da man seine Bedeutung als öffentliche Figur erkannt hatte, wollte natürlich jedes Café oder jedes Restaurant ihn gern zu seinen Gästen zählen, freute er sich und strahlte Monika Tapper an.

»Danke, das ist nett, aber ich hatte auch noch gar nicht vor, zu zahlen. Ihr Kaffee ist nämlich wirklich gut, und ich nehme gerne noch einen.«

Hinter Monika Tapper erschien ihr Mann Jörg.

»Sie haben meine Frau nicht richtig verstanden. Wir legen auf Sie als Gast keinen Wert.«

Faust glaubte, sich verhört zu haben. Oder war das ein Scherz? Einer dieser schwer zu verstehenden ostfriesischen Witze? Nicht zu verwechseln mit den plumpen Ostfriesenwitzen. Doch so wie Jörg und Monika Tapper aussahen, passte den Café-Besitzern etwas nicht.

Jörg Tapper sprach jetzt ganz langsam, als müsse er einem Kind etwas erklären: »Meine Frau hat versucht, es Ihnen auf die nette Art zu sagen: Sie sind hier nicht erwünscht. Wer schlecht über unsere Freunde redet, kann auch ruhig seinen Kaffee woanders trinken.«

Am Nachbartisch saß eine gutgelaunte Dame mit Sturmfrisur, die mit ihrem Enkelkind Erdbeertorte mit Sahne aß. Sie rief: »Ja, das ist Ostfriesland! Love it or leave it!«

Jemand klatschte Beifall: »Bravo, Biggi!«

Monika Tapper nickte in Biggis Richtung.

»Ann Kathrin Klaasen gehört zu unseren Stammgästen«, stellte Jörg Tapper klar, und Monika betonte: »Und sie ist meine Freundin. Ein herzensguter Mensch. Auf sie lassen wir nichts kommen.«

Faust erhob sich umständlich, so als sei es ein Problem für ihn hoch zu kommen. Er wollte Zeit gewinnen. Er brauchte irgendeinen Satz für einen guten Abgang. Er konnte unmöglich so geschlagen abziehen. Zu viele Leute sahen und hörten zu.

Diese Biggi mit ihrem Enkelkind freute sich so sehr über seine Niederlage, dass sie in Richtung Monika und Jörg Tapper den erhobenen Daumen zeigte.

Eine alte, vornübergebeugte Frau stützte sich auf ihren Rollator und kicherte wie eine Hexe im Märchen.

»Ach, leckt mich doch alle, ihr Ignoranten!«, fluchte Faust und stampfte in Richtung Neuer Weg davon. Kurz vor dem Fischgeschäft Weissig wurde er angehalten. Eine junge, hochattraktive Frau mit einer weißen Hose, die vom Knie an abwärts sehr weit war, aber an den Oberschenkeln und im Schritt unverschämt eng, hielt ihn auf. »Sie sind doch Klaus Faust, der Fernsehmann?! Kann ich ein Autogramm haben?«

Er hieß zwar nicht Klaus, sondern Joachim, und hätte sich nie als Fernsehmann bezeichnet, sondern als hochkarätigen Journalisten, aber das war jetzt auch schon egal. Er kam ihrem Autogrammwunsch nach und beäugte dabei ihren zweifellos imposanten Vorbau. Auf ihrem engen T-Shirt stand groß: *Schock deine Eltern*, und klein darunter: *Lies ein Buch!*

Sie freute sich über seine Bereitschaft und hüpfte aufgeregt auf und ab. »Bitte schreiben Sie doch drauf: Für Trudi.«

»Sie heißen also Trudi …«, folgerte er.

»Nein«, lachte sie, »ich heiße Danni. Das Autogramm ist nicht für mich, sondern für meine Omi. Die hat früher immer Ihre Talkshow geguckt.«

Die Niederlagenreihe schien für diesen Tag noch nicht beendet. Er malte brav das Autogramm.

»Bitte schreiben Sie noch das Datum drauf, aber schön groß. Meine Oma kann nicht mehr gut lesen.«

Faust stöhnte. In anderen Städten bildete sich, wenn er auf der Straße Autogramme gab, rasch eine Menschentraube, und jeder wollte auch eins. Das war hier anders. Die Menschen in Ostfriesland hatten offensichtlich ihre eigenen Helden und Stars. Ann Kathrin Klaasen gehörte dazu, und er hatte sie beleidigt. Unverzeihlich.

Wenn ich mir hier ein Haus gekauft hätte, wäre es jetzt an der Zeit, es zu verkaufen, dachte er. Hatte er zum Glück aber nicht.

Dann kamen doch Leute und blieben stehen und glotzten.

»Wollen Sie auch ein Autogramm?«, fragte Faust und setzte sein unwiderstehliches Lächeln auf.

»Nein, wir warten nur auf Danni.«

Na danke, dachte Faust, jetzt reicht's. Aber dann stand zu allem Überfluss der Maurer Peter Grendel hinter ihm und lästerte: »Machen Sie sich nichts draus, Herr Hand. Die sind hier so. Wenn hier der Papst wohnen würde und einkaufen ginge, dann würden die sagen: Guck mal, da geht der Papst einkaufen. Und Sie sind ja nicht gerade der Papst, sondern ein Lackaffe mit äußerst unbequemen Schuhen.«

Faust sah auf seine Fünfhundert-Euro-Schuhe und fragte sich, was mit denen nicht stimmte. Er beeilte sich, zu seinem Auto zu kommen. Auf dem Parkplatz sah er nah bei seinem Wagen wieder die alte Dame mit dem Rollator. Obwohl sie ihm völlig gleichgültig war, blitzte der Gedanke in ihm auf, wie sie so rasch von ten Cate hierhergekommen war.

Sie winkte ihn mit dem Zeigefinger heran und erinnerte ihn jetzt noch mehr an eine Hexe. Sie war ganz in schwarz gekleidet, mit einem weiß gestärkten Kragen.

»Herr Faust, kann ich auch ein Autogramm von Ihnen haben?« Endlich mal jemand, der seinen Namen richtig aussprach.

Er zückte seine Autogrammkarten und ging auf die Dame zu.

»Soll ich Ihren Namen dazu schreiben? Ist es für Sie?«

»Ja, bitte«, hüstelte sie.

Dann sah er die Klinge. Es war ein langes Messer. Es erinnerte ihn an ein zu kurz geratenes Samurai-Schwert. Obwohl er die Klinge sah und noch die Möglichkeit gehabt hätte, zur Seite zu springen oder wegzurennen, schützte er sich nicht. Vielleicht war er zu eitel, um sich einzugestehen, dass von einer alten, gebrechlichen Dame eine Gefahr für ihn ausgehen könnte.

Sie stieß ihm die Klinge von unten zwischen die Rippen.

Er sackte auf die Knie. Sein Mund stand offen. Gurgelnde Geräusche kamen heraus.

Sie griff in seine Haare, riss seinen Kopf nach hinten und schnitt ihm durch den Hals. Das Blut spritzte aus ihm heraus. Er war nicht tot, aber er wusste, dass er sterben würde. Er lag schon auf dem Boden. Er sah sein Blut in langen Fäden an der Autotür runterlaufen.

Dann schnitt sie seinen Kehlkopf raus. Als sie ihm den eigenen Kehlkopf zwischen die Lippen steckte, war er schon im Himmel. Oder in der Hölle. Oder wo Seelen sonst hingehen, wenn sie den Körper verlassen.

Insa hatte sich ihrer Mutter schon lange nicht mehr so nah gefühlt. Es tat ihr gut, gebraucht zu werden, auf eine sehr erwachsene Art stillte das ihren bohrenden Schmerz. Diesen Liebeskummer, der aus der Erkenntnis geboren war, auswechselbar zu sein. Hier jetzt war das ganz anders. Liebespartner kamen und gingen oder ließen auf sich warten. Tochter war und blieb sie für den Rest ihres Lebens. Diese Selbstverständlichkeit wärmte sie gerade wie eine Gemüsesuppe an einem frostigen Winterabend.

Sie hielt die Hände ihrer Mutter und hörte ihr zu. Sie hatten sich schon zum zweiten Mal einen Wohlfühltee aufgebrüht. Die Wohnung roch nach Salbei, Zimt und Koriander.

Ubbo Heide nannte den Tee »Mädchentee«. Er akzeptierte auf eine fast störrische Art nur echten Ostfriesentee oder, wenn es ihm mal ganz schlecht ging, Pfefferminztee. Am liebsten mochte er starken schwarzen Tee mit frischen Pfefferminzblättern drin statt Kandis oder Sahne. Das erwähnte Carola jetzt, um auch mal etwas Nettes zu sagen, etwas, das keine Angst auslöste.

Insa war froh, mit ihrer Mutter allein zu sein. So ein Mutter-Tochter-Gespräch, ganz ohne Papa, hatte es früher oft gegeben. Aber jetzt schon lange nicht mehr.

Sie wusste, dass sie jetzt mit der Wahrheit herauskommen musste, und es war ihr unendlich peinlich. »Ich glaube, ich weiß, wie der Täter an den Autoschlüssel gekommen ist, Mama.«

Carola sah ihre Tochter mit ihren glasklaren Augen an und wischte sich eine Träne aus dem Gesicht. »Wie, du weißt ...«

»Ihr habt mir im März, als ihr für drei Wochen nach Wangerooge gefahren seid, den Wagen geliehen, weil mein alter VW ...«

Carola Heide erinnerte sich. »Ja, stimmt!«

»Ich dachte, ich hätte den Autoschlüssel auf einer Party verloren. Wir waren danach noch in einer Disco, abrocken. Es war mir schrecklich unangenehm. Ich hatte wohl einen über den Durst getrunken, und dann ... Na, jedenfalls war am anderen Morgen der Schlüssel weg. Ich dachte schon, einer sei mit dem Auto verschwunden. Der Wagen stand aber noch genau da, wo ich ihn abgestellt hatte, nur der Schlüssel war eben weg. Ich dachte, ich hätte ihn vielleicht beim Tanzen verloren. Es war mir unendlich peinlich. Ich wollte doch nicht als die doofe, schlampige Tochter dastehen, die sich betrinkt und dann den Schlüssel von Papis Auto verschusselt. Ich hab ihn nachmachen lassen. Eure Vertragswerkstatt, wo ihr immer alle Autos kauft, war mir behilflich, die haben auch versprochen, mich nicht zu verpetzen. Ich wusste doch nicht, dass ...«

Carola wirkte nicht sauer, aber doch sehr entschlossen. »Das müssen wir Ubbo erzählen. Wir dürfen ihm diese Information nicht vorenthalten.«

Insa sah das ein, aber sie fühlte sich, als hätte sie statt Wohlfühltee Jauche getrunken, als Carola die Nummer von Ubbos Handy wählte und das Telefon dann ihrer Tochter hinhielt.

Ubbo Heide saß an seinem alten Arbeitsplatz in seinem ehemaligen Büro und ging mit Büscher alle Namen der Autobesitzer durch, die die Lesung in Gelsenkirchen besucht hatten. Außerdem sahen sie sich alle Fotos an, die Weller gemacht hatte.

Rieke Gersema war bei ihnen. Sie hatte so viel abgenommen, dass die blaue Brille ständig von ihrer Nase rutschte.

»Wir haben eine Merkwürdigkeit. Auf Ann Kathrins Wunsch wurden alle Besucher nach ihrem Alibi gefragt.«

Büscher unterbrach sie: »Alibi? Wir wissen doch gar nicht, wann genau die Taten geschehen sind. Was sollen wir dann mit einem Alibi?«

Rieke lächelte verschmitzt: »Nein, schon klar. Sie wurden gefragt, wo sie zu der Zeit waren, als Ubbo seine Lesung hatte. Und alle haben gesagt, in der Volkshochschule bei einem Vortrag.«

»Ja, klar, was denn sonst?«, nickte Büscher. »Wen wundert es?«

»Eben. Nur einer nicht. Er behauptete, nicht dort gewesen zu sein.«

Büscher staunte.

Ubbo lächelte. »Gute Finte. Einfacher, aber simpler Trick.«

»Wer und warum?«, fragte Büscher.

Rieke suchte das Foto raus. »Der hier, neben der Frau mit den langen schwarzen – fast blauschwarzen – Haaren.«

»Hm«, brummte Büscher.

»Leider«, sagte Rieke, »ist die Sache aber furchtbar simpel. Die beiden haben etwas zusammen laufen, seine Frau soll es nicht wissen ... der Klassiker!«

»Früher«, sagte Büscher, »führte man seine Geliebte zum Essen aus, ja, ging tanzen oder ins Kino. Besucht man heute Lesungen?«

Ubbo Heide fühlte sich geschmeichelt. »Offensichtlich!«

In dem Moment brummte sein Handy. Ubbo sah auf dem Display seine eigene Festnetznummer und ging ran. Er erwartete Carola und begrüßte sie mit einem: »Wir sind gerade in einer Besprechung, Liebste.«

Insas Stimme ließ ihn aufhorchen. Er hob die Hand, so, wie er es früher oft getan hatte, wenn Mitarbeiter bei ihm waren und er ein wichtiges Telefongespräch zu führen hatte. Seine erhobene Hand fror praktisch die Situation ein. Alle schwiegen und warteten, und erst, wenn er seine Hand wieder senkte, lief alles ganz normal weiter, als hätte seine erhobene Hand die Naturgesetze außer Kraft gesetzt und die Welt für eine kurze Zeit angehalten.

Büscher kannte diese ungeschriebenen Regeln im K 1 nicht. Er knabberte Gebäck, was in der Stille unanständig laut klang. Mit einem Blick zeigte Rieke ihm, er solle es lassen. Fast unzerkaut schluckte er herunter, was er noch im Mund hatte und dachte: na klasse. Der alte Chef gibt den Ton an, und die Pressesprecherin verbietet mir zu essen, während er telefoniert. Wo, verdammt, bin ich hier gelandet?

Ubbo Heide hörte seiner Tochter konzentriert zu. Er sagte höchstens »Ja« oder »Ist nicht schlimm« oder »Klar«, um ihren Redefluss so wenig wie möglich zu unterbrechen. Nachdem sie ihm die peinliche Wahrheit erzählt hatte, fragte er: »Wo war die Party?«

Sie antwortete: »In Hude.«

Für Ubbo war das ein weiteres Stück in dem Puzzle, das es zusammenzusetzen galt. »Alles ist gut, Insa. Schön, dass du bei Mama bist.«

Ann Kathrin betrat den Raum. Sie nickte Ubbo kurz zu und setzte sich. Auch das irritierte Büscher. Ubbo schien von ihrem Zuspätkommen nicht genervt zu sein. Er wirkte schon stolz, weil sie die Sitzung hier so wichtig fand, dass sie überhaupt erschien.

»Ich brauche eine Liste all der Leute, die auf der Party waren. Ich will den Namen von jedem, der die Möglichkeit hatte, an den Schlüssel zu kommen.«

Er lauschte. Dann tröstete er seine Tochter: »Nein, mein Kind, damit verdächtigst du niemanden. Du sagst einfach nur die Wahrheit. Nur, wer wann wo war. Das ist kein Verraten seiner Freunde. Der Täter hat eine Frau in seiner Gewalt. Wir müssen alles tun, um ihr zu helfen. Wir sehen uns später. Es kann sein, dass mein Dienst heute länger dauert.«

»Aber Papa, du bist doch pensioniert!«

»Ich weiß, Kind, ich weiß.«

Ubbo blickte sich im Raum um, als müsse er sich vergewissern, ob Rieke und Büscher noch da waren. Er senkte die Hand.

»Der Schüssel wurde im März gestohlen. Das heißt, unser Mann hat alles von langer Hand geplant und eine Vorbereitungszeit von gut vier Monaten gehabt. Wir müssen uns Hude genauer ansehen und Langeoog.«

»Es heißt auch«, folgerte Ann Kathrin, »dass der Täter Insa kennt und wusste, dass du ihr deinen Wagen geliehen hast.«

Ubbo Heide ballte die rechte Faust und biss sich in den Handrücken. »Mist«, fluchte er, »du hast sowas von recht!«

Weiter kam Ubbo Heide nicht, denn jetzt meldete sich Büschers Handy. Das freute ihn, so konnte er sich des Eindrucks erwehren, er sei hier völlig unwichtig. Als hätte er es Ubbo Heide abgeguckt, erhob auch er seine Hand. Aber dann spuckte er die Nachricht sofort auf den Tisch wie etwas Widerliches, das er beinahe geschluckt hätte und das garantiert nicht ins Essen gehörte: »In Norden auf dem Parkplatz hinter der alten Piratenschule ist eine Leiche gefunden worden! Diese Sängerin …«

»Bettina Göschl«, half Rieke weiter.

»Ja. Genau. Diese Frau Göschl hat die Leiche entdeckt und behauptet, es sei dieser Joachim Faust.«

»O nein«, sagte Rieke, »bitte nicht.«

So getroffen, wie sie aussah, vermutete Ubbo Heide eine persönliche Beziehung zwischen Rieke und dem toten Journalisten. Büscher dachte nur, dass sie den zu erwartenden Presserummel fürchtete.

Er streute Zimt und Zucker über den Pfannkuchen mit Apfelstückchen. Die ganze Küche roch danach. Den ersten hatte er gleich heiß aus der Pfanne gegessen. Die Lieblingsspeise seiner Kindheit.

Manchmal, wenn er so viel Erwachsenenkram erledigen musste, wollte er danach gerne Kind sein. Dann brauchte er das. Apfelpfannkuchen oder Milchreis. Alles mit viel Zimt. Er sah dann auch gern Kinderfilme oder las Comics. Oben unter dem Dach hatte er eine ganze Kiste voll mit Heftchen. Sigurd. Akim. Nick. Alle gezeichnet von Hansrudi Wäscher. Aber auch Fix und Foxi. Micky Maus hatte er nie gemocht.

Er stapelte Pfannkuchen aufeinander. Als Kind hatte er den Anblick so eines Vorrats gemocht. Aber so sehr er auch regredierte, ein Teil von ihm blieb immer erwachsen und völlig verhaftet in der Erwachsenenwelt.

Neben dem Herd lag sein Handy. Er hatte der Besprechung der Kripo gelauscht, als sei er selbst in Ubbo Heides altem Büro dabei gewesen. Der Empfang war hervorragend. Besser, als er erwartet hatte. Technisch war heutzutage so viel möglich.

Der Tod dieses entsetzlichen Journalisten hatte in der Öffentlichkeit keineswegs Heiterkeit oder gar Erleichterung ausgelöst, sondern Erschrecken.

Was seid ihr bloß für Typen, fragte er sich. Da macht euch einer vor aller Welt nieder, verspottet euch und gibt euch Verdächtigungen preis, und statt sich an seiner gerechten Strafe zu weiden und seinen Tod als Sieg zu feiern, habt ihr nichts Besseres zu tun, als den Wohltäter zu jagen, der euch den Gefallen getan hat, dieses Schwein abzustechen.

Er hielt einen Pfannkuchen hoch in die Luft und schnappte dann mit den Zähnen danach. Er riss ein gutes Stück heraus und kaute lustvoll.

Ihr seid die Kindsköpfe, dachte er, nicht ich. Ihr spielt nur Polizei, ihr tut nur so, als würdet ihr die Bösen bekämpfen. Doch während das Böse immer mächtiger wird, füllt ihr Formulare aus und reicht Urlaub ein und haltet euch an Spielregeln, die sich jemand in einem schicken Büro ausgedacht hat, die aber in der freien Wildbahn gar nicht gelten. Nie gegolten haben!

Dann überlegte er, ob er Svenja Moers einen Pfannkuchen bringen sollte. Verdient hatte sie es ja nicht ...

Odysseus war schockiert. Das Pochen in seinem Kopf wuchs zu einem Wummern an. Er stellte sich einen zornigen Kobold auf einem Motorrad vor, der, eingesperrt in seinem Kopf, immer und immer wieder gegen die Schädeldecke fuhr, in der Hoffnung, sie zum Bersten zu bringen.

Irgendein wahnsinniger, völlig verblödeter Ignorant hatte dem kleinen Marco die Haare geschnitten. Jetzt war alles Engelhafte weg.

Odysseus hatte zunächst geglaubt, Marcos Schwester würde heute auf ein anderes, fremdes Kind aufpassen, um sich ein paar Euro dazuzuverdienen, aber dann sah er Marco in die Augen, und gleichzeitig mit der Erkenntnis: ja, er ist es, begann das Wummern im Kopf, und der Kobold bestieg das Motorrad und machte seinem Ärger Luft.

Die blonden Haare waren nicht einfach kürzer, nein, sie waren weg. Ein radikaler Schnitt. Sie hatten aus einem elfenhaften Wesen einen Militärkopf mit ausrasiertem Nacken gemacht. Schlimmer noch! Aus der Illusion eines Mädchens die Realität eines Jungen.

Odysseus verlor sofort jedes Interesse an ihm. Der kleine Marco erkannte Odysseus, lief freudig auf ihn zu, aber der fühlte sich abgestoßen von dem Kind, wollte Marco nicht auf den Arm nehmen, nicht mit ihm spielen. Der Kobold in seinem Kopf würde nicht aufhören zu toben, bis er sich ein neues Spielobjekt, ein richtiges Mädchen, geholt hatte. Es war sinnlos, es zu leugnen. Er war wieder so weit.

Lange hatte er sich selbst und diesen Trieb ausgetrickst und verdrängt. Jetzt war der Druck wieder da.

Er kannte den Menschen nicht, der Marco die Haare geschnitten hatte, aber er hasste ihn abgrundtief.

Marcos Schwester Lissa hatte ebenfalls eine neue Frisur und erhoffte sich von Odysseus Komplimente und eine Filterzigarette angeboten zu bekommen. Aber zunächst beachtete er sie gar nicht und sah durch sie hindurch, als sei sie Luft. Und dann, als sie ihn am Ellbogen anfasste und ihn ansprach, da traf sein Blick sie wie ein Messerstich. Da war so viel wilder Hass! Vernichtende Ablehnung flackerte kurz auf.

Er registrierte ihr Erschrecken und brauchte einen Moment zu lange, um von der Rolle des sadistischen Triebtäters wieder in die des freundlichen, ewig jung gebliebenen Normalos zu wechseln.

»Seid ihr beide beim selben Friseur gewesen?«, fragte er und fügte lachend hinzu: »Ihr solltet ihn auf Schadensersatz verklagen.«

Jetzt war er nicht mehr das mordende Monster, vor dem er sich manchmal selbst fürchtete, jetzt war er wieder der völlig kontrollierte nette Herr von nebenan. Aber Lissa nahm ihm das nicht mehr ab. Sie hatte die dunkle Seite seiner Natur aufblitzen sehen, seine verrückte Mordlust. Sie wollte keine Komplimente mehr von ihm und auch keine Zigarette.

Odysseus floh fast aus dem Störtebeker-Park. Er wollte nicht länger in Wilhelmshaven bleiben. Er radelte sich die Seele aus dem Leib, in solchen Situationen, auf der Flucht vor sich selbst, powerte er sich bis zur völligen Erschöpfung aus. Wenn er nassgeschwitzt, dehydriert und mit schmerzenden Waden irgendwo neben einem Radweg im Gras lag, dann begriff er jedes Mal, dass, egal, wie weit er sich von dem auserkorenen Kind wegbewegt hatte, dieser Kobold in ihm doch mitgereist war und sich bereits gierig nach einem neuen Mädchen umsah.

Höchstens vier oder fünf, am besten erst zwei oder drei Jahre alt. Noch ganz rein. Völlig unschuldig, arglos und voll von noch nicht gelebtem Leben.

Wer aß schon gerne Schaf oder Hammel? Nein, Lamm musste es sein, jung, und kurz vor dem Tod noch auf wackligen Beinen stehen.

Er begann zu weinen. Dieser winzige Kobold in ihm war stärker als er. Er war nur sein Sklave, sein ergebener, schuldbewusster Diener. Vielleicht, dachte er grimmig, wäre es besser, die Kapsel zu zerbeißen, die er in Thailand gekauft hatte. Er stellte sich vor, es sei besser zu sterben, als erneut ein Werkzeug des Kobolds zu werden.

Er war fast fünfzig Kilometer ziellos herumgeradelt und befand sich am Deich. Von hier aus konnte er Spiekeroog und Wangerooge sehen. Der Wind zerwühlte sein Haar. Er öffnete den

Mund in Richtung Meer, so dass der Wind mit reinigender Kraft in ihn eindringen konnte.

Als er sich entschied zu sterben, waren plötzlich Möwen da, die ihn gierig umflatterten, als sei er bereits Aas, und sie hätten vor, sich ein paar saftige Stücke aus ihm herauszupicken. Er verscheuchte die Raubvögel mit wilden Armbewegungen und Schreien.

Danach ging es ihm besser. Er hielt sein Gesicht weiter in den Wind, schloss aber den Mund. Sein Herz raste.

Die Klarheit der Möglichkeit befreite ihn von allen Zwängen. Er sah aufs Meer und fühlte sich mit den Möwen jetzt archaisch verbunden, so als könne er gleich, nur durch seine Willenskraft, mit ihnen wegfliegen und endlich frei sein. Den eigenen Tod selbstbestimmt in der Hand zu haben, das hatte etwas Erhabenes an sich. Etwas, das ihn größer machte als alle Menschen, größer als die kultivierten Leute, die Rind- und Schweinefleisch aßen, aber lieber verhungern würden, als einen Menschen zu verspeisen. Größer als all die Zivilisationskrüppel mit ihren Diplomen, Gehaltsgruppen, Eheverträgen und Eigentumswohnungen.

Er breitete seine Arme aus und lachte laut gegen den Wind.

Ja, er war wirklich frei, wenn er sich die Freiheit nahm, die Welt einfach zu verlassen. Wie man aus einem zu lauten Restaurant geht, in dem das Essen nicht schmeckt: der unfreundlichen Bedienung den Rücken zeigt, die Zeche prellt, nichts zurücklässt außer einem halbvollen Teller.

Jetzt konnte er sogar über den Kobold in seinem Kopf lachen, und der wurde ganz kleinlaut, fuhr nicht mehr Motorrad, sondern fürchtete sich, denn er würde mit ihm sterben. Im Gegensatz zu ihm hing der Kobold am Leben. Das machte ihn verwundbar. Schwach. Besiegbar.

Und jetzt, in dieser fröhlichen Leichtigkeit, in diesem Schwebezustand zwischen Leben und Tod, da ahnte er auch, wer der Samuraikrieger war, der Stern und Heymann die Köpfe abgetrennt hatte. Nur einer hatte sich während der Lesung in Gelsenkirchen in diesem raumgreifenden Überlegenheitsgefühl befunden, das alle anderen zu Insekten machte. Er kannte seinen Namen nicht, wohl aber sein Gesicht.

Wie verblendet muss ich gewesen sein, ihn nicht gleich erspürt zu haben, dachte er. Es war dieser Bulle, der ihm damals schon auf Langeoog aufgefallen war. Ein Heißsporn. Aggressiv, vielleicht sogar intelligent – also, wenn man ihn mit seinen Kollegen verglich. Keineswegs auch nur annähernd so intelligent wie er: Odysseus.

Er war irgendwann aus dem Verkehr gezogen worden. Man hatte ihm den Fall aus der Hand genommen. Vielleicht hatte er ihn deshalb als zu harmlos eingeschätzt. Der Kopf hatte sich eingeschaltet, aber der Kopf hatte keinen Zugang zu den archaischen Gefühlen. Der Kopf kontrollierte nur, wollte über Wissen Macht erlangen.

Der Verstand, dachte er, ist ein guter Diener, aber ein schlechter Herrscher. Man darf ihm nicht zu viel Spielraum geben, denn der Verstand blendet alles aus, was er eben nicht verstehen, einordnen und sortieren kann.

Er war nicht so blöd wie andere seines Schlages, die Zeitungsartikel sammelten oder gar Trophäen. Nein. Er hatte alle Erinnerungen in seinem Kopf. Nur dort konnte sie ihm niemand wegnehmen, und sie waren sicher vor jeder Hausdurchsuchung.

Aber er hatte den Namen dieses Bullen nicht abgespeichert. Er war ihm damals zu belanglos vorgekommen. Jetzt beschloss er, ihn im Internet zu suchen. Garantiert gab es die alten Zeitungsberichte online in den Archiven.

Bevor du zu mir kommst, komme ich zu dir. Ich werde mir nicht das Leben nehmen. Erst hole ich dich und dann ein hübsches, kleines Mädchen. Vielleicht …

Er fragte sich, ob er diesen Gedanken nur dachte, um den Kobold zu beruhigen oder ob er es wirklich tun würde. Jedenfalls war jetzt erst dieser Bulle dran, sobald er seinen Namen herausgefunden hatte.

Ann Kathrin Klaasen, Frank Weller und Rupert waren noch vor der Spurensicherung am Tatort, aber nicht vor Holger Bloem. Die ganze Stadt schien schon Bescheid zu wissen.

Bettina Göschl saß in einem Polizeiauto auf dem Rücksitz. Die Tür stand offen. Die Sängerin wirkte blass und fahrig. Sie hatte Blut an den Händen und im Gesicht.

Melanie Weiß war aus dem Smutje herbeigelaufen und brachte Mineralwasser für sie, einen Kaffee und eine Decke. Dann reichte sie ihr ein Taschentuch, damit sie sich notdürftig reinigen konnte. Sie hatte sich mit den blutigen Fingern ins Gesicht gegriffen.

Der Journalist Holger Bloem wollte aus ethischen Gründen nicht die Leiche fotografieren, wohl aber ein paar Reaktionen von Norder Bürgern und Touristen notieren.

Die Wasserspiele vor dem Restaurant Speicher No. 77 schien es nie gegeben zu haben, als hätten sich die Wasserfontänen durch den Schock des Mordes zurück in die Kanalisation verkrochen.

Über der Sparkasse zeigte sich eine dunkle Regenwolke. Der Wind schob sie weiter, zunächst fiel nur ein Schatten auf den Parkplatz. Dann folgten die ersten Regentropfen.

Der Anblick der Leiche schockierte auch Hartgesottene. Aus der Blutlache führten mehrere gerade Spuren mit Reifenmuster zur anderen Seite des Parkplatzes Richtung Smutje.

»Sieht aus«, sagte Rupert, »als sei der Täter mit dem Fahrrad geflohen.«

»Nein, das sind keine Fahrradspuren«, widersprach Ann Kathrin, »eher von einem Kinderwagen oder …«

»Einem Rollator!«, triumphierte Rupert. »Na klar, die Oma aus dem Combi!« Er war stolz auf seinen Geistesblitz.

»Kannst du ein paar Fotos machen?«, fragte Weller Holger Bloem. »Der Scheißregen verwischt uns alle Spuren, bevor die Spusi …«

»Was braucht ihr?«, fragte Holger trocken zurück.

Weller zeigte auf die Blutspuren. »Vor allen Dingen das hier. Die Leiche wird der Regen ja wohl kaum wegspülen.«

»Wir brauchen etwas, um später die Maßstäbe bestimmen zu können!«, rief Ann Kathrin ihnen zu.

»Rauchst du noch?«, fragte Holger Weller.

Weller schüttelte den Kopf. »Leider nicht mehr.«

Holger Bloem wandte sich an die umherstehende Menschentraube. Die Leute standen unter Schock, gingen aber trotz des Regens nicht weg.

»Hat jemand von Ihnen eine Schachtel Zigaretten?«

Lars Schafft klopfte eine aus seiner Packung und hielt sie Holger hin. Der nahm ihm aber die ganze Schachtel aus der Hand und legte sie neben die Blutspuren. Dann fotografierte Holger Bloem. Ein paar Tropfen blieben an der Packung kleben, ironischerweise genau dort, wo stand: »Rauchen tötet«.

»Du kannst die Schachtel behalten«, bot Lars Schafft an, »ich wollte eh aufhören zu rauchen.«

Der Regen verdünnte das Blut und löste die Spuren in viele kleine Rinnsale auf. Jetzt kamen auch die Kriminaltechniker an.

Rupert befragte die Umstehenden. Er interessierte sich vor allen Dingen für eine alte Dame mit Rollator, die aussah wie eine Lotto-Normalschein-Spielerin.

»Der Täter«, stellte Ann Kathrin fest, »ist nicht mit dem Auto gekommen. Er hat nicht hier geparkt, sondern ist mit Kinderwagen, Rollator oder was auch immer in Richtung Fußgängerzone geflohen.«

Weller tippte Bloem an. »Samuraikrieger entkommt mit Rollator statt mit Fluchtauto. Wie findest du die Überschrift, Holger?«

Holger Bloem antwortete nicht. Ihm war übel. Er fotografierte lieber Schiffe, Gärten oder Insellandschaften.

Peter Grendel schob sich durch die Menge zu seiner Nachbarin Ann Kathrin: »Ist das dieser Schleimbeutel aus dem Fernsehen?«

Ann Kathrin nickte.

»Ich habe gerade da vorne noch mit ihm geredet, und da war auch wirklich eine Frau mit einem Rollator.« Peter zeigte auf Rupert. »Also genau, wonach der Blödmann da fragt …«

Ann Kathrin sah ihren Freund und Nachbarn ernst an. »Eine Frau mit einem Rollator?«

»Ja, eine gebrechliche, alte Dame. Falls die Spuren von ihr sind, hat sie vermutlich gar nicht mitgekriegt, was passiert ist. Sie sah nett aus, halt so eine Omi, der man gern die Tür aufhält oder über die Straße hilft.« Peter zeigte auf die Leiche, die gerade abgedeckt und vor Blicken und Regen geschützt wurde. »Jedenfalls keine Omi, die so ein Schlachtfest da veranstaltet.«

»Vielleicht ist sie Zeugin geworden und weiß es gar nicht. Oder sie läuft traumatisiert durch die Stadt.«

»Hat irgendjemand«, rief Rupert in die Menge, so laut er konnte, »gesehen, wer diesem Schwätzer den Kehlkopf rausgeschnitten hat?«

Ann Kathrin staunte über diese Instinktlosigkeit. Peter Grendel raunte ihr ins Ohr: »Ich würde diesen sensiblen Kollegen stoppen, bevor das hier böses Blut gibt.«

Ann Kathrin nahm Peters Vorschlag sofort auf und wies Rupert zurecht: »Wir sind hier an einem Tatort, Rupert, nicht in der Kneipe. Und der Tote verdient eine respektvolle Behandlung.«

Rupert guckte verständnislos. »Das musst du gerade sagen! Hat der mich beleidigt oder dich?«

»Das spielt jetzt überhaupt keine Rolle mehr. Entweder, du mäßigst dich, oder ich ziehe dich hier ab.«

Weller sprach mit Bettina Göschl. Sie saß immer noch auf dem Rücksitz des Polizeiwagens, hatte die Füße aber draußen, als wolle sie jeden Moment wieder gehen. Sie trank abwechselnd Wasser und Kaffee in kleinen Schlückchen und hatte die Decke aus dem Smutje um ihre Schultern gelegt. Melanie Weiß stand bei ihr, auf die offene Tür des Polizeiwagens gestützt.

»Ich kann euch nicht weiterhelfen«, sagte sie zu Weller. »Ich habe da drüben geparkt. Ich wollte …«

Melanie antwortete für sie: »Sie wollte zu uns. Wir haben heute einen Lieder- und Krimiabend. Seit Wochen ausverkauft. Aber der wird wohl ins Wasser fallen. Ich glaube kaum, dass Bettina so singen kann.«

Bettina Göschl trank noch einen Schluck Wasser und stimmte ihr zu: »Ich fürchte, ich muss nach Hause, in die Wanne und dann ins Bett. Das hier hat mich echt geschafft.«

Trotzdem hakte Weller nach, versuchte, ein bisschen Normalität in die irre Situation zu bringen. Er hatte gelernt, dass ein Gespräch über normale Dinge, die nichts mit einem Mordfall zu tun hatten, dem Zeugen oft half, sich danach besser zu erinnern. Er kannte Bettina und duzte sie, schließlich wohnten sie in einer Straße.

»Ich hab deinen Piraten-Song als Klingelton«, sagte Weller.

Bettina lächelte ihn an. »Ich weiß. Aber ich kann dir trotzdem nicht helfen, Frank. Ich hab nur die Leiche gesehen und all das Blut, und dann habe ich euch gleich angerufen.«

»Woher kommt das Blut an deinen Händen und deiner Kleidung?« Er ärgerte sich sofort über seine Frage. Er konnte sich die Antwort denken. Sie fiel genauso aus wie erwartet: »Ich hab mich über den Mann gebeugt, wollte ihm helfen, aber er war schon tot.«

In dem Moment drehte Weller sich um und lief zu Ann Kathrin.

»Er muss sich umgezogen haben. Bei der Sauerei, die der Täter hier veranstaltet hat, kann er unmöglich unerkannt durch die

Fußgängerzone entkommen sein. Er muss voller Blut gewesen sein.«

Ann Kathrin stimmte ihm zu. »Die alte, gebrechliche Dame wird ein kräftiger, junger Mann gewesen sein«, sagte sie. »Mit so einem Rollator und in der Verkleidung kommt er locker an jedes Opfer ran. Da schöpft auch der argwöhnischste Mensch keinen Verdacht. Wahrscheinlich hatte er sogar sein Mordwerkzeug und frische Kleidung im Rollator verstaut.«

»Aber ein junger Mann mit einem Rollator fällt doch auch auf«, fragte Frank Weller mehr sich als seine Frau.

Der Arzt stellte sich neben die beiden und zog seine Gummihandschuhe mit einem Flitschen von den Fingern.

»Der Mann ist im Grunde zweimal getötet worden. Durch einen tiefen Stich in den Oberkörper, der innere Organe zerfetzt hat, und dann hat ihm der Täter die Stimmbänder durchschnitten und den Kehlkopf extrahiert. Da sollte wohl jemand ein für alle Mal stumm gemacht werden. Genaueres folgt im Bericht.«

Peter Grendel hatte sich inzwischen zu Bettina Göschl durchgearbeitet. Er schlug vor, sie jetzt nach Hause zu fahren. Sie nahm sein Angebot dankbar an.

Svenja Moers hörte ihren Magen wie eine Stimme, die aus ihrem Inneren sprach. Eine Stimme, die ihr Angst machte.

Sie hatte das halbe Hähnchen längst verdaut. Aus den Knochen hätte sie sich gern eine Waffe gebaut. Wie oft hatte sie so etwas gelesen … Oder täuschte die Erinnerung? Hatten nicht Steinzeitmenschen oder Urvölker aus Knochen Werkzeuge und Waffen hergestellt?

Aber die Hähnchenknöchelchen eigneten sich kaum als Hieb- oder Stichwaffe. Außerdem fühlte sie sich die ganze Zeit beobachtet.

Als sie klein war, hatte ihre Mutter ihr oft gesagt: »Der liebe Gott sieht alles.«

Danach hatte sie sich verhalten, als würde irgendwo im Himmel Buch über ihre Taten geführt. Sie wollte später beim Jüngsten Gericht gut dastehen und sich nichts vorwerfen lassen. Sie stellte sich damals das Jüngste Gericht wie das Sprechzimmer beim Kinderarzt vor. Der liebe Gott saß in weißem Kittel hinter dem Schreibtisch. Er hatte auch das Gesicht von ihrem Doktor gehabt, nur eben mit einem Heiligenschein, und die nette Arzthelferin war ein Engel. Sie fand ihre kindliche Vorstellung immer noch süß.

Diesmal wäre ihr Richter vermutlich weniger milde. Yves Stern war ohne jede Frage nicht einfach sadistisch veranlagt, sondern ein völlig irrer Schwerverbrecher. Unberechenbar und gemein. Doch sie musste versuchen, ihn unter Kontrolle zu bekommen. Ihn an die Leine zu legen. So, wie sie es mit ihren Ehemännern geschafft hatte. Männer, das wusste sie, waren manipulierbar. So viel hatte sie im Laufe der Jahre über Menschen gelernt. Und jetzt war es ihre einzige Chance.

Ob Ingo inzwischen gemerkt hatte, dass sie entführt worden war? Gab es überhaupt irgendeinen Menschen, der sie vermissen und die Polizei informieren würde? Ihr Ingo, der feine Herr Sutter aus Oldenburg, schien ihr kaum der Richtige zu sein. Je länger sie hier einsaß, umso deutlicher wurde ihr, dass er seine Frau niemals verlassen würde. Vielleicht war seine Angst, sie könne ihn beim Finanzamt verpfeifen, nur vorgeschoben. Vielleicht liebte er sie einfach noch und fand es nur prima, zwei Frauen zu haben, eine Ehefrau, mit der er Heilige Familie spielen konnte und eine andere für die schmutzigen Sexphantasien.

Sie begann ihn, hier eingesperrt hinter Gittern, zu verachten. Er würde nicht kommen und sie retten. Er nicht.

In dieser stickigen Luft, in der ihr das Atmen schwerfiel, klang das kleinste Geräusch wie Motorenlärm. Jede Bewegung verursachte Luftströme, die sie auf der feuchten Haut ihrer Oberarme und am Hals spürte, heftig wie den Windzug am Deich.

Sie hörte das Pochen eines Gehstocks. Mit Zischen und Surren öffnete sich die Tür. Aus der Schleuse strömte abgestandene Flurluft in den Raum, die für Svenja wie Frischluft schmeckte. Sie sog sie tief ein. Der Sauerstoff schoss mit dem Adrenalin in ihr Blut. Sie vibrierte vor Aufregung. Die alte Dame war wieder da!

Sie kam, gestützt auf einen Stock, langsam näher. Sie ging nach vorn gebeugt, als hätte sie ein Problem mit der Wirbelsäule. Dadurch wirkte sie bucklig.

Ihr Haar war weiß und zu einem Knoten gebunden. Sie trug ein schwarzes Kleid, zweireihig geknöpft. Die Knöpfe glänzten golden, als seien sie sorgfältig poliert worden. Um ihre Schultern hatte sie ein Tuch geworfen, das selbstgemacht aussah, wie eine hundert Jahre alte Handarbeit.

»Bitte helfen Sie mir, Frau Stern! Ihr Sohn ist bestimmt ein guter Sohn! Aber er steckt in einer tiefen Krise. Er braucht selbst auch Hilfe. Einen Arzt! Einen Psychiater!«

Die alte Dame stand ganz still. Sie stützte sich mit beiden Händen auf den Gehstock. Sie legte den Kopf schräg und sah Svenja Moers kritisch an, als müsse sie sich vergewissern, ob Svenja echt war oder eine Halluzination.

Svenja Moers fragte sich, ob die gute Frau dement war.

»Sehen Sie, Frau Stern, das hier sind Gitterstäbe!« Sie klopfte dagegen. »Bitte, wenn Sie einen Schlüssel haben, lassen Sie mich hier raus!«

»Schlüssel …«, sagte die Dame in Schwarz, und es klang wie ein Echo für Svenja, als hätte sie oben vom Berg in eine tiefe Schlucht hineingebrüllt.

»Ja, Schlüssel! Wo ist der Schlüssel?«

Jetzt fuchtelte die Alte mit dem Stock in der Luft herum, und das Tuch glitt fast von ihrer Schulter. Sie wiederholte: »Schlüssel …«

»Wenn Sie nicht wissen, wo der Schlüssel ist, dann bringen Sie mir doch um Himmels willen ein Telefon oder Handy! Ich muss zu Hause anrufen! Meine Leute machen sich Sorgen um mich. Das kennen Sie doch als Mutter. Sie sind doch auch froh, wenn Sie wissen, wo Ihr Sohn ist und ob es ihm gutgeht, nicht wahr? Bitte, bitte, bringen Sie mir ein Telefon, ein Handy oder einen Computer, irgendetwas ...«

Jetzt stützte die alte Frau sich wieder auf den Stock und beugte sich weiter vor. Langsam, ganz langsam, drehte sie ihren Kopf in die andere Richtung und hielt ihn so schräg, als würde sie ihn am liebsten auf ihrer Schulter ablegen.

»Mein Sohn ...«, sagte sie, »ja, ja, mein Sohn ... Sie wollen ihn verführen. Sie wollen ihn mir wegnehmen.«

»Nein, verdammt, das will ich nicht! Wenn Sie mich hier rauslassen, bin ich sofort weg! Ich will nichts von Ihrem Sohn!«

Sie wusste, dass es ein Fehler war, doch sie konnte sich jetzt selbst nicht mehr stoppen. Am liebsten hätte sie mit Gegenständen geworfen, wie in ihrer ersten Ehe mit Tassen und Tellern.

»Ihr Sohn ist irre! Er spielt sich hier als Gott auf! Er ist krank! Krank!«

»Das hat dieser Journalist auch gesagt, Kleine. Dieser Faust, diese miese Ratte.«

»Sie meinen den Faust aus dem Fernsehen?« Endlich, dachte Svenja, sie redet mit mir. Vielleicht wird ja doch alles gut.

»Weißt du, was aus dem geworden ist?«, fragte die alte Dame und trat näher an die Gitterstäbe heran.

Noch ein Stückchen, dachte Svenja Moers, noch ein winziges Stückchen, und ich krieg dich zu fassen. Sie wusste nicht, was sie dann tun konnte, um ihre Lage zu verbessern, aber vielleicht würde er sie im Austausch gegen das Leben seiner Mutter freilassen. Sie hatte im Moment verdammt schlechte Karten. Sie musste dafür sorgen, dass dieses Spiel neu gemischt wurde.

»Was hat dieser Faust denn gesagt? Kennt er Yves?«

Die alte Dame brabbelte etwas und spuckte aus. Sie zog Fotos unter dem Tuch hervor. Es waren Farbdrucke auf weißem DIN-A4-Papier.

Sie muss also Zugang zu einem Drucker haben, und wo ein Drucker ist, da ist auch ein Computer nicht weit, dachte Svenja Moers. Dann erschrak sie. Auf den Fotos lag ein Mann in einer Blutlache. Sein Hals war aufgeschnitten worden. Er hielt etwas zwischen den Lippen.

»Der wird nie wieder solchen Unsinn reden.« Das Gekicher klang hexenhaft.

Jetzt fuhr sich die alte Dame mit der rechten Hand in die weißen Haare und riss sich die Perücke vom Kopf. Das Kichern wurde ein lautes, glucksendes Lachen. Gemein und ordinär.

Obwohl sich zwischen ihnen Gitterstäbe befanden, sprang Svenja Moers nach hinten. Sie stieß gegen das Bett. Später würde sie an dieser Stelle einen dicken blauen Fleck bekommen, aber jetzt bemerkte sie den Schmerz kaum, so groß war ihr Erschrecken.

»Ja, da staunst du, was, du süße kleine Schlampe? Ich bin's! Und jetzt denkst du, das kenn ich? Norman Bates, der seine Mutter als Mumie im Sessel sitzen hatte. Psycho!«

Er stieg, während er redete, aus dem Kleid und stellte sich gerade hin. Da war kein Buckel mehr. Die gebrechliche, alte Dame wurde zu einem sportlichen Mann.

»Aber ich bin nicht irre! Ich laufe nicht durchs Haus und rufe nach meiner Mutter. Ich habe nur eine perfekte Tarnung gewählt, um mich unerkannt zu bewegen. Niemand, der einen Killer jagt, schaut sich nach einer netten, alten Dame um. So komme ich durch jede Polizeisperre.«

Er zeigte auf die Fotos, die am Boden lagen. »Er ist auch darauf reingefallen. Ich glaube, noch im Tod hat er gedacht, eine Oma habe ihn kaltgemacht.«

Sie hatte Mühe, auf den Beinen zu bleiben. Ihre Knie wurden

weich. Sie griff hinter sich ins Leere. Da war kein Halt. Nur das Bett.

Er umfasste die Gitterstäbe, als müsse er ihre Festigkeit prüfen. »So, und jetzt zu dir. Dass du deine ersten beiden Ehemänner umgebracht hast, steht ja wohl außer Frage. Und was ist mit Nummer drei? Der gute Ingo Sutter? Das ehrenwerte Mitglied der Oldenburger Gesellschaft? Lass mich schätzen – jetzt ist er gut und gerne eine knappe Million wert. Das Haus ist noch nicht ganz abbezahlt und in den letzten Jahren lief auch alles nicht mehr ganz so gut, aber nach der Scheidung wird er höchstens noch halb so viel wert sein. Und dann der Unterhalt für Frau und Kinder ... Sie wird ihn übel abzocken, glaub mir. Sie hat längst die wichtigsten Papiere kopiert und bei ihrem Anwalt hinterlegt. Ein mieses Stück Scheiße, wenn du mich fragst. Für schmutzige Scheidungen bekannt. – Ach, jetzt tu nicht so, als ob du keine Ahnung hättest! Dein Ingo wird ganz schön Federn lassen. Also, wenn du mich fragst, ich würde an deiner Stelle darüber nachdenken, nicht ihn nach der Hochzeit umzulegen, sondern sie vor der Scheidung ... Dann tröstest du anschließend den trauernden Witwer ...«

Sie setzte sich auf die Bettkante, den Oberkörper kerzengerade, und versuchte, die Füße nebeneinander fest auf den Boden zu drücken. Ihre Beine zitterten.

Er fuhr, geradezu berauscht von den eigenen Worten fort: »Er ist – wenn du sie vorher ins Jenseits schickst – doppelt so viel wert. Mindestens! Und nach einer Schamfrist heiratet ihr, und dann, wenn kein Hahn mehr danach kräht, hat er einen Unfall oder stirbt an ...«

Das Zittern breitete sich von den Knien als Zentrum in ihrem ganzen Körper aus, und es war, als könne sie ihr eigenes Blut im Körper rauschen hören. Laut, unangenehm, wie ein Warnsignal.

Er schob den Kopf bis zu den Ohren zwischen den Gitterstäben durch. Seine Nase bewegte sich wie ein zu kurz geratener Rüssel. Er schnupperte ihre Angst.

»Ach, ich sehe es dir an. Ich kann es riechen. Du bist längst selbst auf die Idee gekommen. Es ist ja auch so naheliegend ... Weiß er es schon? Hat er dich vielleicht sogar auf die Idee gebracht? Redet ihr über solche Sachen, wenn ihr im Bett nebeneinander liegt und es gerade getan habt? Die meisten Paare rauchen ja angeblich hinterher. Es soll auch welche geben, die essen gemeinsam eine Familienpackung Eiscreme. Also, ich selbst trinke danach gerne ein Bier, und ohne Zigarette danach läuft bei mir gar nichts. Da bin ich voll der Normalo. Und du? Komm, sprich! Rede mit mir!«

Sie legte die Handflächen auf ihre Knie und versuchte, durch Druck das Zittern in den Griff zu bekommen. Es misslang. Trotzdem arbeitete ihr Verstand glasklar. Sie musste versuchten, ihn zu sich in die Zelle zu locken und dann den Kampf riskieren. Hinter diesen Gitterstäben würde sie nur immer schwächer werden und schließlich sterben.

Du bist auch nur ein Mann, dachte sie, und ich leg dich an die Leine, oder ich bring dich um.

»Manchmal«, sagte sie und versuchte, zu lächeln, »war der Schokoladenkuchen hinterher besser als der Sex davor.«

Er zog den Kopf zurück und öffnete erstaunt den Mund. Der Lippenstift ließ ihn jetzt tuntig aussehen. Puder war an den Metallstäben kleben geblieben. Zwei gerade Abdrücke rechts und links neben seinen Ohren ließen sein Gesicht wirken, als hätte es bis vor kurzem zusammengepresst in einer Backform gesteckt.

Er verzog den Mund. »Schokoladenkuchen?«

Sie nickte. Das Zittern ließ nach. Er reagierte auf sie, und es gelang ihr, ihn zu verblüffen. Noch hatte er das Spiel nicht gewonnen, auch wenn sein Blatt verdammt gut war. Aber, so sprach sie sich selbst Mut zu, er war verrückt, und sie war geistig gesund.

»Ja, Schokoladenkuchen. Am liebsten mit einer Kugel Vanilleeis.«

Er fragte noch einmal nach: »Und das war besser als der Sex davor?«

Sie tat, als müsse sie nachdenken. »Manchmal«, sagte sie zögerlich und korrigierte sich dann: »Häufig.«

Er hört mir wirklich zu, dachte sie. Ich beginne, zu ihm durchzudringen.

Sie tat, als würde sie ihn ins Vertrauen ziehen und hätte das noch nie zu jemandem gesagt: »Oft … na ja, ehrlich gesagt: meistens!«

Er stieß sich mit beiden Händen von den Gitterstäben ab, drehte sich einmal um die eigene Achse und schnippte mit den Fingern. »Ich wusste es! Man kann es von weitem sehen! Du bist frigide!«

»O nein«, lachte sie und hoffte, dass es nicht zu herausgestellt klang. »Das bin ich nicht.«

Er stemmte die Fäuste in die Hüften. »Du willst mir am Ende weismachen, du hättest multiple Orgasmen?«

Das Wort klang aus seinem Mund albern, als würde er über angelesenes Wissen sprechen.

»Und ob!«, behauptete sie. »Mein zweiter Mann war ein Tantra-Meister.«

Sie sah ihn an. Damit hatte er nicht gerechnet. Er hatte Mühe, ihrem Blick standzuhalten. Es war ihr gelungen, ihn wieder zu verblüffen.

»War er nicht!«, schimpfte er.

»War er doch!«

»Du lügst!«

»Das muss ich doch wohl besser wissen!«

Er lief nervös herum und stolperte dabei tölpelhaft über das auf dem Boden liegende Kleid. Es wirkte jetzt, als wäre nicht sie hinter Gittern eingesperrt, sondern er. Und er war kurz davor, einen Gefängniskoller zu bekommen.

Er wedelte mit den Armen durch die Luft. Dadurch entstand

eine leichte Kühlung auf ihrer Haut, als hätte jemand kurz einen Ventilator eingeschaltet. Er blieb stehen, zeigte auf sie und bellte es fast: »Wenn er so ein wunderbarer Liebhaber war, warum hast du deinen Tantra-Meister dann, verdammt noch mal, umgebracht?«

»Hab ich nicht.«

Er winkte müde ab. »Fang bloß nicht wieder so an. Ich dachte, damit wären wir durch.«

Er bückte sich, hob das Kleid mit den goldenen Knöpfen auf und ging zur Tür.

»Nicht!«, rief sie. »Bitte bleib! Lass mich nicht allein!« Die Stahltür hinter ihm rauschte schon zu, da hörte sie sich schreien: »Aber ich lieb dich doch! Bleib!«

Sie stand starr. Hatte sie das gerade wirklich hinter ihm her gebrüllt? Hatte er es noch gehört? Oder war das metallene Geräusch der Tür zu laut, wenn er in dieser Schleuse stand?

Da öffnete sich die Tür erneut. Er tänzelte auf sie zu, wischte sich mit dem Handrücken unter der Nase lang und verschmierte dabei den Lippenstift quer über sein Gesicht.

»Soso«, zischelte er reptilienhaft, »du liebst mich?«

Sie stand gerade, wie ein Soldat beim Appell, und nickte stumm.

Wenn du zu mir in die Zelle kommst, dachte sie grimmig, *werde ich dir einen Kampf auf Leben und Tod liefern.*

Sie nahm sich vor, seinen Hals zu attackieren, seine Augen und seine Geschlechtsteile. Ein Tritt zwischen die Beine, ein Finger ins Auge würden ihm mächtig zusetzen.

Er kam näher. Jetzt, da sie einen Plan hatte, zitterte sie nicht mehr.

Komm nur, ich werde dir deinen verfluchten Kehlkopf rausreißen. Dazu brauche ich nicht mal ein Messer. Meine Fingernägel reichen aus. Sie sind hart und scharf.

»Soll ich die Tür öffnen und zu dir reinkommen?«

Sie leckte sich über die Lippen und nickte erneut. Sie sagte nichts. Sie hatte Angst, ihre Stimme könnte sie verraten.

Als würde er es spüren, forderte er: »Sag es mir noch einmal.«

»Ich … ich liebe dich.«

Sie fand, es klang glaubwürdig. Der aufgeheizten Situation angemessen. Nicht gerade leidenschaftlich, aber dafür auch wenig aggressiv.

Er trat von einem Bein aufs andere, hopste herum wie ein Rapper auf Koks und frohlockte: »Das heißt, du willst jetzt und hier mit mir schlafen? Wir werden auf dem Bett da wilden, hemmungslosen Sex haben?«

»Ja, gerne! Komm. Ich kann es gar nicht mehr erwarten.«

So, jetzt hab ich dich. Du bist auch nicht mehr als ein schwanzgesteuerter Depp. Komm nur. Komm …

Sie überlegte, ob sie beginnen sollte, ihr Oberteil auszuziehen. Würde ihm das den Rest geben oder ihn misstrauisch machen?

Sie bewegte ihre Hüfte, um auszuprobieren, ob sie seine Aufmerksamkeit steuern konnte.

O ja, sie konnte es!

Jetzt griff sie unter ihre Brüste und hob sie kurz mit einer Bewegung an, als müsse sie alles für ihn in die richtige Position bringen. Dabei achtete sie nur auf seine Augen. Sie lenkte seine Blicke, wohin immer sie wollte.

Schließ die scheiß Tür auf! Komm, mach schon!

Sie sah ihn schon vor Schmerzen und Enttäuschung weinend auf dem Boden liegen. Aber konnte man mit ausgestochenen Augen überhaupt weinen? Sollte sie ihm lieber ein Auge lassen?

Er spielte mit dem Schlüssel.

Ja, du bescheuerte Drecksau, genieß deine Macht noch ein letztes Mal. Gleich wird sie vorbei sein. Für immer. Ich habe zwei Ehemänner ins Jenseits befördert. Spaß gemacht hat das nicht. Weder mir noch ihnen. Aber bei dir, da werde ich es genießen.

Sie kam sich wölfisch vor, durchtrieben, ja überlegen.

Als hätte er ihre Gedanken erraten, machte er plötzlich eine schneidende Geste durch die Luft, als würde er ein imaginäres Samurai-Schwert führen.

»So hast du es also gemacht, stimmt's?«

»Was gemacht?«

»Mit deinen Männern. Hast ihnen Liebe und Leidenschaft vorgespielt, sie in Sicherheit gewiegt und dann …« Er machte eine Geste, als würde er sich selbst den Hals durchschneiden. »Du bist wie diese Todesspinnen oder wie die heißen. Die Viecher, bei denen das Weibchen während der Begattung das Männchen frisst.«

»Sie heißen Wespenspinnen, und die Männchen opfern sich. Mehr können sie nicht für ihren Nachwuchs tun.«

»Mich«, lachte er, »kriegst du nie. Du hast hier lebenslänglich, meine Liebe. Lebenslänglich!«

Er drehte sich um und ging durch den glänzenden Stahltürrahmen, ahmte dabei provozierend einen weiblichen Hüftschwung übertrieben nach. Dort wirbelte er noch einmal herum, zeigte auf sie und versprach: »Das ist hier für dich die Endstation. Du bist geliefert, Baby. Wenn du dein Geständnis schreibst, kannst du ein paar Hafterleichterungen bekommen.« Er zählte sie auf: »Eine Mahlzeit pro Tag. Einmal pro Woche frische Wäsche. Vielleicht stelle ich dir sogar die Heizung runter und mache dafür das Radio an. Vielleicht …«

Er langte mit rechts neben sich an einen Schalter, und die Tür schloss sich.

Die Personen, die mit Svenja Moers und dem angeblichen Yves Stern den VHS-Kurs besucht hatten, mussten befragt werden. Rupert sah Frau Meyerhoff und war sofort begeistert von dem Job. Sie passte so sehr in sein Beuteschema, als sei sie für ihn gemacht worden.

Wenn es einen Gott gibt, dachte Rupert, dann hat er mich zu dieser Frau geschickt, um mich für die Leiden und Demütigungen der letzten Tage und Wochen zu belohnen. Danke Herr! Ich werde immer dein treuer Diener sein und dein tapferer Krieger. Also – was auch immer du gerade brauchst …

Rupert hatte so seine eigene Art zu beten, aber er fand seinen Kontakt zum Himmel im Moment super.

Agneta Meyerhoff führte ihn in ihre Wohnung, und so, wie sie voranging, war jeder Schritt ein einziges Versprechen für Rupert. Vielleicht machte sie Yoga oder Jazztanz, dachte er. Möglicherweise arbeitete sie auch täglich auf dem Stepper. Jedenfalls hatte sie stramme Waden und einen knackigen Arsch. Aber nicht so sehr, dass sie zu männlich wirkte. Rupert liebte Rundungen. Zu viel Sport und Fitness konnten auch schädlich sein.

Sie trug einen weinroten Rock, der kurz über den Knien endete und hinten einen Schlitz hatte. Ihre schwarzen Nylons glänzten seidig und hatten hinten eine Naht, die Ruperts Phantasie anregte.

Sie bot ihm Eistee an und einen Espresso. Weil er zögerte, fragte sie: »Oder dürfen Sie ein Bier? Ich habe auch Prosecco.«

Rupert entschied sich für ein Bier. Sie holte es aus dem Kühlschrank und erzählte dabei, dass ihr Mann auf Montage sei und sie nur alle paar Wochen einmal sehen würde. Meist am Wochenende.

Rupert richtete den Blick zur Decke: Danke, Herr …

Schöne, körperbewusste Frauen waren etwas Tolles, fand Rupert. Schöne, körperbewusste, vernachlässigte Frauen waren aber ein Geschenk des Himmels.

Sie hielt ihm ein Ostfriesen-Bräu hin.

»Und?«, fragte sie, »Glas?«

»Flaschenkind«, sagte Rupert und ließ den Bügel ploppen. Er nahm einen tiefen Schluck. Er mochte dieses dunkle Landbier aus Großefehn.

Sie hatte ihm eine 0,33-Liter-Flasche gereicht. Zu Hause hatte Rupert immer eine Sechserkiste mit Literflaschen in der Garage.

Erst jetzt goss sie sich einen Prosecco aus einer halbvollen Flasche ein. Das Zeug wirkte schon ein bisschen matt und abgestanden auf Rupert, und er war froh, nicht aus falsch verstandener Freundlichkeit Prosecco genommen zu haben. So etwas tranken nur Frauen.

Likörchen, Cocktails, Prosecco, Milchkaffee – alles nichts für richtige Männer, dachte Rupert.

Er beschloss jetzt, schnell zur Sache zu kommen. Erst mal wollte er die nötige Befragung hinter sich bringen, und dann hatte er für den Rest des Abends praktisch nichts mehr vor, das sich nicht aufschieben ließ.

Er konnte im Prinzip auch noch ein, zwei Bierchen mehr trinken und dann hier übernachten. Aber so weit waren sie noch nicht. Sie mussten erst noch ein paar Anstandsrunden drehen, obwohl im Prinzip zwischen ihnen ja schon alles klar war, fand Rupert. So, wie sie ihn ansah, konnte er sich auf eine heiße Liebesnacht freuen.

Er fragte sie nach Svenja Moers und ob sie vielleicht mitbekommen habe, dass zwischen ihr und diesem Yves Stern etwas gelaufen sei.

Agneta setzte sich anders hin, drückte ihre Brüste raus und erklärte leicht pikiert, davon habe sie nun wirklich nichts gemerkt. Im Gegenteil, Yves habe ihr, Agneta, ständig Komplimente gemacht, und sie hätten sich auch verabredet, aber er sei leider nicht gekommen.

Sie schien durchaus beleidigt. Beleidigte, abgewiesene Frauen waren leichte Beute für tolle Typen wie er einer war, dachte Rupert, aber bei denen war auch Vorsicht wichtig. Die konnten böse werden, wenn man nur auf einen Raubzug für eine Nacht kam. Die Vernachlässigten gaben sich damit zufrieden, waren froh, dass sich überhaupt jemand für sie interessierte, wollten sich mit einem Seitensprung an ihrem Partner rächen und ihr Selbstbewusstsein aufpolieren. Die Beleidigten, Abgewiesenen dagegen konnten gefährlich werden.

Vielleicht sollte ich mal ein Buch über Frauen schreiben. Er konnte sich kaum vorstellen, dass jemand mehr von der weiblichen Seele verstand als er.

»Er hat Sie angebaggert ... und dann einfach versetzt?«, empörte Rupert sich demonstrativ. »Das geht ja gar nicht«

Sie sah ihn so an, dass es ihm vorkam, als würde ihr Gesicht nur noch aus Augen bestehen.

»Was für ein Idiot«, fügte Rupert kopfschüttelnd hinzu.

Sie leckte sich geschmeichelt über die Lippen und prostete ihm erneut zu.

Dann ging er zum Angriff über. Die Burg war sturmreif geschossen.

»Gefühlt duzen wir uns schon lange«, sagte er, und sie gab ihm recht.

»Wir haben leider noch ein paar dienstliche Sachen abzuarbeiten. Also, dieser Yves Stern ist ein sehr gefährlicher Mann. Er hat – das bleibt aber wirklich unter uns – mit ziemlicher Sicherheit Svenja Moers entführt. Wer weiß ... vielleicht bist du das nächste Opfer auf seiner Liste.«

Sie hielt sich erschrocken eine Hand vor den Mund. »Ich?«

Rupert rückte näher. »Na, wenn ihr verabredet wart, dann nehme ich an, dass er auch vorhatte, dich zu kidnappen ...«

»Aber warum?«

Rupert verzog den Mund und beugte sich vor. »Also, das ist natürlich alles noch nicht offiziell, aber ich denke, er ist einfach ein perverser Lustmörder, und da bist du als hochattraktive Frau mit einer großen erotischen Ausstrahlung ...«

»Wirklich? Denkst du das von mir?«

»O ja. Davon hab ich Ahnung – vermutlich wollte er dich kidnappen, aber dann ist ihm irgendetwas dazwischengekommen.«

»O mein Gott, das bedeutet, ich bin in großer Gefahr ... Er weiß, wo ich wohne. Ich hab ihn eingeladen. Er hat meine Telefonnummer ...« Sie begann, vor Angst zu frieren und rieb sich die Oberarme.

»Jetzt bin ich ja da«, sagte Rupert. »Wenn er kommt, schnapp ich ihn mir.«

»Heißt das, ich bin jetzt so etwas wie euer Lockvogel?«

Rupert streichelte ihr übers Haar. Sie nahm die Geste dankbar an.

»Keine Angst. Dir wird nichts passieren. Ich bin im Nahkampf geschult.«

Rupert holte sein iPad und zeigte ihr darauf Fotos der Männer, die Weller in Gelsenkirchen fotografiert hatte.

»Bitte schau dir diese Bilder genau an. Ist Yves Stern dabei? Erkennst du einen von ihnen?«

Als hätte sie zu großen Respekt vor dem Gerät oder Angst vor den Männern auf dem Bildschirm, berührte sie es nicht. Wenn sie die Aufnahmen lange genug angesehen hatte, nickte sie nur und brummte. Dann wischte Rupert mit dem Zeigefinger über den Touchscreen und schob so neue Fotos auf die Sichtfläche.

»Nein, Yves Stern sieht ganz anders aus. So ein bisschen übrig gebliebener Hippie. Aber ganz ordentlich und sauber. Er wirkt intellektuell, ein wenig der Wirklichkeit entrückt. Sicherlich kein Handwerker, eher der philosophische Typ. Ein Wuschelkopf.« Sie deutete eine dichte Haarpracht an. »Dicke, krause, rote Haare, so schöne Löckchen. Ich mag das ja.«

Rupert griff in seine Minipli. »So wie ich?«

Sie lächelte ihn an. »Nein, viel dichteres Haar und auch länger.«

Rupert war ein bisschen enttäuscht.

Sie fuhr fort: »Und dann ein Vollbart, aber so einer!«

»Mögen Frauen so etwas?«, fragte Rupert.

Sie zog den Kopf ein und schob die Schultern hoch. Das gab ihr etwas Vogelhaftes. »Na ja, ich habe nie so einen Rauschebartträger geküsst, ich meine … kitzelt das im Gesicht?«

Rupert wies die Frage weit von sich: »Keine Ahnung. Ich habe auch noch nie einen Rauschebartträger geküsst. Was kannst du mir sonst noch über ihn sagen? Jedes Detail ist wichtig.«

»Ja, also, er trug eine runde Nickelbrille, so dies typische Studentending.«

»Ein Nasenfahrrad?«

»Ja, genau.« Sie dachte nach. »Jeanstyp. Eher Pullover als Anzug. Ein ganzes Stück größer als ich. Hager.«

Rupert hakte nach: »Ein Jogger?«

»Nein, er wirkte gar nicht wie eine Sportskanone. Eher wie ein Vegetarier – der war er aber ganz sicher nicht. Also, wenn ich es mir recht überlege – schließlich waren wir zusammen in einem Kochkurs, da hätte ich das mitgekriegt –, dann sieht er einfach aus wie jemand, der sich bewusst ernährt.«

Rupert deutete dicke Oberarme an. »Muckis? Macht es Sinn, ihn in einem Fitnessstudio zu suchen?«

»Glaube ich kaum«, sagte sie. »So, wie der aussieht, besucht er eher eine Bibliothek als eine Muckibude. Und wenn er ins Kino geht, dann guckt er keine Hollywood-Blockbuster, sondern mehr so Arthouse-Kram im Programmkino.«

Rupert tippte auf das iPad. »Sollen wir uns die Fotos noch einmal anschauen? Vielleicht waren Vollbart und Haarpracht ja nicht echt. Täter verändern gern ihr Aussehen, um nicht erkannt zu werden …«

Sie griff vorsichtig in Ruperts Haar und spielte mit einem Löckchen. »Die sind aber echt …«, sagte sie.

Er schluckte. Sie war ihm fast ein bisschen zu forsch. Er wollte sie erobern, doch jetzt fühlte er sich, als würde sie ihn vernaschen.

»Dein Mann kommt auch ganz sicher nicht nach Hause?«, fragte er nach.

Sie zog Rupert zu sich ran. »Törn mich jetzt nicht mit Sprüchen über meinen Mann ab. Ich frag dich auch nicht nach deiner Frau.«

Sie nahm seinen Kopf in beide Hände und brachte ihn in eine günstige Position. Dann kam ihr Mund immer näher. Sie küsste ihn aber nicht einfach, sondern begann zunächst, an seinen Lippen zu knabbern, so dass er sich fühlte wie eine Tüte Chips. Dann leckte sie sanft über seinen Hals, als müsste sie einen Geschmackstest machen.

Hoffentlich komm ich nicht wieder mit Knutschfleck nach Hause, dachte Rupert. Auf so etwas reagierte seine Frau Beate recht ungehalten. Er hatte Angst, Agneta könnte sich jeden Moment an seinem Hals festsaugen. Sie war so unberechenbar.

Als sie ihn dann richtig küsste, kam Rupert sich wie ein Anfänger vor. Als sei es seine erste sexuelle Erfahrung. Die Frau verwirrte ihn.

Sie öffnete sein Hemd, und ihre Finger krabbelten wie kleine Tierchen nach Nahrung suchend über seinen Oberkörper. Einerseits wollte er sie so sehr, dass er sie am liebsten jetzt hier sofort auf dem Sessel oder auf dem Teppich geliebt hätte, andererseits spürte er einen merkwürdigen Fluchtgedanken und eine Sehnsucht nach frischer Luft.

Irritiert bekam sie sein Zögern mit, löste sich kurz von ihm und trank einen Schluck Prosecco. Sie warf ihre Haare nach hinten. Sie sah herrlich strubbelig aus, zerzaust und voller Leidenschaft.

»Wenn du vorher noch irgendein Medikament einwerfen musst, damit wir gleich ein bisschen Spaß haben können, wäre jetzt der richtige Augenblick …«

»Ich … was? Nein … wie kommst du denn darauf? Also, ich besitze so etwas gar nicht!« Stolz fügte er hinzu: »Und ich hatte es auch noch nie nötig!«

Gleichzeitig begann er, sich Sorgen zu machen. Wenn sie gedopte Männer gewohnt war, wie würde er dann im Vergleich dazu abschneiden? Wenn er sie sozusagen unplugged liebte.

»Willst du noch ein Bier?«, fragte sie.

Er lächelte. »Ja. Gerne! Diese kleinen Fläschchen sind ja wohl mehr etwas für den Kindergeburtstag.«

Sie ging für ihn zum Kühlschrank und Rupert begriff, was das Wort »lasziv« bedeutete.

Unterwegs ließ sie den Rock fallen. Sie schritt darüber hinweg, als sei nichts geschehen. Dann bückte sie sich, um Bier aus dem Kühlschrank zu holen. Zu Ruperts Freude stand es ganz unten.

Es tat ihm nicht gut, Ubbo Heide zuzuhören. Es brachte ihn raus aus dem Flow. Er fühlte sich kritisiert und missverstanden, besonders jetzt, da Ubbo Heide mit Ann Kathrin Klaasen sprach. Die Vertrautheit zwischen ihnen grenzte ihn aus.

Er hatte den Ton auf maximale Lautstärke gestellt. Wenn niemand etwas sagte, brummte das Gerät auf der Arbeitsplatte wie ein Motor, der mit zu hoher Drehzahl läuft.

Er bereitete einen Schokoladenkuchen für Svenja Moers vor. Es war ein uraltes Familienrezept. Der Kuchen befand sich bereits seit vierzig Minuten im Backofen. Er kniete davor und sah zu. Er mochte das, diesen aufgehenden Teig in diesem Licht.

Er wollte ihn ihr mit Vanilleeis servieren. So, wie sie ihm verraten hatte, war der Schokokuchen danach mit Vanilleeis ja oft besser gewesen als der Sex davor.

Er war gespannt darauf, wie sie seinen Kuchen fand.

Er mochte ihr Erschrecken. Er stellte sich vor, welche Gedanken durch ihren Kopf jagen würden, wenn er mit diesem *Nach-dem-Beischlaf-Dessert* vor ihr stehen würde. Würde sie ähnlich belämmert gucken wie dieser Faust, bevor die Klinge zwischen seinen Rippen in den wabbeligen Körper glitt wie in warme, breiige Scheiße.

Aber obwohl diese Bestrafungsaktion so glatt gelaufen war,

hatte sie ihn nicht in den Flow zurückgebracht. Dieses sauerstoffangereicherte Gefühl, dass sich alles wie von selbst zu seinen Gunsten entwickelte, fehlte einfach. Er erlebte alles als furchtbar anstrengend und kräftezehrend. Er musste sich gegen so viele Widerstände durchsetzen, als sei das Universum nicht mehr voll und ganz auf seiner Seite.

Das lag aber nur an diesem uneinsichtigen Ubbo Heide und dieser Ann Kathrin Klaasen, die einen unguten Einfluss auf ihn hatte und ihn in die falsche Richtung instrumentalisierte. Sie war halt eine typische Polizistin. Nur weil Stern und Heymann getötet worden waren, begann sie jetzt, sie als Opfer zu sehen und nicht als Täter, die bestraft worden waren.

Diese ganze *Anti-Todesstrafe-Fraktion*, dieses Heer von leichtgläubigen Gutmenschen, hatte zur Verrottung und Verblödung dieser Gesellschaft beigetragen. Sie lieferten den Staat an die Schwerkriminellen, an die organisierten Verbrecher aus.

Diese unfähige, lächerliche Justiz, die nicht mehr in der Lage war, Täter zu erledigen, hatte längst begonnen, Vergewaltiger vor übler Nachrede zu schützen, für Mörder Therapien zu finanzieren und für Berufsverbrecher Umschulungsmaßnahmen zu organisieren. Diese justizgläubigen Kleingeister ruinierten letztendlich doch den Rechtsstaat. Um den Kampf Gut gegen Böse zu gewinnen, brauchte dieses Land eine scharfe Klinge. Einen Schnitter. Ihn.

Aber er kam ohne Verbündete nicht aus. Hatte er Ubbo Heide so völlig falsch eingeschätzt? Allein die Stimme von Ann Kathrin Klaasen ging ihm schon auf die Nerven.

»Viele Menschen fordern Kopf ab für Kinderschänder, Ubbo. Unser Täter hat es durchgezogen. Du hast in deinem Buch der Hoffnung Ausdruck verliehen, Svenja Moers für immer hinter Gitter zu bringen, bevor sie es noch einmal tut …«

»Hör auf, Ann, bitte hör auf! Du hast ja völlig recht. Er arbeitet sich an meinem Text entlang. Ich fühle mich so elend wie schon lange nicht mehr. Ich würde mich am liebsten irgendwo verkriechen und nie wieder den Kopf aus dem Sand recken. Glaubst du, er macht weiter? Sollen wir jetzt alle diese freigesprochenen ehemaligen Hauptverdächtigen unter Polizeischutz stellen? Es sind noch dreiundzwanzig. Das genehmigt uns niemand.«

Das wäre ja noch schöner, dachte er grimmig, während er sich dicke Topflappenhandschuhe anzog und den Kuchen aus dem Backofen holte.

Er streute Puderzucker auf den noch heißen Schokoladenkuchen. Dann probierte er gleich ein Stück.

»Uns wird gar nichts anderes übrigbleiben«, sagte Büscher. »Wenn der Nächste stirbt oder entführt wird, steinigt uns die Presse.«

»Also Polizeischutz für dreiundzwanzig Personen?«, fragte Weller.

Der Kuchen war zu weich, zu matschig. Nicht einmal das gelang ihm mehr! Nicht einmal so ein dämlicher, blöder Kinderkuchen.

»Ich muss alles alleine machen, und diese Drecksbande soll auch noch staatliche Beschützer bekommen«, fluchte er und klatschte den warmen Schokokuchen gegen die Wand.

Ubbo schmatzte und zerkrachte beim Sprechen etwas mit den Zähnen. »Außerdem passt Faust nicht in das Konzept. Ich denke, wir können klar vom selben Täter ausgehen. Aber Faust kommt in meinem Buch nicht vor. Und jetzt liegt er in der Gerichtsmedizin neben Heymann und Stern.«

»Ich habe mir die letzte Sendung mit Faust«, sagte Ann Kathrin, »die ja möglicherweise der Auslöser für die Tat war, noch dreimal genau angesehen. Es gibt inzwischen auch eine Abschrift des Gesprächs. Ich mag es immer, wenn Dinge verschriftet werden, das zwingt zur Präzision.«

»Ja, ich habe es auch gelesen. Er beleidigt im Grunde uns alle. Mich, dich, die gesamte ostfriesische Polizei.«

Wieder kaute Ubbo Heide laut.

»Was isst du denn da die ganze Zeit?«, wollte Ann Kathrin wissen.

»*Bochumer Taubendreck.* Willst du auch? Macht richtig süchtig, das Zeug.«

»Nein, danke, ich hab schon genug Probleme.«

Das Gerät knisterte. Ann Kathrin Klaasen sprach nicht laut genug oder war zu weit vom Empfangsgerät weg.

»Ubbo, er nennt den Täter einen psychopathischen Killer. Und genau das ist er vermutlich auch. Faust hat ein klares Bild der Persönlichkeit gezeichnet. Aber ich glaube nicht, dass er deshalb sterben musste.«

»Sondern?«

»Sondern weil er uns alle angegriffen hat. Überleg mal, Ubbo. Der Täter identifiziert sich mit uns. Er kommt aus unseren Reihen.«

Ubbo Heide wurde laut: »Ach, jetzt hör doch auf mit dem Quatsch! Du willst mir doch nicht auch einreden, unser Exkollege Willi Kaufmann ...«

»Den Namen hast du genannt, Ubbo. Ich denke auf jeden Fall, es ist ein Frustrierter. Einer, der bei Beförderungen übersehen wurde oder aus dem Dienst ausgeschieden ist. Er fühlt sich ungerecht behandelt. Er hat eine große Rechnung offen mit dem Rest der Welt. Er kann mit Stichwaffen umgehen. Er ist kräftig genug, Menschen zu enthaupten und starke Männer in ihren Wohnungen zu überwältigen. Er kennt unsere Regeln. Er kennt dich. Dein Auto. Deine Tochter. Er legt Spuren, von denen er weiß, dass wir ihnen folgen müssen, weil es für uns das kleine Einmaleins ist. Aber er weiß auch, dass diese Spuren nicht zu ihm führen werden. Ich frage mich, ob er nicht sogar Helfer in unseren Reihen hat.«

»Ach, hör mir doch auf, Ann. Helfer!? Seit dem Mord an Faust hat er vermutlich ein paar klammheimliche Sympathisanten, aber bestimmt keine Helfer!«

Er rieb sich die Hände. Das war genau, was er brauchte. Helfer und Sympathisanten. Am besten Ubbo Heide persönlich.

Noch hatte er nicht alle Trümpfe ausgespielt. Er hatte die Partie gerade erst eröffnet, und der nächste Zug würde alles zu seinen Gunsten drehen.

Kuchenstückchen, die an der Wand klebten, folgten dem Gesetz der Schwerkraft und rutschten auf den Boden.

Sie sollte das saubermachen, dachte er. Später.

Er wollte einen neuen Schokokuchen für sie backen. Einen besseren. Aber er konnte Unordnung und herumliegenden Müll nicht ertragen. Dieser Kuchenmatsch an der Wand und auf dem Boden tat ihm körperlich weh. Entweder musste er sie jetzt sofort aus dem Gefängnis holen und zwingen, das hier wegzumachen, oder er tat es selbst.

Er hielt es nicht durch, alles so zu lassen, wie es war. Nicht für ein paar Stunden, nicht einmal für ein paar Minuten. Das konnte er nicht.

Er holte das Kehrblech und den Handbesen unter der Spüle hervor und begann, die Krümel und faustgroße, klebrige Kuchenteile zusammenzufegen. Einen großen Batzen lud er auf einen tiefen Suppenteller. Dann öffnete er die Kühltruhe und holte das Vanilleeis heraus. Er packte noch zwei dicke Klumpen dickes Eis auf den Kuchen und garnierte das Ganze mit zwei Physalis und einem Spritzer Sahne aus der Sprühdose. Dann steckte er einen Löffel hinein.

Er vergewisserte sich, dass der Füller in der Brusttasche seines Hemds steckte. Es war der gleiche Füller, den Ubbo Heide während der Dienstzeit so gern benutzt hatte. Ein Kolbenfüller.

Dann balancierte er den Teller wie eine gut ausgebildete Servierkraft durch den Flur. Bevor er den Öffner der Stahltür drückte, stellte er sich gerade hin. Er musste wieder Herr der Dinge werden. Meister des Universums. König der Zufälle. Bezwinger der Fakten.

Er wollte zurück in den Flow. Die Tür rauschte auf.

Svenja Moers hockte auf ihrem Bett und starrte ihn an.

»Schokoladenkuchen mit Vanilleeis«, sagte er triumphierend.

Sie glaubte, er würde wieder irgendein Spiel mit ihr spielen und hätte sowieso nicht vor, ihr den Kuchen zu geben. Aber diesmal war es anders. Er schob den Teller in die Durchreiche zwischen den Stäben. Das Dessert war so hoch aufgetürmt, dass der Löffel gegen den Querbalken stieß und umfiel.

Sie zog das Essen zu sich herein. Ihr war sofort klar, dass ihr davon schlecht werden würde, aber das war ihr jetzt völlig gleichgültig.

Allein das Eis versprach einen kurzen Trip ins Paradies. Sie spürte es schon im Mund, bevor sie den Löffel an den Lippen hatte. Dann baggerte sie gierig los, so, als könne der Teller jeden Moment wie eine Halluzination wieder verschwinden.

»Ein kleiner Vorgeschmack auf ein besseres Leben«, prophezeite er. »Danach wirst du dein Geständnis schreiben und …«

Er sprach nicht weiter, sondern wartete auf eine Reaktion von ihr. Sie sah zu ihm hoch, schluckte und nickte.

Er zog den Kolbenfüller aus seinem Hemd und legte ihn auf die Durchreiche.

»Du kannst hinten auf die Fotoausdrucke schreiben. Mit dem toten Faust auf den Bildern gibt das deinem Geständnis die genügende Portion Ernsthaftigkeit. Schließlich reden wir von Leben und Tod. Darum geht es doch die ganze Zeit.«

Sie schlang so gierig, dass sie sich verschluckte und husten musste. Als der Teller restlos leer gegessen war, ging er vor den Gitterstäben auf und ab und diktierte ihr:

»Dein Geständnis soll sich direkt an Ubbo Heide richten.«

»An wen?«

»Ubbo Heide.«

»An den Bullen, der mir damals das Leben so schwergemacht hat? Wegen dem wäre ich beinahe …«

»Ja, genau an den.«

Es spielt überhaupt keine Rolle, was ich schreibe, dachte sie. Später kann ich alles widerrufen. Geständnisse, erpresst in so einer Situation, sind nichts wert.

Außerdem hatte sie gehört, man könne wegen einer Tat nicht zweimal angeklagt werden, also war sie ohnehin aus dem Schneider. Dieses Geständnis war eine Post nach draußen. Damit machte sie auf sich und ihre Situation aufmerksam. Es konnte der Polizei vielleicht als Wegweiser hin zu ihr helfen.

Sie rülpste und klammerte sich an diesen Lichtblick.

»Also schreib: Lieber Herr Ubbo Heide – nein, nicht! Besser: Sehr geehrter Herr Heide. Mein Name ist Svenja Moers, und ich bin genau da, wo ich hingehöre: hinter Gittern.«

Sie schrieb. Ihr Atem rasselte, als ob sie an einer schweren Bronchitis leiden würde. Sie hatte Mühe, die Worte richtig zu schreiben. Sie wollte keine Fehler machen. Er war nicht gerade der Typ, der über Fehler großzügig hinwegsah.

War »hingehöre« ein Wort? Schrieb man es zusammen oder auseinander?

Sie versuchte eine Zwischenlösung, so dass beim Lesen beide Interpretationen möglich waren. Vielleicht hatte sie es zusammengeschrieben, vielleicht auch auseinander. Das Zittern ihrer Finger erleichterte ihr die Arbeit nicht gerade.

»Dies ist mein Geständnis …« Er überlegte. »Schreib das auch obendrüber: Geständnis. Und wehe, du schmuggelst wieder irgendwelche Worte, Zeichen oder Hinweise hinein. Noch behandle ich dich nett, nach abendländischem Recht. Wenn dir die Scharia lieber ist, dann versuch nur noch einmal, mich reinzulegen!«

»Nein, nein, bitte, ich tu ja alles … So. Geständnis. Und jetzt soll ich schreiben, wie ich …«

Er fuhr sie an. Er stand enorm unter Adrenalin. »Nein«, brüllte er, »du schreibst nur, was ich sage! Keine Tricks! Also schreib: Es war alles genau so, wie Sie, Herr Heide, es in Ihrem Buch geschrieben haben. Sie hatten mit jedem Punkt recht. Leider haben Richter und Staatsanwalt Sie und Ihre kriminalistische Arbeit nicht anerkannt, sondern sie vor Gericht mit allen Mitteln der Haarspalterei auseinandergenommen. Der Prozess war ein Triumph der Lüge. Ein Reichsparteitag des Bösen. Ich schreibe ›leider‹, weil …« Er kam ganz nah an die Gitterstäbe heran. Mit stechendem Blick versuchte er zu lesen, was sie bisher geschrieben hatte. Der ganze Mann schien zu vibrieren. Er roch säuerlich aus dem Mund. »… weil ich sonst jetzt in einem Ihrer netten Gefängnisse sitzen würde, mit Freizeitprogramm, Fortbildungskursen, Fernsehen auf dem Zimmer, Besuchszeiten und ärztlicher Betreuung. Hier in diesem provisorischen Gefängnis bin nur ich und«, er holte tief Luft, es fiel ihm schwer, die Worte auszusprechen, »bin nur ich und der Vollstrecker.«

»Vollstrecker?«

»Ja, verdammt, schreib Vollstrecker.«

Sie sah ihn an. Er meinte es ernst. Eine Träne tropfte auf das Papier.

Sie schrieb: »Der Vollstrecker.«

Seine Worte waren wie das heisere Bellen eines bissigen Hundes. »So, und jetzt unterschreib mit deinem Namen.«

Für einen Moment befürchtete sie, er könne verlangen, dass sie mit ihrem Blut unterschrieb. Aber das tat er nicht. Den Gedanken hatte er als zu dramatisch verworfen. Niemand würde in der Polizeiinspektion an der Echtheit des Briefes zweifeln. Er war voller Fingerabdrücke, und sogar eine von Svenja Moers' Tränen war daraufgetropft.

Eigentlich wollte er sie zwingen, jetzt die Küche zu putzen, aber er konnte es nicht abwarten, den Brief einzuwerfen. Er sollte morgen früh schon auf Ubbo Heides Schreibtisch liegen.

Er reichte ihr einen Briefumschlag und ließ ihn nicht an Ubbo Heides Privatadresse, sondern an die Polizeiinspektion Aurich adressieren: Polizeiinspektion Aurich, Herrn Ubbo Heide, Fischteichweg 1–5, 26603 Aurich. Er wollte Ubbo von vornherein die Möglichkeit nehmen, das Ding einfach verschwinden zu lassen.

Für Odysseus ergab jetzt alles einen Sinn. Dieser Kommissar Wilhelm Kaufmann war deswegen damals so hart gegen Heymann und Stern vorgegangen, weil er in ihnen sich selbst erkannt hatte. Seine unausgelebten Sehnsüchte. Hatten sich nicht die heimlichen Schwulen während des Faschismus als besonders harte Schwulenhasser und -verfolger hervorgetan, weil sie immer auch den abgespaltenen Anteil in sich selbst bekämpft hatten? So zumindest hatte ihnen damals der alte Geschichtslehrer den Zusammenhang erklärt. Er war selbst schwul und hatte nach zwanzig Jahren Ehe sein Comingout gehabt.

Diesen Mann hatte Odysseus verehrt, weil er zu sich selbst stand, und Odysseus wusste, dass er selbst nie zu sich und seinen Phantasien offen stehen konnte, ohne für immer weggesperrt zu werden.

Damals, bevor er sich auf Langeoog die kleine Steffi gegriffen hatte, war er kurz davor gewesen, mit seinem alten Geschichtslehrer zu reden. Wenn er in der Lage gewesen wäre, sich jemandem zu offenbaren, jemanden um Hilfe zu bitten, dann ihn.

Am Ende hatte er es aber doch nicht getan, aus Angst vor Ablehnung, aus Scham, und weil er sich nicht sicher war, ob sein alter Geschichtslehrer nicht doch die Polizei gerufen hätte. Stattdessen hatte er sich Steffi geholt und seine Phantasien ausgelebt.

Er schüttelte sich. Er musste diese Gedanken loswerden und sich wieder ganz diesem Wilhelm Kaufmann widmen. Er hatte ihn damals, nach der Tat auf Langeoog, beobachtet. Er hatte im Café Leiß die Zeitungen studiert, köstlichen Kuchen gegessen und Tee getrunken. Die Polizei suchte überall nach der kleinen

Steffi Heymann, und jede Fähre nach Bensersiel wurde durchkämmt. Schon am zweiten Tag nach Steffis Verschwinden wurde jeder Fahrgast namentlich registriert. Er wartete das alles einfach ab, las Zeitung und sah der Polizei bei der Suche zu.

Damals war ihm Wilhelm Kaufmann aufgefallen, weil er nicht den Frauen mit den langen, braunen Beinen in den kurzen, wehenden Röcken nachsah, sondern den Kindern.

Er ist wie ich, hatte Odysseus damals gedacht und fand es amüsant, dass einer wie er zur Kripo ging und nicht Lehrer wurde oder Erzieher, um dem Objekt seiner Begierde nahe zu sein, oder sich in irgendeinen Job verkroch, wo er nichts mit Menschen zu tun hatte, sondern mit Akten, Zahlen, Motoren oder Computern.

Damals auf Langeoog, als ich ihm tief in die dunkle Seele geschaut habe, hat er mich da auch erkannt? Trägt er seitdem dieses Geheimnis mit sich herum?

Sie haben ihn aus dem Dienst entlassen. Er hat sich eine Weile zurückgezogen. Menschen wie ich können sich verkapseln. Verpuppen. Winterschlaf halten. Unauffällig leben. Unsere Tarnung ist unsere größte Waffe: die Normalität.

Es kam ihm vor, als würde er jetzt mit Kaufmann reden. Natürlich nur in Gedanken, aber so war es oft. Im Kopf diskutierte er mit Menschen etwas aus oder sagte ihnen zumindest kräftig die Meinung.

Du hast versucht, so zu sein wie sie. Aber es ist dir nie gelungen. Ob du dir eine Uniform anziehst oder einen maßgeschneiderten Anzug, das spielt gar keine Rolle, Wilhelm. Du kannst dich noch so oft häuten, du bleibst doch immer das wilde Raubtier. Die Menschen werden dich nie in ihrer Mitte akzeptieren, weil du dich an ihrer Brut vergreifst. Irgendwann hast du das nicht mehr ausgehalten und angefangen, Leute, wie du einer bist, umzubringen. Zuerst nur im Traum. Schon klar. Eine flüchtige Phantasie am Tag. Später dann, als es immer stärker wurde, hast du angefangen zu planen, und dann, als der Erste durch deine Klinge starb, da hast du eine Erleichterung gespürt. War es, als hättest du einen Teil von dir selbst abgehackt?

Vielleicht werde ich dich das alles bald selbst fragen. Bevor ich dich töte. Ich weiß, dass du auch zu mir kommen wirst. Wir waren damals ein paar hundert männliche Touristen auf der Insel. Wie viele Minuten Zeit habt ihr gehabt, um jeden zu überprüfen? Und ihr hattet nicht mal eine Kinderleiche. Nur die Idee, der Vater könne mit Hilfe seines Freundes sein eigenes Kind entführt haben ... Was für eine banale, alltägliche Geschichte ...

Aber du hattest bereits die Ahnung, dass etwas ganz anderes geschehen war. Da hast du zugeschlagen. Yves Stern, der war wie du. Nur viel freier, viel weiter entwickelt als du. Als ihr Steffi mit euren lächerlichen Pfadfindermethoden gesucht habt, da haben wir zwei ein paar Worte gewechselt. Du hast die Handzettel mit Steffis Bild verteilt.

Die Polizei bittet um Ihre Mithilfe. Wir vermissen die kleine Steffi Heymann.

Ich hab mir einen Flyer genommen. Als sei ich zu blöd zu lesen, hast du zu mir gesagt: »Haben Sie dieses Kind irgendwo gesehen? Sie wird seit zwei Tagen vermisst.«

»Ich weiß«, habe ich geantwortet, »ich weiß.«

Eure Flugblätter haben einen Scheiß gebracht. Reiner Aktionismus. Als gäbe es keine Zeitungen, kein Fernsehen. Vom Internet will ich gar nicht erst anfangen ...

Bei der Melkhörndüne – oder war es zwischen den Pirola-Dünen auf dem Weg zur Meierei? – sind wir uns dann noch einmal begegnet ... Jedenfalls bist du Rad gefahren, und um dich herum war eine ganze Kindergruppe. Du hast glücklich ausgesehen, und ich wette, du hast mich gar nicht bemerkt.

Und dann das in dieser Nacht am Meer, das warst du auch. Stimmt's? Es kann kein Zufall gewesen sein. Hast du mich verfolgt? Wusstest du damals schon alles?

Ich bin am Flinthörn spazieren gegangen. Da war weit und breit keine Menschenseele. Ich wollte dem toten Körper nahe sein. Ich habe an diesem wunderbaren Platz im Sand gesessen und meditiert. Einen Dialog mit dem toten Kind geführt. Vielleicht hatte das Meer sich die körperliche Hülle schon geholt, aber die Anwesenheit der reinen Seele, die noch nicht die Chance hatte, schuldig zu werden, war deutlich zu spüren.

Bist du sensibel genug für so etwas, Kaufmann? Im Leben und überhaupt und im Beruf hast du ja eher den harten Klotz gegeben. Mehr Baseballschläger als Wünschelrute. Für einen Moment hatte ich dich sogar im Verdacht, dass du gekommen warst, um die Leiche zu stehlen.

Bist du so einer? Traust du dich nicht an die lebenden Kleinen?

Ich wette, du hast dich früher in Leichenhallen herumgetrieben. Na klar hast du das. Mir kannst du doch nichts vormachen. Und nun willst du mich beseitigen, weil es dir nicht gereicht hat, Stern und Heymann zu töten. Aber auch, wenn du alle unserer Art abschlachten würdest ... und glaub mir, wir sind viele ... und trotzdem, Wilhelm, würdest du immer noch bleiben, wer du eben bist: einer von uns.

Die junge Frau, die in die Polizeiinspektion am Fischteichweg stürmte, wirkte sauer und angriffslustig.

Marion Wolters ging ihr aus dem Weg und war – vielleicht zum ersten Mal in ihrem Leben – froh, dass Rupert in ihrer Nähe herumstand. Sie wusste genau, dass sie in seinen Augen viel zu fett war, trotzdem tastete er sie immer wieder unangenehm mit Blicken ab, als würde er ihr am liebsten die Kleider vom Leib reißen.

Sollte er sich doch mit dieser jungen Furie auseinandersetzen. Ihre Kleidergröße würde ihm gefallen, dachte sie.

Rupert bekam mit, dass Marion Wolters sich rasch verzog.

Nun unterhielt er sich tatsächlich gerne mit schönen, jungen Frauen, aber die schmalhüftige Blondine da war geradezu von einer düsteren Wolke umgeben. Zum ersten Mal kapierte Rupert ansatzweise, was seine Frau Beate meinte, wenn sie sagte, jemand habe eine finstere Aura. Vielleicht gab es so etwas ja wirklich, und er erkannte es jetzt.

»Kann ich Ihnen helfen?«, fragte er für seine Verhältnisse recht freundlich.

Sie keifte ihn an: »Sie haben Joachim Faust hier fertiggemacht! Niemand von Ihnen hat ihm auch nur die geringste Chance gegeben! Sie haben ihn gemobbt, gedemütigt und zu guter Letzt umgebracht!«

Rupert zeigte auf sich: »Ich?«

Sie fuchtelte mit den Händen durch die Luft. »Ihr! Ihr alle! Ihr ostfriesischen Sturköpfe!«

Rupert deutete ihr mit beiden Händen an, sie solle erst mal runterkommen. »Ich kann verstehen, dass Sie empört sind. Das ist bestimmt ein schwerer Verlust für Sie.«

»Sie haben doch gar keine Ahnung!«, schrie sie.

Rupert hatte gelernt, dass er zu einer erregten, aggressiven Person erst eine sachliche Beziehung aufbauen musste, um den Schwall der Gefühle ein bisschen zu beschwichtigen.

»Ich heiße Rupert. Hauptkommissar Rupert. Und wer sind Sie?«

»Rupert?« Jetzt drehte sie erst richtig auf. »Sie haben ihn als Muschi bezeichnet und als arroganten Fatzke!« Sie atmete ein wie eine Ertrinkende. »Haben Sie sich an seinem Tod geweidet? Haben Sie den Täter geschützt? Ihn absichtlich entkommen lassen?«

»Jetzt hören Sie mal gut zu, junge Frau! Nur weil Faust Sie mal flachgelegt hat, brauchen Sie sich nicht aufzuspielen wie seine hysterische Witwe!«

Ruperts Worte saßen. Die gerade mühsam eingeatmete Luft wich aus der Frau. Sie schien zu schrumpfen.

Rieke Gersema wollte eigentlich an Rupert vorbei durch den Flur. Jetzt blieb sie an die Wand gelehnt hinter ihm stehen und hörte zu.

»Ich meine«, sagte Rupert, »er hat Ihnen bestimmt das Blaue vom Himmel versprochen und Ihnen die große Liebe vorgemacht, um Sie ins Bett zu bekommen. Aber, glauben Sie mir, aus der Sache wäre ohnehin nichts geworden. Dieser Faust war halt so … hat jede ins Bett gequatscht, die er haben wollte …«

Rieke Gersema schossen Tränen in die Augen. Sie drehte sich um und lief in ihr Büro zurück. Ihre Schritte irritierten Rupert. Er drehte sich um.

Die junge Frau vor ihm nutzte aus, dass er kurz abgelenkt war. Ihre Rechte schoss ansatzlos hoch und traf Ruperts Gesicht breitflächig. Er brauchte eine Schrecksekunde, um das zu verdauen. Während er noch darüber nachdachte, ob das eine Ohrfeige war oder ein Faustschlag, kramte sie hektisch in ihrer Handtasche.

Ein Boxhieb erforderte von ihm eine andere Reaktion als eine Ohrfeige. Aber sie wollte – für Rupert ganz offensichtlich – eine Waffe ziehen, und er hatte keine Zweifel daran, dass sie versuchen würde, ihn hier, im Eingangsbereich der Polizeiinspektion, niederzuschießen.

Vielleicht hatte sie vor, Amok zu laufen. Ein Rachefeldzug für ihren getöteten Lover. Rupert glaubte also, auch das Leben seiner ahnungslosen Kollegen zu retten, als er sich an diesem wolkenlosen Sommermorgen auf die Frau stürzte und ihr die Handtasche entriss. Er schleuderte das Teil quer durch den Flur, versuchte, den rechten Arm der jungen Frau auf ihren Rücken zu biegen und fiel dann gemeinsam mit ihr zu Boden.

Jetzt eilte Marion Wolters doch herbei.

»Die Handtasche!«, rief Rupert. »Sie hat versucht, eine Waffe zu ziehen!«

Marion Wolters griff sich die Tasche und kontrollierte sie. »Da ist keine Waffe drin. Nur das hier.« Sie hielt ein Diktiergerät hoch und ein paar Schminksachen.

Rupert ließ die Frau los. Sie trat ihm gegen das Schienbein und kratzte durch sein Gesicht.

»Mein Papa hat alles aufgenommen und mir geschickt! Er hat gesagt, ihr seid eine Verschwörerbande mit Dreck am Stecken. Deshalb habt ihr ihn fertiggemacht. Er ist euch draufgekommen!«

Rupert richtete sich mühsam auf. »Ihr Papa?«, fragte er entgeistert.

»Ja, du Rindvieh! Er hat mich nicht flachgelegt! Ich bin seine Tochter, und er war ein viel besserer Vater als du je sein wirst, du … du …«

Ihr fiel kein Schimpfwort ein, das schlimm genug gewesen wäre.

»Du ostfriesischer Fischkopf, du!«, bellte sie dann, sah aber von ihrer eigenen Wortwahl enttäuscht aus. Sie riss Marion Wolters das Diktiergerät aus der Hand und hielt es wie eine Fahne hoch. »Das werde ich dem Radio anbieten! Dem Fernsehen oder wer immer es haben will, um euch damit fertigzumachen! Mein Papa hat viele Freunde in den Medien. Ihr habt meinen Papa auf dem Gewissen! Ich mach euch fertig, ihr Dreckschweine!«

Rupert wollte ihr das Diktiergerät wieder abnehmen, aber mitten in seiner viel zu hektischen Vorwärtsbewegung jagte sein Iliosakralgelenk einen Schmerz durch seinen Körper, als habe ihm jemand ein heißes Messer in den Rücken gestochen.

Er blieb krumm stehen, schaffte es nicht einmal, den Arm ganz auszustrecken und sagte mit verzerrtem Gesicht: »Das … das ist … unter Umständen ein Beweismittel … Ein Indiz in einem Mordfall! Das können Sie nicht so einfach …«

»Ja«, triumphierte sie »und zwar ein Beweismittel gegen euch, ihr Penner!«

Sie lief zum Ausgang.

Rupert versuchte, Marion Wolters dazu zu bewegen, die junge

Frau zu verfolgen, doch Wolters blieb stoisch stehen und sah Rupert nur an.

»Wenn da drauf ist, was ich vermute, Rupert«, sagte Marion Wolters, »dann wirst du mit deiner bezaubernden Art in den Medien nicht besonders gut aussehen, mein Lieber.«

Vorwurfsvoll zischte Rupert: »Ja, danke! Und du lässt sie damit entkommen, Bratarsch!«

Marion Wolters drehte Rupert ihren Rücken zu. Im Weggehen zeigte sie ihm nicht nur ihr breites, gebärfreudiges Becken, sondern auch noch den Stinkefinger.

Rupert stützte sich an der Wand ab. Er brauchte dringend Ibuprofen oder wenigstens einen doppelten Klaren.

Rieke Gersema, die Pressesprecherin, sah dunkle Wolken am Himmel aufziehen. Sie versuchte, das Schlimmste zu verhindern und lief hinter Fausts Tochter her. Aber draußen war die junge Frau nicht mehr zu sehen.

Der Morgen hätte hektischer nicht beginnen können. Es kam Rieke Gersema so vor, als würde ihr Telefon lauter klingeln als sonst. Sie trank schon die zweite Sprudel-Aspirin gegen die Kopfschmerzen, und jetzt kam Magenreißen hinzu. Nur selten hatten Journalisten so scharfe Fragen gestellt und waren so hartnäckig gewesen. Sie fühlte sich als Pressesprecherin wie auf der Anklagebank.

Büscher hatte für ihre Sorgen gerade gar keine Zeit. Er wischte alles mit einer Handbewegung vom Tisch, als seien das für ihn Peanuts.

Wenn es nach ihm gegangen wäre, hätte er den Brief einfach geöffnet. Aber Ann Kathrin bestand darauf, Ubbo Heide dazuzuholen. Sie versuchte, ihn telefonisch zu erreichen. Immerhin war der Brief an ihn adressiert worden.

Er lag auf dem ansonsten freigeräumten Besprechungstisch, angestrahlt von einer Bürolampe. Büscher berührte ihn nur mit einer Pinzette.

»Abgestempelt in Emden«, sagte er, »und dieses Schriftstück stammt von unserem Täter. Darauf wette ich ein Monatsgehalt.«

»Na, das kann ja nicht viel sein«, stichelte Weller, der die Art nicht mochte, wie Büscher Ann Kathrin ansah. Auch der Ton zwischen den beiden war Weller zu vertraulich.

Weller hatte schlecht geschlafen und geträumt, er sei wieder mit seiner Ex Renate verheiratet, die ihn dauernd betrogen hatte, während er auf die Kinder aufpasste oder Nachtdienst schob. Er war immer noch wütend auf sie und hatte nicht vor, sich noch einmal so verarschen zu lassen.

Ann Kathrin stand von den anderen abgewandt und flüsterte mit Ubbo Heide, was Büscher wie einen Affront gegen sich empfand. Laut fragte er in die Runde und sah jeden einzelnen Kollegen dabei an, als müsse er in ihren Augen die Antwort lesen können: »Der Brief ist an unsere Polizeiinspektion adressiert, aber an Ubbo Heide gerichtet. Was will der Täter uns damit sagen?«

Sylvia Hoppe zuckte mit den Schultern und schwieg dazu lieber, aber Weller konnte den Mund nicht halten. »Er will damit andeuten, dass er dich als unseren Chef nicht akzeptiert, Martin.«

Er sprach den Namen *Martin* aus, als könne nur ein Idiot so heißen.

Ann Kathrin sah, das Handy am Ohr, ihren Mann tadelnd an.

Büscher wirkte verunsichert. »Also, dieser Fall stellt uns alle auf eine schwere Probe. Wenn der Täter wirklich aus unseren Reihen stammt, dann …«

Rupert kam nach vorn gebeugt humpelnd in den Raum. »Entschuldigung, Kollegen, aber ich … mein Iliosakralgelenk …«

Sylvia Hoppe unterbrach ihn: »Ja ja, schon gut. Langweil uns jetzt nicht mit deiner Krankengeschichte.«

Ann Kathrin sagte ins Handy: »Danke, Ubbo«, und drückte das Gespräch weg. Sie nickte Büscher zu. »Ubbo ist schon unterwegs zu uns. Wir sollen den Brief aber sofort öffnen und keine Zeit verlieren. Er ist gleich bei uns.«

»Wie gütig«, spottete Büscher und ging vorsichtig mit dem Brieföffner zu Werke.

Es war so still im Raum, dass das Durchschneiden des Papiers sich wie das Fauchen einer Giftschlange anhörte.

Sie steckten die Köpfe zusammen. Obwohl jeder den Text vor sich sah, las Büscher laut vor:

»*Geständnis*

Dies ist mein Geständnis ... Es war alles genau so, wie Sie, Herr Heide, es in Ihrem Buch geschrieben haben. Sie hatten mit jedem Punkt recht.«

Weller raunzte: »Die meisten von uns können schon selber lesen!«

Trotzdem fuhr Büscher fort: »*Leider haben Richter und Staatsanwalt Sie und Ihre kriminalistische Arbeit nicht anerkannt, sondern Sie vor Gericht mit allen Mitteln der Haarspalterei auseinandergenommen. Der Prozess war ein Triumph der Lüge. Ein Reichsparteitag des Bösen. Ich schreibe ›leider‹, weil ich sonst jetzt in einem Ihrer netten Gefängnisse sitzen würde, mit Freizeitprogramm, Fortbildungskursen, Fernsehen auf dem Zimmer, Besuchszeiten und ärztlicher Betreuung. Hier in diesem provisorischen Gefängnis bin nur ich und der Vollstrecker.*«

Rupert stöhnte, und es war nicht klar, ob der Text dafür der Auslöser war oder sein Iliosakralgelenk.

Rieke Gersema formulierte, was ihr durch den Kopf ging, ohne vorher noch einmal darüber nachzudenken: »Also hatte Ubbo doch recht. Sie war es wirklich.«

Ann Kathrin reagierte ungewöhnlich scharf auf Rieke: »So etwas will ich nicht noch einmal hören! Das hier«, sie deutete auf den Brief, »ist das widerliche Dokument eines möglicherweise sogar unter Folter erpressten Geständnisses. Zum Glück leben wir in einem Land, in dem kein Richter so etwas je anerkennen würde.«

Weller legte seiner Frau eine Hand zwischen die Schulterblätter, um sie zu beruhigen. Aber als sei seine Berührung ein Startsignal gewesen, begann sie jetzt, auf und ab zu laufen wie ein wild gefangenes Raubtier im Käfig.

Laut fragte sie ihre Kollegen: »Was sagt uns der Brief über den Täter?«

»Er hat Ubbo Heides Buch gelesen«, sagte Weller.

»Er hat sie noch nicht umgebracht«, warf Rupert ein.

Ann Kathrin sah Büscher an. Der musste passen. Rieke und Sylvia ebenfalls.

Dann zählte Ann Kathrin auf, was sie zu wissen glaubte: »Er ist ganz klar aus unserem Umfeld. Vielleicht arbeitet er sogar in diesem Haus. Er fühlt sich ungerecht behandelt. Er glaubt, dass er besser ist als die meisten von uns und …«

»Er hat einen Hass auf die Justiz. Er findet die Richter und Gesetze zu lasch«, sagte Weller.

Ann Kathrin fuhr fort: »Mehr noch. Er glaubt, die Justiz spielt das Spiel der Kriminellen.«

Büscher räusperte sich. Er hatte das Gefühl, er müsse als Chef jetzt auch mal etwas sagen. »Er will aus seiner Sicht etwas Gutes …«

»Oberflächlich gesehen, ja«, sagte Ann Kathrin. »Aber im Prinzip benutzt er all das nur, um seine sadistischen Triebe auszuleben. All diese Rechtfertigungen sollen ihn legitimieren zu tun, was er tut. Er will von uns, besonders von Ubbo Heide, Anerkennung dafür haben, ja, Lob. Er hat das Gefühl, dass er unsere Arbeit tut, und zwar besser als wir. Auf jeden Fall kennen wir ihn, und er kennt uns. Er hat in unserer Firma einige Frustrationen erlebt. Er ist vermutlich hochintelligent und ganz akribisch in seinen Planungen. Wir suchen also einen Mann, der bei Beförderungen übersehen wurde. Einen, der glaubt, in die erste Reihe zu gehören und aufs Abstellgleis geschoben wurde. Einen, der sich hier nicht ernst genommen fühlt.«

Rupert hob die Arme hoch, als würde er sich ergeben: »Okay, Kollegen, ihr habt mich, ich gebe auf!«

»Halt die Fresse, Rupert!«, zischte Weller. »Darüber kann jetzt keiner lachen!«

Etwas bäumte sich in Weller gegen Ann Kathrins Analyse auf. Er hatte von ihr gelernt, dass man seine Gefühle ernst nehmen sollte, und genau das tat er jetzt: »Mag ja alles sein, Ann. Aber warum soll er aus unseren Reihen, ja, sogar aus diesem Haus sein? Kann es nicht einfach irgendein irrer Gerechtigkeitsfanatiker sein, der Ubbos Buch gelesen hat und sich jetzt in etwas reinsteigert und sich für den ... wie hat er sich genannt?«

»Vollstrecker«, soufflierte Sylvia Hoppe und guckte dabei, als hätte nicht sie es gesagt, sondern jemand anders.

»Vollstrecker!«, schimpfte Weller. »Wer sich so nennt, muss doch einen an der Waffel haben. Das würden wir doch merken, wenn einer von uns nicht mehr alle Latten am Zaun hat, oder?«

Sylvia Hoppe flüsterte in Ruperts Richtung: »Damit bist du wieder im Spiel!«

»Hoffentlich streichen sie ihm in der JVA die Freizeitmöglichkeiten und Fortbildungskurse, die er so sehr hasst«, giftete Rupert.

Im Raum baute sich eine mächtige Energie von Wut auf.

Ann Kathrin wurde ganz sachlich: »Er weiß einfach viel zu viele Interna. Zum Beispiel, wo Ubbo Urlaub macht.«

Es fiel Weller nicht leicht, sie vor allen bloßzustellen, aber er sagte es jetzt trotzdem: »Ich fürchte, da irrst du dich, Ann. Zum Beispiel war im Anzeiger für Harlingerland ein Porträt von Ubbo Heide. Fast eine ganze Seite. Da erzählt er von seiner Lieblingsinsel und dass er so gern auf Wangerooge sitzt und aufs Meer schaut, dass er dort die letzten Seiten für sein Buch geschrieben hat und ...«

Weller fischte den zusammengefalteten Zeitungsartikel aus der Innentasche seiner Jacke und entknitterte das Papier auf dem Tisch. »Das Foto hier ist in seiner Ferienwohnung aufgenommen worden. Von hier aus sieht man die Skulptur zu Ehren der Seefahrer auf der oberen Strandpromenade. Mit ein bisschen räumlicher Vorstellungskraft weißt du jetzt genau, in welcher Wohnung das Bild gemacht wurde. Dadurch, dass Ubbo dieses Buch geschrieben hat, ist er eine öffentliche Figur geworden. Mach dir da nichts vor, Ann. Ich hab ihn gestern gegoogelt, und in einer halben Stunde habe ich mehr über ihn erfahren als in vielen Jahren Zusammenarbeit.«

Ann Kathrin nahm Wellers Einwand zur Kenntnis und sagte: »Die Jungs vom Labor sollen Brief und Umschlag auf Mikrospuren untersuchen. DNA auf der Klebefläche und so ...«

»Du bist echt nicht mehr von dieser Welt«, spottete Rupert. »Heutzutage leckt doch kein Mensch mehr Briefmarken an. Die sind selbstklebend.«

Ann Kathrin deutete auf den Brief. »Der Umschlag aber nicht, Rupert.«

»Du meinst, der ist so blöd und ...«, Rupert winkte ab, ohne den Satz zu Ende zu sprechen und verzog den Mund, als hätte er gerade an der Klebefaser geleckt. Er wischte sich mit dem Handrücken die Lippen ab.

»Jeder macht irgendwann Fehler. Vor allen Dingen, wenn er sich so überlegen fühlt wie dieser Mistkerl.« Sie fuhr fort: »Das Papier muss auf Eindruckspuren untersucht werden. Manchmal lag so ein Teil als Unterlage vorher unter anderen Schreiben.«

Da gab Büscher Ann Kathrin recht: »Wir hatten in Bremerhaven mal einen Erpresser, der hatte auf dem Brief vorher seine Weihnachtspost erledigt. Mit lieben Grüßen an seine Mutter und Geschwister. Der staunte vielleicht, als es plötzlich an seiner Tür klingelte.«

Wie auf ein Stichwort öffnete sich die Tür. Ubbo Heide

brummte mit seinem Rollstuhl herein. So schnell hatte außer Ann Kathrin niemand mit ihm gerechnet. Alle machten Platz. Es bildete sich eine Schneise bis zum Tisch mit dem Brief darauf.

Niemand sagte ein Wort. Selbst »Moin« wäre jetzt zu viel gewesen.

Er hörte ihnen zu, und er konnte sich dabei ihre Gesichter genau vorstellen. Wenn er selbst die Augen schloss, war es, als würde er sich bei ihnen im Raum befinden, in der Polizeiinspektion Aurich im Fischteichweg im Besprechungsraum in der ersten Etage.

Ubbo Heides Stimme war ernst, aber sehr klar. »Inzwischen verfluche ich den Tag, an dem ich auf die Idee kam, dieses Buch zu schreiben. Ich habe natürlich den zweiten Band gestoppt. Mein Verlag hat sechsundzwanzigtausend Vorbestellungen, die drehen völlig am Rad. Aber ich habe gesagt, ich will auf keinen Fall, dass das neue Buch erscheint.«

»Du meinst«, sagte Rupert, »du willst dem Täter nicht noch mehr Material liefern?«

»Ja, ich will nicht für noch mehr Opfer verantwortlich sein.«

»Aber wir werden ihn kriegen, Ubbo, bevor er sich durch dein gesamtes Buch gemordet hat«, wandte Weller ein.

Er formte beim Rauchen Kringel und schickte sie zur Decke wie geheime Signale. Wenn er ihnen zuhörte, kam er wieder in den Flow zurück.

Was seid ihr nur für Dilettanten, dachte er.

Büscher bemühte sich, die Situation unter Kontrolle zu bekommen, aber seine Stimme verriet, dass er nichts, aber auch gar nichts unter Kontrolle hatte.

»Soll ich mir das so vorstellen, dass sich der Täter einfach quer durch das Buch arbeitet? Machen wir es uns damit nicht ein bisschen zu einfach, Leute?«

Weller unterbrach ihn: »Der Fall Steffi Heymann ist das Eröffnungskapitel des Buches.«

»Ja, aber«, wandte Büscher ein, »Svenja Moers kommt erst in Kapitel drei vor.«

»Stimmt«, sagte Ubbo Heide, »weil der Verdächtige aus Kapitel zwei bereits vor drei Jahren gestorben ist.«

»Scheiße!« schimpfte Rupert. »So eine verdammte Scheiße!«

»Ja, das kannst du wohl laut sagen. Wenn ich dieses Buch doch nie geschrieben hätte!«

Rupert fand Lesen und Bücher schon immer doof und fühlte sich jetzt bestätigt.

»Aber das heißt doch«, sagte Weller, »wir könnten ihm beim vierten Verdächtigen eine Falle stellen. Der Täter aus Kapitel vier ist …«

»Nein«, sagte Ann Kathrin, »das ist zu einfach. Damit rechnet er doch. Ich habe sowieso die ganze Zeit das Gefühl, dieser Mann weiß genau, was wir tun, so, als ob er uns hier zuhören würde, ja, als ob er mit uns am Tisch säße und uns insgeheim auslacht.«

Genau das tue ich auch, dachte er und sog den Qualm tief in seine Lungen.

»Er arbeitet sich nicht einfach von vorne nach hinten durch«, sagte Ubbo Heide. »Er sucht sich seine Opfer nach einem anderen Prinzip aus.«

»Nach welchem?«, fragte Ann Kathrin.

»Er nimmt sich nur Fälle vor, in die Willi Kaufmann verwickelt war.«

»Aber das war nur in diesen frühen Fällen.«, gab Ann Kathrin zu bedenken. »Svenja Moers und Heymann. Danach war Kaufmann gar nicht mehr im Dienst.«

»Stimmt«, sagte Ubbo Heide, »aber der letzte Fall in meinem Buch …«

»Der Mord in Syke?«

»Ja, genau der.«

»Die Frau wurde vergewaltigt und dann ermordet. Die typische Verdeckungstat. Was hat denn Wilhelm Kaufmann damit zu tun?«, fragte Ann Kathrin.

Ubbo Heide hustete, und für einen Augenblick kam es dem Täter so vor, als würde sein Zigarettenqualm Ubbo Heides Husten auslösen. Er fuchtelte mit der Hand durch die Luft und hätte sich am liebsten bei Ubbo Heide entschuldigt. Dann hörte er weiter zu.

»Das Mordopfer war seine Nichte. Die Tochter seiner Schwester. Er ist damals den Kollegen ziemlich auf den Sack gegangen. Hat versucht, sich in die Ermittlungen einzumischen und private Forschungen angestellt. Er wollte den Mörder unbedingt fangen, so, als könne er sich gleichzeitig damit wieder rehabilitieren und zurück in den Polizeidienst. Für die Kollegen vor Ort war es ein einziger Albtraum. Ich wurde damals hinzugezogen, weil wir einen vergleichbaren Fall in Bensersiel hatten, allerdings hat die Frau überlebt. Sie konnte den Täter beschreiben, aber ...«

»Ja. Wir alle haben dein Buch gelesen, Ubbo«, sagte Weller.

Es knallte, als ob jemand mit der Faust fest auf den Tisch gehauen hätte. Er stellte sich vor, dass Ubbo Heide derjenige gewesen war, doch da erklang Ann Kathrins Stimme so scharf, als würde sie direkt in sein Ohr brüllen: »Warum, verdammt, wussten wir nichts davon?«

»Nun, er war doch nicht verdächtig, sondern lediglich ein Verwandter der Toten.«

»Ja, wie«, fragte Rupert, »und warum steht das nicht in dem Buch?«

Weller stöhnte. »In dem Buch stehen überhaupt keine Namen, du Idiot! Vielleicht solltest du es mal lesen.«

»Ist das jetzt Pflicht?«, fragte Rupert.

»Ja, verdammt, das gehört praktisch zu den Akten.«

Büscher hörte sich fast weinerlich an. »Und wie heißt der Mann, den du damals verdächtigt hast, Ubbo?«

»Das Opfer aus Bensersiel hat uns eine klare Beschreibung gegeben, und wir hätten den Typen im Prinzip überführen können, aber dann haben zwei Freunde ihm ein bombensicheres Alibi gegeben. Seine Skatbrüder.«

»Und es würde mich gar nicht wundern«, sagte Ann Kathrin, »wenn wir alle drei bald mit durchgeschnittenen Kehlen finden würden.«

Weller nickte zustimmend. »Ja, und vermutlich steckt er ihnen noch eine Spielkarte in den Mund.«

Er begann, sich eine neue Zigarette zu drehen. Das ist gar keine so üble Idee, dachte er und stellte sich das Erstaunen in der Auricher Polizeiinspektion vor, wenn er genau das tun würde, was sie gerade vorgeschlagen hatten.

Aber dann lächelte er und sprach, als würde er mit seinem Tabaksbeutel reden: »Ihr werdet noch staunen. Ich werde euch alle verblüffen. Ich habe Sachen drauf ... mit meinem nächsten Schachzug rechnet ihr ganz sicher nicht ...«

»Ich will«, sagte Ann Kathrin, »dass Wilhelm Kaufmann Tag und Nacht überwacht wird. Und alle drei Gestalten aus diesem Skatclub ebenfalls.«

»Ja«, stöhnte Büscher. »Und ich darf zusehen, wie ich an die Leute komme und die Mittel, und am besten soll noch alles geheim bleiben.«

»Stimmt«, sagte Ann Kathrin, »genau das hatten wir uns vorgestellt.«

Um ungestört miteinander reden zu können, zogen sich Ann Kathrin Klaasen und Ubbo Heide ins Café Philipp zurück. Hier war um diese Zeit nicht viel los. Als Ann Kathrin durch die Eingangstür ging, hatte sie das Gefühl, durch ein Zeitloch in die Siebziger zurückzufallen. Ubbo Heide gefiel das durchaus.

Sie setzten sich an einen Ecktisch, bestellten sich Pflaumenkuchen und Kaffee. Ann Kathrin eröffnete das Gespräch: »Du traust keinem mehr in der Firma, stimmt's?«

Ubbo wirkte missmutig, nickte und zuckte gleichzeitig mit den Schultern. »Er ist uns immer einen Schritt voraus, Ann. Ich hätte dir im Grunde vorhersagen können, dass die Autonummern in Gelsenkirchen nichts bringen, so originell ich Franks Aktion auch fand. Aber der Täter weiß genau, was wir tun, der stellt seinen Wagen nicht in der Nähe ab. Der weiß, wo Überwachungskameras sind, und der weiß, dass wir sie überprüfen. Wir werden auch am Brief nichts finden. Wenn es Hinweise gibt, dann hat er sie gestreut, um uns zu verwirren und unsere Ermittlungen in die Irre zu leiten.«

»Also doch einer von uns?«

»Alles in mir sträubt sich gegen den Gedanken. Aber ich bin mir ziemlich sicher, dass hier jemand zuschlägt, den wir selbst ausgebildet haben.«

»Wir werden ab jetzt an Willi Kaufmann kleben«, sagte sie und drückte beide Handflächen gegeneinander, als könne sie das so demonstrieren.

Ubbo Heide legte die Hände auf die Räder seines Rollstuhls. »Er weiß es längst«, brummte er. »Er will ein bisschen mit uns spielen, bis es ihm langweilig wird und unsere Aufmerksamkeit nachlässt. Und dann wird er ...«

Noch bevor die Bedienung den Kaffee brachte, jaulte Ann Kathrins Seehund. Mit einer einzigen fließenden Bewegung führte sie das Handy ans Ohr und nahm das Gespräch an. Die Verbindung war sehr gut.

»Die gute Nachricht zuerst, Ann. Wir haben zwölf Leute für die Rund-um-die-Uhr-Überwachung«, sagte Frank Weller. »Jeweils vier pro Schicht.«

»Und die schlechte?«, fragte Ann Kathrin.

»Ich wollte Kaufmann erst mal zu einem Gespräch einladen.

Ich dachte, in der Zeit verwanzen wir seine Wohnung. Aber zu Hause geht er nicht ans Telefon, und sein Handy sagt mir nur, dass er im Moment nicht erreichbar ist. Wir können ihn nicht mal orten, er hat das Ding ausgeschaltet.«

»Bleib dran«, bat Ann Kathrin. Sie wollte das Gespräch beenden, spürte aber, dass Weller noch etwas sagen wollte.

»Ann ... am liebsten würde ich ihn zur Fahndung ausschreiben.«

»Nein, dann ist er gewarnt. Er wird selbst unsere Nähe suchen, und wenn wir schnell genug bei seinem nächsten Opfer sind, greifen wir ihn dort«, sagte Ann Kathrin.

Ann Kathrin klickte das Gespräch weg, legte das Handy auf den Tisch und sah Ubbo Heide an.

Ubbo hatte Weller nicht verstanden, folgerte aber aus Ann Kathrins Worten: »Sie haben ihn schon verloren?«

Ann Kathrin nickte.

Sie hatten zwar Pflaumenkuchen ohne Sahne bestellt, bekamen aber jetzt welchen mit doppelt Sahne. Ubbo Heide meinte, Ann Kathrin solle ruhig seine Portion mitessen, sie könne das ja vertragen. Sie bestritt das mit einem Hinweis darauf, dass sie zugenommen habe, gleichzeitig baggerte sie aber mit der Gabel eine große Portion Sahne vom Kuchen und tauchte sie in ihren Kaffee ein. Sie beobachtete die schwimmende Sahneinsel, die sich langsam in weißen Schlieren auflöste.

Ubbo Heide wog seine Worte sorgfältig ab: »Es sagt gar nichts, dass ihr ihn jetzt nicht erreicht. Er ist einer aus dem anderen Jahrtausend, Ann. Genau wie du und ich. Aber er steht dem digitalen Zeitalter noch viel kritischer gegenüber. Der hat handschriftliche Memos verfasst, wollte im Dienst nicht mal ein Handy benutzen, weil es ihn verrückt machte, dass man damit geortet werden konnte. Er hat wohl in seiner Schulzeit George Orwell gelesen. Er hatte immer Angst vor dem totalen Überwachungsstaat.«

»Wie jeder, der etwas Böses im Schilde führt«, warf Ann Kathrin ein, aber das ließ Ubbo nicht gelten.

»Nein, Ann, es ist eine reale Gefahr. Überall sind Kameras angebracht, und mit dem Handy hat jeder seinen eigenen Stasi-Spitzel in der Tasche. Darüber machen sich nicht nur Kriminelle Sorgen. Das könnte auch der Anfang vom Ende unserer Freiheit sein ...«

»Vielleicht hast du recht, Ubbo«, sagte sie, »aber jetzt wäre es mir lieber, wir wüssten, wo er sich gerade aufhält.«

»Er wird sich als Erstes diesen Volker Janssen holen.«

»Den Vergewaltiger?«

»Den mutmaßlichen ... Den, den unsere Zeugin aus Bensersiel identifiziert hat. Die Justiz hat ihn damals freigesprochen, aber er hat Ärger mit so einer Frauengruppe bekommen. Die haben ›Vergewaltiger‹ auf sein Auto gesprüht, auf seine Haustür und ihn mit ihrem Hass verfolgt. Ich gönne es ihm von Herzen. Er ist dann nach Achim gezogen.«

»Nach Achim?«

»Ja, nach Achim. Ein ähnliches Verhalten, wie es auch Heymann und Stern an den Tag gelegt haben. Wer einmal so öffentlich am Pranger stand, versucht, woanders neu anzufangen und sucht erst mal ein Loch, um unterzutauchen.«

Ann Kathrin scheute sich zunächst, es zu sagen, aber dann platzte sie doch damit heraus: »Du wirkst fast so, Ubbo, als wäre es dir ganz recht, wenn er sich diesen Janssen schnappt und zur Rechenschaft zieht.«

»Ja, verdammt, ich gönn's ihm. Aber ich weiß, dass es nicht in Ordnung ist. Nagel mich jetzt nicht auf so was fest, Ann. Mach es mir nicht so schwer. Wir müssen den Täter stoppen und den Rechtsstaat verteidigen, auch wenn uns dieses System manchmal schwach oder ungerecht erscheint.«

Ann Kathrin nippte an ihrem Kaffee, stellte ihn dann sorgfältig wieder auf dem Unterteller ab, ohne dabei das geringste Geräusch zu machen, und sagte: »Ich glaube nicht, dass er sich diesen Janssen als Erstes holt.«

»Warum nicht?«

»Er hat uns dieses grauenhafte Geständnis von Svenja Moers geschickt. Er wird versuchen, diesen Volker Janssen so unter Druck zu setzen, dass er auch gesteht.«

»Wie denn?«

»Ich vermute, er holt sich erst einen von den Skatbrüdern, die diesen Janssen gedeckt haben. Damit kann er ihm die größte Angst einjagen.«

»Du meinst, er wird einen von den falschen Zeugen hinrichten, damit Volker Janssen von selbst gesteht?«

Ann Kathrin nickte: »Es ist ihm bestimmt lieber, für Vergewaltigung bestraft zu werden, als seinen Kopf zu verlieren.«

Sie notierte den Namen Volker Janssen. Dann zog sie mit ihrem Bleistift einen Kringel drumherum.

»Wie heißen seine Zeugen?«

»Werner und Michael Jansen.«

»Sie sind Brüder?«

»Nein. Er schreibt sich mit zwei s und die beiden nur mit einem. Oder umgekehrt, das weiß ich nicht mehr. Jedenfalls sind die beiden Brüder, aber nicht mit diesem Volker verwandt.«

Es tat ihm gut, Ann Kathrin Klaasen und Ubbo Heide im Café Philipp zu belauschen. Ubbo sympathisierte also doch heimlich mit ihm. Das ging ihm runter wie rote Grütze mit Vanilleeis.

Und der Tipp von Ann Kathrin war gar nicht schlecht. Vielleicht, dachte er, bin ich ja in der Lage, diesen Drecksack so zu verängstigen, dass er zur Polizei rennt und gesteht. Das wäre ein Triumph! Er schmunzelte. Vielleicht hast du ja noch mehr gute Tipps für mich auf Lager, Ann Kathrin!

Er lachte. Am Ende wird es wie mit der Steuer-CD. Es wird zwar groß lamentiert, dass es vom Staat nicht richtig ist, gestohlene Daten einer Schweizer Bank zu kaufen, doch die gottverdammten Steuerflüchtlinge zeigen sich reihenweise selbst an, werden reumütig und bezahlen aus Angst vor Entdeckung. Dabei wissen sie noch gar nicht, ob ihre Namen auch auf der CD sind. Wenn wir den Typen richtig Angst einjagen, dann gestehen sie alle, entscheiden sich für das kleinere Übel und retten ihr jämmerliches Leben, indem sie um Gnade winseln.

Ich seh euch schon mit mir in einer Frontlinie. Du, Ann Kathrin und ich – was wären wir für eine Truppe!

Rupert stand im Combi in der Warteschlange an der Kasse, als sein Handy klingelte. Er hatte einen Kasten Bier im Einkaufswagen und eine Flasche Whisky – halt alles, was ein Mann wie Rupert so brauchte, wenn er aufgehört hat zu rauchen …

Manni, sein alter Kumpel, mit dem er so gern im Mittelhaus zusammen die Theke bewachte, fuhr ihm in die Hacken, als Ruperts Handy klingelte.

Rupert schielte kurz zu Manni, dann nahm er das Gespräch an.

Agneta Meyerhoff säuselte mit rauchiger Stimme in sein Ohr: »Na, mein Hengst, geht es dir gut?«

Da Rupert befürchtete, die anderen in der Schlange könnten mithören, hustete er, um Agnetas Stimme zu übertönen.

»Oh, du hast dich doch hoffentlich nicht erkältet, ich dachte, ich hätte dich schön warm gehalten …«

Rupert hustete einfach weiter.

»Ich hoffe, du kommst heute Abend wieder. Ich hab noch ein paar Sachen drauf, die kennst du noch gar nicht, und ich hätte Lust, dich ein bisschen zu verwöhnen.«

Rupert versuchte, einen sachlichen Ton zu finden: »Ich arbeite gerade an einem Mordfall. Wir stehen hier alle mächtig unter Druck. Ich kann heute Abend unmöglich …«

»Hat dir mein Schaschlik nicht geschmeckt?«

Rupert wusste nicht, was schärfer gewesen war, das Schaschlik oder Agneta. Aber das konnte er jetzt unmöglich sagen.

»Hat's dir etwa nicht gefallen?«, bohrte sie weiter.

»Doch, natürlich! Aber ich …«

Ihre Stimmung schlug sofort um, und sie schimpfte: »Was soll das jetzt werden? Servierst du mich hier am Telefon ab oder was?«

»Nein, natürlich nicht! Ich …«

»Ich denke, ich gehöre zu den Gefährdeten?! Du hast mir gesagt, er könnte als Nächstes kommen und mich holen! Ich dachte, du beschützt mich?«

»Ich kann versuchen, für dich Polizeischutz zu organisieren, allerdings weiß ich nicht, ob …«

»Ich will nicht irgendeinen Aushilfssheriff von euch! Ich will dich! Macht es dir gar nichts aus, mich dem Täter einfach so auszuliefern? Mein Mann ist auf Montage, der würde mich sonst beschützen! Aber …«

»Also, wie gesagt, ich bin hier hinter dem Mörder her. Wir sind ganz kurz davor, ihn zu fassen und …«

Jetzt hatte Rupert die Aufmerksamkeit von allen Leuten in der Schlange, und selbst die Kassiererin hörte auf, Waren einzuscannen und starrte ihn nur an.

Manni zeigte auf Rupert und tönte: »Das ist mein Freund Rupert! Sozusagen der Chef der ostfriesischen Kriminalpolizei!«

Rupert drehte sich zu ihm um. »Sei doch mal ruhig!«

»Verbietest du mir jetzt den Mund?«, fragte Agneta Meyerhoff.

»Nein, ich meinte nicht dich. Ich bin hier nicht allein.«

»Ganz im Gegensatz zu mir. Ich bin nur allein! Ständig und immer! Und es steht mir bis Unterkante Oberlippe!«

Wenn er sich nicht täuschte, mischten sich Tränen in ihre Wut. Ihre Stimme wurde brüchig, und sie versuchte einzulenken. »Ich dachte, ich bedeute dir etwas, aber es macht dir scheinbar nichts aus, ob ich umgebracht werde oder nicht.«

»Natürlich will ich nicht, dass der Täter dich schnappt und kaltmacht, aber … Dienst ist nun mal Dienst und …«

»Aber du arbeitest doch nicht Tag und Nacht. Komm zu mir, wenn du Feierabend hast … Ich mach dir auch eine Hühnersuppe, das ist gut gegen die Erkältung.«

»Ich habe keine Erkältung. Ich … ich kann heute Nacht nicht zu dir kommen. Ich bin verheiratet, verdammt, ich schlafe nachts zu Hause – normalerweise.«

»Okay, dann komm ich eben zu dir. Ich will heute Nacht nicht alleine sein.«

»Zu mir?«

»Ja, klar. Ich begebe mich in deinen Schutz!«

»Ich weiß nicht, ob meine Frau das für so eine gute Idee hält. Die kann ganz schön eifersüchtig sein, wenn …«

»Das war kein ernsthafter Vorschlag, du Idiot! Ich wollte dich nur aus der Reserve locken.«

Manni stupste Rupert an: »Also hör mal, wenn ihr Probleme habt, ich meine, wenn ihr Verstärkung braucht, um so 'ne scharfe Braut zu beschützen oder so – du kannst immer auf mich zählen!«

»Ja«, stöhnte Rupert, »ich weiß.«

»Wenn ich meinem Mann sage, dass du mich belästigt hast, bricht der dir das Nasenbein!«

»Belästigt?«, fragte Rupert.

Sie wurde kurzatmig, sie wollte ihn nur noch verletzen. Rupert kannte das von Frauen. Er merkte es schon an der Atmung.

»Ich hab noch nie mit einem Mann geschlafen, der so einen Kleinen hat!«, schrie sie, und Rupert bereute es schon, während er die Antwort herausbrüllte, aber er konnte sich selbst nicht daran hindern. Er musste den Satz loswerden: »Der ist nicht klein!«

Einige Leute an der Kasse sahen betreten weg. Andere grinsten Rupert breit an.

Manni klopfte Rupert auf die Schultern und sagte: »Lass dir nichts gefallen, Kumpel!«

Ann Kathrin Klaasen wollte sich selbst ein Bild von der Situation in Achim machen und den Fall nicht einfach den örtlichen Einsatzkräften überlassen. Sie wollte nicht sofort als Kommissarin auffallen, indem sie mit einem Polizeiwagen vorfuhr, also entschied sie sich für ihren in die Jahre gekommenen, klapprigen grünen Twingo. Doch als sie sich hinters Steuer klemmte, sprang er zunächst nicht an.

Sie redete dem Wagen gut zu, beteuerte, wie wichtig er für sie sei, und dass sie ihn niemals verkaufen oder verschrotten würde. Aber jetzt müsse sie halt dringend nach Achim, und er solle doch bitte nicht so bockig sein.

Weller stand neben dem Auto, die Arme aufs Verdeck gestützt, und hörte Ann Kathrin zu.

»Mancher Ehemann würde sich freuen, wenn seine Frau so liebevoll mit ihm spräche wie du mit deinem Wagen«, grinste er und schlug vor, die Schrottkarre in die Werkstatt zu bringen und mit einem Leihwagen nach Achim zu fahren.

Ann Kathrin reagierte nicht auf Weller, sondern sagte ihrem Auto: »Das hat der nicht so gemeint. Der ist einfach nur mies drauf. Nimm das bitte nicht persönlich.«

»Ann, Autos nehmen nichts persönlich. Bitte, wir haben da noch den C 4. Du kannst ihn haben. Ich lasse mich von Marion Wolters abholen, und dann …«

Ann Kathrin sprach weiter mit dem Twingo: »Keine Angst,

mein Frosch«, sagte sie und streichelte übers Armaturenbrett, »du bist nicht einfach austauschbar. Männer sind so. Die denken das manchmal. Wenn die Partnerin nicht mehr richtig funktioniert oder in die Jahre gekommen ist, dann wählen sie sich halt gern eine neue ...«

Weller schlug mit der Faust aufs Autodach. »Nein, verdammt, so bin ich nicht!«

»Ich rede gar nicht mit dir«, sagte Ann Kathrin zu ihm.

»Ich weiß. Du sprichst mit dem Auto. Herrgott, wenn das einer mitkriegt, Ann Kathrin, die halten uns doch für völlig bescheuert!«

»Wenn überhaupt, Frank, dann halten sie mich für bescheuert. Aber hier um uns herum sind nur unsere Nachbarn. Ich wohne hier. Die kennen mich.«

»Ja, glaubst du, Peter Grendel redet auch mit den Steinen, wenn er mauert?« Weller machte es vor: »Oh, bitte, stürz nicht ein, du bist eine tragende Wand. Wir brauchen dich noch!«

Er bückte sich tief, schob seinen Kopf durchs offene Fenster ins Auto, als wolle er Ann Kathrin küssen, und sagte: »Bitte. Überlass mir das. Ich bringe den Wagen in die Werkstatt, und du kannst ...«

In dem Moment sprang der Twingo an.

»Siehst du«, lachte Ann Kathrin, »vielleicht hat das Wort ›Werkstatt‹ geholfen. Der Frosch mag das nicht. Dafür müsstest du doch eigentlich Verständnis haben. Du gehst doch auch nicht gern zum Arzt.«

»Was hat denn das jetzt damit zu tun?«

»Darf ich dich an die fällige Darmkrebsuntersuchung erinnern?«

Weller zog seinen Oberkörper aus dem Auto zurück, machte sich gerade, sah in den blauen ostfriesischen Himmel und grunzte wie ein hungriger Gorilla.

Ann Kathrin zog die Handbremse an, dann stieg sie aus und

umarmte ihren Frank. Sie küsste seinen Halsansatz und flüsterte: »Du musst dir keine Sorgen machen, Liebster. Mir wird nichts passieren. Ich will nur so nah wie möglich ran.«

»Klar. Was soll dir schon passieren? Dein Frosch passt ja bestimmt auf dich auf«, sagte Weller und klang fast ein bisschen eifersüchtig. Er hatte immer noch das archaische Bild in sich, er müsse seine Frau beschützen.

Dann fuhr sie los, und im Rückspiegel sah sie ihn, bis sie um die Ecke abbog. Er winkte und hatte ein sorgenvolles Gesicht.

Sie schaltete das Radio ein und blieb gleich bei Radio Nordseewelle hängen, denn dort spielten sie einen Song von den »Fabelhaften 3«, »Über das Meer«. Musik von Ubbo Heides Lieblingsband lief immer öfter im Radio.

Ann Kathrin summte mit.

»Halt dein Segel fest im Sturm – Ichuuuu –
krachen Wellen höher als ein Turm – Ichuuuu
Über das Meer ...«

Allmählich entfernte Ann Kathrin sich aus dem Sendegebiet. Es begann zu knistern und zu knacken. Sie schaltete zum nächsten Sender. Dort liefen die Nachrichten noch. Ein Bundestagsabgeordneter, der sich Kinderpornographie aus dem Internet heruntergeladen hatte, war freigesprochen worden, sollte dafür aber fünftausend Euro an den Kinderschutzbund spenden.

Zornig schlug Ann Kathrin gegen das Lenkrad, entschuldigte sich dann aber gleich wieder bei ihrem Auto für die Attacke. »Du kannst ja nichts dafür, Frosch«, sagte sie, »aber mich macht so etwas rasend. Da hat der arme Kerl ja Glück gehabt, dass er sich nur Kinderpornographie runtergeladen hat. Einen Hollywood-Blockbuster illegal anzugucken, das wäre richtig teuer geworden! Was ist bloß los mit der Justiz in unserem Land? Aus einer Strafe wird eine Spende. Wahrscheinlich soll der Kinderschutzbund jetzt noch dankbar sein. Was passiert mit dieser Welt gerade? Sind alle verrückt geworden?«

Nun begann das Musikprogramm. Ann Kathrin schaltete weiter. Sie wusste nicht genau, ob sie es tat, weil sie diese blöde Nachricht am liebsten ungeschehen machen wollte oder weil sie das Musikprogramm so jämmerlich fand. Sie landete schließlich bei Antenne Niedersachsen. Dort war offensichtlich Saskia Faust zu Gast im Studio.

Ann Kathrin stellte das Radio lauter.

»Mein Vater hat all diese Gespräche aufgenommen und mir zugeschickt.«

»Wusste Ihr Vater, dass er ermordet werden sollte? Hat er Ihnen deshalb die Aufnahmen geschickt?«

»Nein, ich glaube, das hat er getan, um mir zu zeigen, dass er für seine Arbeit nicht nur geliebt wird, sondern auch auf viel Widerstand stößt. Besonders, wenn er attackiert wurde, hat er mir so etwas zugeschickt.«

»Aber warum denn?«

»Mein Vater war ein sehr sensibler Mensch, auch wenn viele Leute das anders sehen – ihn hat so etwas tief getroffen, und er brauchte dann Zuspruch von seiner Tochter. Ich habe ihn oft getröstet. Ja, meinetwegen kann man ruhig darüber lachen. Mein Vater lag manchmal weinend in meinen Armen … Oft hat er sich auch nur am Telefon bei mir ausgeheult, weil er wieder in irgendeinem Hotel übernachten musste und …«

»Dürfen wir mal reinhören in das Band?«

»Natürlich.«

Ann Kathrin lenkte den Wagen an den Straßenrand. Sie wollte sich ganz auf das konzentrieren, was sie jetzt zu hören bekam.

Als sie Ruperts Stimme hörte, wusste sie, dass es schrecklich werden würde.

»Meine Frau sagt immer, das passiert mir nur, wenn das Arschloch vor mir mich an das Arschloch in mir erinnert …

Jetzt sei nicht so eine Muschi! Ich entschuldige mich echt. Sowas passiert mir sonst nicht … nur manchmal, wenn vor mir so ein arroganter Fatzke steht wie du, dann kann das schon mal passieren, dass ich aus der Rolle falle und …«

»Das ist ja unfassbar«, sagte der Moderator und klang wirklich empört. »So geht die ostfriesische Polizei mit einem renommierten Journalisten um?«

»Ja«, sagte Saskia Faust, »und jetzt ist mein Vater tot. Sie haben ihn auf dem Gewissen.«

»Nun, das will ich relativieren, das ist ja nur eine Vermutung, aber …«

Saskia Faust unterbrach den Moderator: »Ich sage ja nicht, dass die ostfriesischen Polizisten ihn umgebracht haben. Ich sage nur, dass das nicht die richtigen Leute sind, um in diesem Fall zu ermitteln. Sie sympathisieren im Grunde mit dem Mörder. Er hat für sie die Drecksarbeit gemacht. Mein Vater hat Material gegen diese Kommissarin Ann Kathrin Klaasen gesammelt. Sie ist ja überall in Ostfriesland eine Art Ikone der Kriminalpolizei. Ich weiß nicht, auf was mein Vater da gestoßen ist, jedenfalls wird die Öffentlichkeit es jetzt wohl nie erfahren …«

Der Moderator spielte erst einmal wieder Musik.

Ann Kathrin reckte sich im Fahrersitz, als sei sie gerade erst in ihrem Bett aus einem Albtraum erwacht. Dabei stieß sie mit den Händen von innen gegen das Autodach. Ihr Magen krampfte sich zusammen. Es hörte sich an, als würden scharfe Eiszapfen in einer Wolldecke zermahlen.

Ihr Handy heulte auf. Es war wie ein Weckruf, wie eine Befreiung für sie. Sie nahm das Gespräch sofort an.

Holger Bloem war dran. »Ann! Ich habe das gerade gehört. Diese Saskia Faust ist live im Radio.«

»Ja, ich weiß«, stöhnte Ann Kathrin.

»Das geht voll gegen dich. Das haben die sehr geschickt hingedreht. Rupert beleidigt ihren Vater, und du bist schuld … Ich rufe nur an, um dir zu sagen, dass du auf mich zählen kannst. Egal, was jetzt geschieht. Also, wenn du jemanden brauchst, der dich im Umgang mit der Presse berät, dann ...« Bescheiden nahm er sich gleich wieder zurück: »Nicht, dass du das nicht selber könntest, aber ...«

»Was soll ich machen, Holger? Reagieren oder mich wegducken?«

»Genau die zwei Möglichkeiten sehe ich. Wenn du jetzt sofort reagierst, spielst du die Sache vielleicht nur höher. Manchmal kann es auch richtig sein, einfach eine kalte Dusche abtropfen zu lassen. Es dauert garantiert nicht lange, und dann wird die nächste Sau durchs Dorf getrieben. Entschuldige den Ausdruck ... Oder du startest eine Gegenoffensive. Zum Beispiel mit einem großen Interview, in dem du erzählst, was das alles mit dir macht und für dich bedeutet. Du hast in Ostfriesland viele Freunde. Die Menschen wissen dich und deine Arbeit zu schätzen. Es werden mehr Leute zu dir halten als du denkst, während dieser Faust für viele einfach ein Mistkerl ist ...«

»Danke, Holger. Ich weiß das wirklich zu schätzen. Ich habe überhaupt keinen Bock auf eine Pressekonferenz oder so etwas. Wir haben wirklich andere Sachen zu tun. Ich denke, sobald wir den Mörder gefasst haben, legt sich das alles auch wieder. Wenn die Polizei keinen Schuldigen präsentieren kann, wird sie gern selbst zum Schuldigen gemacht ...«

»Ich könnte im Ostfriesland-Magazin eine Reportage über dich machen, Ann. Dieses Land hat dir viel zu verdanken. Ein paar üble Burschen würden noch frei rumlaufen, wenn du nicht ...«

»Nein, Holger, danke. Ich glaube, noch mehr Publicity tut mir im Moment nicht gut. Ich muss mich ganz auf den Fall konzentrieren. Aber es ist schön zu spüren, dass Leute wie du bei mir sind.«

»Immer, verlass dich drauf. Loyalität ist für Ostfriesen kein Fremdwort.«

»Danke, Holger. Tschüss«, sagte Ann Kathrin, und Holger Bloem rief noch: »Halt die Ohren steif, Ann!«

Ann Kathrin ging zweimal ums Auto herum. Es tat ihr gut, den Boden unter den Füßen zu spüren. Das erdete sie.

Da jaulte ihr Seehund erneut auf. Auf dem Display sah sie, dass ihr Sohn Eike sie sprechen wollte. Sie war gleich gerührt. Bestimmt hatte er die Sendung auch gehört und wollte nun seine Mutter trösten. Auch wenn sie sich nicht oft sahen, gab es doch, so empfand sie es in den letzten Jahren, eine Art emotionaler Standleitung zwischen ihnen. Es tat ihr schon allein gut, jetzt den Anruf zu erhalten.

Sie begrüßte Eike freundlich, während sie vor ihrem grünen Twingo ein paar Kniebeugen machte. Ein Lkw-Fahrer fuhr an ihr vorbei, und weil es ihm so gut gefiel, wie sie ihren Hintern herausdrückte, hupte er. Sie beachtete ihn gar nicht.

»Eike, schön dass du anrufst. Wie geht's dir?«

»Mama, ich hab Mist gebaut.«

Gleich vergaß sie ihren eigenen Ärger und stellte sich innerlich sofort auf ihren Sohn ein. »Was ist los?«

Er hörte sich erschüttert an. Seine Stimme war zittrig. Zunächst vermutete Ann Kathrin, dass er mit seiner Freundin, der Assistenzärztin Rebekka Simon, Krach hatte, was ihr sehr leidgetan hätte, denn sie mochte die junge Frau. Aber dann sprudelte Eike los: »Ich bin so ein Idiot! Ich hab mich einfach überhaupt nicht um mein Konto gekümmert und alles laufen lassen und jetzt ... Jetzt läuft eine Pfändung gegen mich. Die wollen mir den Strom abstellen, und die Bank hat meine Kreditkarte eingezogen. Ich stand am Automaten und wollte eigentlich nur fünfzig Euro, aber dann ...«

Ann Kathrin schlussfolgerte: »Es geht um Geld.«

»Ja, Mama.«

»Wie viel denn?«

»So zweieinhalb, höchstens dreitausend. Kannst du mir aushelfen? Ich zahle es auch zurück.«

»Aber sicher kann ich das.«

Es fiel ihr leicht, ihrem Sohn etwas zu geben, ja, es tat ihr sogar gut. Sie hatte genügend auf der hohen Kante, und bei der Sparkasse Aurich-Norden war ihr Geld sicher angelegt.

»Sollen wir zusammen zur Sparkasse gehen und mit denen reden? Ich begleiche das dann und ...«

»Mama, kannst du mir nicht einfach Geld überweisen?«

Sie lächelte. »Es ist dir peinlich, mit den Bankleuten zu reden, was? Wenn du das schon früher getan hättest, wärst du vielleicht gar nicht in diese Situation gekommen. Ich kann dir nicht einfach etwas überweisen, ich bin unterwegs nach ... Ist ja auch egal, ich bin jedenfalls nicht zu Hause.«

»Machst du kein Homebanking?«

»Nein, ich gehe immer noch richtig zum Schalter und fülle Überweisungsträger aus. Das gefällt mir besser. Ich traue dem ganzen Computerkram nicht.«

»Och, Mama, das kann doch nicht wahr sein! Wo lebst du denn?«

»Jedenfalls habe ich mein Konto im Griff. Eine Überweisung würde dir ja auch gar nicht helfen. Das Geld versickert ja dann einfach in dem Konto.«

»Ich brauch aber schnell ein bisschen Bargeld, Mama ...«

Sie wollte die Begründung gar nicht hören. »Ich könnte dir etwas vorbeibringen. Ich fahre Richtung Bremen. Ich könnte ...«

»Oh, Mama, das wäre ganz großartig. Können wir uns in Oldenburg treffen, und du bringst mir Geld?«

»Wo sollen wir uns treffen, Eike? Auf einem Parkplatz in der Nähe der Autobahn?«

Eike lachte. »Ja, das ist typisch meine Mama. Geldübergabe auf einem Parkplatz in der Nähe der Autobahn. Du bist wirklich Hauptkommissarin!«

Sie war zwar mächtig in Eile, versuchte aber jetzt, sich Raum für ihren Sohn zu schaffen. »Wir können natürlich auch irgendwo zusammen essen gehen und dann ...«

»Wie viel Geld hast du denn mit, Mama?«

»Keine Ahnung. Ich muss nachgucken. Ich schätze, hundert, vielleicht hundertzwanzig Euro.«

»Mama ... es ist mir zwar unangenehm, aber das reicht mir nicht. Ich brauche mindestens dreihundert in bar. Am besten dreihundertfünfzig.«

»Dann treffen wir uns vor einer Sparkasse. Ich muss nämlich erst Geld ziehen. Bei der Filiale Alexanderstraße?«

»Klasse, Mama! Ich bin in einer halben Stunde da.«

Sie sah auf die Uhr. »Ich brauche vielleicht ein bisschen länger.«

»Macht nichts, Mama. Ich warte dort. Ich liebe dich, ich küsse dich, du bist die Beste!«

Sie wollte sich noch für den Kuss bedanken, aber da hatte Eike das Gespräch schon beendet.

Rupert fuhr den Wagen in die Garage, lud seinen Bierkasten aus und versteckte die Whiskyflasche vorsichtshalber unter seiner Jacke, als er zur Haustür ging, denn er wusste, dass Beate seinen Alkoholkonsum kritisch sah.

Im Haus duftete es nach Räucherstäbchen, was Rupert sofort ein Kratzen im Hals bereitete. Er hatte das Gefühl, dieses Zeug war schlimmer als jeder Zigarettenqualm, und er hoffte, dass nicht nur das Rauchen in Kneipen, sondern auch das Abbrennen von Räucherstäbchen in Esoläden und Wohnstuben verboten werden würde.

Und dann stand sie vor ihm, in ihrem flatternden, erdfarbenen Kleid aus irgendeinem Stoff, der, so vermutete er, von Jungfrauen bei Vollmond am Feuer unter Absingen frommer Sprüche gewebt worden war.

Beate war inzwischen zur Reiki-Meisterin aufgestiegen, völlig durchflutet vom Licht, und bestand praktisch nur noch aus Liebe und ein paar Knochen. Rupert kam im Prinzip ganz gut damit klar, weil er nichts davon wirklich an sich ranließ, sondern seine Frau betrachtete, wie er sich Fische im Aquarium ansah. Aber etwas mit ihrem Gesicht stimmte nicht. Sie war nicht so entspannt wie sonst. Ihre linke Wange zuckte. Die Lippen waren sehr schmal. Und seine energetisch durchflutete, friedliebende Frau verpasste ihm eine schallende Ohrfeige.

Rupert stand ganz ruhig. Er befühlte seine Wange. Er konnte es nicht glauben. Hatte sie ihm gerade wirklich eine geknallt?

Er zog die Whiskyflasche aus der Jacke. Am liebsten hätte er sie gleich aufgeschraubt und einen Schluck genommen.

»Wie kommst du Dösbaddel dazu, solchen Mist über mich zu erzählen?«

»Was? Ich habe nichts über dich erzählt! Was denn auch? Glaubst du, dass ich durch die Polizeiinspektion renne und jedem auf die Nase binde, was du und deine Freundinnen hier für einen Hexentanz abziehen?«

Verdammt, dachte Rupert, Agneta Meyerhoff ist hier gewesen. Das blöde Weib rächt sich. Sie hat Beate irgendeinen Mist erzählt.

Er hatte seine Frau schon oft betrogen, und es war nicht das erste Mal, dass sie ihm draufgekommen war. Aber so aufgeregt hatte er sie noch nie erlebt.

Sie holte aus, um noch einmal zuzuschlagen. Er duckte sich weg.

»Ich hab's im Radio gehört! Wie kannst du solche Sprüche loslassen? Ich habe nie gesagt, das passiert, wenn das Arschloch vor dir dich an das Arschloch in dir erinnert. Was ich dir gesagt habe, stammt aus einer Fortbildung für Erzieherinnen, die ich vor vielen Jahren mal in Delmenhorst gemacht habe: *Wenn das Kind vor dir dich an das Kind in dir erinnert.* Es ging darum, dass Erzieher manchmal in einer Situation mit einem Kind nicht fertig werden, weil sie an Verletzungen in ihrer eigenen Kindheit erinnert werden ...«

Rupert verstand nur Bahnhof. »Du hast w a s im Radio gehört? Ich gebe keine Radiointerviews. Ich ...«

Dann sah er plötzlich Saskia Faust vor sich, wie sie in der Polizeiinspektion das Diktiergerät hochgehalten hatte.

»Ach du Scheiße«, sagte er, »hat sie das wirklich wahrgemacht?«, und sackte in sich zusammen. Er saß auf den Treppenstufen, die Whiskyflasche locker zwischen den Knien, den Kopf nach unten gesenkt, mit einem Gesicht wie ein verprügeltes Kind.

Und sofort rührte er Beate wieder an. Sie liebte diesen schrecklichen Menschen einfach. Sie wusste nicht, warum. Inzwischen erklärten ihre Freundinnen ihr, es müsse eine alte, karmische Beziehung sein. Vielleicht kannten die zwei sich aus früheren Leben. Vielleicht hatte er ihr irgendwann einmal in einem anderen Leben aus der Klemme geholfen, und jetzt fühlte sie sich ihm immer noch verpflichtet. Vielleicht waren sie mal alte Kampfesgefährten gewesen ... Ja, sie konnte sich ihren Rupert gut als Ritter vorstellen.

Sie legte ihre linke Hand in seinen Nacken und streichelte ihn. Dann kraulte sie durch die Locken seiner Minipli und sagte: »Du hast es vermutlich nicht so gemeint, oder?«

»Dieser Fatzke hat mich rasend gemacht«, sagte Rupert, und es sah aus, als würde er mehr zur Whiskyflasche sprechen als zu seiner Frau. »Ich hätte ihn am liebsten aus dem Anzug gehauen, so blasiert, wie der dastand. Für die sind wir doch alle nur ostfriesische Deppen. Und dann weiß ich manchmal nicht, was ich sagen soll, und dann fiel mir dieser Satz ein, den du gesagt hast. Aber ich konnte dem doch nicht mit Kindergärtnerinnensprüchen kommen ...«

Sie griff jetzt fester in seine Haare und zog seinen Kopf nach hinten, so dass er sie anschauen musste.

»Das sind keine Kindergärtnerinnensprüche, sondern tiefe, psychologische Erkenntnisse über die menschliche Seele.«

»Ja, mein ich ja.«

Beate sprach jetzt mit erhobenem Zeigefinger: »Und ich habe es dir schon oft gesagt: Bitte sag in Zukunft Erzieherinnen. Ich nenne dich ja auch nicht Bulle.«

Beate setzte sich zu ihm auf die Treppe. Er fühlte sich eingehüllt von ihrer Energie wie in einem Kokon. Er hätte sich eher die Zunge blutig gebissen, als das zuzugeben, aber er fühlte sich geborgen. Er legte seinen Kopf an die Schulter seiner Frau, und die flüsterte: »Es ging gar nicht so sehr gegen dich. Ich glaube, dich haben sie nicht mal erwähnt. Sie schießen sich aber mächtig auf Ann Kathrin ein.«

Rupert fühlte sich gekränkt. Wenn die Presse wenigstens mal gegen ihn richtig losgehen würde, das wäre ja auch mal etwas. Viel Feind, viel Ehr, dachte er. Aber nein, egal, wie er sich abstrampelte, sie gingen am Ende doch auf Ann Kathrin Klaasen los, und die heimste dann auch den Ruhm ein, wenn ein Fall geklärt wurde.

Er fühlte sich beruflich auf der Verliererstraße, aber immerhin wusste seine Frau nichts von Agneta Meyerhoff.

Er schraubte die Whiskyflasche auf und wollte einen Schluck aus der Flasche nehmen. Das sah bei Leinwandhelden immer so gut aus. Er konnte sich an legendäre Szenen erinnern, mit Bruce Willis oder Nicolas Cage. Sie trugen Unterhemden, wenn sie Whisky aus der Flasche tranken, und wirkten unglaublich männlich. Aber keiner von ihnen hatte eine Minipli und ließ sich von seiner Frau den Nacken kraulen.

Als er die Flasche ansetzte, legte Beate eine Hand auf seinen Arm. »Das hilft nicht«, sagte sie. »Aber ich könnte dir Reiki geben.«

»Kann ich nicht beides haben?«, fragte er kompromissbereit.

»Ich glaube nicht, dass das so gut für dich ist.«

»Och, bitte, nur einen ganz kleinen Schluck.«

»Du musst selbst wissen, was für dich gut ist.«

Als er aus der Flasche trank, sagte sie: »Du siehst aus wie ein kleiner Junge, der am Milchfläschchen nuckelt, aber doch lieber Muttis Brust hätte.«

Rupert verschluckte sich und prustete ein paar Whiskyspritzer durchs Treppenhaus. Er fragte sich, ob sich Bruce Willis, Nicolas Cage oder seine Vorbilder Humphrey Bogart und James Bond, gespielt von Sean Connery, auch jemals solche Sätze hatten anhören müssen. Garantiert nicht, dachte er. Was ist aus dieser Welt nur geworden ...

Beate umarmte ihn und raunte: »Wenn du weinen willst, lass deinen Tränen ruhig freien Lauf. Weinen befreit.«

Au Mann, dachte Rupert. Vom Actionheld zur Heulsuse war es wirklich nur ein kleiner Schritt. Aber den wollte er nun beim besten Willen nicht gehen.

David Weißberg saß mit seiner zehn Jahre jüngeren Frau Bianca im Kaminzimmer des Romantik-Hotels Menzhausen. Er liebte es, beim Frühstück nicht auf harten Stühlen zu sitzen, sondern in diesen bequemen Sesseln. Ein Platz für zwei Personen. Das Feuer loderte.

Es war kurz vor zwölf. Langschläferfrühstück!

Der Kaffee schmeckte, und die Eier waren genau so zubereitet, wie er sie mochte. Außen hart und innen weich.

Er aß schon das dritte Ei. Er hatte gelesen, man solle morgens mehr Eier essen und dafür weniger Brot oder Brötchen, das halte fit und mache schlank. Und wenn er sich seine schöne Frau so ansah, dann wollte er noch lange fit bleiben.

Sie hatten in diesem Hotel geheiratet. Sie hatten sich in Uslar, in diesem kleinen Städtchen im Weserbergland, kennengelernt und sich nicht nur ineinander verliebt, sondern auch in diesen Ort. Hier gab es noch Kopfsteinpflaster. Die Straßen erweckten den Eindruck, als würde die Post noch mit der Pferdekutsche gebracht.

Im Hotel gab es Wellnessmassagen, alles war gedämpft und ruhig.

In der Langen Straße standen zwar einige Geschäfte leer, aber wenn dort die Marktbuden geöffnet hatten, erfüllte ein merkwürdiger Zauber diesen Ort.

David Weißberg und seine Frau Bianca waren dem guten Leben sehr zugetan. Sie reisten nur erster Klasse und stiegen stets in guten Hotels ab. Sie mussten nicht wirklich aufs Geld achten, trotzdem, oder gerade deshalb, hatten sie vor, heute auf der Langen Straße bei der Uslarer Tafel eine Hochzeitssuppe zu essen. Das hatten sie auch damals getan, bei ihrem ersten Zusammentreffen.

Natürlich wollten sie nicht nur bezahlen, sondern auch noch eine gute Spende abliefern. Wer dort aß, unterstützte damit die Arbeit der Tafel, und Bianca war ganz entschieden der Meinung, dass Menschen, denen es gutging, eine Verantwortung für die hatten, denen das Glück im Leben nicht so hold gewesen war.

David Weißberg bestellte sich noch einen Kaffee. Er war fest entschlossen, gleich am Suppenstand der Tafel großzügig einen Fünfziger zu hinterlassen, denn damit schrieb er sich ins Herz seiner Frau. Sie konnte Geiz oder geistige Enge nicht ausstehen.

Sie hatten eine wunderbare Nacht hinter sich und noch zwei Tage im Romantik-Hotel vor sich. Sie hatten Massagen gebucht und wollten heute Abend in die Sauna gehen. Außerdem lockte die große Badewanne in ihrem Zimmer. Bianca nahm begeistert Schaumbäder.

David Weißberg streckte die Füße aus und fühlte sich pudelwohl. Er ahnte nicht, dass sein Tod bereits beschlossene Sache war und sein Mörder gerade draußen hinterm Hotel einparkte.

Er brauchte keine Einparkhilfe, aber er wusste nicht, wie er dieses nervige Gepiepse ausschalten sollte, das ihm sagen wollte: Vorsicht, hinter dir ist eine Mauer.

Er hörte die gleichen Nachrichten, die Ann Kathrin Klaasen wütend und nachdenklich gemacht hatten, doch er lachte bitter auf.

Fünftausend Euro Spende an den Kinderschutzbund! Na, das nenne ich doch mal eine Strafe! Da habt ihr ja mal wieder hart durchgegriffen! Wie wäre es, wenn ihr ihm einen Strauß Blumen schenkt und ein paar Pralinen kauft? Vielleicht könnt ihr ihm auch ein paar Stündchen Therapie bezahlen, damit seine Seele gestreichelt wird. Macht nur weiter so, dachte der Mörder. Ich werde noch eine Weile als Vollstrecker arbeiten, bevor ihr Pappnasen mich erwischt.

Er hatte plötzlich das Gefühl, noch viel Zeit zu haben, und selbst wenn sie ihn eines Tages schnappten, würden die Menschen eher ihn zum Kanzler wählen, als seiner Verurteilung zuzustimmen. Die öffentliche Meinung würde bald schon umkippen und dann komplett auf seiner Seite sein.

Du, David Weißberg, wirst der Nächste sein.

Er trommelte mit den Fingern die Titelmelodie vom »Tatort« aufs Lenkrad.

Nein, er wollte ihn nicht mit nach Emden nehmen, um ihn ins Gefängnis zu stecken. Die Fahrt war zu lang. Zu viel konnte passieren. Möglicherweise gab es Fahrzeugkontrollen.

Er hatte vor, ihn wie Faust abzustechen. Und er würde wieder ein deutliches Zeichen hinterlassen, damit sie ihm die Leiche zuschrieben. Er wollte nicht, dass sich jemand anders mit seinen Federn schmückte.

Eike staunte immer wieder über seine Mutter. Er beobachtete sie, wie sie Geld für ihn aus dem Sparkassenautomaten zog. Er hatte es fast vergessen, obwohl er damit groß geworden war. Sie sprach mit dem Geldautomaten, als hätte sie es mit einem netten, aber etwas begriffsstutzigen Menschen zu tun:

»Ja, meine Geheimzahl. Warte. Null Sieben Null Sieben – ach nein, das ist falsch, das ist ja mein Geburtstag.« Sie lachte, als würde sie mit dem Automaten scherzen: »Aber das ist mein PIN-Code für mein Handy. Für dich hab ich eine andere Nummer. Man soll ja nicht immer die gleiche Geheimzahl benutzen. Für dich hab ich Eikes Geburtstag.« Sie drehte sich zu ihm um und lächelte ihn an. »So vergesse ich es wenigstens nicht.«

»Du hast Angst, meinen Geburtstag zu vergessen?«

»Nein, Eike! Meinen Geheimcode. Den Geburtstag ihres Kindes vergisst eine Mutter nie.«

Er hoffte, dass sie jetzt nicht beginnen würde, die ganze Geschichte seiner Geburt erneut zu erzählen. Er konnte sie auswendig. Damals auf Juist im Winter, vier Wochen zu früh, und weil es Komplikationen gab, musste der Hubschrauber kommen.

Typisch meine Mutter. Einfach so, ganz normal geht bei ihr nicht, dachte er. Ein bisschen Stress und Aufstand muss schon dabei sein. Warum einfach eine Hausgeburt, wenn es auch im Hubschrauber geht?

Sie tippte die Nummer ein und zog fünfhundert Euro. Eike hatte sie nicht um so viel Bargeld gebeten, aber sie bedankte sich erst beim Geldautomaten, dann gab sie Eike alles. Er freute sich, betonte aber gleichzeitig, das sei doch nicht nötig.

Sie schlug vor, noch einen Kaffee gemeinsam zu trinken, aber es klang halbherzig für ihn, und er befürchtete, sich erklären zu müssen, warum und wie er in diese blöde Lage gekommen war.

»Du hast es doch bestimmt eilig«, orakelte er.

Sie zuckte mit den Schultern und nickte gleichzeitig. Das hieß:

Ja, leider. Anders wäre es mir auch lieber, aber ich bin nicht Herrin aller Dinge.

»Jagst du wieder so einen bescheuerten Mörder?«

»Ja, aber ich fürchte, er ist nicht bescheuert, wie du es ausdrückst, sondern hochintelligent, nur leider seelisch sehr krank. Und er hat sich bereits ein neues Opfer ausgesucht.«

»Na, dann will ich dich nicht aufhalten, Mama. Ich kenne das ja. Meine Mutter ist immer gerade dabei, die Welt zu retten ...«

»Schön, wenn du es so siehst, Eike.« Sie hielt ihn an den Schultern fest, sah ihm in die Augen und fragte: »Geht's dir gut? Bist du glücklich?«

Er grinste in sich hinein. »Ja, genau so ist sie: meine Mutter. Sie sagt nicht so nebenher wie andere Menschen: *Moin, wie geht's?*, nein, sie will es wirklich wissen.« Er lachte sie an. »Ja, Mama, ich bin mit Rebekka glücklich. Sie ist eine tolle Frau. Hat viel von dir. Sie fängt zwar keine Mörder, aber als Ärztin ist sie Krankheiten auf der Spur und bekämpft die dann gnadenlos ...«

Ann Kathrin empfand das als großes Kompliment. Sie küsste ihren Sohn.

Sie stand immer noch vor dem Automaten, und ein großer Mann mit Schirmmütze fragte: »Würde es Ihnen etwas ausmachen, wenn ich jetzt mal ...«

Die beiden machten ihm Platz und entschuldigten sich. Minuten später verließ Ann Kathrin mit ihrem klapprigen, grünen Twingo den Parkplatz. Eike sah ihr nach. Als ob sie sich kein neues Auto leisten könnte ... Er wusste, für seine Mutter war es eine Frage der Loyalität.

Er ließ die letzten Minuten Revue passieren. Meine Mutter, dachte er, hat sich beim Automaten für das Geld glaubwürdiger bedankt als ich mich bei ihr.

Ein bisschen beschämte ihn die Vorstellung, aber er wusste, dass sie einfach nur froh darüber war, ihm geholfen zu haben. In gewisser Weise hatte er ihr mit seiner Bitte um finanzielle Unterstützung sogar einen Gefallen getan. Sie fühlte sich jetzt gut. Als Mutter noch gebraucht.

Svenja Moers lag auf dem feuchten Bett. Die Kleidung klebte am Körper. Ihre Atmung war flach und hörte sich an, als würde Luft durch ein zu enges Rohr gepresst. Hohes Fieber wütete in ihrem Körper.

Alles in ihr lehnte sich gegen den Gedanken auf, hier sterben zu müssen. Sie wollte überleben. Doch ihre Kräfte schwanden.

Sie wusste nicht, wie lange sie schon allein war. Wann hatte sie ihn zum letzten Mal gesehen? Vor Stunden? Oder vor Tagen? Was ist Zeit, wenn man in einem Raum ohne Außenwelt lebt?

Sie wünschte sich so sehr, dass er das Radio wieder einschalten würde. Vermutlich, ja bestimmt, werde ich schon gesucht, redete sie sich ein. Sie haben ganz sicher meine letzten Tage bereits rekonstruiert. Garantiert hat Agneta ihnen erzählt, dass ich mit Yves Stern nach Hause gefahren bin, weil mein Fahrrad gestohlen wurde. Oder hatte Agneta das gar nicht mitgekriegt? Die ist doch scharf auf ihn ... Überhaupt, warum ist nicht längst die Kripo hier? Die überprüfen doch bestimmt jeden aus dem VHS-Kurs ... Am Mittwoch bin ich zum letzten Mal in Emden gesehen worden. Ob das schon eine Woche her ist? Ob der Kurs inzwischen ohne mich stattfindet? Bin ich vergessen? Holt er sich die Nächste? Vielleicht gar Agneta?

Sie begann so sehr zu zittern, dass das Bett wackelte und Klappergeräusche machte. Ihre Beine zuckten auf dem Bett hin und her, als ob jemand kleine Stromstöße durch sie hindurchjagen würde.

Er heißt gar nicht Yves Stern, dachte sie. Natürlich nicht. Er hat alles lange geplant. Er hat sich unter einem falschen Namen in den Kurs eingeschrieben und seine Adresse stimmt garantiert auch nicht. Deshalb findet mich niemand. Ich bin verloren … Bin ihm auf Gedeih und Verderb ausgeliefert …

Immerhin hatte sie Wasser. Das Spülbecken war noch voll.

Ihre trockenen, aufgesprungenen Lippen taten weh. Sie hatten kleine, blutige Risse. Am liebsten hätte sie ihren Kopf ins Becken getaucht, doch im Moment besaß sie nicht genug Energie, um aus dem Bett zu kommen.

Das anfallartige Zittern der Beine ließ nach. Sie wackelten nur noch ein bisschen.

Lieber Gott, lass ihn einen Fehler machen, damit sie ihn fassen! Ich will nicht hier sterben! Nicht jetzt. Nicht so.

Dieser David Weißberg machte ihn rasend. Den ganzen Tag turtelte er mit seiner Bianca. Konnten die sich nicht einmal trennen? Solch symbiotische Beziehungen waren einfach schlecht für eine Hinrichtung.

Er hatte nicht vor, auch noch diese Bianca zu töten. Ja, es ging um ihren David, aber wie sollte er sie verschonen, wenn sie immer an ihm klebte?

Erst nahmen die zwei händchenhaltend an einer historischen Stadtführung teil, dann bummelten sie ins Museumsquartier. Es graute ihm bei dem Gedanken, dass sie vermutlich noch das Kali-Bergbaumuseum und den Schmetterlingspark besichtigen würden.

Als es dann in den Barfußpark ging, war er schon fast so weit, sie auch umzubringen. Wie idiotisch muss Liebe machen, dachte er, von Hass getrieben, wenn sie einen dazu bringt, barfuß über Waldboden zu laufen, über bunte Bälle, und vor Entzücken zu jauchzen, wenn man unter den Sohlen die Ackerkrume spürt? Verliebt sein, dachte er, ist eine Form des Wahnsinns, und er war froh, dass ihm dieses Schicksal erspart geblieben war.

Diese fröhliche Bianca wusste nicht, dass der Mann an ihrer Seite seinen Bruder ermordet hatte, weil er sich gegen den Verkauf der Apotheke und der zwei Mietshäuser in Aurich und Esens gewehrt hatte.

Ubbo Heide hatte damals sogar ein unterschriebenes Geständnis von David Weißberg vorlegen können. Aber ein cleverer Anwalt und ein psychologisches Gutachten hatten aus David Weißberg einen unschuldigen Menschen gemacht, der in einer emotionalen Stresssituation von Ubbo Heide angeblich so sehr unter Druck gesetzt worden war, dass er schließlich einen Mord gestanden hatte, den er nie begangen hatte. Alles war auf den großen unbekannten Einbrecher geschoben worden, den es laut Ubbo Heide aber gar nicht gegeben haben konnte.

In seiner Nacherzählung im Buch nannte Ubbo Heide David Weißberg Mister Silberfuchs. Das war ein Zeichen des Himmels. Als er diesen Namen gelesen hatte, wusste er, dass er es für seine Mutter tun musste. Ihr zu Ehren! Sie hatte diese Silberfuchsjacke so gern getragen. Ein Erbstück. Sozusagen uralter Familienbesitz. Aber sie hatte sich schon Mitte der Neunziger wegen der Tierschützer damit nicht mehr auf die Straße getraut.

Er griff in die Tasche und ließ seine Hand über das buschige Fell gleiten. Er hatte ein Stück aus dem Kragen geschnitten. Er würde es David Weißberg in den Mund stecken. Dem toten David Weißberg.

Ubbo Heide würde die Botschaft verstehen, und die Herkunft des Silberfuchses konnte unmöglich nachvollzogen werden. Sein Opa hatte ihn Neunzehnhundertvierzehn für sechzig Goldmark gekauft. Damals ein Vermögen, wie jeder in der Familie immer wieder behauptet hatte. Seit gut fünfundzwanzig Jahren hing das Teil, von Mottenkugeln geschützt, im Schrank seiner Mutter.

Das Fell roch muffig, und bald würde es als blutige Nachricht an Ubbo Heide Verwendung finden.

Jetzt knutschten die zwei auch noch. Er hielt es kaum aus. Sie benahmen sich wie Teenies. Schrecklich! Wie können erwachsene Menschen sich nur so zum Affen machen, dachte er.

Aber so ärgerlich es auch war, diese peinliche Knutscherei rettete diesem Mister Silberfuchs gerade das Leben.

Ich krieg dich. Warte nur, Bürschchen, ich krieg dich!

Er schlenderte mit einem Abstand von gut fünfzig Metern hinter den beiden Turteltäubchen her, und als sie sich ein Eis kauften, sah er auf dem Display seines Handys nach, wie es Svenja Moers ging. Sie lag leblos auf dem Bett und starrte zur Decke.

»Vielleicht«, sagte er, als würde er übers Handy mit ihr sprechen, »vielleicht hätte ich dir ein bisschen Proviant in die Zelle bringen sollen. Das hier dauert wohl länger, als ich dachte. Halte durch, Svenja. Mach jetzt nicht schlapp. Sobald diese Bianca ihren David mal kurz alleine lässt, vollstrecke ich das Urteil und komme zu dir zurück. Ich könnte uns ja Spaghetti kochen. Ein paar Kohlenhydrate wären jetzt nicht schlecht, was? Aber von Uslar bis Emden sind es drei, vier Stunden, Baby. Ich fürchte, heute wird das nichts mehr. Solange die knutschen, bleibst du hungrig …«

Ann Kathrin parkte ihre Klapperkiste zwischen zwei schwarzen BMWs direkt vor dem Hotel Bootshaus. Sie trank dort einen Kaffee und sah auf den Ueser Yachthafen und die Weser. Sie bestellte sich, weil sie abnehmen wollte, kein Wiener Schnitzel, sondern Spargelsalat mit Flusskrebsschwänzen und Walnussöl.

Am gegenüberliegenden Tisch diskutierten zwei Männer miteinander. Sie trugen beide hellblaue Sommeranzüge. Der eine saß mit dem Rücken zu Ann Kathrin, der andere konnte sich gar nicht auf das Gespräch konzentrieren, sondern schielte ständig zu ihr rüber. Erst lächelte er nur in ihre Richtung, dann zwinkerte er ihr sogar zu.

Sie genoss den klaren Annäherungsversuch durchaus, stand

auf und zeigte demonstrativ auf ihren Ehering, als sie an ihm vorbeiging, um sich eine Zeitung zu holen.

Die Welt lag aus, das Achimer Kreisblatt und der Achimer Kurier. Ann Kathrin vertraute Lokalzeitungen mehr als überregionalen Blättern. Sie stöberte im Achimer Kurier. Bevor ihr Spargel mit den Flusskrebsen aus der Küche gebracht wurde, fand sie dort einen Bericht, der ihr Interesse erregte. Volker Janssen wurde dort erwähnt.

Er schrieb Gedichte. Sein erster im Selbstverlag veröffentlichter Band sei gerade erschienen. Das vierundsechzig Seiten starke Werk hieß *Goethe ist tot, Schiller ist tot, und ich fühl mich auch schon ganz elend.*

Sie sah sich das Foto an. Sollte es sich hier um ein und denselben Mann handeln? Er hatte sich nach Achim zurückgezogen, um ein neues Leben anzufangen ... Janssen hießen in Norddeutschland viele Leute ... Wollte er jetzt echt Lyriker werden?

Sie googelte ihn in ihrem Handy, fand zwar keine Homepage, wohl aber eine Besprechung zu seinem Buch. Er kam gar nicht schlecht weg. Von einem neuen, frischen Ton in der Lyrik war die Rede.

Ann Kathrin genoss ihre Mahlzeit, ließ sich die Sonne ins Gesicht scheinen und machte nach dem Essen ein paar Übungen autogenes Training. Sie ließ erst ihren rechten Arm schwer werden, dann ihren linken.

Der Herr vom Nachbartisch wurde ganz nervös, weil er nicht verstand, was diese äußerst attraktive Frau dort trieb.

Sie spürte die Sonnenstrahlen auf der Haut und stellte sich vor, die Energie der Sonne würde durch ihren ganzen Körper wandern und ihn neu beleben.

Als sie aufstand, reckte sie sich und gähnte wie nach einem langen, erholsamen Schlaf.

Beide Männer glotzten hinter ihr her, als sie ging.

Sie fuhr in die Innenstadt und besuchte die Buchhandlung

Hoffmann. Sie sah sich dort ein bisschen bei den Kinderbüchern um, und als Veit Hoffmann sie ansprach und fragte, ob er behilflich sein könne, war er ihr auf Anhieb sympathisch.

»Ich interessiere mich für einen Lyriker«, sagte Ann Kathrin. »Er hat gerade sein erstes Buch herausgebracht mit einem lustigen Titel ...« Sie tat, als müsse sie überlegen.

Veit Hoffmann wusste sofort, wovon sie sprach. »Volker Janssen. *Goethe ist tot, Schiller ist tot, und ich fühl mich auch schon ganz elend.*«

»Ja, genau. Bekomme ich den Band bei Ihnen?«

»Aber sicher. Bei mir bekommen Sie alles, nur keinen Stadtplan von Achim, den gibt's nämlich nicht mehr.«

Er fischte das Buch aus dem Regal. »Volker Janssen hat mir ein paar Exemplare vorbeigebracht. Der hat keinen Verlag, macht alles selber. Seine Lyrik ist ganz originell und witzig, aber er selbst ist ein eher zurückhaltender Typ. Ich wollte eine Lesung mit ihm veranstalten. Er wohnt ja hier in Achim, in der Breslauer Straße. Ich glaube, er hat das Häuschen von seiner Oma geerbt. Die meisten Häuser da sind nach dem Krieg von ehemaligen Ostflüchtlingen gebaut worden.«

»Und? Wird es die Lesung geben?«

Veit Hoffmann zuckte mit den Schultern.

»Ein Autor, der sein Publikum scheut?«, fragte Ann Kathrin.

»Davon gab es viele. Salinger, Patrick Süskind ...« Er wollte noch mehr aufzählen, aber Ann Kathrin sagte: »Schade. Ich hätte mir gern das Buch signieren lassen. Daraus wird dann wohl nichts.«

»Es sei denn, Sie treffen ihn hier zufällig.«

»Kauft der bei Ihnen ein?«

»Ja, er schreibt nicht nur Lyrik, er liest sie auch. Und gestern hat er sich bei uns noch Karten für das Konzert im Kasch gekauft.«

»Wann ist das Konzert?«

»Heute Abend. Iontach. Eine deutsch-irische Formation. Meine Frau und ich gehen auch hin.«

Eine bessere Möglichkeit, sich Volker Janssen zu nähern, konnte Ann Kathrin sich kaum vorstellen.

»Gibt es noch Karten?«

»Ja, ein paar.«

Ann Kathrin kaufte das Buch und eine Eintrittskarte. Dann fuhr sie durch die Stadt. Sie sah sich die großen Wohnblocks im Magdeburger Viertel an, bevor sie den Wagen in der Bergstraße abstellte und zu Fuß das Quartier erkundete. Die Gegend zwischen Gaudenzer Straße, Allensteiner und Bergstraße erinnerte sie an die Bergarbeitersiedlungen in Gelsenkirchen-Ückendorf.

Odysseus fühlte sich jetzt, da er beschlossen hatte, Wilhelm Kaufmann zu töten, wieder als allbewusste Wesenheit. Es war ein geiles Gefühl! Es kribbelte nicht auf der Haut, sondern unter der Haut, als sei seine äußere Hülle nicht mehr als ein schützender, eng sitzender Stoff, der den Rest der Menschheit täuschen sollte.

Wer ihn so sah, hielt ihn für einen ganz normalen Menschen, der Lehrer sein konnte, Filialleiter im Aldi oder auch Bademeister und Rettungsschwimmer. Doch er war etwas ganz anderes, etwas, das ihnen – wenn sie es in seiner ganzen Monstrosität sehen könnten – schreckliche Angst einjagen würde.

Der Endkampf, das wusste er, so wie er wusste, dass nach dem Sommer der Herbst kam, würde auf Langeoog stattfinden. Dort, wo alles begonnen hatte.

Odysseus fuhr mit der Fähre von Bensersiel nach Langeoog. Er hatte die LangeoogCard, die gleichzeitig als Fahrkarte galt, in der Jackentasche neben der Todeskapsel, die er sich in Thailand gekauft hatte. Sie gab ihm die Freiheit, alles zu tun, wonach ihm war.

Wer bereit war, jederzeit aus dem Leben zu gehen, wenn etwas schieflief, war wirklich frei. Er hing nicht an diesem Leben, so glaubte er zumindest.

Der warme Wind tat gut. Er stellte sich bewusst in den Fahrtwind. Er hatte sich eine Ferienwohnung in zentraler Lage gebucht, im Kurviertel, nahe beim Meerwasserhallenbad und keine zehn Minuten Fußweg vom Dünenstrand entfernt. Er würde ein Fahrrad mieten und sich auf dem Drahtesel vorkommen wie der Herrscher der Insel.

Je näher er Langeoog kam, umso stärker wurde seine Gewissheit, dass der Showdown bevorstand.

Er stieg aus der Inselbahn. Er ging nur wenige Minuten vom Bahnhof in die Ortsmitte zur *Inselrösterei*. In dem kleinen Café schien die Zeit irgendwann stehengeblieben zu sein, in einer kurzen, friedlichen Phase, in der die Welt ganz in Ordnung war. Falls es je so einen Moment gegeben hatte, war der hier festgehalten.

Aber nichts war besser als der Geruch hier. Er konnte dort sitzen und einfach nur atmen und die Welt über seine Geruchsnerven aufnehmen.

Er bestellte sich einen großen Kaffee. Schwarz.

Komm nur, dachte er und schnalzte mit der Zunge, komm nach Langeoog, Kaufmann. Komm, um zu sterben. Bevor du mich köpfen kannst, erledige ich dich.

Tatsächlich war Wilhelm Kaufmann längst da. Er ging barfuß am Meer spazieren, die Schuhe mit den Socken in der linken Hand, die Hosenbeine hochgekrempelt bis zu den Knien. Die Ausläufer der Wellen leckten an seinen Zehen wie kalte Zungen. Der feste Sand war noch sonnenwarm unter seinen Fußsohlen.

David Weißberg hatte den Tag mit Bianca in Uslar genossen. Vor dem Abendessen wollte er mit ihr in die Sauna, aber sie hatte jetzt keine Lust. Sie wollte sich erst noch einen Moment hinlegen und dabei mit ihrer Mutter telefonieren.

David entschied, dass er nicht unbedingt dabei sein musste. Bianca machte eh immer nur einen Saunagang, er am liebsten zwei oder drei. Er packte den flauschigen, hoteleigenen Bademantel in eine Sporttasche und ging schon mal vor.

Bianca schob sich auf dem Bett ein dickes Kissen unter den Rücken und wählte ihre Mutter an. David warf ihr noch eine Kusshand zu. Es war das letzte Mal in seinem Leben, das nur noch wenige Minuten dauern sollte, obwohl er sich prächtig fühlte.

Die jährliche Gesundheitsuntersuchung hatte ein gutes Ergebnis gebracht. Er war, medizinisch gesehen, Jahre jünger, hatte die Werte eines Vierzigjährigen, ging aber auf die sechzig zu. Er plante für seinen sechzigsten Geburtstag ein Riesenfest.

Dazu sollte es allerdings nicht mehr kommen.

Als er sich duschte, wartete sein Mörder schon in der Sauna. Er hatte ihre kurze Absprache im Café mit angehört: »Ich muss noch mit Mutter telefonieren. Geh ruhig vor in die Sauna.«

Er hatte kurz überlegt, vollständig angezogen die Sauna zu betreten, David Weißberg abzustechen und wieder zu verschwinden. Doch dann entschied er sich anders. Er wartete nackt und schwitzend auf David. Das Messer und das Fellstück vom Silberfuchs lagen eingewickelt in ein weißes Handtuch neben ihm.

Sein Körper war schon schweißbedeckt. Es gefiel ihm. Er wartete gern hier. Es war wie ein Vorbereitungsritual für die Vollstreckung.

Vielleicht sollte er es immer so machen, dachte er. Er brauchte Rituale, sonst würde alles so profan werden. Natürlich konnte er nicht auf jeden Todeskandidaten in einer Sauna warten, aber er konnte sich vorher mit einem Schwitzbad reinigen, um sauber und klar zur Tat zu schreiten. Vielleicht würde David Weißberg ja nicht kommen oder nicht allein, dann würde er den Saunagang als Vorbereitung nehmen und die Vollstreckung auf einen späteren Zeitpunkt verschieben.

Es gab im Kasch sogar irisches Bier, und der Gitarrist, Jens Kommnick, stimmte seine Gitarre so liebevoll, dass einige glaubten, das Konzert habe bereits begonnen, und ihm spontan Beifall spendeten.

Ann Kathrin begrüßte Veit Hoffmann und seine Frau Iris. Die beiden spendierten dem Musiker ein Bier und zeigten ihr Volker Janssen, der mitten in der Menge ein bisschen einsam und verloren aussah und sich an einem Guinness festhielt.

Ann Kathrin ging zu ihm und sprach ihn an. Sie habe seinen Lyrikband gekauft und wolle ein Autogramm.

So, wie er da stand, erinnerte er sie an eine Dönerstange. Ein Hauch von Knoblauch umwehte ihn, und obwohl er schüchtern wirkte, war da etwas in seinem Blick, das ihr nicht gefiel. Sie kam sich plötzlich nackt vor. Normalerweise hätte sie ihn gebeten, sie wieder anzuziehen, nachdem er sie ungefragt ausgezogen hatte, aber heute Abend machte sie das nicht. Sie bedankte sich für das Autogramm und fragte, ob er vorhabe weiterzuschreiben.

Der Ansatz eines Lächelns huschte über sein Gesicht. »Werden Sie«, fragte er zurück, »morgen weiteratmen?«

»Schreiben ist also für Sie wie atmen?«

Er nickte. Dann brachte er seinen Mund nah an ihr rechtes Ohr und flüsterte: »Ich könnte Ihnen Ihr Lieblingsgedicht ganz langsam auf den nackten Körper pinseln.«

Er trat einen Schritt zurück und fixierte sie, als würde er versuchen, ihre Reaktion vollständig aufzusaugen.

Sie versuchte, cool zu bleiben und seinem Blick standzuhalten.

»Glauben Sie mir, das ist ein sehr besonderes, hocherotisches Erlebnis«, versprach er.

»Sind Sie mit Ihren Angeboten bei Frauen normalerweise erfolgreich, oder hauen die meisten Ihnen einfach eine rein?«, fragte sie.

Als David Weißberg die Sauna betrat, grüßte er den einzigen Gast freundlich und setzte sich seinem Mörder gegenüber aufs mitgebrachte Handtuch. Er begann ein bisschen Smalltalk.

Er bekam nur sehr spröde Antworten.

Als er die Klinge sah, riss er beide Arme hoch. Er ergab sich keineswegs in sein Schicksal.

Er versuchte zu überleben.

David Weißberg wich dem ersten Stich aus und griff in seiner Not nach der Klinge. Sie fuhr durch seine rechte Handfläche. Er spürte den Schmerz nicht, so viel Adrenalin pushte seinen Körper hoch.

Er trat seinem Gegner gegen das Schienbein und brüllte: »Sind Sie wahnsinnig?«

Die nächste Attacke führte der große, dünne Mann gegen David Weißbergs Hals aus. Er stach fest zu. Weißberg drehte sich weg. Die Klinge traf seinen Kieferknochen und rutschte von dort ab.

Weißberg brach zusammen. Sein Mörder beugte sich über ihn, stieß ihm das Messer ins Herz und stopfte ihm das Silberfuchsfell zwischen die Lippen.

Weißbergs Blut hatte Bauch und Gesicht seines Mörders mit verräterisch roten Sprenkeln geschmückt. Er duschte das fremde Blut ab, säuberte sorgfältig die Klinge, zog sich wieder an und verließ die Sauna unbehelligt.

Ein Duft nach Jasmin und Mango lud zu Wellness und Entspannung ein. Als Bianca Weißberg eine knappe Viertelstunde später nach einem recht unerfreulichen Telefongespräch mit ihrer kranken Mutter zu ihrem Mann in die Sauna ging, bekam sie einen Schreikrampf.

Zu der Zeit befand sich der Vollstrecker bereits auf dem Rückweg. Er hatte das Radio voll aufgedreht und grölte *Knocking on Heaven's Door* mit. Nach dem Dylan-Song in der Coverversion von Guns N' Roses kamen die Nachrichten.

Die Sprecherin mit der sanften Stimme und dem leicht fränkischen Einschlag verkündete das Ungeheuerliche wie eine Binsenweisheit: FBI und Justizministerium hatten laut Washington Post 268 Gerichtsurteile untersucht, in denen FBI-Forensiker eine DNA- oder Haaranalyse geliefert hatten. In 95 Prozent aller Fälle war sie falsch oder zumindest sehr fehlerhaft.

Zweiunddreißig Angeklagte seien durch falsche Laborangaben zum Tode verurteilt worden, vierzehn davon bereits hingerichtet.

Er schlug wütend aufs Lenkrad. »Na klar«, brüllte er, »glaubt ihr denn, wir wissen nicht, warum ihr diesen Scheiß sendet? Das ist eine Riesenpropagandashow der Gegner der Todesstrafe! Jetzt sollen uns diese Wichser auch noch leidtun!«

Die Redakteurin Sandra Droege kommentierte die Vorfälle. Sie sprach vom größten Justizskandal in der US-Geschichte und warf den Richtern vor, zu oft die beliebte Fernsehserie CSI gesehen zu haben und so unkritisch gegen Laborfahndung geworden zu sein. Bürohengste und Labormäuse seien in unverantwortlicher Weise zu Filmhelden hochstilisiert worden, und eine fast schon religiöse Gutachtergläubigkeit habe zu diesen verheerenden Zuständen geführt.

»Und wie viele Verbrecher wegen falscher Gutachten f r e i g e -

kommen sind, sagt ihr nicht! Typisch! Ihr verlogenes Drecks-pack!«

Er schrie so wütend, dass die Speichelbläschen aus seinem Mund gegen die Windschutzscheibe flogen. Sie rollten langsam daran herunter und hinterließen eine dünne Schleimspur.

Sandra Droege sagte jetzt, dass die Fehler die Debatte um die Todesstrafe neu befeuern würden. Unschuldige Häftlinge könnte man jetzt einfach entlassen, falsche Urteile revidieren, aber Tote könne man nicht wieder lebendig machen.

»Halt's Maul!«, keifte er und schaltete das Radio aus.

Kurz hinter dem Ortsschild Uslar hielt er an und sah auf seinem Handy nach Svenja Moers. Er zitterte noch vor Wut.

Plötzlich hatte er Angst um Svenja. Er wollte nicht dastehen wie einer, der eine Gefangene verhungern ließ.

Wie lange kam ein Mensch ohne Essen aus? Immerhin, Wasser hatte er ihr zur Verfügung gestellt, aber sie sah krank aus. Ob sie Medikamente brauchte? Vielleicht hatte er es mit der Hitze in ihrer Zelle übertrieben …

Er wollte sich nicht durch einen sinnlosen Tod ins Unrecht setzen. Für sie war eine lebenslange Haft vorgesehen. Aber so eine Strafe funktionierte nur für Menschen, die noch eine genügend große Lebenszeit vor sich hatten.

Sein Navi schlug ihm den Weg über die A 7 vor, aber er vermutete Baustellen vor Hannover und Bremen, deshalb wählte er intuitiv eine andere Route, über Osnabrück, Rheine und Lingen.

Ganz gegen seine sonstigen Gewohnheiten hielt er sich nicht an die Geschwindigkeitsbegrenzungen. Er ließ sich nicht gerne blitzen und wollte nicht durch Verstöße im Straßenverkehr auf sich aufmerksam machen. Aber jetzt war es ihm egal.

Halte durch, Svenja, dachte er. Ich komme! Und fühlte sich dabei als Retter in der Not.

Weller freute sich auf den Abend zu Hause. Er hatte sich bei Weissig ein Matjesbrötchen gekauft, das reichte ihm als Abendessen völlig aus. Er brauchte ein paar Stunden für sich. Er kannte sich sehr gut. Wenn er nicht ab und zu Zeit hatte, in einem guten Kriminalroman zu versinken, wurde er unausstehlich.

Im Grunde brauchte er dreierlei im Leben: das Gefühl, geliebt zu werden, ab und zu ein paar Kapitel Spannungsliteratur und mindestens einmal in der Woche ein Matjesbrötchen oder wenigstens ein Krabbenbrot – er nannte es »Ostfriesensushi« –, dann war er ein glücklicher und zufriedener Mann.

Zwei Kriminalromane warteten noch auf ihn, und ein dritter lag in seinem Briefkasten, von Moa Graven. Das Buch hatte eine Widmung für ihn: *Viel Spaß beim Lesen und danke schön!*

Weller erinnerte sich. Vor ein paar Monaten hatte eine junge Autorin ihn angerufen und Fragen zu ihrem neuen Roman gehabt. Sie wollte die Polizeiarbeit sachlich korrekt darstellen. Allein das gefiel ihm schon. Er hatte ihr gern Auskunft gegeben.

Jetzt öffnete er eine Flasche Rotwein und legte alle drei Bücher auf die Lehne seines Lesesessels: Moa Gravens *Kneipenkinder,* *Schattenschwur* von Nané Lénard und *Mörderisches Monaco* von Jule Gölsdorf. Drei Krimis von drei Frauen.

Er freute sich auf einen schönen Abend und holte sich zwei Kissen. Eins für den Rücken und eins für die Füße. Als er bequem saß, überlegte er, von jedem Buch den ersten Satz zu lesen und dann zu entscheiden, mit welchem er beginnen würde. Er liebte erste Sätze! Ja, er sammelte sie. Die besten Anfänge hatte er in ein kleines, schwarzes Heft notiert.

Er schlug *Schattenschwur* auf, und in dem Moment meldete sich sein Handy. Er griff hin und bereute es sofort, denn er hatte Büscher am Telefon.

»Er hat wieder zugeschlagen.«

»Na klasse«, sagte Weller, »ich hätte beinahe den ersten Satz gelesen.«

»Bitte? Was?«

»Ach, nichts … Wo hat er zugeschlagen?« Weller stellte das Weinglas auf den Romanen ab und erhob sich aus dem Sessel.

»Irgendwo in Süddeutschland. Uslar heißt der Ort, oder so ähnlich.«

»Uslar ist nicht in Süddeutschland, sondern im Weserbergland. Das ist Südniedersachsen!«

»Ja, sag ich doch.«

Weller stöhnte. Er hatte sich den Abend wirklich anders vorgestellt. »Wer ist das Opfer?«, fragte er.

»Ein gewisser David Weißberg. Er hat ihn in einer Sauna erdolcht.«

Weller setzte sich wieder und hoffte, doch noch zu seinem Rotwein, seinen Krimis und seinem Matjesbrötchen zu kommen. »Das kann nicht unser Mann sein. Ein David Weißberg kommt in Ubbos Buch nämlich nicht vor.«

Büscher klang merkwürdig aufgeregt, fast asthmatisch. »Ich erinnere an Faust. Der war auch keine Figur aus Ubbos gottverdammtem Buch!«

»Ja«, sagte Weller, »aber wir kennen ihn alle. Einen Weißkohl kenne ich nicht.«

»Weißberg!«

Weller nippte am Rotwein. Er war ein bisschen schwer, aber vielleicht gerade gut, um runterzukommen.

Weller versuchte, Büscher abzuwürgen: »Einen Weißberg kenne ich auch nicht. Ich denke, wir haben damit nichts zu tun.«

»Aber Ubbo Heide kennt ihn. Der ist fast ausgeflippt, als ich Weißberg erwähnt habe. Ubbo hat gegen ihn ermittelt.«

»Mist!« Weller stellte das Weinglas wieder ab. »Das würde ja bedeuten, dass der Täter tatsächlich aus unseren Reihen kommt, denn in Ubbos Buch ist dieser Fall nicht erzählt …«

Wellers eigene Schlussfolgerung schlug ihm auf den Magen.

»Oder die Morde haben nichts miteinander zu tun, und es handelt sich um eine zufällige Duplizität der Ereignisse«, sagte Büscher.

Weller konnte Ann Kathrin vor sich sehen, wie sie bei dem Satz reagiert hätte. Er hatte es oft von ihr gehört. Er konnte es auswendig: *Ich glaube nicht an Zufälle und an solche schon mal gar nicht.*

Weller beendete das Gespräch mit Büscher rasch und rief Ann Kathrin an.

Ann Kathrin Klaasen hatte ihr Handy im Konzert auf Lautlos gestellt. Sie lauschte der Musik.

Volker Janssen saß zwei Reihen vor ihr. Veit Hoffmann und seine Frau Iris nippten neben Ann Kathrin an ihren Gläsern. Veit Hoffmann bemerkte, dass Ann Kathrin ihre Umwelt genau wahrnahm. Sie interessierte sich sehr für Menschen, die in Volker Janssens Nähe kamen oder ihn auch nur von weitem ansahen. Das hier war mehr als nur Interesse an einem Lyriker. Einen verliebten Eindruck machte Ann Kathrin aber nicht auf Veit. Ihr Interesse an Volker Janssen war ein anderes.

Vielleicht, dachte Veit, checkt sie ihn als Privatdetektivin ab. Es sollte – so hatte er gerüchteweise gehört – damals Ärger ums Erbe gegeben haben.

Ann Kathrin war nur gekommen, um sich von diesem Volker Janssen und seinem Umfeld ein genaues Bild zu machen. Aber die Musik von Iontach gefiel ihr. Sie erwischte sich dabei, von Irland zu träumen.

Sie ermahnte sich selbst, jetzt nicht die Augen zu schließen. Volker Janssen war aus ihrer Sicht das ideale nächste Opfer, und sie spielte in Gedanken durch, wie lange es dauern würde, bis der Mann, der sich Vollstrecker nannte, sich Volker Janssen oder einen der beiden Zeugen holen würde.

Vielleicht, dachte Ann Kathrin, ist er schon hier im Raum. Der Mörder hatte äußerst schnell erneut zugeschlagen. Es lag durchaus in ihrer Erfahrung, dass Serientäter die Abstände ihrer Taten verkürzten. Manchmal vergingen zwischen dem ersten und dem zweiten Mord zehn, fünfzehn Jahre. Dann wurden die Abstände immer kürzer.

Sie hatte es hier mit einem Mann zu tun, der sehr unter Druck stand und eilig handelte. Bernhard Heymann. Yves Stern. Svenja Moers. Joachim Faust ...

Sie stellte sich einen ruhelosen Menschen vor, der glaubte, eine Aufgabe erfüllen zu müssen. Vielleicht hörte er Stimmen, wurde von einem inneren Druck getrieben, oder er hatte Angst, bald erwischt zu werden und wollte bis dahin noch so viel wie möglich erledigen.

Manche Täter waren froh, wenn sie endlich erwischt wurden und alles ein Ende hatte. Die streuten bei ihren Taten bewusst oder unbewusst Signale an die Ermittler aus, damit die sie besser finden konnten.

Hatte auch ihr Mörder so etwas längst getan? Und sie hatten etwas übersehen?

Er will, dass wir Zusammenhänge sehen. Er will, dass wir wissen, dass er es getan hat und nicht irgendjemand anders. Deshalb hat er sich als Yves Stern in der Volkshochschule eingeschrieben. So mussten wir die Verbindung ziehen. Um ganz sicherzugehen, hat er uns dann noch die Fotos geschickt. Er will, dass wir einen Faden von einer Tat zur anderen sehen. Er ist stolz auf das, was er tut.

Sie ließ sich von der Musik tragen. Es war, als würden die Noten ihre Gedanken beflügeln.

Sie stellte sich Wilhelm Kaufmann als alte Frau verkleidet vor.

Manchmal, dachte sie, hatte er tatsächlich weibliche Züge. Er konnte hart sein, aber sie hatte ab und zu auch eine feminine Seite an ihm wahrgenommen.

War er ein Verkleidungsspezialist? Falls er sich hier im Raum befand, hatte er sie garantiert längst bemerkt und sich wieder verzogen.

Ihre Gedanken schweiften ab. Während ihre Augen den Raum absuchten, wog sie innerlich ab, ob sie den Beginn ihrer neuen Diät nicht verschieben sollte. Eigentlich wollte sie ab achtzehn Uhr keine Kohlenhydrate mehr zu sich nehmen. Aber vorhin hatte Veit Hoffmann ihr ein italienisches Restaurant empfohlen. Es hieß Da Vito. So, wie er davon gesprochen hatte, bekam sie Hunger auf Spaghetti.

Sie dachte an Weller, als sie ihm von ihrer neuen Diät erzählt hatte und ihn zum Mitmachen motivieren wollte, hatte er sie grinsend gefragt: »Woher wissen denn die Kohlenhydrate, wie spät es ist?«

Sie mochte seine selbstironische Art, mit den Dingen umzugehen. Manchmal stellte er sich viel dümmer als er war, und so brachte er die Dinge auf den Punkt, indem er sie in Frage stellte. Ob das eine typisch ostfriesische Art war?

In der Pause ging sie zur Toilette und sah auf ihr Handy. Weller hatte ihr über alle verfügbaren Kommunikationssysteme geschrieben. Sie hatte mehrere SMS, gleichzeitig WhatsApp, E-Mails, eine Facebook-Nachricht und zwei Anrufe auf ihrer Mailbox. Entweder hatte er große Sehnsucht, oder es war etwas Schlimmes passiert. Vermutlich beides, dachte sie, und er nutzt den Fall nur, um Kontakt aufzunehmen. Der Gedanke schmeichelte ihr ein wenig.

Nachdem sie die Nachrichten gelesen hatte, wusste sie jedoch, dass sie die Nacht nicht in Achim verbringen und das Da Vito nicht besuchen würde.

Gut für meinen Diätplan, dachte sie.

Sie ging draußen vor der Tür auf und ab und telefonierte mit Weller. Sollte sie nach Norden zurückkommen oder besser gleich nach Uslar fahren?

Sie entschied sich stattdessen, zunächst mit Ubbo Heide zu sprechen. Irgendwie drehte sich doch alles um ihn …

Odysseus war so gar nicht der Typ, der lange irgendwo an einer Theke saß und trank. Nein, nach kurzer Zeit schon begann er, sich unwohl zu fühlen, beobachtet, ja, belauert. Sein Therapeut, der leider sterben musste, weil er zu viel wusste, hatte ihm damals gesagt, das sei das schlechte Gewissen. Er hätte Angst, die anderen Menschen würden seine Gedanken erahnen oder sie sogar hören, so als könnten sie über Lautsprecher in den Raum übertragen werden.

Therapeutengeschwätz. Er war einfach ein Herumstromer. Länger als ein, zwei Bier hielt es ihn nie, so sagte er sich.

Er gefiel sich als Flaneur, nicht als einer, der ängstlich auf der Flucht war. Manchmal zwang er sich richtig, einfach sitzen zu bleiben, den coolen Trinker zu spielen und noch einen Drink zu nehmen. Aber dann spielte seine Blase verrückt. Er musste zur Toilette. Er merkte, dass seine Blicke nervös durch den Raum streiften, jeden musterten und abschätzten, ob er ein Wissender sein könnte oder nicht.

Er ging ins Dwarslooper und nahm sich fest vor, sich in einen der chilligen Sitzmöbel rund um die Theke zu fläzen und mindestens zwei gezapfte Pils zu trinken. Hunger hatte er nicht. Wenn er so war wie jetzt, fühlte er sich wie ein Raubtier auf der Jagd, kurz vor dem Sprung, um die Beute zu reißen.

Der Alkohol dämpfte seine Kampfeslust ein wenig – half ihm, die Zeit zu überbrücken, bevor die Beute auftauchte – und machte ihn gleichzeitig mutig. Aber als er dann dasaß und am ersten Bier nippte, fiel es ihm schwer, einen entspannten Eindruck zu machen. Dabei hätte er doch so gern dort gehockt wie die anderen.

Auf dieser Insel schienen alle Zeit zu haben, ja, Zeit schien gar nicht wirklich zu existieren. Schlimm für jemanden, der sich so getrieben fühlte wie er. Nirgendwo wurde ihm dieser Widerspruch deutlicher als hier auf der Insel. Stress, das war etwas für die Leute vom Festland, für die Großstadt. Hier gehörte so etwas genauso wenig hin wie Pest oder Cholera.

Plötzlich begann er, an sich selbst zu zweifeln. Er erwischte sich dabei, dass er immer wieder eine Hand vor sein Gesicht hielt, so als wolle er sich an der Nase kratzen oder etwas aus den Augen wischen. Mit der Scham kam wieder die Wut auf sich selbst und gleichzeitig die Zweifel.

Vielleicht sollte ich die Todespille einfach hier nehmen und jetzt Schluss machen. Dieser Zeitpunkt ist genauso gut wie jeder andere. Ich habe es selbst in der Hand. Ich!

Er fragte sich, woher er die Gewissheit nahm, hier auf Wilhelm Kaufmann zu treffen. Sein Verstand rebellierte dagegen. So war das immer. Sein Verstand kämpfte gegen seine Gefühle, gegen seine Intuition. Aber am Ende siegte immer etwas, das viel älter war als der Verstand, ja, älter als die Menschheit. In ihm war etwas Reptilienhaftes.

Seine Haut kam ihm dann trocken vor, wie aus schleimlosen Hornschuppen. Er atmete mit offenem Mund und wäre am liebsten auf allen vieren gelaufen, fühlte sich echsenartig. O ja, das kannte er.

In seiner Phantasie sah er sich als Muräne. Woher wusste das Tier in seiner Höhle, dass die Beute vorbeikommen würde? Woher nahm es die Gewissheit?

Ja, so wollte er sich jetzt fühlen, wenn er hier saß: wie ein böser, giftiger Raubfisch im Korallenriff, der sich auf Nahrung freute und nicht wie ein Sexualstraftäter, der die Entdeckung fürchtete und die Angst vor dem Teufel in sich mit Alkohol bekämpfte. Als Muräne fühlte er sich wohl.

Er sprach mit niemandem. Er las kein Buch. Er saß einfach nur da und trank jetzt schon das dritte Bier. Als Muräne schaffte er es auszuharren. Er war stolz auf sich.

Nein, er wollte auch nicht zur Toilette gehen. Er hielt einfach aus. Seine Blase musste ihm gehorchen, nicht er seiner Blase. Er wollte hier sitzen und den entspannten Urlauber spielen, ohne jemals in seinem Leben erfahren zu haben, wie sich so etwas wirklich anfühlte: die Seele baumeln zu lassen. Er beobachtete den gutgelaunten vietnamesischen Kellner.

Und dann öffnete sich tatsächlich die Tür, und er kam herein: Wilhelm Kaufmann.

Odysseus sah zunächst sein Pils-Glas an. War das eine Halluzination? Hatte er sich den Verstand weggesoffen? Oder war das wirklich Wilhelm Kaufmann, und wieder einmal war der Beweis erbracht worden, dass seine Intuition viel, viel weitsichtiger und klüger war, als sein Verstand es jemals werden konnte.

Er staunte Wilhelm Kaufmann an und dachte spöttisch: Ja, Verstand, du taube Nuss, jetzt verzieh dich wieder. Was hast du schon der Menschheit gebracht? Diese ganze, gottverdammte, sich selbst zugrunde richtende Zivilisation ist doch verstandesgesteuert. Verstand braucht man, um eine Matheaufgabe zu lösen, um seine Steuererklärung zu machen, aber nicht, um zu essen und schon gar nicht, um zu verdauen. Und bei der Jagd, da hilft die Intuition.

Er wollte wieder werden, was er einst gewesen war: gierig und gemein. Den ganzen Zivilisationsdreck abschütteln, um zum Ursprung seines Wesens zurückzukehren.

Kaufmann tat, als hätte er Odysseus nicht bemerkt, ging durch zur Theke, stützte sich lässig darauf und bestellte ein Bier und einen Sanddornlikör.

Odysseus registrierte deutlich seinen Verstand, der ihm sagte: Männer, die Likör trinken, können nicht gefährlich sein. Den schaffst du problemlos.

Doch seine Gefühle sagten ihm etwas anderes: Vorsicht, er

weiß genau, dass du ihn beobachtest. Er will nur, dass du ihn als harmlos einschätzt. Normalerweise hätte er sich einen doppelten Schnaps bestellt, mit mindestens vierzig Prozent, aber er will bei klarem Verstand bleiben. Er weiß, dass das Duell heute stattfinden wird.

Bin ich hierhergekommen, um ihn zu suchen, fragte Odysseus sich, oder ist er gekommen, um mich zu finden? Er erinnerte sich an einen Film über die drei Musketiere. Einer schlug D'Artagnan mit dem Handschuh und verlangte Satisfaktion für eine Beleidigung. Sie verabredeten sich in einem Park.

Das hier war genauso.

Damals schon waren Duelle verboten gewesen, aber er und Wilhelm Kaufmann würden sich genauso wenig an dies Verbot halten wie die drei Musketiere. Und notfalls gegen den Rest der Welt durchsetzen.

Wir werden hier kein Wort miteinander sprechen, dachte Odysseus. Wenn er rausgeht, werde ich ihm folgen. Und noch heute wird einer von uns beiden sterben.

Ann Kathrin redete mit Ubbo über die Freisprechanlage, während sie den Wagen Richtung Autobahn steuerte.

»Kannst du mir das erklären, Ubbo?«

Im Hintergrund hörte sie die Stimme von Carola. Seine Frau redete auf ihn ein. Sie wollte ihn beruhigen, klang aber selbst schrecklich nervös.

Ubbos Stimme war so erschüttert, ja, zittrig, dass Ann Kathrin sie kaum als die ihres ehemaligen Chefs erkannte. »Ann, sie haben etwas im Mund der Leiche gefunden. Sie haben gesagt, es sei ein Stück Fell. Mehr wissen sie noch nicht. Und ich fürchte, es ist ein Fuchsfell.«

»Wie kommst du darauf, Ubbo?«

»Mein neues Buch beginnt mit dem Fall David Weißberg. Ich nenne ihn Silberfuchs.«

Verwirrt fragte Ann Kathrin: »Ja, aber dein neues Buch ist doch noch gar nicht erschienen. Gab es schon irgendwelche Vorabbesprechungen oder so etwas?«

»Nein, Ann Kathrin, es gibt nichts darüber. Und ich habe das Buch auch gestoppt. Es wird gar nicht erst erscheinen.«

»Aber das würde bedeuten, der Täter kennt dein Manuskript ...«

»Wilhelm Kaufmann weiß, dass ich diesen Fall bearbeitet habe. Er war sogar damals im Prozess mit dabei.«

»Was?«

»Er ist bei schwierigen Sachen immer wieder mit dabei gewesen. Er war in dieser Frage traumatisiert. Wenn Kollegen von uns vor Gericht aussagen mussten und die cleveren Anwälte der Angeklagten sie zu kleinen Idioten stempelten, die ihre Arbeit nicht richtig gemacht haben, wenn diese großen Niederlagen lawinenartig heranrollten, dann war er oft dabei. Zumindest bei den Kollegen, die er mochte. Bei mir saß er dreimal hinten im Saal, während ich vorne gegrillt wurde.«

Ann Kathrin schaltete die Warnblinkanlage ein und hielt mit dem Wagen auf offener Strecke an. Sie stellte den Motor ab und stieg aus. Wenn sie sich bewegte, konnte sie besser nachdenken. Das war nicht nur bei Verhören so, sondern auch bei Telefongesprächen.

Der Sternenhimmel über ihr war klar. Irgendwo jaulte eine Katze. Es hörte sich fast an wie Babygeschrei.

»Weiß Wilhelm Kaufmann, dass du Weißberg in deinem Buch Fuchs genannt hast?«

»Silberfuchs.«

»Weiß er es?«

»Nein, Ann, das weiß niemand ... glaube ich.«

»Irgendwer weiß immer etwas, Ubbo. Das habe ich von dir gelernt. Nichts kann jemals wirklich geheim bleiben. Wer hat dein Manuskript gelesen? Wer hat es abgetippt? Du schreibst es doch mit der Hand, oder?«

»Ja, ich habe es mit einem Füller in ein Heft geschrieben.«

»Und dann?«

»Dann hat Carola es getippt. Ein paar Passagen auch Insa, weil es Carola nicht so gut ging. Wir hatten Insa Geld geliehen, und sie wollte nett zu uns sein … Aber die beiden scheiden ja wohl aus.«

Ann Kathrin stellte klar: »Ja, ganz sicher. Als Täter. Aber nicht als Informanten. Wo ist dein Manuskript dann hingegangen, Ubbo?«

»Ich habe es für mich ausgedruckt und eine digitale Fassung an meinen Verlag geschickt.«

»Und dann?«

»Nun, dort habe ich eine Lektorin, die war sehr begeistert. Sie hat mir eine unheimlich freundliche E-Mail geschrieben. Sie ist eine kluge, belesene Frau. Sie hat mich vor manchen Fehlern oder saloppen Formulierungen bewahrt, die man falsch auslegen könnte.«

»Wenn du es ihnen digital geschickt hast, dann haben wir keine Ahnung, wie viele Kopien es davon gibt. Vielleicht hat sie es rumgeschickt an ihre Freundinnen, an Bekannte, an Fans von dir, an Journalisten – herrje!«

»Man müsste diese Wege nachverfolgen können, Ann. Ich glaube, jetzt hat der Täter einen Fehler gemacht.«

»Der macht keine Fehler, Ubbo. Der wollte uns verblüffen. Der wollte uns zeigen, wie mächtig er ist. Das ist genauso wie mit dem Schlüssel für dein Auto. Er wollte beweisen, dass er überall reinkommt, Zugang hat zu deinen privaten Räumen. Jetzt sogar zu deinem Manuskript.«

»Was hast du vor, Ann?«

Sie sog die Abendluft tief ein. Hier war ihr die Luft noch nicht salzig genug. Der Wind wehte den Duft von Pferdemist zu ihr herüber.

Es drängte sie, zur Küste zu fahren. Aber sie sagte: »Ich denke, es ist Zeit, Wilhelm Kaufmann offiziell zur Fahndung auszuschreiben. Und wir haben seine Spur verloren ... Gleichzeitig werde ich zu deinem Verlag fahren.«

»Soll ich mitkommen?«

Sie wollte ihn schonen und sagte: »Nein, das ist nicht nötig«, doch er bestand darauf.

»Ann, bitte, schließ mich jetzt nicht aus. Lass mich dabei sein. Ich kenne die Leute. Ich kenne das Spiel. Und ich kenne die Regeln.«

»Nein, Ubbo, ich fürchte, diesmal kennen wir beide die Regeln nicht. Zumindest nicht die, nach denen der Täter spielt.«

»Wir müssen ihn zwingen, nach unseren Regeln zu spielen, Ann. Dann kriegen wir ihn.«

»Ich steige jetzt wieder ins Auto, Ubbo. Ich will keine Zeit verlieren.«

»Halt, Ann!«

»Hast du noch etwas auf dem Herzen?«

»Ja. Ist es wirklich nötig, Wilhelm Kaufmann schon zur Fahndung auszuschreiben? Können wir nicht versuchen, ihn zu finden und dann ... Vielleicht ist er einfach in Brake. Wir kennen doch seinen Wohnort. Wir kennen seine Freunde. Wir kennen seine Verwandten ... seine Kontonummer und seine Verhaltensweisen. Herrje, wir haben diesem Menschen schon einmal furchtbares Unrecht getan. Der war mal einer von uns. Einer der ganz Guten. Und wir haben ihn aus fadenscheinigen Gründen ausgeschlossen. Ich will nicht, dass ihm noch mal von uns Unrecht zugefügt wird.«

Es tat ihr weh, das zu sagen, aber sie tat es trotzdem: »Ubbo, ich kann auf deine Gefühle in diesem Fall keine Rücksicht nehmen, so ehrbar sie sind. Er mordet in einem sehr schnellen Rhythmus. Garantiert ist er bereits zum nächsten Opfer unterwegs. Wir können uns keine Fehler leisten. Notfalls entschuldigen wir uns später bei Kaufmann. Ich mache das dann persönlich und nehme dich auch gerne mit. Aber jetzt müssen wir ihn aus dem Verkehr ziehen.«

Ann Kathrin klickte das Gespräch weg, stieg wieder ins Auto, schnallte sich an und drehte den Zündschlüssel. Aber der Twingo sprang nicht mehr an.

Ann Kathrin schlug mit dem Kopf zweimal nach hinten gegen die Nackenstütze. Sie biss die Zähne zusammen.

Nein, bitte nicht jetzt!

Sie war wütend. Ich hätte die Scheißkarre doch verkaufen sollen, dachte sie. Warum höre ich in solchen Fragen nicht auf Weller oder Peter Grendel? Ich bin eine sentimentale Kuh. Jetzt sitze ich hier in diesem Blechhaufen …

Okay, dachte sie, es sieht mich ja keiner. Sie streichelte über das Armaturenbrett und sagte: »Ich hab das nicht so gemeint. Wir stehen alle unheimlich unter Druck. Bitte lass mich jetzt nicht im Stich, Frosch. Komm, spring an! Ich verspreche dir, du kriegst eine tolle Autowäsche mit Schaum, mit Bodenreinigung und auch einer Wachsversiegelung, wenn du möchtest. Ich werde dich nicht mehr so vernachlässigen, aber bitte lass mich jetzt nicht hängen.«

Sie versuchte es noch einmal, und der Wagen sprang an.

Ann Kathrin beugte sich weit vor, so dass ihr Kinn das Lenkrad berührte. Sie sah hoch in den Nachthimmel. »Danke, Universum«, sagte sie. »Manchmal braucht man auch ein bisschen Glück.«

Als Wilhelm Kaufmann an der Theke zahlte, krampfte sich Odysseus' Magen zusammen. Hatte er einen Fehler gemacht? Wenn er jetzt die Rechnung erbitten würde, wäre Kaufmann viel-

leicht schon verschwunden. Dann konnte der alte Kripomann irgendwo auf ihn lauern.

Nein, er durfte ihn nicht aus den Augen verlieren. Er wollte
nicht von hier aus über die dunkle Insel zu seiner Ferienwohnung
zurückgehen, unwissend, wo Kaufmann sich befand.

Er zog einen Zwanzigeuroschein aus dem Portemonnaie, legte
ihn unters Bierglas und rief zur Theke hin: »Stimmt so!«

Wilhelm Kaufmann reckte sich vor dem Dwarslooper, zerwühlte mit den Fingern seine Haare und ging keineswegs zu seiner Ferienwohnung zurück. Er hatte ein Fahrrad dabei, und noch
bevor er es bestieg, wusste Odysseus, wohin die Reise ging. Zum
Flinthörn.

Hier, nahe der Kneipe, standen mindestens ein Dutzend Fahrräder, und nicht mal die Hälfte davon war abgeschlossen. Odysseus nahm sich ein Hollandrad. Er musste jetzt ganz schön stram-
peln, denn Wilhelm Kaufmann saß auf einem Elektrorad und
fuhr im fünften Gang locker mit fast dreißig Stundenkilometern.

Der Himmel war nachtblau. Es war nicht ganz dunkel, als
würde die Abenddämmerung hier an der Küste nahtlos ins Mor-
genlicht hinübergleiten.

Wilhelm Kaufmann hatte sein Fahrrad unten auf der Straße
beim Hinweisschild für Touristen abgestellt und war über den
Dünenweg hochgestapft. Jetzt stand er ganz oben, mit freiem
Blick. Der sanfte Wind durchdrang seine Kleidung und tat gut
auf der Haut.

In seiner Erinnerung war dort unten, geradeaus, ein Abfallei-
mer an einer Stahlstange befestigt. Er konnte sie aber nicht erkennen. Das Ganze wirkte jetzt, in diesem diffusen Licht, eher wie
eine mittelalterliche Kanone.

Wilhelm Kaufmann hatte sich lange mit den Planeten beschäftigt. Der Sternenhimmel war für ihn immer sehr wichtig gewesen.
Mit dem bloßen Auge erkannte er den Riesenplaneten Jupiter, der
sich im Westen als heller Lichtpunkt im Tierkreissternbild Zwil-

linge zeigte. Die beiden anderen hellen Sterne waren Castor und Pollux – wenn er sich nicht irrte. Zusammen bildeten sie ein langgestrecktes Dreieck.

Der helle Sand war wie eine riesige, natürliche Lichtquelle. Kleine, dunkle Schatten bewegten sich darauf. Möwen. Krähen. Vielleicht Hasen. So genau konnte Kaufmann es nicht ausmachen. Aber es war eine Gruppe von Tieren.

Je länger Kaufmann hinsah, umso mehr kam er zu der Überzeugung, dass sich dort unten am Strand Hasen oder Kaninchen versammelt hatten. Am liebsten wäre er vorsichtig runtergepirscht, um ihnen nah zu sein.

Er zog seine Schuhe aus und steckte die Socken in seine Hosentasche.

Jetzt löste sich die Versammlung auf. Die Tiere flatterten hoch, und als sich die ersten klar gegen den Himmel abhoben, erkannte er, dass es Möwen waren.

Er hatte sich zu sehr auf die Tiere konzentriert und nicht gemerkt, dass sich von hinten jemand angeschlichen hatte. Erst als Odysseus zwei Meter hinter ihm von unten auftauchte, nahm er einen menschlichen Atem wahr, so, als sei jemand zu schnell gelaufen.

Kaufmann drehte sich um und blickte in die fiebrigen Augen eines mordlüsternen Menschen.

»Hallo, Herr Kaufmann. Mein Name ist Birger Holthusen. Ich habe Sie schon in Gelsenkirchen bei der Lesung von Ubbo Heide gesehen. Und gerade eben waren Sie im Dwarslooper.«

Die direkte Ansprache verblüffte Kaufmann, und die Nennung seines Namens traf ihn wie ein Faustschlag.

Odysseus griff in die Tasche seines Kapuzenpullis und schloss die Linke fest um seinen Schweizer Dolch. Der Schaft aus Kirschbaumholz beruhigte ihn.

Mit fester Stimme sagte er: »Sie sind gekommen, um mich zu töten.«

Dabei versuchte er, noch ein Stückchen die Düne hochzuklettern, um auf gleicher Höhe mit Kaufmann zu sein. Es gefiel ihm nicht, dass der auf ihn hinuntersah.

»Nein, ich bin gekommen, um hier Urlaub zu machen«, stellte Wilhelm Kaufmann klar.

Der Sand unter Odysseus' Füßen war fein und rutschig. Er sackte ein Stück ein. Er suchte einen festen Stand. Für einen Stoß mit dem Dolch brauchte er eine bessere Position.

»Urlaub«, spottete er. »Das ist etwas für Spießer! Nicht für so Getriebene wie uns.«

Odysseus achtete genau auf Kaufmanns Hände. Er befürchtete, Kaufmann könne gleich in seine Jackentasche greifen und seine Waffe ziehen. Die rechte Tasche war ausgebeult, deswegen vermutete Odysseus, dass Kaufmann dort seine Waffe versteckte. Ein Schulterhalfter trug er nicht. Im Dwarslooper war es recht warm gewesen, und an der Theke hatte er einmal kurz seine Jacke ausgezogen, sie aber nicht an die Garderobe gehängt, sondern locker am Zeigefinger über der Schulter festgehalten. Schon nach kurzer Zeit, obwohl es keineswegs kühler geworden war, hatte er die Jacke wieder angezogen.

Odysseus wusste, dass Kaufmann in Brake im Schützenverein war und dass auf seinen Namen zwei Kurzwaffen registriert waren. Eine Walther PPK und eine Sig Sauer. Er trug garantiert die leichte kurze Walther in der Jackentasche. Die Sig Sauer konnte er kaum am Körper versteckt tragen, so luftig, wie er angezogen war.

Jetzt, da er barfuß vor Odysseus stand, erübrigte sich auch die Frage, ob er noch eine Waffe am Bein trug, wie Odysseus, der ohne Stiefeldolch nicht aus dem Haus ging.

»Wenn Sie mir etwas zu sagen haben, dann rücken Sie nur raus damit«, forderte Wilhelm Kaufmann.

»Einerseits fühlen Sie sich zu mir hingezogen, und andererseits mache ich Ihnen Angst, weil ich so bin wie Sie. Doch im Gegensatz zu Ihnen lebe ich meinen Trieb, während Sie versuchen, irgendwie durch dieses Leben zu stolpern, ohne dabei völlig verrückt zu werden. Sie haben Stern und Heymann getötet, um den sadistischen Kindesmörder in sich selbst zu killen. Oder nennen Sie sich noch pädophil? Ich habe das aufgegeben. Das klingt doch so freundlich. In Wirklichkeit sind wir Bestien, nicht wahr? Wir lieben Kinder nicht, wir zerstören sie.«

Kaufmann drehte sich so, dass der Mond hinter seinem Rücken war und versuchte, sich seitlich zu stellen, so dass seine rechte Hand sich Odysseus' Sichtfeld entzog. Der registrierte genau, was Kaufmann vorhatte und machte einen Ausfallschritt zur Seite. Dort sackte er gleich wieder knöcheltief im Sand ein.

»Sie haben die Kinder getötet, stimmt's?«, fragte Kaufmann.

»Stern und Heymann waren tatsächlich unschuldig.«

»Ja, verdammt, das habe ich! Steffi Heymann und Nicola Billing. Und noch zwei.«

»Welche noch? Und wo ist die Leiche von Steffi?«

Odysseus lachte. »Jetzt spielst du wieder den Bullen, was?«

Kaufmann hatte sich ohnehin gewundert, warum sie sich in dieser Situation noch siezten. War es der letzte Anschein von zivilisiertem Verhalten, den sie bewahren wollten, bevor der Kampf begann?

»Ich bin nicht mehr bei der Kriminalpolizei.«

»Ich weiß. Sie haben dich rausgeschmissen. Leute wie wir fliegen immer irgendwann raus. Wenn die mühsam aufgebaute Fassade Risse kriegt. Wenn sie spüren, dass wir anders sind als sie und dass etwas mit uns nicht stimmt. Manchmal kündigen sie uns auch, ohne selbst genau zu wissen, warum. Sie wollen uns einfach nur loswerden, weil sie sich in unserer Nähe unwohl fühlen. Kennst du das?«

Obwohl Odysseus ihn jetzt duzte, entschied Kaufmann sich, beim Sie zu bleiben, um eine letzte Distanz aufrechtzuerhalten: »Ich bin keineswegs so wie Sie. Ich bin ein Choleriker. Ich hab so manchen Kerl verdroschen. Aber ich habe in meinem ganzen Leben keinem Kind etwas zuleide getan.«

Mit der Linken hielt Odysseus den Schweizer Dolch fest, noch immer verborgen in der Tasche seines Kapuzenpullovers, aber mit der Rechten fuchtelte er durch die Luft und spottete: »Ach, hör doch auf! Mir kannst du nichts vormachen! Und warum denn auch? Ich habe dich genau beobachtet. Es waren wundervolle Tage auf Langeoog. Die Damen haben kurze Röcke getragen, als seien ihre Beine nur dazu da, um den Männern Spaß zu machen, aber du hast überhaupt nicht hingeguckt. Glaubst du, ich bin blöd? Zehn Typen stehen da und glotzen sich die Augen aus, weil so eine Sahneschnitte an ihnen vorbeiradelt, nur du und ich, uns hat das einen Scheiß interessiert. Wir konnten die Augen nicht von der Kleinen lassen, die die Eiskugel aus ihrem Hörnchen verloren hatte und deswegen zu flennen begann.«

Kaufmann erinnerte sich sogar an die Szene. Er hatte damals den Impuls gespürt, dem Kind ein neues Eis zu kaufen. Dann kam die Mutter herbeigelaufen. Sie hatte ihr Kind vermisst, war irgendwo mit einer Freundin in ein Gespräch vertieft gewesen. Jetzt fühlte sie sich schuldig, nahm das Kind auf den Arm, putzte ihm die Tränen ab und stellte sich für eine neue Eiskugel mit der Kleinen in die Schlange.

Aus dieser winzigen Szene hatte Odysseus solche Rückschlüsse gezogen … Wie sehr doch die Brille, durch die man sieht, alles färbt, dachte Kaufmann.

»Wo ist die Leiche von Steffi Heymann?«

Odysseus verzog den Mund zu einem hässlichen Grinsen und nickte wissend, als würde er jetzt alles verstehen. »So einer bist du also. Ich wusste es! Deswegen bist du mir gefolgt. Deswegen hast du mich nicht verraten. Deswegen kommst du immer wieder zurück zu dieser Insel … Du geilst dich an toten kleinen Kindern auf! Wie oft bist du in Leichenhallen eingebrochen? Na komm, sag's mir, dann verrate ich dir, wo sie liegt. Und die Namen der beiden anderen auch, wenn es dich so brennend interessiert.«

»Ich bin nie in Leichenhallen eingebrochen.«

»Lügner! Du hast genauso begonnen wie ich. Wie willst du an einen toten Kinderkörper kommen, wenn du nicht den Mumm hast, sie selbst kaltzumachen? Und das könntest du nicht, das sehe ich dir doch an. Du bist ein Abstauber.« Odysseus zeigte aufs Wasser. »Ich hab sie dort vergraben. Bei Ebbe. Es wird nicht mehr viel von ihr übrig sein. Trotzdem komme ich gerne hierher. Es ist, als ob die kleine Seele noch an diesem Ort wäre. Als könnte sie ihn nicht verlassen. Ich spüre ihre Anwesenheit hier. Geht es dir auch so?«

»Blödsinn! Erzählen Sie mir nicht so einen kranken Mist. Wenn ihr Körper nicht mehr auffindbar ist oder längst verwest, warum sind Sie dann wieder hierhergekommen?«

Der Wind verwehte Holthusens Worte. Kaufmann hatte Mühe, ihn zu verstehen. War das ein Trick? Wollte er ihn näher zu sich locken?

»Mein Leben lang habe ich nach einem gesucht, der so ist wie ich. Einen, mit dem ich mich austauschen kann. Einen, der zu mir hält, der die Nöte kennt.« Er winkte ab, dabei hatte Kaufmann noch gar nichts gesagt. »Komm mir jetzt nicht mit irgendwelchen Pädophilen-Clubs. Damit hab ich nichts zu tun. Das alles kotzt mich an. Außerdem fliegen die sowieso irgendwann auf, weil sich Bullen dort einschleichen und alles hochgehen lassen.

Nein, ich war auf der Suche nach einem Freund. Einem Seelenverwandten. Einem Wesen wie ich. Vielleicht hättest du es werden können. Damals, als wir uns hier auf der Insel zum ersten Mal begegnet sind, da hätte ich mir das durchaus vorstellen können. Aber wir sind zu verschieden. Du versuchst zu sehr, so zu sein wie sie und auf ihrer Seite mitzuspielen. Das geht immer schief, hast du ja wohl inzwischen gemerkt.

Und jetzt hast du nur noch vor, mich zu töten. So, wie du Heymann und Stern getötet hast. Aber daraus wird nichts, denn meine Sinne sind schärfer als deine. Ich denke klarer. Und ich vertraue meiner Intuition.«

Langsam zog Odysseus die linke Hand mit dem Schweizer Dolch aus der Tasche seines Kapuzenpullovers. Allein die Länge der Klinge erschreckte Kaufmann. Er machte einen Schritt zurück und griff in seine Jacke.

Odysseus ließ sich nach vorn fallen, brachte Kaufmann aus dem Gleichgewicht, riss ihn fast um und stieß zu. Mit dem scharfen Dolch erwischte er Kaufmanns rechten Oberarm.

Kaufmann stürzte.

Schon saß Odysseus auf seiner Brust und drückte die Dolchspitze unter Kaufmanns Kehlkopf. Mit der rechten Hand tastete er nach hinten zu Kaufmanns Jackentasche. Er konnte die Waffe schon spüren, sie aber noch nicht herausziehen. Er wusste, dass dies ein ganz gefährlicher Augenblick war. Wenn er der Waffe nur den Bruchteil einer Sekunde zu viel Aufmerksamkeit schenkte, würde Kaufmann die Chance nutzen, um ihn abzuschütteln.

Dann endlich hatte er die Walther PPK zwischen Daumen und Zeigefinger und hob sie hoch.

»Na bitte«, sagt er. »Die gute alte Walther. War das nicht die Dienstwaffe von James Bond? – Hast du ein Handy? Gib mir dein Handy. Ich will dein Handy, verdammt!«

Birger Holthusen richtete die Walther kurz auf Kaufmanns Gesicht, ohne dabei die Messerspitze von seinem Hals zu nehmen. Es sah aus, als würde er sich gerade Gedanken über die beste Tötungsart machen. Er steckte die Walther in seine Hosentasche und fasste den Dolch mit beiden Händen.

Nur vorsichtig bewegte Wilhelm Kaufmann seinen Kopf von links nach rechts, denn er hatte Angst, die Klinge könne ganz in seinem Hals versinken. Er spürte einen warmen Blutstrom links an seinem Hals herunterlaufen.

»Ich habe kein Handy bei mir.«, sagte er leise. »Ich will nicht ständig geortet werden.«

»Ach ja, so einer bist du. Alte Schule, was? Ich werde dich dort beerdigen, wo auch Steffi Heymann liegt. Hm, nein, ich glaube, das ist zu viel der Ehre. Bis ich dich verbuddelt habe … wozu? Ich werde dir einfach den Hals durchschneiden und dann verschwinden. Das hast du doch mit Heymann und Stern auch gemacht. Ist es nicht eine schöne Ironie des Schicksals, dass du jetzt stirbst wie sie? Am Meer, mit abgeschnittenem Kopf? Ich kann dir nicht versprechen, dass ich den Kopf ganz runterkriege. Ich habe keine Säge. Und auch kein Beil. Nur diesen Schweizer Dolch. Eine alte Sekundärwaffe der Schweizer Soldaten, dazu geschaffen, den Gegner schnell mundtot zu machen. Aber kaum dazu geeignet, die Knochen zu durchtrennen. Ich glaube, dafür braucht man einfach eine andere Waffe. Na, immerhin, den Hals werde ich dir durchschneiden, darauf kannst du dich verlassen. Jeder wird den Zusammenhang sehen zwischen dir und den beiden anderen.«

Er hob den Dolch hoch über seinen Kopf und hielt ihn jetzt mit beiden Händen.

Er wollte alle Kraft reinlegen, um ihn heruntersausen zu lassen, direkt in Kaufmanns Hals. Doch so wurde sein Oberkörper auch für einen winzigen Moment zu einer schutzlosen Angriffsfläche.

Kaufmann nutzte seine Chance und verpasste Odysseus einen Faustschlag gegen die kurze Rippe, der ihm sofort die Luft nahm. Als das Messer dann heruntersauste, hielt Odysseus es schon nicht mehr mit beiden Händen, sondern nur noch mit links.

Kaufmann griff zu. Die beiden rangen um den Dolch, und jetzt hatte Kaufmann die besseren Karten, denn Odysseus bekam kaum Luft, und der Schmerz lähmte seine rechte Seite.

Der Dolch fiel in den Sand. Kaufmann warf Odysseus ab wie ein Pferd einen lästig gewordenen Reiter. Dann verpasste er ihm zwei Faustschläge ins Gesicht.

Odysseus' Ober- und Unterlippe sprangen gleichzeitig auf. Er brüllte etwas, das Kaufmann nicht verstand. Sein blutiger Mund hatte etwas Vampirhaftes, als sei Graf Dracula beim Blutsaugen gestört worden.

Odysseus raffte sich auf und lief die Düne hinunter in Richtung Nordsee.

Kaufmann suchte den Sand ab. Er brauchte eine Waffe. Er sah den Dolch, weil die Sterne wie funkelnde Diamanten auf der geschliffenen Klinge reflektierten. Die Walther fand er nicht. Vielleicht hatte Odysseus sie bei sich und wartete jetzt unten darauf, dass Kaufmann vor dem nachtblauen Himmel ein gutes Ziel bot.

Odysseus war unten bei einem Abfallkorb angekommen, der einsam an diesem langen Sandstrand wie eine Mahnung wirkte, diese wunderbare Gegend nicht zu verschmutzen.

»Du bist schon da, wo du hingehörst!«, rief Kaufmann. »Im Müll!«

Kaufmann stolperte breitbeinig die Düne herab und wirkte auf eine kuriose Art lächerlich auf Odysseus. Der richtete die Walther auf ihn und feuerte den ersten Schuss ab.

Der Rückschlag der Pistole war für Odysseus von besonderer Bedeutung. Er hatte noch nie so eine Waffe abgefeuert. Dieser Rückschlag brachte ihn innerlich vorwärts. Der Knall tat weh in den Ohren. Er kam sich taub vor. Er wollte nicht noch einmal abdrücken. Es war nicht wie im Film. Niemand würde sich Filme angucken, mit diesem ständigen Geballere, wenn es so laut wäre wie im wirklichen Leben, dachte er. Man kriegt ja einen Gehörschaden davon.

Kaufmann blieb stehen und hob die Hände hoch, den Dolch in der Rechten.

Odysseus hielt die Walther mit beiden Händen. Das Blutgerinnsel am Hals sah jetzt im Mondlicht aus, als sei eine Spinne aus Kaufmanns Adamsapfel gekrochen und würde in sein offenes Hemd krabbeln.

»Ich ziele genau auf deinen Kopf. Komm jetzt runter! Und dann lässt du das Messer fallen, und zwar genau hier!«

Odysseus fragte sich, warum er nicht einfach ein Loch in Kaufmanns Kopf schoss. Jetzt wäre es überhaupt kein Problem gewesen. Er hatte ihn nur wenige Meter vor sich. Er konnte praktisch gar nicht vorbeischießen.

Vielleicht war es der Lärm, den die Waffe gemacht hatte. Jedenfalls widerstrebte es ihm, erneut zu schießen.

Ich bin ein sehr altes Wesen, dachte er. Ich komme aus einer Zeit, als man noch gar nicht mit Schusswaffen herumhantiert hat. Schwerter und Messer sind für mich das Mittel der Wahl. Oder …

Dann kam ihm eine Idee, die ihm große Freude bereitete. »Du hast die Wahl«, sagte er. »Entweder ich erledige dich mit einer Kugel, oder du schluckst diese Pille hier. Ich habe sie in Thailand gekauft. Ich trage sie seit ewigen Zeiten bei mir, damit ihr mich nicht lebend kriegt. Einer wie wir sollte sich der lebendigen Festnahme entziehen, findest du nicht? – Was glaubst du, was sie mit dir machen werden, wenn sich herausstellt, dass du zwei Leute enthauptet hast, um nicht zu werden wie sie? Glaub mir, das wird kein Spaziergang.«

Jetzt deutete er noch mal auf Kaufmanns Rechte mit dem Schweizer Dolch. »Ich hab gesagt, du sollst das Messer hierhin werfen!«

Kaufmann tat es.

»So, und jetzt deine Entscheidung. Gift oder Kugel?«

Wilhelm Kaufmann entschied sich sofort für das Gift. Er hoffte, so Zeit zu gewinnen. Vielleicht hatte irgendjemand den Schuss gehört. Vielleicht waren bereits Menschen hierher unterwegs.

Er stellte sich Tierschützer vor, die Angst hatten, dass hier jemand auf Seehundjagd ging. Aber wahrscheinlich würden nur alle glauben, dass irgendwo jemand verfrüht oder verspätet Silvesterknaller losgelassen hatte. Vielleicht ein Polterabend ... Wer dachte auf Langeoog schon an einen Schuss aus einer Walther PPK? Dazu am Flinthörn, dem schönsten Stück Erde, das Kaufmann kannte.

Odysseus hielt ihm die Hand mit der Kapsel hin und Birger Holthusen zitterte vor Aufregung. Er tänzelte herum, und Kaufmann befürchtete schon, ein zweiter Schuss könnte sich versehentlich aus der Waffe lösen und ihn treffen, so sehr zappelte Holthusen.

»Wenn du versuchst, mich zu betrügen, schieße ich dir erst in die Eier und dann in den Kopf!«, brüllte Odysseus.

Kaufmann steckte sich die Kapsel so in den Mund, dass Odysseus genau sehen konnte, was geschah. Er hielt sie sogar noch einen Augenblick zwischen den Zähnen. Dann ließ er sie im Mund verschwinden.

Er tat so, als würde er schlucken und an dem großen Ding herumwürgen. In Wirklichkeit verbarg er die Kapsel hinter seinen Backenzähnen.

»So, und jetzt warten wir beide hier, bis du umkippst«, sagte Odysseus. »Versuch nicht, mich zu bescheißen. Das Zeug wirkt. Spürst du schon was?«

Kaufmann schüttelte den Kopf.

»Hast du die Kapsel auch runtergeschluckt?«

Kaufmann nickte.

Odysseus steckte sich die Walther in die Hosentasche und hob den Dolch auf. Damit würde es keinen Lärm geben.

Die beiden standen sich gegenüber und sahen sich an. Von weitem hätte man sie für ein verliebtes Pärchen halten können, das am Strand eine Aussprache hat. In Wirklichkeit versuchte jeder nur, die Pläne des anderen zu durchschauen, um sie rechtzeitig zu durchkreuzen.

Kaufmann hatte Angst, dass die Kapsel sich durch den Speichel in seinem Mund auflösen würde und dass das Gift schließlich seine tödliche Wirkung entfalten könnte, egal, ob er die Pille herunterschluckte oder nicht. Ein bitterer Geschmack machte sich bereits in seinem Mund breit, und er spürte einen Brechreiz.

Odysseus befürchtete, dass Kaufmann irgendeinen Trick gefunden hatte, um die Kapsel verschwinden zu lassen. Wenn er nicht in den nächsten zwei Minuten tot zusammenbricht, dachte er, werde ich ihm den Hals durchschneiden und fertig.

»Knie dich hin«, forderte er.

Kaufmann tat es.

»Oberkörper aufrecht!«

Auch dem Befehl kam Kaufmann nach.

Odysseus stand jetzt hinter ihm, griff mit rechts in Kaufmanns Haare und zerrte seinen Kopf weit in den Nacken. Mit der Linken führte er die Klinge zu Kaufmanns Hals.

In dem Moment verlor Kaufmanns Körper die Spannkraft und sackte zusammen.

Also doch, dachte Odysseus. Die versprochene, schnelle Wirkung tritt ein.

Kaufmann begann zu zittern. Er lag jetzt auf dem Boden. Ein jämmerliches Häufchen Elend, geschüttelt von einem Muskelkrampf, der den ganzen Körper ergriffen hatte.

Odysseus sah ihm zu, aber es kam kein Triumphgefühl in ihm auf, sondern er wurde auf traurige Weise daran erinnert, dass er diesen Tod für sich selbst vorgesehen hatte, um der weltlichen Justiz zu entgehen.

Er beschloss, die schrecklichen Qualen von Kaufmann zu beenden. Es war, als würde er sich selber erlösen, als er die Klinge zum zweiten Mal erhob, um sie Kaufmann in den Hals zu stoßen.

Diesmal nutzte der seine Deckungslosigkeit noch geschickter aus als beim ersten Mal. Er stieß die angewinkelten Beine nach vorn, traf Birger Holthusens Kinn und Solarplexus.

Erneut rangen beide um den Dolch. Diesmal war Kaufmann oben und spuckte übel riechenden Speichel in Birgers Gesicht.

Kaufmann trieb die doppelschneidige Klinge in Odysseus' Brust. Er traf nicht dessen Herz, doch der Dolch steckte tief im Fleisch.

Mit weit aufgerissenen Augen stierte Odysseus seinen Gegner an. Dann fragte er wie ein enttäuschtes, beleidigtes Kind: »Die Pille wirkt gar nicht?«

»Nein, du Drecksack! Sie haben dich reingelegt und dir vermutlich für teures Geld irgendeinen Mist verkauft.«

Kaufmann rannte zum Meer und kniete sich in die Wellen, um sich den Mund mit Salzwasser auszuspülen. Er gurgelte, er spuckte, und am liebsten hätte er sich satt getrunken. Er hatte vorher keine Ahnung gehabt, wie köstlich Meerwasser schmecken konnte.

Trotzdem übergab er sich in die Nordsee. Es schoss in einer Fontäne aus ihm heraus, und er war dankbar für jeden Tropfen, der seinen Körper verließ.

Wer weiß, dachte er, was für einen Dreck ich da im Mund hatte.

Hinter ihm am Strand verblutete Odysseus. Die Walther PPK steckte noch in seiner Hosentasche, aber er war nicht mehr in der Lage, sie zu ziehen, sonst hätte er sein Leiden vielleicht selbst beendet.

Er lag auf dem Rücken und blickte in den Sternenhimmel. Sein Abschied von der Welt kam ihm friedlich vor. Und auf eine merkwürdige Weise selbstverständlich.

Er spürte, dass er einverstanden war mit dem, was jetzt geschah. Und er hoffte darauf, sollte seine Seele reinkarnieren, ein glücklicheres Los zu ziehen und einer zu werden wie die anderen, der heiraten konnte, vielleicht eine Familie gründen, sich auf seine Arbeit konzentrieren oder ein Hobby ausüben, statt immer nur getrieben zu werden von diesem inneren Dämon …

Der Polizistinnenchor, der an diesem Abend auf der Terrasse der Polizeipsychologin Elke Sommer die Probe mit einem Grillabend verbinden wollte, wurde mitten im Song »Supidupi Rupi« unterbrochen. Büscher erklärte, er brauche alle Kräfte, und zwar jetzt sofort.

Elke Sommer wendete noch ein, dass Menschen, wenn sie zu lange auf ihre Freizeit verzichten, im Dienst nicht besser würden, sondern eher schlechter, doch Büscher ließ sich auf keine Diskussionen ein. Auch die Argumente von Marion Wolters und Sylvia Hoppe, sie seien schon viel zu angetrunken, um noch zu fahren, und folglich würde es für den Dienst auch nicht mehr reichen, ließ Büscher nicht gelten.

Es war kurz vor Mitternacht, als die Krisensitzung in der Polizeiinspektion Aurich im Fischteichweg begann.

Marion Wolters roch nach Rotwein und Holzkohlegrill, Sylvia Hoppe hatte Mühe, sich auf die Ernsthaftigkeit der Situation einzulassen, weil ihr die Textzeilen aus dem »Supidupi Rupi«-Song nicht aus dem Kopf gingen. Sie summte vor sich hin:

>*»Er ist ein Fachmann, den hier jeder achtet,*
>*der heimliche Chef – wenn man's genau betrachtet.*
>*Was würden die in Norden bloß ohne ihn machen?*
>*Mann, oh Mann – die hätten nichts zu lachen.«*

Grinsend fragte sie: »Was sagt Rupert denn zu der ganzen Sache?«

Marion Wolters stieß sie an, sie solle den Mund halten, aber das brachte Sylvia nur noch mehr zum Gibbeln.

Elke Sommer bemühte sich um einen besonders sachlichen Ton, als sie sagte: »Bitte, trotz der ganzen dramatischen Situation, es gibt auch noch ein Leben außerhalb des Polizeidienstes. Wir haben gerade ein paar Würstchen auf den Grill gelegt und kommen aus einer völlig anderen Welt ... Hat das denn alles nicht Zeit bis morgen?«

Weil Sylvia Hoppe loskicherte, sagte Marion Wolters: »Entschuldigung, sie verträgt einfach keinen Alkohol. Sie wird dann immer so pubertär ...«

Büscher stöhnte und holte weit aus: »Wir haben es mit einer sehr ernsten Situation zu tun.«

Rieke Gersema kam erst jetzt rein. Sie keuchte noch, so abgehetzt war sie.

»Ich fürchte, unser Täter«, sagte Büscher, »hat erneut zugeschlagen und sich wieder eine Person geholt, gegen die Ubbo Heide mal ermittelt hat. Diesmal einen gewissen David Weißberg.«

»Ja, aber das wissen wir doch schon. Und was sollen wir jetzt heute Nacht machen?«, wollte Marion Wolters wissen.

»Ich will«, sagte Büscher und klopfte auf den Tisch, »dass ihr euch, verdammt noch mal, alle Gedanken macht! Ich bin neu hier und kann nicht jeden Einzelnen so gut kennen wir ihr. Der Täter kommt aus euren Reihen, das ist völlig klar!«

»Hört, hört!«, rief Elke Sommer empört. »Eure Reihen!«

»Unseren«, korrigierte Büscher sich und fuhr fort: »Im Moment gehen viele unserer Ermittlungen in Richtung Wilhelm Kaufmann. Und jetzt Hosen runter! Ich will, dass alles auf den Tisch kommt! Wann habt ihr ihn zum letzten Mal gesehen? Wer hat privaten Kontakt mit ihm? Ich will alles über diesen Mann wissen und sein Beziehungsgeflecht in unsere Polizeiinspektion hinein. Ist das klar? Irgendjemand gibt ihm Tipps, Hinweise, warnt ihn. Er ist wie vom Erdboden verschwunden. Wir haben ihn zur Fahndung ausgeschrieben.«

Rupert zeigte auf, was Sylvia Hoppe gleich wieder loskichern ließ. »Können wir nicht einfach sein Handy orten und dann ...«, schlug er vor.

Marion Wolters nickte und sagte in Ruperts Richtung: »Der ist doch nicht blöd. Der benutzt überhaupt kein Handy.«

»Ja, ist man ab jetzt blöd, wenn man ein Handy hat?«, staunte Rupert.

»Wir könnten ja«, schlug Sylvia Hoppe vor, »so'n Antrag stellen, dass ab jetzt jeder ein Handy mit sich führen muss, dann können wir ihn wenigstens jederzeit und überall orten …«

Ein Teil von ihr war noch angetrunken und redete diesen Unsinn, aber ein anderer Teil genierte sich bereits und hätte sich am liebsten vor Scham hinter der Tapete verkrochen. Sie versuchte, sich selbst zu zwingen, den Mund zu halten, aber Alkohol machte sie so gesprächig. Daran und an der Humorlosigkeit ihres Mannes war ihre erste Ehe gescheitert.

Büscher kehrte zum Wesentlichen zurück: »So. Was wisst ihr über ihn? Wo kann er sich aufhalten? Freunde. Lieblingsorte. Was wisst ihr über ihn?« Er ließ seinen Blick langsam schweifen, er wollte jedem Kollegen und jeder Kollegin einmal in die Augen schauen.

»Verflucht noch mal«, schimpfte er händeringend, »ihr wisst doch alle mehr als ich!«

Wenige Minuten nachdem Ann Kathrin bei Ubbo Heide in Aurich angekommen war, öffnete Weller die Tür zu Wilhelm Kaufmanns Wohnung in Brake. Die Kollegen hier vor Ort hatten bereits die Wohnung durchsucht und keinerlei Hinweise darauf gefunden, wo er sich aufhalten könnte.

Weller zog sich Gummihandschuhe an. Er hasste diese Dinger, aber er wollte den Ort nicht unnötig mit seiner DNA verunreinigen. Er war jetzt allein in der großzügig eingerichteten Wohnung. Man konnte aus den Fenstern auf die Weser schauen und auf das Hotel und die Gaststätte, die Wilhelm Kaufmann nach seinem unrühmlichen Rausschmiss aus dem Polizeidienst betrieb.

Was würde Ann Kathrin jetzt tun, dachte Weller. Vermutlich zuerst zum Buchregal gehen.

Wilhelm Kaufmann war ihm gleich sympathisch. Er hatte eine große Sammlung von Kriminalromanen. Das gefiel Weller.

Dazu noch eine Menge Literatur über Astronomie. Ein recht großes Fernrohr zur Betrachtung der Planeten stand am Fenster.

Interessantes Hobby, dachte Weller. Aber dafür braucht man Zeit. Viel mehr, als ich habe. Und wahrscheinlich hat man nur nachts Spaß daran.

Dann dachte er darüber nach, ob Kaufmann vielleicht ein Nachtmensch war. Nicht schlafen konnte und deswegen dieses Hobby gewählt hatte.

Weller schaute in den Kühlschrank. Nach Flucht sah das alles nicht aus. Wohnungen, die überstürzt verlassen wurden, weil jemand Angst hatte, verhaftet zu werden, erkannte Weller auf den ersten Blick. Hier war es nicht so. Die Wohnung war aufgeräumt. Hier hatte jemand seine Abreise solide geplant.

Es lag nichts im Kühlschrank, das in den nächsten Tagen verschimmeln würde. Weller kontrollierte die Haltbarkeitsdaten auf den Joghurtbechern. Eine halbe Salami, ein eingeschweißtes Stück Hartkäse, Butter nur in diesen kleinen Zehn-Gramm-Packungen, dafür gleich sechs davon.

Ohne Frage ein Singlehaushalt.

Die Kaffeemaschine gefiel Weller. Trotz der Entlassung aus dem Dienst oder vielleicht gerade deswegen, war Wilhelm Kaufmann kein armer Mann. Wahrscheinlich verdiente er mit dem, was er jetzt tat, wesentlich mehr, als er bei der Polizei jemals hätte bekommen können.

In der Küche an der Pinnwand hingen viele Zettel. Die Termine der Müllabfuhr, ein Gezeitenkalender, wann die Fähren nach Langeoog fuhren, eine Postkarte, die Telefonnummer vom Heizungsfachmann und dann noch ein kleiner Zettel, auf dem stand: FeWo. Darunter eine Telefonnummer mit der Vorwahl 04972.

Weller wählte Büscher an und wurde direkt in die Dienstbesprechung geschaltet.

»Schalt mich mal laut, Martin. Können mich alle hören?«

»Ja. Was gibt's Neues?«

»Ich bin in Brake, und ich halte jede Wette, dass Kaufmann auf Langeoog ist. Dort hat er eine Ferienwohnung, und die erreichen wir unter folgender Telefonnummer.«

»Woher weißt du das?«, fragte Büscher erfreut.

»Es hängt ein Zettel an seiner Pinnwand. Das haben die Kollegen hier wohl übersehen.«

Rieke Gersema stöhnte und griff sich an den Kopf, aber Büscher ließ erst gar keinen Vorwurf gegen seine Kollegen in Brake aufkommen: »Hey, hey, hey, das heißt noch gar nichts. Bei mir an der Pinnwand hängen zig Telefonnummern, deswegen bin ich trotzdem nicht dort.«

Büscher schrieb die Nummer mit, bedankte sich bei Weller, legte auf und pflaumte dann die anderen an: »Wieso weiß so etwas keiner von euch?«

Rupert reichte es. Er platzte los: »Woher sollen wir denn wissen, wo der Urlaub macht? Verdammt, wir kannten den doch gar nicht! Das alles ist ewig lange her! Die meisten haben hier erst angefangen, als Kaufmann längst aus der Firma raus war. Das ist eine alte Geschichte zwischen Ubbo und Kaufmann. Damit haben wir überhaupt nichts zu tun. Das muss doch auch einer kapieren, der aus Bremerhaven kommt, oder nicht?«

Das war's. Büscher machte sich gerade. »Solange ich in Bremerhaven war«, schimpfte er los, »wurden nicht irgendwelche Verdächtigen, die wir nicht richtig überführen konnten, umgebracht! Wir haben ordentlich gearbeitet und dann die Typen in den Knast gebracht, wenn sie hineingehörten, statt Selbstjustiz zu üben!«

»Wenn Ann Kathrin Klaasen jetzt hier mit uns am Tisch säße«, sagte Elke Sommer, »hätten Sie sich nicht getraut, so etwas zu sagen.«

»Mein Gott, was ist nur aus uns geworden?«, fragte Rieke

Gersema. »Die Stimmung hier ist ja völlig vergiftet. Wir machen uns gegenseitig fertig. So was gab es doch früher nicht! Man hat das Gefühl, dass gleich alle aufeinander losgehen.«

»Ja«, sagte Rupert, »aber diesmal bin ich daran nicht schuld«, und blickte Büscher an, der befürchtete, dass ihm die Situation zugeschrieben werden würde.

Wilhelm Kaufmann begann zu zittern und zu frieren. Er war nass. Die Kleidung klebte an seinem Körper. Er hustete noch und spuckte Meerwasser aus.

Er sah den toten Birger Holthusen mit dem Dolch in der Brust. Er wusste, dass seine Fingerabdrücke darauf waren.

Er überlegte, was er tun sollte. Sein rechter Oberarm blutete, aber das machte ihm keine Sorge. Eine Fleischwunde, nicht sehr tief. Er konnte den Arm bewegen.

Musste er sofort versuchen, in ein Krankenhaus zu kommen, zu einem Arzt? Brauchte er ein Gegenmittel? War etwas von diesem Giftzeug in seinen Körper gelangt?

Oder sollte er die Polizei anrufen? Ihnen die ganze Geschichte erzählen?

Etwas Ungeheuerliches war geschehen. Er hatte ein glaubwürdiges Geständnis von Birger Holthusen, dass er für die Morde an Steffi Heymann und Nicola Billing sowie an zwei weiteren Kindern verantwortlich war. Und dieser Birger Holthusen lag jetzt tot hier. Er hatte ihn erledigt.

Gleichzeitig kamen Zweifel in ihm auf. Das Gespräch mit Ubbo Heide in Gelsenkirchen war recht merkwürdig gewesen. Ubbo verdächtigte ihn im Grunde, Heymann und Stern getötet zu haben, genauso wie Birger Holthusen es getan hatte.

Die ganze Geschichte war logisch und folgerichtig, schien ihm aber trotzdem unglaubwürdig.

Er verspürte den Impuls, seine Fingerabdrücke vom Messer abzuwischen, die Walther wieder an sich zu nehmen, die dem toten Holthusen aus der Tasche hing, in seine Ferienwohnung zu gehen, sich zu waschen und zu duschen und sinnlos zu betrinken. Er stellte sich jetzt stundenlange Verhöre vor. Nein, dazu war er nicht in der Lage. Nicht mehr heute. Er war fertig. Die Sache hatte ihn geschafft.

Ich bin nicht mehr der junge Spund von damals, dachte er und griff an sein Herz. Wenn dieses scheiß Gift nicht wirkt, hoffentlich bringt mich dann nicht mein Herz um.

Ein Engegefühl in der Brust machte ihm Angst. Er kniete sich in den Sand neben den Toten und wischte das Messer ab, nahm die Walther an sich und stampfte durch den Sand zurück.

Schon in wenigen Stunden, dachte er, wird der Sand die Spuren verwischt haben. Und morgen, bei Lichte besehen, kann ich immer noch die Polizei anrufen. Jetzt brauche ich erst mal Ruhe, muss meine eigenen Gedanken ordnen, um mich nicht in Widersprüche zu verstricken.

Als er auf sein Fahrrad stieg, war er so aufgeregt, dass er versehentlich den Hilfsmotor ausschaltete. Er strampelte, bis die Beine brannten. Dann erst registrierte er seinen Fehler, und kurz vor seiner Ferienwohnung ging er in den dritten Gang, und ab dann war alles ganz einfach.

Er hatte noch nie in seinem Leben so lange geduscht wie in dieser Nacht.

Svenja Moers kam sich vor wie eingehüllt in Spinnweben oder einen klebrigen Wattebausch, als würde sie sich verpuppen.

Sie hörte eine Stimme, wabernd, mit langgedehnten Vokalen. Sie verstand den Sinn der Worte nicht. Es waren nur Geräusche für sie. Eine fremde, verzerrte Sprache.

Sie versuchte, die Augen zu öffnen. Durch gelbweiße Schlieren konnte sie kaum etwas erkennen. Es war, als würde sie aus dem Inneren eines milchigen Kokons nach draußen schauen, in eine unbekannte, feindliche Welt.

Jemand schlug ihr ins Gesicht. Sie spürte den Schmerz nicht, sie hörte nur das Klatschen und registrierte, dass ihr Kopf von links nach rechts flog und wieder zurück. Ihr wurde schwindlig dabei.

»Trink das! Du sollst das trinken, verdammt!«

Sie hustete. Etwas schwappte aus ihrem Mund heraus und lief an ihrem Hals lang. Ihr Kopf wurde nach oben gezogen, bis ihr Kinn auf die Brust drückte. Es schmerzte im Nacken.

Jemand presste ihr ein Glas gegen die Lippen. Sie hätte nur zu gern getrunken, doch ihr Hals war zu eng, als sei innen alles zugeschwollen, jeder Durchgang versperrt. Das Atmen fiel ihr schwer. Die Nase war verstopft. Sie japste nach Luft.

Er wischte ihr mit einem feuchten Lappen das Gesicht ab. Dann hielt er ihr etwas unter die Nase, das eklig roch.

Erneut wurde sie von einem Hustenkrampf geschüttelt.

Schließlich konnte sie sogar aufrecht sitzen. Vor ihren Augen tanzten noch Sternchen herum, aber der Schleier aus weißen Fäden wurde durchsichtig.

Sie erkannte Yves Stern. Er war bei ihr in der Zelle.

Er sah besorgt aus, machte einen freundlichen Eindruck, fast wie ein Arzt im Krankenhaus.

»Du kannst jetzt nicht sterben. Du bist Teil von etwas ganz Großem. Dein Tod ist überhaupt nicht vorgesehen. Ich habe dir Obst mitgebracht. Du brauchst ein paar Vitamine. Ich werde uns auch noch einen Kuchen backen und … Halte durch! Das alles ist noch lange nicht zu Ende. Du kannst Zeugin sein, miterleben, wie mein Werk entsteht.«

Er hielt ihr einen Teller hin, auf dem geschälte Apfelschiffchen lagen: »Iss.«

Bin ich wach?, fragte sie sich. Ist das alles eine Halluzination? Träume ich nur? Bin ich vielleicht sogar schon tot?

Wie oft hatte sie sich gewünscht, dass er in ihre Zelle käme. Sie suchte eine Chance, ihn anzugreifen. Aber sie war jetzt nicht in der Lage, ihn zu attackieren und schon gar nicht, ihn zu besiegen. Sie musste erst Kräfte sammeln. Sie schaffte es nicht einmal, ein Apfelschiffchen hochzuheben und reinzubeißen.

Er schob ihr eins zwischen die Lippen. Dann zeigte er ihr Fotos. Darauf waren Figuren aus Holz.

»Sieh mal, das ist das Skulpturenufer in Hude. Hier unter dem Liegenden Riesen will ich mein Werk beenden. Hier unter ihm soll die letzte Leiche liegen. Wenn das Gras hochwächst, sieht es aus, als würde er darüber schweben. Dann wird auch dem letzten Idioten klarwerden, dass ich nicht nur den Rechtsstaat zu Ansehen und Geltung gebracht habe, sondern gleichzeitig ein großes Kunstwerk – eine gesellschaftliche Skulptur – geschaffen habe. Die Gesellschaft, in der wir leben, ist wie so ein Stück Holz. Es muss geformt, behauen werden. Das, was nicht hingehört, muss weg, damit am Ende etwas entsteht, das schön ist, das unsere Herzen erfreut. Siehst du diesen Vogel hier, der über dem Skulpturengarten wacht? Als ich dort spazieren ging, habe ich begriffen, dass ich es tun muss. Ich hatte eine Radtour gemacht und mir das Huder Kloster angesehen und die Wassermühle. Dieses Skulpturenufer liegt am Huder Bach, nicht weit von der Peter-Ustinov-Schule. Der Künstler heißt Wolf E. Schultz.«

Er ist verrückt, dachte sie, völlig verrückt. Aber aus irgendeinem Grund will er, dass ich überlebe. Das ist gut so. Vielleicht braucht er einfach einen Zeugen. Hat er einen Freund verloren? Fühlt er sich einsam? Er will, dass ich mitkriege, was er tut. Das ist gut. Es bringt mich in eine Position, die aus mir mehr macht als ein Stück Fleisch, das er einfach so entsorgen kann.

Sie zerkaute das Apfelschiffchen und dann konnte sie sogar sprechen.

»Gib mir Wasser.«

Er hielt ihr das Glas hin und sie trank gierig. Jetzt spürte sie, wie neue Lebensenergie in ihren Körper floss.

»Ich kenne den Kunstpfad in Dangast«, sagte sie, um eine Verbindung zu ihm herzustellen. »Da war ich mal mit meinem ersten Mann ...«

Gleich erschrak sie. Hatte sie damit das falsche Thema angesprochen? Seine Körperhaltung veränderte sich. Sah er jetzt in ihr wieder eher die Mörderin als den kranken Menschen, der vorm Verhungern und Verdursten gerettet werden musste?

»Bitte, lassen Sie mich gehen«, sagte sie. »Ich werde nichts verraten. Ich will nur hier raus ... Ich sterbe hier. Ich halte das nicht aus. Ich kriege hier keine Luft. Es ist zu heiß. Ich bin ein Mädchen von der Küste. Ich brauche frischen Wind, Auslauf ... Sie verstehen das doch. Oder nicht?«

Wortlos schob er ihr noch ein Apfelschiffchen in den Mund. Sie wusste nicht genau, ob er es tat, damit sie ruhig war oder damit sie wieder zu Kräften kam.

»Ich kann dich nicht gehen lassen. Du sitzt hier deine Strafe ab. Akzeptier das endlich.«

»Aber in jedem Gefängnis darf man mal nach draußen! Man hat einen kleinen Rundgang. Ich könnte ja wiederkommen.«

Er lachte. »Du versprichst mir zurückzukommen, wenn ich dich hier rauslasse? Warum? Weil du einsiehst, dass dies der Ort ist, an den du gehörst?«

»Wo soll ich denn hin?«, fragte sie. Sie versuchte, ihn einzuwickeln: »Ich habe die Morde gestanden. Das alles liegt doch längst bei der Polizei. Ich würde nur von einem Gefängnis in ein anderes kommen.«

»Kluge Einsicht. Dieses Gefängnis muss auch nicht so unbequem bleiben, wie es im Moment für dich ist. Wir könnten uns auf gutes Essen einigen, regelmäßige Mahlzeiten, angenehme Raumtemperatur. Was denkst du?«

Sie kaute und nickte. Er hielt ihr ein Apfelstückchen hin. Diesmal schob er es ihr nicht in den Mund, sondern hielt es mit zehn Zentimetern Abstand vor ihr Gesicht.

Sie öffnete die Lippen und holte es sich.

Das ist es, was er will, dachte sie. Ich soll ihm aus der Hand fressen. Hauptsache überleben. Egal, wie.

»Ich könnte für uns kochen«, sagte sie. »Ich könnte Ihre Lieblingsgerichte machen. Das, was früher Ihre Mutter gekocht hat. Ich bin eine gute Köchin, das haben meine Ehemänner immer gelobt«, log sie.

»Ich verstehe«, sagte er, »du willst mir für die Gnade, die ich dir gewähre, etwas zurückgeben. Dir ist schon klar, dass du all das gar nicht verdient hast? Ich könnte dich auch in den Skulpturengarten legen, unter den Schwebenden Riesen. Aber das wäre nicht wirklich gut. Du bist ja nicht der Abschluss des Ganzen. Das wäre, als würde man ein Haus bauen, ohne das Dach zu vollenden.«

Er ging einen Schritt zurück und betrachtete sie. Obwohl seine Blicke ihren Körper abtasteten, hatte das Ganze nichts Sexuelles an sich. Sie kam sich eher vor wie auf dem Sklavenmarkt, als sollte ihre Leistungsfähigkeit eingeordnet werden, als müsse er überlegen, wie sie am besten, ihren Fähigkeiten gemäß, einsetzen könnte.

Sie saß jetzt aufrecht im Bett. Da war immer noch ein Schwindelgefühl, und die Glieder waren steif. Sie hatte Mühe, die Finger zu bewegen. Die Beine lagen unter der Decke, als würden sie nicht zu ihr gehören.

»Es ist viel Arbeit im Haus. Ich muss alles selbst machen. Das ist im Grunde deine Schuld, ist dir das klar? Ich kann hier doch keine Putzfrau reinlassen oder Handwerker. Andere haben einen Hausmeister, einen Gärtner. Das alles geht hier nicht. Nur wegen dir!«

Er sprach jetzt in einem aufgebrachten Ton, redete sich selbst in Rage. Seine Gesichtszüge wurden härter. Der ganze Mann schien zu wachsen. Er hatte sich wohl daran gewöhnt, leicht nach vorn gebeugt zu gehen, um nicht so groß zu wirken. Wenn er sich aber gerade hinstellte, war er zwar dürr, aber gigantisch. Sie musste zu ihm aufsehen.

»Ich könnte viele Arbeiten erledigen. Ich könnte für uns kochen, putzen, die Wohnung aufräumen. Wir könnten zusammen leben wie ein richtiges Ehepaar.«

»Ja«, grinste er. »Das würde dir wohl so gefallen, was? Und am Ende bringst du mich dann um, so wie du deine Ehemänner immer umgebracht hast.« Er packte sie mit der rechten Hand am Hals und würgte sie. »Diesmal wird das nicht funktionieren. Ich habe dich unter Kontrolle. Ich falle auf deine schönen Augen nicht herein!

Zunächst mal könntest du damit anfangen, deine eigene Zelle aufzuräumen und in Schuss zu halten.« Er machte eine raumgreifende Geste. »Guck dir doch an, wie es hier aussieht! Hast du deinen Haushalt auch so schlampig geführt? Wundert mich, dass deine Ehemänner dich nicht umgebracht haben.«

Sie versuchte aufzustehen. Als ihr rechter Fuß den Boden berührte, hatte sie das Gefühl, auf Watte zu treten. Es kribbelte im Bein, aber sie spürte den Boden nicht wirklich. Dann stürzte sie nach vorn.

Es gelang ihr geistesgegenwärtig, die Hände nach vorne zu bringen, so dass sie nicht mit dem Gesicht auf den Boden schlug. Sie versuchte, wieder aufzustehen, aber das schaffte sie nicht aus eigener Kraft.

Über ihr brüllte er: »Daran bist du selbst schuld! Du hast dir das alles selbst angetan! Wenn du einsichtiger gewesen wärst, hätte ich die Heizung schon früher runtergedreht, dir Wasser und Essen gebracht, aber nein, die Dame muss ja immer ihren eigenen Willen durchsetzen! Du brauchst nicht nur Nahrung, sondern auch Sport! Du musst dich fit halten! Guck dir an, wie du aussiehst! Du gehst beschissen um mit dem Körper, den Gott dir gegeben hat. Du bist der Schöpfung gegenüber ein undankbares Luder.«

Er packte sie und zerrte sie hoch. Er drückte sie gegen die Gitterstäbe. Mit beiden Händen hielt sie sich daran fest, um nicht wieder zusammenzubrechen, denn sie knickte in den Knien ein.

»Du bist klapperdürr geworden! Und gleichzeitig hängt deine Haut.« Er fasste mit spitzen Fingern ihren Oberarm an und zog an ihrer Haut, als sei sie ein Stück Stoff.

»Auf die Waage mit dir! Ab jetzt werden wir dich fit halten. Jetzt will ich dein Gewicht wissen.«

Sie versuchte, die zwei Schritte bis zur Waage selbst zu gehen. Sie schwankte hin und her, aber es ging. Dann stellte sie sich darauf.

72,9 Kilo gab die Waage an.

»Wie viel hast du zu Hause gewogen, bevor du hierhergekommen bist?«, fragte er. Seine Stimme klang hochaggressiv.

Weil sie nicht antwortete, zischte er: »Erzähl mir jetzt bloß nicht, du wüsstest es nicht! Frauen wiegen sich doch dauernd, ihr habt doch überhaupt kein anderes Thema als euer Gewicht und irgendeine blöde Diät.«

»Ich schwanke immer zwischen vierundsiebzig und sechsundsiebzig Kilo.«

»Na siehst du«, lachte er, »dann nimmst du hier ja ab, das müsste dir doch eigentlich gefallen. Aber hast du dich zu Hause auch in voller Montur gewogen? Erzähl jetzt keinen Mist!«

»Nein«, sagte sie kleinlaut, »natürlich nicht.«

Er griff in seine Seitentasche und zog ein Notizheft heraus. Er legte es ihr hin und einen Kugelschreiber dazu.

»So. Ab jetzt trägst du hier jeden Tag dein Gewicht ein. Ist das klar? Du wiegst dich einmal morgens und einmal abends. Ich will, dass du zunimmst. Ich will, dass es dir hier gutgeht, und dieses Heft wird der Beweis dafür. Da trägst du dein genaues Gewicht ein und dann«, er griff zu einer Tüte, die er auf dem Boden abgestellt hatte und die bisher noch gar nicht in ihr Blickfeld geraten war, »und dann bläst du hier rein. Damit wird dein Lungenvolumen gemessen. Die Beschreibung liegt drin. Das schaffst du schon. Schön gleichmäßig reinpusten. Und dann schreibst du jeden Tag dein Lungenvolumen auf. Außerdem wird deine Körpertemperatur gemessen und alles, was du isst. Ich will, dass du fit wirst und dass du zunimmst. Wenn du achtzig Kilo erreicht hast und dich anständig aufführst, darfst du abends mit mir zusammen fernsehen und dich im Haus bewegen. Vielleicht gehen wir sogar mal gemeinsam an die frische Luft.« Er klatschte in die Hände. »Na, das ist doch mal ein Ziel, was? Hast du dir das nicht schon immer gewünscht? Ab jetzt darfst du fressen, so viel du willst. Nudeln. Pizza. Sahnetorten. Du brauchst auf deine schlanke Linie keine Rücksicht mehr zu nehmen. Jetzt, hinter diesen Gitterstäben, bist du endlich frei. Das erste Kampfziel heißt achtzig Kilo.«

Er sah sie an. Ihr Gesicht zuckte. Sie wusste nicht, was sie sagen oder denken sollte. Sie hatte nur noch Angst.

»So, und jetzt zieh dich aus und wieg dich, damit wir vernünftige Ergebnisse kriegen. Und das machst du ab jetzt zweimal am Tag. Morgens und abends.«

»Ich weiß nicht mal, wann Morgen oder Abend ist«, sagte sie und freute sich, dass sie in der Lage war, ein wenig Widerstand zu leisten. »Ich habe ja keine Uhr.«

»Okay«, sagte er und wirkte ein bisschen schuldbewusst, als hätte er etwas übersehen, dann wurde er sofort großzügig: »Okay, ich bilige dir eine Uhr zu, damit wir unser Programm richtig hinkriegen.«

Er nahm seine eigene vom Handgelenk und warf sie aufs Bett. »Achtzig Kilo«, sagte er, tippte auf das Heft, »alles schön brav hier eintragen. Das ist der Beweis, dass ich anständig mit dir umgehe, dass hier alles seine Richtigkeit hat.«

Dann verließ er ihre Zelle, verriegelte sie hinter sich und verschwand, ohne sich noch einmal umzudrehen, durch die zischende Stahltür in den dahinterliegenden Flur.

Einerseits war sie erleichtert. Er hatte nicht von ihr verlangt, dass sie sich ausziehen sollte, weil er sie voyeuristisch begaffen wollte. Nein, es war etwas anderes.

Vielleicht schaut er mir jetzt zu, dachte sie, durch die Kameras, die er hier aufgebaut hat. Vermutlich tut er genau das.

Trotz allem bekam sie das Gefühl, dass sich ihre Lage gerade zum Besseren wendete. Nein, sie würde sich noch nicht aufgeben. Er wollte etwas von ihr, und er brauchte von ihr den Beweis, dass er sie anständig behandelte. Er würde sie nicht vergewaltigen und in seiner irren Vorstellung auch nicht foltern. Er versuchte, alles gut, alles richtig zu machen und sammelte dafür Beweise.

Sie zog sich rasch aus und wog sich.

69,7.

Mein Gott, dachte sie, ich hab tatsächlich mindestens vier Kilo abgenommen.

Aber was früher ein Grund zu großer Freude gewesen wäre, machte ihr jetzt nur Sorgen.

Schnell zog sie sich wieder an, dann trug sie die Zahlen fein säuberlich in das Heft ein.

Wenn ich fit und stark genug bin, kann ich ihm den Kugelschreiber vielleicht ins Auge rammen, dachte sie. Immerhin war er dumm genug gewesen, den Schlüssel mit in ihre Zelle zu bringen. Vielleicht würde er das wieder tun …

Ich werde zu Kräften kommen, dachte sie. Das verspreche ich dir, mein Lieber! Ich werde essen, ich werde trainieren, ich werde stark werden, und dann werde ich dich töten, so wie meine ersten beiden Ehemänner. Nur in deinem Fall muss ich keine Rücksicht mehr darauf nehmen, dass es wie ein Unfall aussieht. O nein. Mit dir kann ich machen, was ich will. Es wird immer als Notwehr ausgelegt werden, von jedem Gericht der Welt.

Ann Kathrin fragte sich, ob es eine gute Idee war, um diese Zeit schwarzen Tee mit Pfefferminzblättern zu trinken, aber Ubbo Heide hielt sich an der Tasse fest, als sei sie ein Rettungsring in aufgewühltem, dunklem Gewässer.

Der Teeduft erfüllte den ganzen Raum und durch den Beigeschmack von Pfefferminz fühlte sich Ann Kathrin eher an ein Beduinenzelt in der Wüste erinnert als an eine Wohnung in Ostfriesland.

Carola Heide war sehr lichtempfindlich. Neonlicht konnte sie überhaupt nicht ertragen, deswegen gab es in der Wohnung nur indirekte Beleuchtung, dazu ein paar Kerzen. Der Raum hatte fast etwas Sakrales für Ann Kathrin.

Ein Marzipanseehund lag wie ein Kinderspielzeug auf Ubbos Knien. Sobald er die Teetasse abstellte, streichelte er den Seehund. Ab und zu knibbelte er ein bisschen davon ab und schob sich kleine Teilchen, die er vorher zwischen den Fingern zusammenrollte, in den Mund. Ann Kathrin vermutete, dass es eine unbewusste Handlung war.

Er wirkte auf sie um Jahre gealtert. Seine Lippen standen merkwürdig verzerrt und schräg, wie Ann Kathrin es von Schlaganfallpatienten kannte. Sie traute sich aber nicht, den Verdacht zu äußern.

»Ich brauche deinen Rat, Ann. Ich weiß nicht mehr weiter.«

Da saß er nun, der große Mann der ostfriesischen Kriminalpolizei, väterlicher Freund und Vorbild für eine ganze Generation von Polizisten, vom Leben geschlagen, erschüttert, hilfsbedürftig.

Es war so selbstverständlich für sie, ihm jetzt zur Seite zu stehen. Sie sagte es nicht mal, sie sah ihn einfach nur fragend an

Er spielte mit dem Seehund, während er leise sprach: »Ich zermartere mir das Gehirn. Ich muss etwas tun. Aber bevor ich handle, will ich dich fragen, was du denkst. Das ist mir wichtig. Am Ende muss ich sowieso tun, was ich für richtig halte, aber ...«

»Worüber denkst du nach, Ubbo?«

»Soll ich mich öffentlich an den Mörder wenden? Ist es das, was er will? Soll ich ihn öffentlich bitten, aufzuhören? Ihm sagen, was für einen erbärmlichen Mist er hier baut?«

»Er will mit dir ins Gespräch kommen. Alles zielt auf dich ab, das ist schon klar, Ubbo. Aber vielleicht stachelst du ihn damit auch nur noch mehr auf.«

»Genau das sind meine Zweifel, Ann. Aber ich fühle mich verantwortlich für all das, was geschieht. Ich muss ihn bitten, aufzuhören.«

»Aber was willst du ihm dafür anbieten, Ubbo? Was soll der Deal sein? Was bekommt er, wenn er aufhört?«

Ubbos Finger bewegten sich, als seien sie eigenständige Wesen, die nicht von ihm gesteuert wurden. Sie rissen dem Seehund den Kopf ab, dann rollte der Kopf von Ubbos Beinen auf den Boden. Von dort schien der Marzipanseehund ihn mit nur noch einem verbliebenen Auge traurig anzusehen.

Jetzt zerfetzten Ubbos Finger den Körper, so nervös war er.

»Ich muss ihn treffen, ihm ein Gespräch anbieten.«

»Du willst ihm zeigen, dass du ihn verstehst?«

»Ann, das alles ist viel komplizierter als es aussieht. Im Grunde setzt der doch meine Wut in die Wirklichkeit um. Ich habe mir das alles von der Seele geschrieben, und manchmal frage ich mich: Tut er nicht einfach das, wofür ich zu feige war, weil ich nicht meine Familie und meine Karriere aufs Spiel setzen wollte?«

Er hörte Ubbos Worte, und es war der größte Triumph seines Lebens. Er ballte die Fäuste, hob sie zur Decke, kreischte vor Freude: »Jaaa! Jaaa! Jaaa! Endlich kapiert ihr!«

Er versuchte, den Empfang lauter zu drehen. Es war keine gute Übertragung. Es knisterte, und die Worte wurden lauter und wieder leiser, die Konsonanten knackten. Trotzdem lösten die Sätze in ihm ein ungeheures Glücksgefühl aus.

»Du willst ihm also eine Falle stellen, Ubbo? Mit dir als Köder? Das können wir nicht riskieren. Du bist gehandicapt. Du sitzt im Rollstuhl. Du bist nicht mehr der Alte. Nein«, rief Ann Kathrin entschlossen, »das will ich nicht!«

»Du missverstehst mich, Ann. Wenn ich ihm eine Falle stellen wollte, würden wir ein Mobiles Einsatzkommando anfordern. Ich will ihn wirklich treffen.«

»Und dann?«, fragte sie entgeistert.

»Dann will ich mit ihm reden.«

»Ubbo, was ist aus dir geworden? Du kannst doch nicht ernsthaft davon ausgehen, dass du mit so einem Menschen reden und verhandeln kannst! Wie stellst du dir das vor? Dann hört er auf, und alles ist wieder gut? Wir stellen die Fahndung ein, oder was? Bist du ein Traumtänzer geworden? Er kann dich nach dem Gespräch nicht gehen lassen, Ubbo. Du kennst ihn dann und ...«

»Ich muss das hier beenden, Ann. Darüber sind wir uns doch einig, oder? Ich komme mir vor, als hätte ich einen Schneeball geworfen und damit eine Lawine ausgelöst, die jetzt droht, ein ganzes Dorf unter sich zu begraben.«

Wenn wir uns sehen, Ubbo, wirst du begreifen, dass deine Lawine Sodom und Gomorrha vernichtet, und du wirst stolz darauf sein, den ganzen Dreck ausgelöscht zu haben. Ich will sehen, ob ich dir deinen Wunsch erfüllen kann ...

Ann Kathrin erhielt einen Anruf. Er konnte nicht verstehen, was sie sagte. Entweder flüsterte sie, oder sie war zu weit vom Aufnahmegerät entfernt. Erst als sie wieder zu Ubbo sprach, kamen ihre Worte, wenn auch leise, bei ihm an.

»Kaufmann hat sich eine Ferienwohnung auf Langeoog gemietet. Ich vermute, er wird noch gar nicht da sein, aber wenn er kommt, werden wir ihn dort empfangen. Ich denke, du kannst das Gespräch mit ihm schon bald führen.«

»Ja, Willi liebt Langeoog«, sagte Ubbo Heide und klang resigniert.

»Wir können nicht warten, bis die ersten Fähren fahren.«

»Ann – ich will mitfahren!«

»Aber Ubbo ... Willi Kaufmann ...«

Ubbo ließ sie nicht weitersprechen. »Ich kann mit ihm reden, Ann. Wenn es zum Äußersten kommt, dann kann ich ihn vielleicht dazu bringen aufzugeben. Oder willst du es auf der Ferieninsel auf eine wilde Ballerei ankommen lassen? Willi ist ein verdammt guter Schütze, zumindest war er immer viel besser als ich.«

Die Langeooger Polizisten wurden noch in der Nacht informiert, aber gebeten, nichts zu tun, weil sie es mit einem äußerst gefährlichen Mann zu tun hatten, der garantiert bewaffnet war und zu allem entschlossen.

Auf dem Flugplatz der Insel landeten in den frühen Morgenstunden zwei Hubschrauber. Aus dem einen stiegen Martin Büscher, zwei Scharfschützen und vier martialisch gekleidete, vermummte, bestens trainierte, junge Männer des Mobilen Einsatzkommandos. Mit dem anderen kamen Ann Kathrin Klaasen, Frank Weller, die Polizeipsychologin Elke Sommer, Rupert und Ubbo Heide auf die Insel.

Jetzt, als pensionierter Kripochef, konnte Ubbo Heide Dinge sagen, die er sich früher immer verkniffen hatte. Mit Blick auf die Leute vom MEK grummelte er: »Die sehen aus, als wollten wir hier eine Folge ›Krieg der Sterne‹ drehen.«

Ein frisch verliebtes Pärchen saß in den Dünen. Sie hatten gerade hier unter freiem Himmel den besten Sex ihres Lebens gehabt und krönten nun alles durch einen kleinen Joint. Ihre Körper dünsteten noch Liebesschweiß aus. Die Meerluft streichelte sie, und der Joint brachte eine Leichtigkeit in ihr Leben, dass die beiden kurz davor waren, nackt über der Insel zu schweben.

Da sahen sie die Gestalten heranrücken. Ubbo Heides Rollstuhl wirkte wie ein Thron, auf dem der König über die Insel getragen wurde, umgeben von seinen tapferen Rittern.

»Mann, ist der Stoff gut«, sagte sie zu ihm. »Hast du das Zeug selbst angebaut?«

Er schüttelte den Kopf: »Nee, der ist ganz normal aus'm Coffeeshop, aber da fliegt dir das Gehirn weg!«

Die Stahltür öffnete sich. Svenja Moers konnte tief in den Flur hineinsehen, aber da war niemand. Nur dieser Geruch, als sei sie nicht mehr in ihrer Zelle, sondern in einem italienischen Restaurant. Sie hörte etwas klappern und quietschen, und dann erschien Yves Stern wie der Pizzabote bei seiner ersten Schicht.

Er jonglierte unbeholfen eine Pizza Gigante in einer Pappverpackung, obendrauf noch zwei Plastikschüsseln und eine Literflasche Coca-Cola.

Das Plastikbesteck fiel ihm runter, und als er den Löffel aufhob, rutschte eine Aluschachtel von der Pizza und die Spaghetti Carbonara klatschten auf den Boden.

Er schielte zu Svenja Moers, lächelte um Verzeihung heischend, baute wieder Türmchen auf seiner Pizza Gigante und war dann mit wenigen Schritten lachend bei ihr an den Gitterstäben.

»Das große Fressen kann beginnen«, freute er sich. »Einmal Lasagne al forno, dann eine Pizza Gigante mit allem Zipp und Zapp, so eine richtige Torte, Schinken, Käse, Thunfisch, Cabanossi – alles, was sie so haben.«

Seine jahrmarktschreierische Art hatte etwas Witziges und gleichzeitig Furchterregendes.

Ich werde leben, dachte sie, leben.

Sie versuchte, die Aufschrift auf der Pizzapackung zu lesen. Die Pappe war weiß, der Schriftzug »Pizza« in Rot und Grün kam ihr bekannt vor, aber den Namen einer Pizzeria konnte sie nicht erkennen.

Er reichte ihr die Colaflasche durch die Gitterstäbe, dann die Spaghetti und die Lasagne. Er benutzte nicht die dafür vorgesehene Durchreiche. Die Pizza schob er in der Schachtel hochkant zwischen den Gitterstäben durch.

Sie nahm alles dankbar entgegen. Das Essen war noch heiß. Sie wusste gar nicht, womit sie beginnen sollte, und gleichzeitig war ihr natürlich klar, dass sie unmöglich alles aufessen konnte.

Pizza schmeckt auch noch kalt, dachte sie, und machte sich als erstes über die Lasagne her.

Schon nach dem zweiten Bissen wusste sie, dass dieses Essen nach dieser langen Hungerphase viel zu schwer war. Sie würde Verdauungsprobleme bekommen. Egal. Hauptsache, ihr Körper erhielt neue, frische Energie.

Wir sind nicht völlig aus der Zivilisation, dachte sie.

Sie untersuchte die Pizzaschachtel, konnte aber keinen Lieferservice ausmachen. Aber dort stand ein Sinnspruch: *Der Mensch braucht drei Dinge zum Leben: Essen und Trinken.*

Er verschwand kurz, während sie aß, war aber Minuten später wieder da, stellte sich einen Klappstuhl vor die Gitterstäbe, setzte sich, legte das linke Bein über das rechte und sah ihr amüsiert beim Essen zu.

»Was soll das?«, fragte sie. »Wir sind hier doch nicht im Zoo.«

Es tat ihr sofort leid, denn er war nicht der humorvollste Mensch, den sie kannte. Gleichzeitig spürte sie, dass mit der Nahrungsaufnahme auch ein neuer Kampfeswille zu ihr zurückkam.

Das Haus lag zwischen die Dünen geduckt in der Dunkelheit einladend vor ihnen. Nur in der oberen Etage waren die Fenster beleuchtet.

Die Männer vom Einsatzkommando machten sich bereit. In den Dünen positionierten sich zwei Scharfschützen.

Ann Kathrin Klaasen stand neben Ubbo Heide. Hinter ihnen scherzte Rupert mit dem Männern vom Mobilen Einsatzkommando, als müsse er ihnen Mut machen.

Die Gedanken schossen wie überbelichtete Bilder durch Ann Kathrins Kopf. Blitzartig hintereinander, nur durch Schüsse und Schreie unterbrochen.

Ein MEK-Mann öffnete mit einem Schlag die Tür.

Holz splitterte.

Menschen brüllten.

Befehle und Angstschreie vermischten sich.

Mündungsfeuer.

Wilhelm Kaufmann wurde von mehreren Kugeln getroffen. Er tänzelte mit ausgebreiteten Armen durch den dunklen Raum, große, schwarze Flecken auf seinem Hemd.

Kaufmann am Boden.

Das kreisende Blaulicht beleuchtete das Gemetzel.

Ein Polizist kämpfte im Türeingang um sein Leben. Aus seinem Hals spritzte Blut.

Es waren nur Bilder in ihrem Kopf, doch sie waren für Ann Kathrin so real. Sie schrie laut: »Nein!«

Alle sahen sie an.

Rupert flachste in Richtung der Elitepolizisten vom SEK: »Mädchen! So sind sie halt. Je dicker der Hintern, umso dünner die Nerven.«

Weller reagierte sauer auf Rupert und hätte ihm am liebsten eine reingehauen. Die Polizeipsychologin Elke Sommer beschwichtigte ihn, das sei Galgenhumor, völlig in Ordnung, manche Menschen würde so eben großen Stress kompensieren.

»Nein«, behauptete Weller, »der ist einfach ein Idiot.«

Ubbo Heide vertraute Ann Kathrins Jagdinstinkt. Wenn sie »Nein« rief, dann nahm er das sehr ernst.

»Wir sollten ihm die Chance geben, sich zu ergeben. Er kennt unsere Möglichkeiten. Er weiß, dass er aus der Ferienwohnung nicht lebend rauskommt. Die Insel ist eine Falle. Hier kommt er sowieso nicht weg. Wir sollten nicht stürmen, sondern einen Versuch machen, vernünftig mit ihm zu …«

»Ja«, sagte Ubbo Heide, »das denke ich auch.«

Aber die Befehlsgewalt über diesen Einsatz lag nicht in den Händen eines pensionierten Polizeichefs.

»Ich habe ein ganz mieses Gefühl bei der Sache«, fuhr Ann Kathrin fort, konnte aber auch damit nichts mehr aufhalten.

Rupert äffte Ann Kathrin in Richtung der Spezialkräfte nach: »Sie hat ein ganz mieses Gefühl, uiuiuiui! Besser, wir fordern Verstärkung an. Beim letzten Mal, als sie ein mieses Gefühl hatte, ist der Sonntagsbraten nichts geworden.«

Niemand lachte über seine Scherze.

Johannes Dunkel wurde von seinen Freunden gern »Johnny Dark« genannt. Er wusste, dass es Mut ohne Angst nicht gab, und er hatte eine Scheißangst. Er befürchtete, sich eine Kugel einzufangen und den Rest des Lebens wie Ubbo Heide im Rollstuhl zu verbringen. Komischerweise dachte er nicht darüber nach, dass die Kugel ihn töten könnte. Er war noch in dem Alter, in dem junge Männer sich insgeheim für unsterblich hielten.

Aber da war noch etwas: Seit ein paar Wochen war er verliebt wie nie zuvor in seinem Leben. Ja, verdammt, er wollte heiraten, Kinder großziehen und nie wieder mit anderen Frauen in die Betten springen.

Doch seine Vivien mochte keine Waffen. Sie sah in ihm nicht

den Helden, der Geiseln befreite oder Gewaltverbrecher unschädlich machte, der er so gerne sein wollte. Sie gehörte zu diesen *Es-gibt-keinen-Weg-zum-Frieden,-der-Frieden-ist-der-Weg*-Pazifisten. Er hatte Angst, sie könnte ihn verlassen, wenn durch seine Hand ein unbewaffneter, vielleicht gar unschuldiger Mensch sterben müsste.

Jetzt sprang er, wie er es gelernt hatte, abgeseilt vom Dach durch ein Fenster in eine unbekannte Wohnung, während seine Kameraden unten die Tür krachen ließen und die Räume stürmten.

Er hatte das alles zigmal mit ihnen geübt und nur einmal – wirklich nur ein einziges Mal – hatte er auf ein hochklappendes Ziel hinter sich geschossen, das eine unbewaffnete Frau mit einem Baby auf dem Arm zeigte. Vorher war auf vier Bildern ein bärtiger Mann mit einer Waffe im Anschlag gewesen.

Er wollte diesen Fehler nicht noch einmal machen. Nicht in der Wirklichkeit. Zumal er wusste, dass sich in der Ferienwohnung ein Exkollege befand.

Der Mann da drin wusste genau, wie so ein Zugriff ablief. Unten raus hatte er keine Chance. Wenn er versuchen wollte, sich der Festnahme zu entziehen, dann würde er auf den schießen, der durchs Fenster kam und sich an seinem Seil aufs Dach hangeln, um dann von dort aus über andere Dächer zu entkommen.

Der Exkollege da drin musste sechzig sein, vielleicht sogar älter. Das hieß noch lange nicht, dass er nicht gelenkig genug war, dieses Kunststück zu probieren. Aber es bedeutete auf jeden Fall, dass er genügend Lebenserfahrung hatte, um zu wissen, dass es keine andere Chance gab.

Johannes Dunkel war also bereit zu schießen. Zum Glück war der Raum beleuchtet. Dunkel rollte sich vom Fenster ab bis in die Mitte. Vor einem Tisch federte er in den Knien hoch. Darauf eine halbvolle Flasche Hennessy und ein Cognacglas.

Dunkel hielt seine Waffe mit beiden Händen auf den Mann gerichtet, der im Türrahmen stand. Der war nackt und rubbelte sich mit einem Frotteehandtuch ab, das er jetzt schützend vor seinen Körper hielt.

»Deine Hände! Ich will deine Hände sehen!«, brüllte Dunkel.

Wilhelm Kaufmann riss beide Arme hoch, doch in der rechten hielt er noch das Handtuch. Es hätte sich genauso gut eine Waffe darin befinden können.

Dunkel konnte bis ins Badezimmer sehen und links daneben, in der Küche, hing ein Hemd überm Stuhl. Das Hemd war voller Blut.

»Lass das Handtuch fallen!«, rief Johannes Dunkel.

Kaufmann tat auch das. Er war noch nicht ganz trocken. Wassertropfen liefen an ihm runter. Seine feuchten Haare standen ab. Seine Knie zitterten, und sein Glied schrumpfte zu einer unbekannten Größe, als wollte es sich in seinen Körper zurückziehen.

»Ich bin unbewaffnet«, sagte Kaufmann. »Darf ich mir etwas anziehen?«

Johannes Dunkel hörte seine Kollegen die Treppe raufstürmen und sagte: »Nein, du bleibst genau so stehen. Und jetzt dreh dich langsam rum. Hände gegen die Wand!«

Wilhelm Kaufmann war klug genug zu tun, was ihm gesagt wurde. Er spürte die Nervosität des jungen Beamten. Er wollte ihm nicht den geringsten Grund geben abzudrücken.

Er stellte sich selbst genau so hin, wie er es von einem Straftäter verlangt hätte: breitbeinig, weit nach vorn gebeugt, auf die Hände gestützt und dann rief er: »Mein Name ist Wilhelm Kaufmann. Ich bin Expolizist.«

Irgendjemand schrie: »Halt die Fresse!«

Ubbo Heide wartete unten im Rollstuhl. Ann Kathrin, Weller, Rupert und Büscher rannten die Treppe hoch. Als sie in der Ferienwohnung ankamen, lag Kaufmann nackt am Boden, die Hände auf dem Rücken, gefesselt mit den modernen Plastikhandschellen, die für Weller immer aussahen wie Kabelbinder.

Johannes Dunkel tastete die Kleidung von Kaufmann ab, die

über einem Stuhl lag. Er hob eine Waffe hoch, die er aus der Hose fischte, und roch daran.

»Er hat eine Walther in der Tasche. Sie ist vor kurzem abgefeuert worden. Er war bestimmt duschen, um die Schmauchspuren loszuwerden und die Blutflecken.«

Kaufmann schnauzte in Richtung Büscher und Ann Kathrin: »Was soll das? Könnt ihr keine anständige Verhaftung mehr vornehmen? Muss das gleich dieser Hollywood-Blockbuster-Scheiß werden? Ich hätte euch morgen früh sowieso angerufen ...«

Svenja Moers bekam nicht mal die Hälfte der Lasagne herunter, hatte von den Spaghetti noch gar nicht probiert und von der Pizza auch nicht, da war ihr bereits speiübel, und sie war satt.

»Was ist?«, fragte er. »Iss weiter.«

Sie rülpste. »Ich kann nicht mehr.«

»Wie, ich kann nicht mehr?«

»Ich bin satt.«

»Das interessiert mich einen Dreck. Du sollst essen!«

»Ich habe aber keinen Hunger mehr. Mir wird schlecht, wenn ich noch mehr esse.«

Er sprang vom Stuhl hoch und flippte völlig aus. Obwohl er, wie sie schätzte, fast zwei Meter groß war, wirkte er jetzt wie ein wütender Giftzwerg auf sie, trat mit dem rechten Fuß auf, ballte die Fäuste, und beim Schreien sprühten Speichelbläschen aus seinem Mund.

»Du gottverdammtes, undankbares Luder! Ich bewirte dich hier mit den besten Sachen, und was machst du? Du beleidigst mich! Willst du hier verhungern?«

Jetzt war sie froh, dass sich zwischen ihr und ihm die silbern glänzenden Gitterstäbe befanden. Sie empfand die Stahlstangen als Schutz gegen seine aufflackernde Wut.

»Nein«, sagte sie und versuchte, ihn ihre Angst nicht spüren zu lassen, »ich bin nicht undankbar. Ich werde hier gegen meinen Willen festgehalten. Dies ist kein richtiges Gefängnis. Dies hier ist ein geheimer Ort. Das hier«, sie zeigte auf ihre Zelle, »ist vom Staat weder gewollt noch erlaubt. Die weltliche Gerichtbarkeit sieht anders aus. Wenn klar wird, was Sie hier mit mir machen, müssen Sie sich nicht nur wegen Entführung und Freiheitsberaubung verantworten, sondern auch noch wegen Folter. Wollen Sie das?«

»Folter?!«, kreischte er. »Hast du Folter gesagt? Du hast ja keine Ahnung, wovon du redest! Soll ich dir mal zeigen, wie Folter aussieht?«

Tränen schossen ihr in die Augen. Sie spürte, dass ihre Wangen plötzlich nass wurden und salzige Tropfen ihre Lippen benetzten.

Sie bereute jedes Wort, das sie gesagt hatte. Sie hatte sich in eine schreckliche Situation manövriert. Sie wollte ihm keine Rechtfertigung dafür liefern, sie zu foltern.

»Bitte«, sagte sie, »es tut mir leid. Ich esse ja schon wieder.«

Dann nahm sie die Lasagne, stieß die weiße Plastikgabel hinein und baggerte sich so viel davon in den Mund wie nur ging. Sie schluckte nicht, sie stopfte immer nur weiter lauwarme, fettige Pasta in ihren Mund und bekam Hamsterbacken.

Die erste Vernehmung fand noch auf Langeoog statt. Ubbo Heide bestand darauf, dabei zu sein, und niemand hatte etwas dagegen, denn es war völlig klar, dass sich Kaufmann ihm eher öffnen würde als allen anderen Beteiligten.

Sie hatten Kaufmann nicht in die Polizeistation gebracht, sondern einfach eine Etage tiefer in eine andere, leerstehende Ferienwohnung. Dort saßen sie im Wohnzimmer um den Tisch herum, wie bei einem Familientreffen, während in der Küche die Männer der Spezialeinheit Filterkaffee tranken, Brötchen aßen und Johannes Dunkel seiner geliebten Vivien eine WhatsApp-Nachricht schickte:

Ich liebe dich gerade so sehr, ich halte es kaum aus, jetzt nicht bei dir zu sein.

Ihre Antwort kam sofort:

Ich weiß, dass du mit mir nicht über die Einsätze reden darfst. Aber ich habe für dich gebetet.

Ich glaube, schrieb er, der Ungläubige, *es hat mir geholfen.*

Seit Wilhelm Kaufmann frische Kleidung trug, fühlte er sich ganz anders. Als würden erst jetzt wieder die alten Spielregeln gelten, und er kannte die Regeln zur Genüge.

»Ich habe nicht so schnell mit euch gerechnet. Habt ihr die Leiche schon gefunden?«

»Natürlich haben wir das«, sagte Weller. »Was denn sonst?«

Ubbo Heide deutete Weller an, er solle halblang machen und die Emotionen rausnehmen.

Büscher war ganz seiner Meinung. Er stand an die Wand gelehnt und sah sich alles in Ruhe an. Das ist der Kern der Truppe, die ich zu führen habe, dachte er. Schau sie dir genau an. So sind sie. Vielleicht wirst du irgendwann einer von ihnen sein. Aber das wird ein verdammt langer Weg.

Wilhelm Kaufmann sprach in Richtung Ubbo Heide, so als würde er die anderen gar nicht ernst nehmen. »Ich hätte euch morgen früh angerufen. Sozusagen bei Dienstbeginn hätte meine Meldung auf eurem Tisch gelegen.«

»Du hattest also vor, ein Geständnis abzulegen?«, fragte Ubbo Heide.

»Ja, Geständnis würde ich das jetzt nicht nennen. Ich wollte eine Aussage machen. Ich habe ihn erstochen.«

»Das ist uns auch schon aufgefallen«, brummte Rupert, der diese Privatunterhaltung zwischen Ubbo Heide und Kaufmann irgendwie nicht in Ordnung fand. Er war müde und gereizt. Er drehte sich um und sah Büscher auffordernd an. Aber Büscher tat nichts, hörte nur zu.

Ann Kathrin Klaasen hielt dieses Gespräch zwischen Ubbo Heide und Wilhelm Kaufmann für genau den richtigen Weg, um schnell die Wahrheit herauszufinden.

»Was für eine Aussage«, fragte Ubbo Heide, »kann man denn außer einem Geständnis noch machen?«

»Es war Notwehr. Er hat mich angegriffen.«

»Klar«, lachte Rupert und kratzte sich ungeniert die Eier, »kaum ist man in der Sauna, schon wird man angegriffen. Zum Glück hat man ein Messer dabei und zack, ist der andere erledigt.«

Kaufmann fand Ruperts Art so dumm und frech, dass er überhaupt nicht darauf reagierte. Stattdessen sagte er zu Ubbo Heide: »Er hielt mich für den Mörder von Heymann und Stern und dachte, ich würde ihn als Nächstes töten.«

Rupert feixte: »Na, das ist ja ein schlaues Kerlchen gewesen! Vermutlich hatte der Abitur.« Er klatschte in die Hände. »Mensch, das denken wir doch alle, Kaufmann!«

Ubbo Heide sah Ann Kathrin an, die wendete sich an Weller: »Ich glaube, es ist besser, du gehst mit Rupert mal ein bisschen nach draußen vor die Tür.«

Weller fasste Rupert an der Schulter und zog ihn aus dem Sessel hoch.

»Was denn«, fragte Rupert, »was denn? Habe ich wieder was Falsches gesagt? Stör ich hier bei diesem Kaffeekränzchen?«

Weller ließ sich auf gar keine Diskussion ein. Rupert guckte Büscher hilfesuchend an, doch der war einverstanden und tat mit ausdruckslosem Gesicht – nichts. Weller zog Rupert zur Tür und schob ihn raus.

Dankbar nickte Ubbo Heide Ann Kathrin zu. Dann fragte er Kaufmann: »Warum David Weißberg?«

Wilhelm Kaufmann machte ein dämliches Gesicht und lehnte

sich im Sessel zurück. »David Weißberg? Meinst du *den* David Weißberg?«

»Ja, genau den. Woher wusstest du, dass ich ihn in meinem neuen Buch den Silberfuchs genannt habe?«

Echt erstaunt öffnete Wilhelm Kaufmann die Hände. »Ich hatte keine Ahnung, Ubbo. Ich kenne dein neues Buch nicht.«

»Niemand kennt es. Es wird auch nie erscheinen.«

»Ich verstehe nicht …«

Jetzt mischte Ann Kathrin sich ein: »Herr Kaufmann, Sie haben in Uslar David Weißberg in der Sauna erstochen und ihm ein Stück Fell in den Mund gesteckt.«

»Vom Fuchs«, ergänzte Ubbo Heide.

Kaufmann schüttelte den Kopf. »O nein«, sagte er, »ich war in meinem ganzen Leben noch nicht in Uslar. Ich bin nach Langeoog gekommen, um Urlaub zu machen. Das mache ich jedes Jahr für vierzehn Tage. Und ich miete immer die Wohnung hier über uns. Aber diesmal war auch Birger Holthusen auf der Insel. Er hat mich am Flinthörn attackiert. Er wollte mich töten. Er hat gestanden, Steffi Heymann und Nicola Billing umgebracht zu haben und noch zwei weitere Kinder.«

Ubbo Heide sackte in sich zusammen, als hätte er einen Faustschlag erhalten, der ihm die Luft nahm. Er sah aus, als würde er ohnmächtig werden. Für einen Moment befürchtete Ann Kathrin sogar, er könne eine Herzattacke erleiden, denn Ubbo griff sich an die Brust, wie sie es noch nie bei ihm gesehen hatte. Dann glitten seine Hände höher zu seinem Hals.

»Heißt das, Heymann und Stern waren wirklich unschuldig?«

»Ja, Ubbo, das heißt es. Mit Sicherheit! Du und ich – wir waren beide auf dem falschen Dampfer.«

Ubbo Heide sagte nichts mehr. Er sah Ann Kathrin um Hilfe bittend an.

»Wo«, fragte sie, »ist Birger Holthusen?«

»Am Flinthörn. Weglaufen kann er nicht mehr. Er hat sein

eigenes Messer in der Brust. Einen Dolch.« Kaufmann zeigte mit den Fingern: »So lang. Fast schon ein Säbel.«

»Mein Gott«, sagte Ubbo Heide, »wir haben das Leben von Heymann und Stern durch einen falschen Verdacht zerstört. Und am Ende wurden sie sogar umgebracht.«

»Die Gerichte«, sagte Ann Kathrin, »haben sie freigesprochen.«

»Ja«, stöhnte Ubbo, »die Gerichte …«

Büscher stieß sich von der Wand ab. Es war, als würde er erst jetzt den Raum betreten. Er baute sich vor den anderen auf und sagte: »Habe ich das richtig verstanden? Es gibt noch eine Leiche? Diesen Birger Holthusen?«

»Ja«, sagte Wilhelm Kaufmann, als würde sein Leben dadurch erst einen Sinn bekommen, »ich habe den Mörder von Steffi Heymann und Nicola Billig doch noch zur Strecke gebracht.«

»Kann ich bitte ein Glas Wasser haben?«, fragte Ubbo Heide. Er sah aschfahl aus.

Er hatte ihr einen Eimer gebracht, damit sie ihre Notdurft verrichten konnte. Was er ihr wie ein großzügiges Privileg anbot, das eigentlich nur Adligen zustand und keineswegs so niederen Strafgefangenen wie ihr, erlebte sie in Wirklichkeit nur als weiteres Mittel, sie zu demütigen und zu kontrollieren. Sie stellte sich vor, wie er in einem improvisierten Labor Urin- und Kotproben nahm, um ihren Zustand genau zu analysieren.

War sie Teil eines Experiments? Wollte er irgendetwas beweisen? War er einer dieser irren Wissenschaftler, die sie nur aus den B-Movies ihrer Jugend kannte, als der Höhepunkt des Sonntagnachmittags in einem Besuch im Apollo-Theater bestand.

Sie kam sich schwer vor, als hätte sie Steine verschluckt. Sie litt unter Verstopfung und Magenkrämpfen. Gleichzeitig rülpste sie immer wieder laut wie ein besoffener Halbstarker. Selbst hier, allein in der Zelle, war es ihr peinlich. Sie konnte es aber nicht unterdrücken. Die Luft kam wie ein Aufschrei aus dem Inneren ihres Körpers hoch und drängte nach draußen.

Er brachte ihr Rühreier mit Krabben, Speck und Schinken, dazu eine Thermoskanne mit Filterkaffee. Er hatte sogar Milch und Zucker dazugelegt, als würde sie in Greetsiel draußen im Hafen sitzen, hätte sich ein großes Frühstück bestellt, um beim Essen auf die historischen Schiffe zu schauen.

Er sah gutgelaunt aus, aber sie wusste, wie schnell seine Stimmung umschlagen konnte.

Er verlangte das Heft von ihr. Sie reichte es ihm durch die Gitterstäbe und wunderte sich, dass ihre Hand nicht zitterte.

»So schnell«, sagte sie, »kann niemand zunehmen. So ein Körper ist kein Gefäß, in das man einfach etwas reingießt, und dann wird es schwerer.«

Er lächelte sie an und sprach zu ihr wie zu einem Kind: »Doch, meine Liebe, genauso ist es.« Er zeigte auf seinen weit geöffneten Mund: »Hier kommt etwas rein und da unten wieder raus. Wenn man mehr rein als raus tut, nimmt man zu.«

Sie rührte das Essen nicht an, hatte aber die Hoffnung, dass der Kaffee ihr bei der Verdauung helfen könnte, obwohl ihr jetzt ein paar Iberogast-Tropfen und ein Pfefferminztee gegen die Magenkrämpfe lieber gewesen wären.

»Das«, sagte er, »was du deinem Körper zuführst, muss auch drinbleiben. Verstehst du? Man kann es auf zwei Arten tun. Es kann in Fett umgewandelt werden oder in Muskulatur. So, wie du hier rumhängst – schau dich doch an –, wird daraus, wenn überhaupt, nur Fett. Aber das werden wir ändern. Sieh mal, was ich dir mitgebracht habe.«

Er hielt einen Strick hoch.

Ihr erster Gedanke war, dass er vorhätte, sie damit aufzuhängen. Doch seine Pläne waren ganz anders.

»So bereitet sich jeder Boxer auf seinen großen Kampf vor.

Man koordiniert das Gleichgewicht, die Geschwindigkeit, Körperbeherrschung, die Muskeln von den Waden bis zum Rücken. Das hast du als Kind doch bestimmt auch gern gemacht.«

Vor den Gitterstäben begann er mit dem Seilspringen.

Mein Gott, dachte sie, kann ein Kinderspiel so grausam sein?

Er reichte ihr das Seil durch die Gitterstäbe. »Jetzt du. Na los! Mach schon! Die Kalorien, die ich dir bringe, musst du auch in Muskulatur umwandeln.«

»Ich kann nicht, ich habe Magenschmerzen. Verstopfung. Ich ...«

»Ja ja, schon klar. Das kommt vom faulen Leben. Das ist ab jetzt vorbei. In wenigen Wochen wirst du fit sein wie ein Turnschuh. Du wirst sehen, wie sehr sich hier deine Leistungsfähigkeit steigert.«

Sie nahm das Seil und ließ es durch ihre Finger gleiten. Es war aus Hanf, mit hellen Holzgriffen.

Damit, dachte sie, kann man nicht nur Seilchen springen. Damit kann ich dich auch fesseln oder erwürgen ...

»Fang an«, forderte er. »Dein Essen wird sonst kalt. Erst Seilchen hüpfen, dann gibt's Frühstück. Und dann wirst du staunen, was ich noch besorgt habe. Wir werden eine richtige kleine Fitnessbude aus deinem Knast machen. – Guck nicht so dämlich!«, schrie er sie an. »Wir sind hier nicht bei Wünsch-dir-was, sondern bei So-isses. Und jetzt immer schön in die Kamera lächeln! Du weißt doch, the show must go on. Wenn ich denen die nächsten Bilder von dir schicke, dann willst du doch nicht aussehen wie die letzte abgewrackte Schlampe, oder? Denk immer dran: Deine Bilder werden von der Presse des ganzen Landes gebracht. Ach, was sag ich, des ganzen Landes! Du wirst geradezu ein internationaler Star! Da willst du doch wohl nicht so aussehen?«

Sie begann, das Seil kreisen zu lassen und zu hüpfen, wie sie es als Kind getan hatte. Schon beim zweiten Mal stolperte sie und wäre fast gestürzt.

»Du bist aus der Übung«, grinste er, »aber das kommt schon wieder. Sieh es doch mal so: Du kannst hier deine Sünden bereuen und ein besserer Mensch werden. Ich bin so eine Art Fitnesstrainer für dich. Im richtigen Knast da draußen haben sie so was auch. Aber ich laber dich wenigstens nicht mit Sozialprogrammen voll, und du musst auch nicht umschulen, denn hier kommst du sowieso nie wieder raus.«

Weller freute sich durchaus auf diesen Termin. Er, der einige der schönsten und entspanntesten Stunden seines Lebens mit einem dicken Krimi in der Hand verbracht hatte, besuchte zum ersten Mal im Leben ein Verlagshaus. Er stellte sich das wie einen magischen Ort vor, wo künstlerische Kreativität die Räume durchflutete wie anderswo der Geruch von Putzmitteln und Kopierern.

Ubbo Heide war kleinlaut geworden, wirkte gebrochen auf Weller, überhaupt nicht so, als könne er jederzeit aus dem Rollstuhl aufstehen und sagen: *Mir reicht's jetzt, ich bin wieder der Alte.* Nein, heute ließ er sich von Weller sogar schieben. Er schwieg auf eine verbissene Weise, wirkte in sich gekehrt und selbstquälerisch.

Weller genierte sich fast, dass er so aufgeregt war. Er kannte mehrere Bücher von Kriminalschriftstellern, die in diesem Verlag veröffentlicht worden waren.

Als sich die Tür öffnete, atmete Weller tief ein und schloss dabei kurz die Augen, so, wie er es früher beim Betreten einer Bäckerei gemacht hatte, in Vorfreude auf die Leckereien. Der Verlagsleiter nahm sich Zeit und die Lektorin ebenfalls. Sie strahlte für Weller auf eine sympathische Weise Bildung aus. Er war beeindruckt.

Sie konnte sich mit fiktiven Verbrechen beschäftigen, mit Möglichkeiten, mit Sprache. Sie hat gestern Abend mit Sicherheit nicht vor einem am Strand verbluteten Kinderschänder gestanden wie ich, dachte Weller. Er spürte in sich den Wunsch, sofort mit diesen Leuten zu tauschen, Teil dieses Unternehmens zu werden. Von der Pike auf neu anzufangen.

Ja, warum nicht am Kopierer stehen oder erst mal Kaffee für alle kochen? Hier lief keiner der Gefahr entgegen, durch einen Messerstich im Rollstuhl zu landen, so wie es Ubbo Heide geschehen war. Weller versuchte, die Gedanken abzuschütteln.

Der Verlagsleiter sah aus wie ein alt gewordener Hippie. Er trug ein helles Jackett, das an den Ärmeln abgeschabt war, sein Oberhemd war bis zum zweiten Knopf geöffnet, angegrautes, gekräuseltes Brusthaar war sichtbar. Hier wirkte alles locker, leicht, aber nicht von dieser Oberflächlichkeit, die Weller kannte, sondern alles schien in dem tiefen Wissen zu fußen, dass die Welt verrückt geworden war, aber man selbst nicht unbedingt bei diesem ganzen Zirkus mitmachen musste.

Obwohl Weller als Kommissar der Mordkommission um ein Gespräch gebeten hatte, schien es jetzt mehr um Ubbo Heide und sein neues Buch zu gehen.

Weller trank seinen Kaffee schwarz, und er schmeckte ihm für Filterkaffee ungewöhnlich gut. Der Verlagsleiter wies darauf hin, dass er auch einen »echten« Kaffee haben könne, aus der Espressomaschine.

Ubbo Heide winkte ab, und seine Lektorin sagte mit warmer, sehr empathischer Stimme: »Wir haben natürlich volles Verständnis dafür, dass Sie Ihr zweites Buch zunächst einmal zurückziehen …«

»Obwohl wir es angesichts der exorbitanten Vorbestellungen und der Wichtigkeit des Themas natürlich sehr bedauern«, warf der Verlagsleiter ein und leitete mit einer Geste dann gleich wieder zu seiner Lektorin über, die lächelnd den Einwand aufnahm und Weller ansprach: »Wir hoffen natürlich, den zweiten Band rasch herausbringen zu können, sobald Sie den Täter dingfest gemacht haben. Deswegen können Sie von uns mit jeder Unterstützung rechnen.«

»Natürlich nicht nur deswegen«, korrigierte der Verlagsleiter. »Wir lieben das Verbrechen literarisch – in der Realität brauchen wir es überhaupt nicht.«

Ubbo Heide schwieg, sah nur Weller an, und es war, als würde er ihm dadurch das Wort erteilen.

»Ich will Ihnen sagen, dass ich sehr schätze, was Sie tun. Ich kenne einige Produkte aus Ihrem Haus«, sagte Weller. »Also, ich oute mich hier als richtiger Fan von Kriminalliteratur. Aber wir haben ein Problem. Es ist für uns enorm wichtig, alles über den genauen Personenkreis zu erfahren, der Ubbo Heides zweites Buch kennt oder irgendwie davon Kenntnis erlangen konnte …«

Der Verlagsleiter breitete die Arme aus und verschränkte sie hinter seinem Kopf. Er reckte sich in seinem Bürosessel. »Die Manuskripte unserer Autoren sind vielleicht nicht gerade ein Staatsgeheimnis, aber sie werden von uns schon sehr vertraulich behandelt. Wir haben immer nur einen Vorsprung von wenigen Monaten zur Konkurrenz. Dann kann jeder alles nachmachen. Reihen, ja, ganze Programme werden kopiert … Wenn Sie heute ein erfolgreiches Buch mit dem Titel *Monsterschiffe* herausbringen, können Sie sicher sein, dass schon bald vergleichbare Titelbilder mit ähnlichem Schriftzug erscheinen werden, die dann *Schiffsmonster, Monster über Schiffen, Monster in Schiffen* und so weiter heißen werden … Wenn das schon bei Titeln und Covern so ist, können Sie sich ungefähr vorstellen, was das inhaltlich bedeutet. Es gibt also immer nur einen sehr kleinen Kreis von Personen, die genau wissen, was wir tun. Nie würde ich Ihnen erzählen, an welchem Roman Ihr Lieblingsautor gerade schreibt.«

Weller sprach Klartext: »Jemand hat Ubbo Heides Manuskript gelesen und einen Mord begangen, für den dieses Wissen notwendig war. Ja, es wirkt auf uns sogar so, als habe er den Mord begangen, um uns zu demonstrieren, dass er das neue Buch bereits kennt, obwohl es noch gar nicht erschienen ist.«

Der Verlagsleiter ließ die Arme auf den Sessel klatschen und blies Luft aus. »Puuh. Das ist starker Tobak!«

»Kann man wohl sagen«, bestätigte Weller. »Ich brauche eine Liste mit allen Leuten, die …«

Die Lektorin sprach in Ubbo Heides Richtung, als sei ihr nur wichtig, was er dachte: »Das sind nicht viele Personen. Ich habe das Manuskript nicht herumgeschickt, auch keinen Kritikern gezeigt oder Vorabdrucke angeboten oder so etwas.«

Der Verlagsleiter hüstelte: »Manchmal«, sagte er, »setzen wir Außenlektorate ein.«

Es klang wie eine Entschuldigung. Aber die Lektorin schüttelte den Kopf: »O nein, in dem Fall nicht.«

Die beiden Verlagsmitarbeiter sahen sich an, und der Chef fragte: »Dann kennst nur du das Manuskript?«

Zunächst nickte sie, doch dabei wirkte sie unsicher auf Weller. Deshalb hakte er nach: »Es ist enorm wichtig für uns.«

»Na ja, ich habe natürlich eine kurze Zusammenfassung für Presse, Werbung und Marketing gemacht.«

»Die will ich sehen!«, forderte Weller.

Der Verlagsleiter hob beschwichtigend die rechte Hand. Er wollte auf keinen Fall, dass sich der Ton hier verschärfte. »Wir werden voll umfänglich mit Ihnen zusammenarbeiten. Einen Augenblick, bitte.«

Er tippte auf seinem Computer herum, und hinter Weller begann ein Drucker zu arbeiten, den er bisher noch gar nicht bemerkt hatte. Die Lektorin reichte Weller den Zettel.

Weller registrierte, dass Ubbo Heide darauf *Bestsellerautor* genannt wurde und auf dem Foto zehn Jahre jünger aussah, als er in Wirklichkeit war, aber das entscheidende Wort fand Weller nicht. Worte wie *Fuchsfell* oder *Silberfuchs* tauchten nicht auf.

Er reichte das Blatt an Ubbo weiter, der es mit beiden Händen hielt, als sei das Papier sehr schwer.

Weller entschied sich, mehr preiszugeben, als er geplant hatte. Manchmal, wenn man mit guten Leuten zusammensaß, konnte es Sinn machen, alle Karten auf den Tisch zu legen, sein Blatt zu zeigen, um sie zum Mitspielen zu motivieren.

»In Uslar wurde ein Mann erstochen, der in Ubbo Heides Buch als *Silberfuchs* auftaucht und in dessen Mund der Täter ein Fellstück von einem Fuchs als Botschaft für uns hinterlassen hat.«

Der Verlagsleiter rutschte im Sessel tiefer. Die Lektorin hielt sich die Hand vor den Mund und atmete aus. »Oh mein Gott! Das hört sich an wie der Plot für einen Gruselroman von ...«

»Es ist aber die verdammte Wirklichkeit«, sagte Weller, »und der Täter hat noch ein weiteres Opfer in seiner Gewalt. Er kennt das Manuskript. Von diesem Text hier«, Weller zeigte auf den Zettel, den Ubbo Heide wie einen schweren Backstein in der Hand hielt, »kann er die Information nicht haben.«

Alle schwiegen eine Weile. Weller betrachtete das als eine Art Denkpause. Manchmal mussten Dinge erst sacken, bevor es weiterging.

»Wo bewahren Sie das Manuskript wie auf?«, fragte Weller

Die Lektorin antwortete: »Es ist nur in meinem Computer. Es gibt keinen Ausdruck«.

»Na klasse«, grummelte Weller, dem erst jetzt klar wurde, wie ironisch es war, von *Manuskript*, also Handgeschriebenem zu sprechen, während alles doch nur noch digital transportiert wurde.

»Wer hat Zugang zu Ihrem Computer?«

»Na ja, ich und ...«

»Im Grunde jeder hier im Haus«, sagte der Verlagsleiter und setzte sich jetzt wieder gerade hin. »Es ist zwar alles passwortgesichert, aber herrje – wer hier arbeitet, kommt schnell an die Passwörter der anderen. Das ist doch alles ... Ich meine, wer rechnet denn mit so etwas?« Plötzlich schlug er mit der Hand auf den Tisch, als würde er versuchen, ein ekliges Insekt zu erschlagen. »Verdammt, wir hatten doch diesen Hackerangriff!«

Weller war wie elektrisiert: »Was hatten Sie?«

»Na ja, wir wussten auch nicht genau, was los war. Jedenfalls waren unsere Systeme platt. Wir kamen nicht mehr ins Internet. Irgendetwas mit dem Router oder so. Ich bin Geisteswissenschaftler, so was dürfen Sie mich nicht fragen …«

»Und was haben Sie gemacht?«

»Na, eine Firma beauftragt, die das Ganze …«

»Welche Firma?«

So belämmert, wie der Verlagsleiter guckte, wusste er es wirklich nicht. Er sah seine Lektorin an, die ebenfalls mit den Schultern zuckte.

»Also, bei mir war ein netter, junger Mann, der hat auch nicht lange gebraucht, und dann lief alles wieder.«

»Na ja«, sagte Weller, »es wird ja einen Auftrag geben, eine Rechnung oder …«

»Garantiert«, prophezeite der Verlagsleiter, drückte eine Telefontaste, und eine Praktikantin riss übertrieben fröhlich die Tür auf, so als hätte sie nur auf diesen Auftritt gewartet. Auf ihrem T-Shirt stand: *In der Liebe zart, gegen Nazis hart.* Darunter ein durchgestrichenes Hakenkreuz.

Sie war Weller gleich sympathisch. So eine Praktikantin wünschte er sich auch.

»Du hast uns doch geholfen, als hier die Computer alle gestreikt haben.«

»Ja«, strahlte sie, »mein Freund arbeitet bei einem PC-Service und …«

»Darf ich die Adresse haben?«, fragte Weller.

»Das war doch diese komische Sache«, sagte sie.

Jetzt sah Ubbo Heide aus, als würde er gleich aus dem Rollstuhl springen. Es waren genau solche Worte, die bei ihm alle

Alarmglocken läuten ließen. Wenn etwas abwich von der Normalität, dann verbarg sich hinter angeblichen Zufällen manchmal etwas Monströses, und genau das vermutete Weller ebenfalls.

Sie waren jetzt ganz nah dran. Es kribbelte praktisch auf Wellers Haut, als sei der Täter zum Greifen nah.

»Mein Freund ist doch extra persönlich gekommen, um ... Er wollte mich überraschen.«

»Und?«, fragte Weller, dem es nicht schnell genug ging.

»Na ja, als er kam, war alles schon wieder in Ordnung. Da ist wohl jemand anders von der Firma vorher hier gewesen. Er konnte mir aber auch nicht sagen, wer. Da arbeiten ja bloß vier Leute. Aber manchmal, wenn Not am Mann ist – und das ist es bei denen praktisch immer –, dann setzen sie auch externe Kräfte ein. Schüler, die etwas davon verstehen oder ...«

Weller hielt es nicht mehr auf dem Sitz. Er stand auf. »Moment, Moment. Das heißt, hier hat irgendjemand an den Anlagen herumgefummelt, und Sie wissen nicht, wer das war?«

»Er war groß und schlank«, erinnerte sich die Lektorin. Es klang wie eine Entschuldigung.

»Haben Sie sich seinen Ausweis nicht zeigen lassen?«, fragte Weller.

»Nein. Ich war froh, dass überhaupt jemand kam. Er war kompetent, hat alles sofort repariert und ...«

»Und Ihnen Ihre Daten geklaut«, stellte Weller fest. »Mein Gott, so einfach ist das ... Der lässt Ihr Ding abstürzen, schafft Ihnen also das Problem, meldet sich dann als Lösung, und Sie haben ihm dabei wahrscheinlich auch noch einen Kaffee serviert, während er Ihnen alles gestohlen hat, was er brauchte.«

Sie nickte. »Ja. Mit Milch und Zucker ...«

»Datenklau«, stöhnte der Verlagsleiter. »Das ist ja auch so eine blöde Sache. Im Grunde fehlt ja nichts. Man hat ja noch alles, und trotzdem wurde etwas gestohlen.«

»Ja«, sagte Weller. »Willkommen im neuen Jahrtausend. Gibt

es hier irgendwelche Überwachungsanlagen? Werden Videos gespeichert von Leuten, die draußen parken, die ins Gebäude kommen oder …«

Der Verlagsleiter zeigte seine offenen Hände wie zum Zeichen seiner Unschuld. »Herrje, wir handeln hier nicht mit Rohdiamanten! Wir sind ein Verlag. Wir drucken Kriminalliteratur. Wir haben es normalerweise nicht mit Kriminellen zu tun, sondern mit …«, er winkte ab und sprach nicht weiter.

»Ja«, stellte Weller fest, »normalerweise vielleicht nicht. Sie haben es ihm verdammt leichtgemacht.«

»Das klingt jetzt wie ein Vorwurf«, stöhnte der Verlagsleiter betroffen.

Verdammt, das ist es auch, wollte Weller sagen, aber Ubbo Heide stoppte ihn mit einem Blick.

»Ihr seid gute Leute«, sagte Ubbo. »Niemand macht euch einen Vorwurf. Aber wir haben es mit einem raffinierten, bösen Menschen zu tun. Er nutzt unsere Schwächen aus. Nicht nur eure, auch meine. Und er kennt uns verdammt genau.«

Die Art, wie Ann Kathrin Klaasen Wilhelm Kaufmann siezte, unterschied sich deutlich von der, wie sie mit anderen Verdächtigen umging. Er bildete sich ein, dass in ihrer Stimme auch ein bisschen Achtung, ja Respekt mitschwang, obwohl ihm klar war, dass er hier jetzt als Verdächtiger saß.

»Ich werde Ihnen alle Fragen beantworten, Frau Klaasen. Ich weiß, mit wem ich es zu tun habe. Sie gelten als die Verhörspezialistin der ostfriesischen Polizei. Ach, was sage ich. Der niedersächsischen, wenn nicht gar des ganzen Landes. Man sagt über Sie …«

»Ja, man sagt über mich, ich würde auch einen Stuhl oder einen Kasten Bier zum Sprechen bringen. Ich weiß. Versuchen Sie jetzt nicht, mir zu schmeicheln. Solche billigen Tricks passen nicht zu Ihnen, Herr Kaufmann. Es gibt für mich nur zwei Möglichkeiten: Entweder sind Sie ein äußerst raffinierter Psychopath, der hier gottgleich versucht, seine ureigene Art von Gerechtigkeit herzustellen, oder aber Sie sind der beste Weg, den wir haben, um den Mörder zu stellen. In beiden Fällen liegt viel Arbeit vor uns.«

»Da gebe ich Ihnen recht, Frau Klaasen«, sagte er. »Lassen Sie uns beginnen.«

Sie machte drei Schritte, Kehrtwendung, drei Schritte. Beim jeweils letzten Schritt ein Blick auf ihn.

Er registrierte genau, was sie tat. Sie erweckte den Eindruck in ihrem Gegenüber, mehr über ihn zu wissen, als er auch nur ahnte. Lügen erschienen in diesem Zusammenhang geradezu lächerlich. Sie würde es ohnehin merken.

Sie will, dachte er, dass der andere die Ausweglosigkeit seiner Situation einsieht. Alles, was sie tut, ist durchdacht. Sie hat mich so platziert, dass ich mit dem Rücken zur Tür sitze. Ich soll keinen Ausweg sehen und dieses Gespräch als meine letzte Chance begreifen. Sie präsentiert sich als die Einzige, die mich verstehen kann. Sie tut es mittels Körpersprache, mit ihren Blicken und Gesten. Sie glaubt, sie kann alles aus mir rauskriegen, und sie will, dass ich das auch glaube.

»Dann räumen wir zuerst mal mit den Lügen auf«, sagte sie.

»Welche Lügen?«

»Sie waren in Uslar. Wir haben eindeutige Videobilder.«

Er lachte. »Bilder von Überwachungskameras? Aus der Sauna?«

»Nein, dort wären solche Kameras nicht zugelassen, wie Sie wissen. Aber in der Stadt gibt es eine Menge. Wir haben Sie dreimal ganz eindeutig. Aber wenn wir lange genug suchen, wird es sicherlich noch mehr Aufnahmen geben. Und glauben Sie mir, wir werden jede Überwachungskamera aus Uslar über den fraglichen Zeitraum Sekunde für Sekunde checken.«

Er klatschte ihr Beifall. »Bravo«, sagte er, »bravo. Als ehemaliger Kommissar kann ich nur sagen, super gemacht. Wäre ich in Uslar gewesen, würde ich es jetzt zugeben. Aber ich war noch nie in meinem Leben dort. Ich bezweifle sogar, dass ich rechtzeitig von dort nach Langeoog gekommen wäre, um Birger Holthusen zu treffen.«

»Oh doch, das ist locker zu schaffen«, sagte sie.

»Ebbe und Flut lassen sich nicht verschieben.«

»Danke für den Hinweis«, sagte sie sarkastisch. »Muss ich mir merken.«

Plötzlich blieb sie stehen und fixierte ihn, als hätte sie vor, tief in seine Seele zu schauen.

»Was wollen Sie? Meine Gedanken lesen?«

»Guter Plan.«

»Frau Klaasen, ich bin nach Langeoog gefahren. Ich hatte dies schon ewig vor. Die Ferienwohnung miete ich jedes Jahr gleich wieder fürs nächste. Das lässt sich leicht überprüfen.«

»Und woher wusste Birger Holthusen, dass Sie dort waren?«

Er hob beide Hände und ließ sie dann auf den Tisch fallen.

Es hört sich an wie in der Metzgerei Pompe, wenn die Koteletts auf die Waage geworfen werden, dachte Ann Kathrin, sagte es aber nicht.

»Es war sicherlich nicht schwer, das herauszubekommen. Wenn jemand seit zehn Jahren immer im gleichen Zeitraum Urlaub auf so einer kleinen Insel macht, dann … Aber ich will ganz ehrlich sein, Frau Klaasen. Ich glaube nicht, dass er das verstandesmäßig herausbekommen hat.«

»Was wollen Sie damit sagen? War er dumm?«

»Nein, dumm war er bestimmt nicht. Ich will damit sagen, dass er …« Er schluckte und sprach nicht weiter. Sein Blick schien durch die Wand hindurchzugehen und irgendwo draußen im Nichts zu enden.

Als müsse sie ihn wecken, rief sie: »Ja?!«

»Er wusste es einfach. Sie müssen das doch am besten verstehen. Ihnen sagt man doch Instinkt nach, Frau Klaasen.«

»Instinkt? Ich mache meine Hausaufgaben gründlich, und dann ...« Sie begann zu schimpfen: »Erzählen Sie mir jetzt bloß nicht, das sei Zufall gewesen. Ich glaube nicht an solchen Mist.«

»Nein, es war kein Zufall. Er hat dort auf mich gewartet.«

Sie schaute ihn kritisch-ungläubig an.

Er versuchte, es ihr beispielhaft zu erklären: »Wenn Sie zu einer Feier gehen, Frau Klaasen, wissen Sie doch auch genau, wer außer Ihnen dort noch von der Polizei ist, oder nicht?«

Sie nickte. »O ja. Aber ich könnte Ihnen nicht vorher sagen, wer alles zu einer Feier kommt.«

Er argumentierte: »Das glaube ich nicht. Wenn Sie wissen, dass es Freibier gibt und leichtbekleidete Girls an der Stange tanzen, dann könnten Sie doch genau sagen, wer von Ihren Kollegen da auftaucht.«

»Rupert, zum Beispiel«, lächelte sie. »Aber ganz so einfach scheint mir die Sache mit Holthusen und Ihnen nicht zu sein.«

Kaufmann holte tief Luft. »Er dachte, ich sei wie er. Das ist natürlich Blödsinn. Mit Erwachsenen bin ich zwar oft nicht gut klargekommen – aber auf kleine Kinder stehe ich nun wirklich nicht.« Er sah sie entschuldigend an. »Ja, viele meiner Beziehungen sind schiefgegangen. Ich bin Frauen entweder aus dem Weg gegangen, oder ich habe versucht, sie zu dominieren, aus Angst vor Unterlegenheit und Unterwerfung.«

»Bitte!« Er zeigte auf das Aufnahmegerät. »Könnten wir das nicht ausmachen?« Er deutet auf die Glasscheibe. »Ist Ubbo hinter der Scheibe? Kriegt mein alter Kumpel das alles mit, was ich hier erzähle?«

Sie beantwortete seine Frage nicht, doch an ihrem Gesicht glaubte er ablesen zu können, dass Ubbo Heide nicht da war.

Sie beugte sich vor und drückte die Stopptaste. »Helfen Sie mir, ihn zu kriegen.«

»Herrgott, ich bin ein Choleriker! Ich wollte es nie sein, aber ich hatte keine freie Entscheidung! Manchmal passieren Dinge, dann raste ich völlig aus. Ich steigere mich in eine mörderische Wut hinein, dann weiß ich nicht mehr, was ich tue. Dann lasse ich mehr Dampf ab, als gut ist. Dabei habe ich auch schon mal zugehauen – mehr als einmal … Ubbo hat das irgendwann nicht mehr decken wollen, und meine anderen Kollegen auch nicht. Ich kann sie ja verstehen …«

»Sie sind kein schlechter Kerl«, sagte Ann Kathrin. »Sie haben ein Leben lang darum gerungen, zu den Guten zu gehören. Stimmt's?«

Er schluckte und nickte. Er wischte sich Tränen ab. »Ja, verdammt, das habe ich! Aber um wirklich bei den Guten mit dabei zu sein, muss man seine Gefühle im Griff haben. Ich hab's, verdammt noch mal, nicht hingekriegt.«

»Aber ein Choleriker«, sagte Ann Kathrin, »plant doch nicht in Ruhe einen Mord, besorgt sich das Werkzeug und …«

Kaufmann hob die Hände. »Nein! Nein, um Himmels willen, natürlich nicht! Ich war zwar manchmal ein Wüterich, aber doch kein planender Killer!«

Er erlebte sich selbst als übermächtig. Er kam in den Flow zurück.

O ja, er war der Strippenzieher in diesem Marionettentheater.

Ihr wisst, dass ich eure geheimsten Wünsche kenne und in die Wirklichkeit brenne. Ja, ich setze um, was ihr alle wollt, aber nicht auszusprechen wagt.

Euch fasst das doch auch an! Ihr seid doch nicht völlig verblödet! Ihr lest auch Zeitungen und macht euch euren Reim auf solche Meldungen, oder nicht?

Garavito soll in Kolumbien entlassen werden, falls er nicht

schon längst draußen ist. Er hat hundertachtundsechzig Kinder missbraucht und anschließend umgebracht! Durch sein Geständnis wurde die Haftzeit auf vierundzwanzig Jahre reduziert, das ist ein Monat und sieben Tage pro Opfer – falls wir alle Opfer kennen.

In Kolumbien kann man nach drei Fünfteln der Haftstrafe freigelassen werden. Macht dann nur noch vierzehn Jahre. Damit wäre, wenn ich richtig gerechnet habe, die Strafe je ermordetem Kind bei unter einem Monat. Er könnte also bald schon weitermachen.

Oder erinnert ihr euch noch an Degowski? Der kann in diesen Tagen freikommen. Die Fotos hat doch keiner vergessen, wie der Geiselgangster Silke Bischoff die Waffe an den Kopf gehalten hat. Nach dem missglückten Bankraub waren am Ende drei Menschen tot. Eine davon war Silke Bischoff. Und ein fünfzehnjähriger italienischer Junge.

Vermutlich wird Degowski seine Freiheit bald unter neuem Namen beginnen. Das ist durchaus üblich, so bekannte Straftäter kann man doch nicht mit ihrem beschädigten Namen auf die Öffentlichkeit loslassen. Wer will neben dem wohnen? Der kriegt natürlich einen neuen Namen und neue Papiere.

Degowski wird mit »dosierten Lockerungsmaßnahmen« auf seine Entlassung vorbereitet. Er darf schon alleine Tagesausflüge machen. Na, da freuen wir uns doch alle!

Etwas läuft schief in der Gesellschaft, Freunde. Krebsgeschwüre muss man rausschneiden, bevor sie streuen und den Körper töten, der sie ernährt. Wenn ihr tief in eure Seelen schaut, seid ihr im Grunde meiner Meinung. Ihr traut euch nur noch nicht, sie auszusprechen.

Noch denkt ihr darüber nach, wie ich an Ubbo Heides Manuskript gekommen bin. Wenn ich mir jetzt einen dieser Jansen-Brüder hole, dann werdet ihr wissen, dass ich auch eure Gedanken lesen kann.

Ich bin ein Teil von euch. Wenn ihr endlich klar genug seid und eure kleinkarierten Bedenken hinter euch lasst, dann muss ich nicht mehr der Erfüller sein, der Vollstrecker. Dann könnt ihr selber für Ordnung sorgen und das Land von diesem ganzen Dreck befreien.

Dieses Gefühl war besser als jede Droge. Voll im Flow sein. Dann spielte selbst der Zufall sein Spiel. Alles entwickelte sich zu seinen Gunsten.

Michael Jansen arbeitete bei CEWE Color in Oldenburg. Er joggte gern nach der Arbeit im Schlossgarten. Auf seiner Facebook-Seite gab er bereitwillig Auskunft über seine Laufzeiten. Die genauen Wege hatte er mit wunderbaren Fotos garniert.

Er schien etwas von Hölzern zu verstehen, denn unter den Fotos bot er Erklärungen an: Mammutbaum, Schwarznuss, Roteiche.

Wahrscheinlich suchte Jansen über diesen Weg Mitjogger oder Mitjoggerinnen. Die ganze Facebook-Seite kam ihm vor wie ein Fleischmarkt.

Michael Jansen hatte auch zahlreiche Bilder von sich selbst veröffentlicht, von seinen strammen Waden, seinem durchtrainierten Körper. Sein Sixpack kam an einer Reckstange besonders gut zur Geltung.

Wahrscheinlich werden dich auf deiner Laufstrecke liebeshungrige Damen mit hüpfendem Busen begleiten, dachte er. Es würde ein Leichtes werden, Jansen dort abzufangen.

Ich werde meinen Wagen neben deinem parken, und wenn du nassgeschwitzt am Ende deiner Macho-Olympiade dort wieder ankommst, dann gibt es für dich nur zwei Möglichkeiten: Entweder hast du dir ein Sahneschnittchen aufgerissen, das dich begleitet, dann hast du Glück gehabt, und ich lasse dich ziehen. Oder die Damen haben das Interesse an dir verloren, und du steigst einsam in dein Aufreißerauto. Dann bist du reif, Jansen.

Er wog ab, was dagegen sprach, Michael Jansen in die zweite Zelle zu bringen. Er war eigentlich der ideale Kandidat dafür. Er hatte im strengen Sinne gar kein eigenes Verbrechen begangen. Er musste nur seine falsche Aussage widerrufen, das Alibi zurücknehmen, und dann könnte er ihn freilassen. Um mehr ging es nicht.

Aber wer einmal diese Räume kannte, der durfte nie wieder in die Freiheit zurück, egal, ob er seine Strafe verbüßt hatte oder nicht. Die Gefahr aufzufliegen, war einfach zu groß.

Was wird die bessere Wirkung haben, dachte er. Wenn sie ein Geständnis erhalten und sehen, dass auch er, wie Svenja Moers, in einer Zelle sitzt, oder wird es sie mehr aufschrecken, wenn sie einen falschen Zeugen mit durchschnittener Kehle finden? Und ganz – wie sie es selbst vorgeschlagen haben – mit einer Spielkarte im Mund …

Alles sprach dafür, Michael Jansen umzubringen. Die Wirkung wäre groß, besonders auf seinen Bruder Werner. Was würde der tun? Er wüsste genau, warum sein Bruder gestorben war, und Volker Janssen wäre ebenfalls klar, dass es ihm jetzt an den Kragen ging.

Werner Jansen wird dann gestehen und zwar nicht unter Druck bei mir im Gefängnis, sondern er wird zur Polizei laufen, oder direkt zum Staatsanwalt und dort eine Aussage machen, wie leid ihm alles tut, dass er unter großem Druck gehandelt hat, dass er seinen Freund eigentlich auch für unschuldig hält und die Aussage nur gemacht hat, um ihm zu helfen. Damit würde das gesamte Lügengebäude zusammenbrechen, und Volker Janssen würde doch noch in den Knast wandern. Vermutlich sogar freiwillig, aus Angst, geköpft zu werden.

Er lächelte. Er war zufrieden mit sich. Es war, als würde das Blut schneller durch die Adern gepumpt werden. Ein kribbliges, flirrendes Gefühl.

Er sah auf den Bildschirm. Svenja Moers hockte träge und trotzig wie ein pubertierender Teenager mit Stubenarrest auf ihrem Bett und starrte die Gitterstäbe an.

Er musste ihr mehr Sportgeräte bringen. Er wollte aus ihr eine durchtrainierte Frau machen. Am liebsten hätte er sie nackt immer wieder ums Haus gejagt, aber das ging ja leider nicht.

Ich habe einfach für einen Einzelnen zu viel zu tun, dachte er. Wenn ich Svenja jetzt trainiere, dann vergeht zu viel Zeit. Ich muss mich erst um Michael Jansen kümmern. Es muss Schlag auf Schlag gehen. Je schneller ich sie mit der Nase auf die Wahrheit stoße, umso eher werden sie auf meine Seite umschwenken und mein Spiel mitspielen. Es ist doch längst schon ihr Spiel geworden, sie wissen es nur noch nicht. Die Erkenntnis tröpfelt zu langsam in ihre von Legalitätsprinzipien verklebten Gehirne.

Er zog sich seinen Jogginganzug an, blau mit drei weißen Streifen. Er kam sich darin spießig vor, angepasst an die lächerlichen Regeln und Dresscodes dieser Gesellschaft. Und genauso wollte er auch wirken. Als Jogger war er einem Jogger unverdächtig.

Als er das Haus in Emden verließ, beschlich ihn die Sorge, beobachtet zu werden. Waren auf den umliegenden Häusern bereits Scharfschützen in Stellung gegangen? Hatte er sich irgendwie verraten? Waren sie klüger, als er dachte? Hatten sie inzwischen herausgefunden, wie Yves Stern in Wirklichkeit hieß?

Er wollte zunächst über die A 31 und die A 28 nach Oldenburg fahren, doch jetzt entschied er sich, Umwege zu nehmen. Er wollte sehen, ob er wirklich verfolgt wurde.

Er fuhr über Ihlow in Richtung Aurich. Der silbergraue Golf kam ihm verdächtig vor. Das Kennzeichen war NOR, also jemand, der Wert darauf legte, aus Norden und nicht aus Aurich zu sein. Am Steuer saß eine junge, langhaarige Frau mit Hakennase. Sie redete die ganze Zeit und gestikulierte dabei sogar wild.

War sie in einer Beziehungsdiskussion? Zankte sie sich gerade mit ihrem Partner? Schüttete sie ihrer Freundin ihr Herz aus? Oder war sie direkt mit der Truppe um Ann Kathrin Klaasen, Büscher und Ubbo Heide verbunden? Gehörte sie zu dem Verein?

Ihr Gesicht kam ihm unbekannt vor. Er beschloss, sie auszutesten.

Er hielt einfach an einer nicht dafür vorgesehenen Stelle zwischen mehreren Bäumen und tat so, als müsse er dringend pinkeln.

Der Golf rauschte an ihm vorbei.

Wenn die mich wirklich verfolgt, dachte er, wird sie umdrehen und zurückkommen. Dann bist du dran, Mädchen. Noch vor Michael Jansen.

Aber von dem Golf war nichts mehr zu sehen. Vielleicht hatte sie auch nur das Fahrzeug gewechselt oder den Staffelstab an Kollegen übergeben.

Von Aurich fuhr er nach Wiesmoor. Von dort zunächst in Richtung Sande, dann nach Varel, schließlich Richtung Westerstede und Bad Zwischenahn.

Es begann zu regnen.

Verflucht, dachte er, wird dieses Weichei jetzt etwa nicht joggen? War diese ganze Tour umsonst?

Michael Jansen machte Überstunden. Aus einem kleinen Schauer wurde ein richtiger Landregen.

Er saß im Auto und rauchte. Er ließ das Eingangstor von CEWE Color nicht aus den Augen.

Er hatte das Seitenfenster ein Stückchen heruntergedreht und die Lüftung voll angestellt. Trotzdem beschlugen die Fenster.

Wenn ich im Flow bin, dachte er, wenden sich alle Dinge zu meinen Gunsten. Ich muss vertrauen.

Und genau so war es dann auch. Michael Jansen ließ sich vom Regen nicht abhalten und schon gar nicht nach einem überlangen Arbeitstag.

Er verließ die Firma schon im Jogginganzug. Es war so eine auffällige Angeberkluft, wasserabweisende Mikrofasern mit Glitzerfarben am Umlegekragen, leuchtenden Reißverschlüssen, farblich genau abgestimmt auf die Laufschuhe. Garantiert war alles atmungsaktiv und giftstofffrei. Mit Plastikklamotten ließen sich Frauen eben nicht gut beeindrucken.

Michael Jansen stieg in einen hellblauen BMW, der mit kleiderschrankgroßen Lautsprecherboxen ausgestattet war.

Hast du das schöne Auto als Gegenleistung für deine Falschaussage bekommen? Oder warst du dumm genug, es umsonst zu machen? Als Freundschaftsdienst? Man weiß ja nie, wann du ihn noch mal brauchst.

Auf dem Weg zum Schlossgarten ließ der Regen nach. Trotzdem gab es mit störenden Begleitjoggerinnen keine Probleme. Die Schönen warteten wohl auf besseres Wetter. Vielleicht hatte er sich aber auch auf seiner Facebookseite wenig vorteilhaft für die Damenwelt präsentiert. Wer stand schon auf solche Narzissten, die nur bewundert werden wollten?

Sie waren alleine im Park, und eine Weile liefen sie auf gleicher Höhe nebeneinander, als würden sie sich schon Jahre kennen. Sie sprachen nicht, jeder hörte nur den Atem des anderen und den Gleichklang der Füße, wenn die Turnschuhe auf den regendurchweichten Boden quatschten.

Er lief jetzt ein wenig langsamer, blieb zwei Schritte hinter Michael Jansen. Es wäre ein Leichtes gewesen, ihm den Dolch in den Rücken zu stoßen. Aber von solch feigen Mordmethoden hielt er nichts.

Er rief seinen Namen: »Michael Jansen?!«

Erstaunt drehte Jansen sich um. Die beiden sahen sich ins Gesicht. Michael Jansen sah die Klinge, konnte aber nicht glauben, was geschah. Trotzdem scheiterte der erste Versuch, Jansen das Messer in den Hals zu stoßen, denn er wich nach hinten aus, stolperte und lag in einer Pfütze.

Er riss die Arme hoch und strampelte wie ein auf den Rücken gefallener Käfer, der nicht wieder hoch kommt.

»Sie können mein Geld haben! Ich habe eine Kontokarte. Ich kann noch was ziehen. Ich ...«

»Es geht nicht um Geld, du Idiot! Du hast mit deiner Falschaussage einen Mörder und Vergewaltiger geschützt!«

Er durchtrennte mit einem glatten Schnitt die Halsschlagader. Das Regenwasser in der Pfütze vermischte sich mit Blut.

Trotz des vier oder fünf Zentimeter tiefen Schnittes durch den Hals machte Michael Jansen noch ein Riesentheater, ja, versuchte, sich aufzuraffen. Ein Stich ins Herz beendete alles. Michael Jansen starb mit weit aufgerissenem Mund.

Er wischte die Klinge an Jansens Jogginganzug ab, säuberte seine Hände in der Pfütze und zog die Spielkarte heraus. Das, so hoffte er, würde die gesamte Polizeiinspektion in helle Panik versetzen. Dann schob er die Karte in Jansens Mund. Aber sie fiel wieder heraus.

Verdammt, das durfte nicht sein! Er presste die Karte tief hinein, dann drückte er auf die Schädeldecke und die Kinnlade, als wäre Jansens Kopf ein Nussknacker.

Jetzt klemmte die Karte zwischen seinen Zähnen.

Er sah sich nach links und rechts um. Sie waren immer noch allein im Park. Mit dem Handy machte er zwei Fotos. Dann lief er zurück in die Richtung, aus der er gekommen war, vorbei an dem Mammutbaum, den Michael Jansen auf seiner Facebook-Seite so schön angepriesen hatte.

Ann Kathrin stand am Flipchart und schrieb auf, was über den Täter bekannt war.

Weller, Rupert, Sylvia Hoppe, Rieke Gersema und Büscher brachten sich hochengagiert ein. Aus Ann Kathrins Perspektive wirkten sie fast wie eine Schulklasse voller Streber.

»Wir sammeln jetzt alles, was der Täter über uns weiß, denn das wird uns am Ende zu ihm führen. Nur ein ganz begrenzter Personenkreis kann seine Informationen haben.«

»Er kennt Ubbo und seine Tochter, Ubbos Buch und den nächsten Band«, begann Büscher.

Ann Kathrin schrieb »Insa und Ubbo« an und machte einen roten Kreis um die Namen.

»Er kennt sich gut mit Computern aus, sonst hätte er die Sache mit dem Verlag nicht hinkriegen können«, sagte Weller.

Ann Kathrin schrieb »Computerspezialist« an die Wand und kringelte das Ganze ein.

»Vielleicht sollte i c h mir Wilhelm Kaufmann mal vorknöpfen«, schlug Rupert vor. »Ihr fasst den ja immer nur mit Samthandschuhen an.«

»Er gehört«, sagte Ann Kathrin, »zum Kreis unserer Verdächtigen, aber das darf uns nicht den Blick versperren.«

Marion Wolters öffnete die Tür ohne anzuklopfen und sprach einfach in den Raum. Was sie zu sagen hatte, ließ keinen Aufschub zu: »Die Kollegen in Oldenburg haben einen Jogger mit durchschnittenem Hals im Schlossgarten gefunden. Michael Jansen.«

Ann Kathrin, die gerade etwas anschreiben wollte, ließ den Filzstift sinken und zog dabei mit einem quietschenden Ton einen langen Strich über das Papier.

»Vermutung oder klar identifiziert?«, fragte Weller, der es nicht wahrhaben wollte.

»Sein Auto parkt nur ein paar hundert Meter weiter. Er hatte die Papiere bei sich. Es besteht kein Zweifel. Und er hat eine Spielkarte im Mund.«

Weller wurde schlecht. Er sprang auf, dabei stieß er hart gegen die Tischkante. Es schepperte. Das Geräusch klang nach wie ein Schuss.

»Das ist nicht witzig!«, brüllte Weller.

Marion gab ihm recht. »Stimmt, das ist es wirklich nicht!«

Ann Kathrin atmete schwer. Sie war schmallippig und blass. »Ich habe das nur hier in diesem Raum gesagt. Ich habe davon gesprochen, dass wir einen der Zeugen mit durchschnittenem Hals vorfinden werden …«

»Und ich«, stöhnte Weller und griff sich an den Magen, »habe gesagt, ich wette, mit einer Spielkarte im Mund.«

»Ja«, nickte Büscher, »verdammt, ich war dabei.« Dann fuhr er fort: »Entweder war es einer von uns, oder wir werden hier abgehört.«

Weller hatte Mühe, nicht ohnmächtig zu werden. Ein Schwindelgefühl brachte ihn dazu, sich wieder zu setzen. Er fand Ann Kathrin fast ein bisschen unheimlich, wie sie jetzt da vorne stand und klare Anweisungen gab: »Ich will, dass sofort Spezialisten kommen und diesen Raum auf Abhöranlagen checken.«

»Am besten gleich das ganze Gebäude«, ergänzte Büscher. »Dann müssen wir uns augenblicklich um den Bruder kümmern, Werner Jansen, ihn unter Polizeischutz stellen und auch diesen Volker Janssen einkassieren ...«

»Einkassieren? Am besten halten wir jetzt alle die Fresse«, brüllte Weller in Richtung Büscher, »bevor der den nächsten Tipp von uns in die Tat umsetzt!«

Ann Kathrin nickte, sagte aber: »Er wird sich keinen der beiden holen. Ich glaube, er setzt jetzt darauf, dass einer von ihnen umfällt und gesteht.«

»Charlie Thiekötter hat so ein Gerät, damit kann man Abhöranlagen nicht nur auffinden, sondern auch ausschalten, glaube ich ...«, sagte Sylvia Hoppe.

Rieke Gersema hielt sich mit beiden Händen an ihrer Brille fest. »Wenn rauskommt, dass der Täter seine sachlichen Hinweise direkt aus der Polizeiinspektion Aurich erhalten hat, sind wir erledigt.«

»Wenn wir ihn in die Finger kriegen, ist er es auch«, sagte Rupert und schlug mit der rechten Faust in seine offene linke Handfläche.

Ubbo Heide hatte Ann Kathrin gebeten, ihm Akten nach Hause zu bringen. Das alles war gegen jede Dienstregel, doch es ging nicht mehr um das Einhalten von Regeln, sondern darum, den Täter zu fassen. Und dabei wollte sie auf Ubbos Sachverstand auf keinen Fall verzichten.

Büscher war ungefragt mitgekommen.

Ubbos Rollstuhl stand im Flur. Sie saßen im Wohnzimmer. In seinem Ohrensessel wirkte Ubbo wie ein alter, weiser Mann. Auf eine merkwürdige Weise attraktiv. Da war etwas in seinen Augen, so ein wissender Blick, der Ann Kathrin tief berührte.

Es sah aus, als würden sie hier zu Hause in gemütlicher Atmosphäre arbeiten. In Wirklichkeit steckte aber noch mehr dahinter. Sowohl Ubbo als auch Ann Kathrin gingen inzwischen davon aus, dass sie in der Polizeiinspektion abgehört wurden.

Sie wussten nicht, wer es machte und wie. Aber die Tatsache schien offen auf der Hand zu liegen.

Martin Büscher hörte das Klappern in der Küche und ging zu Carola Heide, um sich nützlich zu machen. Seine Frau hatte ihm immer vorgeworfen, dass er bei der Hausarbeit nicht behilflich war, daraus hatte er – allerdings erst nach der Scheidung – viel gelernt.

Die ganze Aktion hier passte ihm überhaupt nicht. Dies hier war eine Privatwohnung und nicht das Hauptquartier der Firma. Trotzdem war er mitgekommen, denn solange die Abhöranlage in der Polizeiinspektion noch nicht gefunden worden war, hatte er auch Magengrummeln dabei, sich dort über den Fall weiterzuunterhalten.

Büscher wälzte die ganze Zeit einen Gedanken, den er kaum auszusprechen wagte. Konnte Rupert, dieser Macho, der Vollstrecker sein? Er war immer und überall dabei gewesen. Er hatte sehr rudimentäre, archaische Auffassungen vom Rechtsstaat, gehörte nicht zu denen, die lange diskutierten, sondern lieber hart durchgriffen und sich dann später entschuldigten, wenn es falsch war.

Zwei offene Aktenordner lagen in Ubbo Heides Schoß. Er schätzte digitale Aktenführung durchaus und Spheronbilder, die mit ihrem 360-Grad-Blick am Bildschirm das Gefühl vermittelten, man sei mitten im Tatort dabei, fand er nützlich. Doch nichts ging über eine Handakte, da gehörte er einfach zur alten Schule.

Er klopfte auf das Papier. »Im Grunde, Ann, ist es doch so: Immer, wenn wir einen Fall wirklich abschließen – manchmal erst nach Jahren –, merken wir am Ende, dass die Lösung die ganze Zeit schon in den Akten gestanden hat. Wir haben sie nur nicht gesehen.«

»Weil wir Dinge falsch gewertet haben ...«, schlug sie vor, doch er schüttelte den Kopf. »Nein, weil wir nicht genau hinguckt haben. Weil wir Dinge übersehen. Weil die Alltagshektik uns den klaren Blick verstellt.«

»Manchmal«, sagte sie, »erschlägt uns auch einfach die Fülle an Informationen. Wie soll ich aus siebentausend Seiten genau das herausfiltern, was für uns wichtig ist?«

Er lächelte sie milde an. »Dabei hilft dir kein Computer, sondern deine Intuition, meine Liebe. Statt immer neue Akten zu produzieren, sollten wir genau lesen, was wir haben, um dann die richtigen Fragen zu stellen. Eins ist doch mal klar: Wir kennen den Täter. Später werden wir sagen: Natürlich, der! Wer denn sonst? Wie konnten wir das nur übersehen?«

Es fiel Ann Kathrin schwer, es Ubbo Heide zu sagen, doch dies war genau der richtige Zeitpunkt: »Als du auf Wangerooge das Paket bekommen hast, stand dort als Absender ...«

Ubbo ergänzte ihren Satz: »Ruwsch. Aus Hude.«

»Wenn man Ruwsch rückwärts liest, heißt es Schwur. Ich habe mir daraufhin noch mal dein Buch angesehen, Ubbo, und du hast ...«

Ubbos Unterlippe zitterte, als er die Ungeheuerlichkeit formulierte: »Ich habe geschrieben: *Ich hatte mir geschworen, die zwei nicht entkommen zu lassen, aber es gelang mir nicht, ihnen die Schuld am Tod von Steffi Heymann eindeutig nachzuweisen. Die Gerichtsverhandlung wurde zu einer katastrophalen Niederlage für unser gesamtes Ermittlerteam. Ja, ich mache mir Vorwürfe deswegen. Manchmal werde ich nachts wach und denke, das hätte mir nicht passieren dürfen.«*

Er zitierte fast auswendig aus seinem Buch. Es fiel ihm leicht, denn dieses Kapitel hatte er oft bei Veranstaltungen vorgetragen. Trotzdem war ihm nie der Zusammenhang zu dem Wort ›Ruwsch‹ aufgefallen.

Er beugte sich zu Ann Kathrin vor. »Ja, sag es schon!«, forderte er.

Sie sah ihn nur an.

»Na los!«

»Was soll ich sagen?«

»Er erfüllt meinen Schwur!«

Carola Heide kam mit einem Tablett aus der Küche. Sie war umgeben von einer Duftwolke. Es roch nach ostfriesischem Tee, Pfefferminz und Apfelkuchen.

Mit Carola kam auch Büscher zurück ins Wohnzimmer. Er trug die Teekanne und das Stövchen. Es gefiel Carola, diesen Gentleman bei sich zu haben, und Ubbo wirkte durchaus ein bisschen angenervt davon. Er hätte lieber mit Ann Kathrin allein gesprochen, konnte aber nun schlecht ihren Chef wegschicken.

Büscher versuchte, das Verhältnis zwischen Ann Kathrin und Ubbo Heide zu verstehen. Manchmal hatte er fast den Eindruck, die beiden hätten mal was miteinander gehabt. Dann wieder war es wie ein Vater-Tochter-Verhältnis. Auf jeden Fall nie wie das eines ehemaligen Chefs zu seiner Mitarbeiterin.

»So«, sagte Carola, »und nun nehmt euch Zeit.«

Sie stellte das Tablett ab.

»Vielleicht«, sagte Ubbo Heide, »sollten wir diesmal Tee mit Kluntje und Sahne trinken.«

Carola sah ihn groß an und fragte sich, ob er das ernst meinte. »Nicht mit Pfefferminzblättern?«

»Träufel die Sahne gegen den Uhrzeigersinn in die Tasse«, sagte er, »um die Zeit zurückzudrehen. Manche Antworten auf unsere Fragen finden wir in der Vergangenheit und nicht in der Gegenwart.«

Carola zuckte mit den Schultern. Sie wusste, dass ihr Mann, wenn er nicht weiterkam, gerne zu großen philosophischen Erklärungen ausholte. Ihr zeigte er damit nur, dass er in einer Sackgasse feststeckte und keine Ahnung hatte, wie es weitergehen sollte.

Die Kandisstückchen zersprangen knisternd in der Tasse, als Carola wie nebenbei sagte: »Eine Journalistin aus Gelsenkirchen hat schon zweimal angerufen. Sie will ein Interview mit dir, Ubbo. Ich habe versucht, sie abzuwimmeln, aber sie ...«

»Silke Sobotta vom Stadtspiegel?«

»Genau«, antwortete Carola, »das ist sie. Sie war krank, als ihr in Gelsenkirchen wart und ...«

Ubbo winkte ab, als wolle er jetzt nichts davon hören, sondern lieber dem Knistern der Kandisstückchen lauschen. »Ich habe ihrem Kollegen doch schon ein Interview gegeben. Diesem schlaksigen, jungen Mann ...« Ubbo überlegte, aber ihm fiel der Name nicht ein. Ann Kathrin half aus: »Kowalski.«

Ubbo nickte dankbar.

»Vielleicht solltest du sie zurückrufen«, schlug Carola vor.

Ubbo Heide schüttelte den Kopf. »Nein, alle wollen jetzt wissen, warum mein neues Buch nicht erscheint, und was das mit dem Fall zu tun hat. Wir haben wirklich anderes zu tun ...« Er blätterte demonstrativ in der Akte, als würde er eine wichtige Stelle suchen.

Carola stellte die Teekanne ab und entschuldigte sich gestenreich: »Ich habe ihr aber gesagt, sie kann noch mal anrufen. Sie hatte so eine sympathische Stimme. Ich konnte sie einfach nicht abwimmeln. Ich halte dir ja sonst immer gerne den Rücken frei, aber – verdammt, ich habe ja keine Sekretärinnenausbildung, und hier ist in letzter Zeit ...«

Das Telefon klingelte.

»Das wird sie schon sein. Ich habe mit ihr ausgemacht ...«

»Geh ruhig dran«, sagte Ann Kathrin beschwichtigend. »Es muss ja nicht ewig dauern.«

Missmutig ließ Ubbo sich das Telefon geben und meldete sich schlechtgelaunt: »Moin. Hier Heide. Mit wem habe ich die Ehre?«

Ann Kathrin probierte den Tee, während Ubbo versuchte, Silke Sobotta loszuwerden.

»Ich habe wirklich keine Zeit, Frau Sobotta. So gerne ich mit Ihnen reden würde, aber es geht mir nicht gut, und wir sind in wichtigen Gesprächen. Ich habe Ihrem Kollegen, Herrn Kowalski, doch bereits ein Interview gegeben. Ist das nicht schon erschienen?«

Die Antwort traf Ubbo wie ein Faustschlag.

»Ich habe keinen Kollegen namens Kowalski. Es ist auch kein Interview bei uns erschienen. Der muss von einer anderen Zeitung gewesen sein. Aus Gelsenkirchen ist der jedenfalls nicht, ich kenne die Kollegen ...«

Ubbo und Ann Kathrin sahen sich nur an, und sie googelte auf ihrem iPhone gleich nach Kowalski, fand aber keinen Journalisten mit diesem Namen.

Ubbo hatte die Szene sofort wieder vor Augen. Der große, hagere Mann hatte sich gar nicht als Redakteur des Stadtspiegels vorgestellt.

Sein Namensgedächtnis ließ zwar nach, aber an Gesichter, Gespräche, Situationen konnte Ubbo sich besser erinnern als früher. »Verflucht, ich habe ihm das praktisch in den Mund gelegt. Der hat sich nur als Kowalski vorgestellt und gesagt, ›ich komme, um Sie zu interviewen‹. Ich dachte dann, der sei vom Stadtspiegel. Ich selbst habe ihm erzählt, dass Frau Sobotta krank geworden ist. Weller hat ihm gleich nicht geglaubt, er wollte ihn überhaupt nicht zu mir durchlassen. Er war bestens informiert, hatte mein Buch gelesen und …«

»Verdammt, Ubbo«, sagte Ann Kathrin, »du hast dem Mörder ein Interview gegeben!«

Ubbo Heide rief: »Und Weller hatte recht! Er war in Gelsenkirchen mit dabei.«

»Das heißt«, folgerte Ann Kathrin, »wir haben ein Foto von ihm. Wir können ihn zur Fahndung ausschreiben.«

Ubbo Heide hob das Telefon wieder ans Ohr. »Frau Sobotta? Über unser Gespräch werden Sie bitte völliges Stillschweigen bewahren. Sie haben uns gerade einen entscheidenden Hinweis gegeben. Aber bitte, das muss völlig unter uns bleiben. Sie werden Ihr Interview bekommen, so lang und groß wie Sie wollen. Ich zahle die Reise nach Ostfriesland, und wir bringen Sie in einem erstklassigen Hotel unter. Aber nicht jetzt. Und bitte, zu niemandem ein Wort!«

Sie erkannte augenblicklich die Brisanz der Situation, versprach ihm dichtzuhalten, und er beendete das Gespräch.

»Wir können uns auf sie verlassen, glaube ich«, betonte Ubbo in Richtung Ann Kathrin.

Sie versuchte zusammenzufassen, was sie hatten: »Wir wissen alle, wie er aussieht, wie er sich bewegt, wir haben garantiert Bilder von ihm. Wir werden ihn zur Fahndung ausschreiben.«

Aber Ubbo hob abwehrend die Hände. »Nicht so schnell, Ann, nicht so schnell.«

Er winkte sie zu sich, als sei sie am anderen Ende der Straße und nicht in seinem Wohnzimmer, knapp drei Meter von ihm entfernt. Er wollte ihr etwas ins Ohr flüstern, doch bevor er es tat, deutete er seiner Frau an, sie solle das Radio einschalten.

Carola verstand augenblicklich, was er wollte und kam seiner Bitte nach.

Auf Antenne Niedersachsen liefen gerade Oldies. Ubbo Heide gab ihr gestisch zu verstehen, sie solle lauter stellen und noch lauter. Dann erst flüsterte er in Ann Kathrins Ohr: »Ich weiß, woher er all die Informationen hat. Er hat mir eine Dose mit Bonbons geschenkt. *Bochumer Taubendreck.* Ich hab sie in meinem Rollstuhl die ganze Zeit bei mir gehabt. Ich wette, darin ist …«

»Ein Sender«, rutschte es Ann Kathrin heraus und hielt sich sofort eine Hand vor den Mund.

Büscher trat in die Mitte des Raumes und hob beide Hände. Er deutete Ann Kathrin und Ubbo Heide an, sie sollten jetzt schweigen. Er nahm die Akte von Ubbos Schoß und schrieb auf die Rückseite eines Zettels: *Das ist unsere Chance. Wenn er wirklich hört, was wir sagen, können wir ihm eine Falle stellen.*

Ubbo und Ann Kathrin lasen, sahen sich an, und Ann Kathrin hob den Daumen.

Ubbo tat es ihr gleich.

Eine ganze Weile war da nichts gewesen, nur ein Rauschen und Knacken. Er hatte schon Angst, die Batterie sei leer oder sein Sender entdeckt worden. Dabei wollte er doch gerade jetzt dabei sein, wissen, was los war.

Ungesehen mitten unter ihnen zu sein, das brachte ihn in den Flow, schenkte ihm dieses herrliche Gefühl der Allmacht und Überlegenheit.

Er stellte sich vor, wie sie auf die Spielkarte in Michael Jansens Mund reagierten, und wie auf den Silberfuchs zwischen David Weißbergs Zähnen. Würden sie endlich begreifen, dass er es war, der ihre geheimen Träume umsetzte? Würden sie ihn jetzt unterstützen? Sich endlich einreihen in die Front der gerechten Vollstrecker? Konnte das Großreinemachen nun beginnen?

Mit Svenja Moers machte er gute Fortschritte. Sie schien begriffen zu haben, dass sie sich alles selbst zuzuschreiben hatte, ihren eigenen, verwerflichen Taten. Sie aß und sie trainierte fleißig.

Er spielte mit dem Gedanken, sie zu einer Kampfmaschine zu erziehen. Er hatte einen amerikanischen Film gesehen, da wurde eine schöne, junge Frau, die sich eines Verbrechens schuldig gemacht hatte, zu einer Killermaschine ausgebildet. Vielleicht wäre das mit Svenja Moers auch möglich … Dann könnte er sie ab und zu aus dem Käfig lassen, damit sie einen Auftrag für ihn erfüllte. Es würde für ihn selbst immer schwerer werden, neue Verkleidungen zu finden. Irgendwann hätten sie alle seine Maskeraden durchschaut, und seine Größe ließ sich leider nicht verändern. Er konnte kein kleiner, dicker Mann werden.

Vielleicht würde er irgendwann aus dem Sessel heraus die Aktionen leiten, als der Guru, der Initiator, der Mann im Hintergrund, der dafür sorgte, dass dieses Land wieder lebenswert wurde. Dass Menschen keine Angst mehr haben mussten, nachts allein auf die Straße zu gehen. Mit einem Dutzend entschlossener Männer und Frauen – zu allem bereit – konnte er ein Land schaffen, in dem nur die Kriminellen Angst haben mussten, weil sie wie wilde Tiere waren, die gnadenlos gejagt wurden, und niemand trauerte ihrer Spezies hinterher, wenn sie vom Aussterben bedroht waren. Im Gegenteil.

Der Gedanke hatte etwas Erhebendes an sich. Er sah sich so, wie Ubbo Heide war: eine anerkannte, geliebte Autorität, deren Rat geschätzt wurde, und der aus jedem Rollstuhl, in dem er saß, einen königlichen Thron machte.

Er trank Kakao, wie seine Oma ihn manchmal für ihn gemacht hatte, und sah Svenja Moers auf dem Bildschirm. Sie benutzte jetzt den Heimtrainer und trampelte fleißig seit gut zwanzig Minuten. Schweiß stand auf ihrer Stirn.

Wusste sie, dass er sie beobachtete, ja, sogar den Schwierigkeitsgrad mitlesen konnte? Das Gerät war auf sechzig Kilogramm eingestellt, und sie fuhr mit zweiunddreißig Stundenkilometern. Das war für sie schon eine ganz gute Leistung, fand er.

Er schaltete den Lautsprecher ein und sagte: »Das machst du prima. Nicht nachlassen. Und vergiss nicht, zwischendurch zu trinken. Nicht einfach nur Wasser. Nimm die Aufbaupräparate. Sie waren teuer genug!«

Sie blickte hoch in die Kamera, nickte und lächelte ihn an.

Ja, dachte er, vielleicht wirst du meine Kampfmaschine. Vielleicht gebe ich dir die Chance, deine Verbrechen wiedergutzumachen und zu sühnen, indem du auf unserer Seite mitkämpfst … Vielleicht.

Dann hörte er wieder etwas. Sie fuhren mit dem Auto. Der Polizeifunk war eingeschaltet.

Es hatte in Wittmund auf der Issumer Straße einen Verkehrsunfall mit mehreren Verletzten gegeben. Der Fahrer randalierte. Es handelte sich offenbar um einen seit langem gesuchten Straftäter.

Sie fuhren aber nicht dorthin, sondern in die Polizeiinspektion Norden, am Markt. Er hörte Ann Kathrins Stimme: »Damit müssen die Kollegen in Wittmund allein fertig werden. Alle Leute vom K 1 versammeln sich in Norden.«

Ein Schauer lief ihm über den Rücken. *Alle Leute vom K 1.* Das bedeutete, die gesamte Mordkommission fand zusammen, und er wäre gleich live dabei.

Es ging um ihn und seine Taten. Um was denn sonst? Dagegen war so ein Unfall in Wittmund bedeutungslos, selbst wenn ein Straftäter darin verwickelt war.

Er fühlte sich gut und trank seinen Kakao.

Er lehnte sich im Stuhl zurück und streckte die Beine aus. Sie haben Ubbo Heide dabei, dachte er. Meine Aktivitäten haben ihn praktisch in den Polizeidienst zurückgebracht und wieder zum Chef der Kripo gemacht. Diese Lusche von Büscher wird sich uns am Ende einfach anschließen oder wieder nach Bremerhaven zurückgehen.

Ubbo Heide ist der Schlüssel zu allem. Wer Ubbo auf seiner Seite hat, der hat gewonnen. Dann wird als Erste Ann Kathrin mitziehen, und am Ende folgt mir die ganze Bande.

Knisternd hörte er Weller über den Polizeifunk: »Ich bin schon fast in Oldenburg-Ofenerdiek bei Werner Jansen. Soll ich umdrehen und nach Norden kommen, oder …«

Glücklicherweise sprach Ann Kathrin Klaasen laut und klar: »Nein, Frank, es ist wichtig, dass du mit ihm sprichst.«

»Das können doch auch die Oldenburger Kollegen.«

»Es ist mir lieber, wenn du dabei bist. Er muss unter Polizeischutz gestellt werden, und wenn er nicht mitspielt, dann lass ihn einfach festnehmen.«

»Ja, aber ich kann doch nicht so einfach …«

»Lass dir was einfallen, Frank.«

Er lachte laut und rief, als könne er sie mit seiner Stimme im Auto erreichen: »Wie blöd seid ihr eigentlich? Glaubt ihr ernsthaft, dass ich mir als Nächstes Werner Jansen hole? Ich habe Michael Jansen doch nur erledigt, damit sein Bruder zu euch kommt. Der hat jetzt eine Riesenangst und wird seine Aussage garantiert rückgängig machen. Dann hat dieser verfluchte Volker Janssen kein Alibi mehr, und ihr könnt die Mistsau endlich einsacken …

Werner Jansen hörte Sandra Droege auf Antenne Niedersachsen, die sich mit den Morden auseinandersetzte und einen klaren Zusammenhang zu Ubbo Heides Buch herstellte. Der Tote im Oldenburger Schlossgarten hätte eine Spielkarte im Mund gehabt. Obwohl die Polizei nicht bekanntgab, um was für eine Karte es sich handelte, ging Sandra Droege davon aus, es sei ein Ass gewesen, denn den im Buch als »Skatbrüder« bezeichneten Zeugen sei ein längeres Kapitel gewidmet. Sie hätten schließlich mit ihrer

Aussage Ubbo Heides Ermittlungsarbeit untergraben und ad absurdum geführt.

Sie las eine Passage aus Ubbo Heides Buch vor. Der Täter habe noch zwei Asse im Ärmel gehabt und in der Gerichtsverhandlung hervorgezaubert. Zwei Zeugen, die nach Ubbo Heides Einschätzung bedenkenlos logen, doch trotz aller Verhöre unerschütterlich bei dieser Aussage geblieben waren.

Werner Jansen hatte sofort kalten Schweiß auf der Stirn und wusste, dass das Spiel vorbei war. Er hatte schon damals ein schlechtes Gefühl dabei gehabt, aber, herrje, man konnte doch einen Kumpel in so einer Situation nicht hängenlassen, und schließlich war sein Bruder vehement dafür gewesen. Sie waren doch Freunde, da musste man sich helfen. Es war doch nichts weiter als eine Aussage vor Gericht, um einen Kumpel rauszuhauen. Ehrensache sozusagen. Unter echten Freunden nicht der Rede wert.

Vom Tod seines Bruders war er bereits telefonisch unterrichtet worden. Er wurde zur Identifizierung geladen, aber von einer Spielkarte im Mund hatte die Polizistin nichts gesagt. Es hatte sich für ihn nach einem Raubüberfall beim Joggen im Park angehört. Natürlich lieferte sein Bruder, die Kämpfernatur, nicht einfach sein Geld ab, um einen Räuber loszuwerden. So einer war er nicht, sondern stellte sich dem Kampf, und den hatte er dann wohl leider verloren.

Doch jetzt sah alles ganz anders aus. Die Spielkarte war ein deutliches Signal.

An all dem, was in letzter Zeit in der Presse vermutet worden war, war also doch etwas dran. Jemand versuchte, die ungelösten Fälle von Ubbo Heide zu lösen.

Er hatte keine Lust, darüber nachzudenken, wie das Ganze weitergehen könnte. Er wollte es nur beenden, bevor er dran war. Sollte er zuerst zu einem Anwalt oder gleich zur Polizei?

Jetzt, da er so viele Aktivitäten entfalten wollte und endlich ge-

nau wusste, was zu tun war, fühlte er sich wie an den Stuhl ge-
nagelt, mit bleischweren Armen und Beinen, kaum zu einer Bewegung fähig. Während die Gedanken immer schneller durch
den Kopf jagten, wurde der Körper unbeweglich und lahm.

Hatte er gerade einen Schlaganfall? War das eine Querschnitts-
lähmung?

Er schickte die Befehle im Gehirn los, aber sie kamen nicht in
den Muskeln und Gelenken an. Es war wie ein Krampf, als würde
er gerade zu Eisen werden und völlig verhärten.

Das Klingeln an seiner Wohnungstür war wie ein Schock, und
plötzlich war alles wieder da. Jetzt musste er keine Befehle mehr
an seine Muskulatur abschicken. Es war, als würde der Körper
selbständig handeln.

Diese schlimme Trennung von Geist und Körper hatte er so
noch nie erlebt. Er sah sich selbst von außen. Sein Körper agierte
wie eine ferngesteuerte Maschine.

Er sah sich die Wohnungstür aufreißen. Dort stand ein Mann
in einer leichten Sommeranzugjacke. Er trug Jeans und ein offenes Hemd. Mit der Linken hielt er einen Ausweis hoch. Er war
vielleicht Mitte vierzig und wirkte freundlich, wie jemand, der
zum Kaffeetrinken zu Besuch kommt und weiß, dass der selbst-
gebackene Kuchen schon auf dem Tisch steht.

»Mein Name ist Frank Weller. Ich komme von der Mordkommission Aurich. Ihr Bruder ist …«

»Ich weiß, ich weiß. Habt ihr wirklich eine Spielkarte in seinem Mund gefunden? Ich habe es gerade im Radio gehört.«

Weller nickte.

»Das ist der Typ, der versucht, Ubbo Heides Kriminalfälle zu
lösen. Bitte helfen Sie mir, Herr Kommissar! Ich habe damals
einen schweren Fehler gemacht, als ich Volker entlastet habe. Wir
haben damals gar nicht zusammen Skat gespielt. Ich weiß nicht,
ob er versucht hat, die Frau zu vergewaltigen. Ich glaube es nicht.
Er ist eigentlich ein netter Kerl. Wir wollten doch keinen Verbre-

cher decken, sondern nur einem Freund helfen, aber jetzt kommt dieser Wahnsinnige und …«

»Ich nehme Ihre Aussage gerne zu Protokoll. Sie können sie dann unterschreiben, und ich glaube, Sie brauchen deswegen auch keine weiteren Strafen zu befürchten, wenn Sie von sich aus und freiwillig … Aber ich schlage vor, dass wir jetzt erst mal gemeinsam in die Polizeiinspektion fahren. Sie müssen in Sicherheit gebracht werden. Niemand kann dafür garantieren, dass der Täter nicht auch Sie …«

»Ja, ja, verdammt, verhaften Sie mich! Bitte, nehmen Sie mich mit! Ich will nicht so enden wie Micha.«

Er weinte, aber er bemerkte seine Tränen nicht. Er machte jetzt ein Gesicht wie ein Zehnjähriger, der vom Fahrrad gefallen war.

Als Weller das Häufchen Elend vor sich sah, das darum bat, endlich verhaftet zu werden und nun alles gestehen wollte, dachte er über den Vollstrecker nach. Wer immer du bist, dachte er, du bist mit deiner Methode verdammt erfolgreich.

Rupert ging hinter Marion Wolters die schmale Treppe in der Polizeiinspektion Norden hoch. Er fand, dass ihr Hintern noch breiter geworden war und sie sich jetzt den Namen Bratarsch endgültig verdient hatte. Er grinste in sich hinein. Im Grunde müsste sie doppelter Bratarsch heißen. Für ihren Po war keine Pfanne groß genug.

Rupert griff sich in den Rücken. Dieses Treppensteigen war Gift für seinen Rücken. Der Schmerz jagte die Wirbelsäule hoch bis in seinen Kopf.

Wenn ich meinen Ausweis wegwerfe und mich schätzen lasse, krieg ich bestimmt Rente, dachte er.

Rupert war sauer, weil er mit ihr oben im Büro sitzen sollte, während sich alle anderen gemeinsam mit Ubbo Heide unten im großen Besprechungsraum trafen. Unten wurde alles gut vorbereitet, es roch schon nach Tee und Gebäck, so wie früher, als Ubbo Heide die Dienststelle noch nach Gutsherrenart führte, großzügig seinen Getreuen gegenüber und immer darauf bedacht, für eine gute Arbeitsatmosphäre zu sorgen.

Oben angekommen, fand Rupert den Raum viel zu klein, um hier mit Marion Wolters zu sitzen. Er brauchte zu ihr immer mindestens drei Meter Abstand, weil er sonst Angst hatte, sie könne sich in eine Raubkatze verwandeln und ihm das Gesicht zerkratzen.

Rupert hatte kapiert, dass er hier gleich mit Marion Wolters ein *unverfängliches Gespräch* führen sollte, bei dem sie vermutlich abgehört wurden. Das Gespräch hatte nur einen Sinn: Der Täter sollte abgelenkt werden und nicht mitkriegen, was unten gegen ihn ausgeheckt wurde.

Rupert war mit dieser Aufgabe im Grunde sehr einverstanden. Belanglose Gespräche zu führen, war für ihn kein großes Problem. Er hätte sich dabei nur einen anderen Partner gewünscht oder eine andere Partnerin. Auf keinen Fall Marion Wolters.

Rupert sah sie sich genau an. Auch ihr passte es nicht, diesen Job mit ihm gemeinsam zu machen. Sie hatte Falten am Hals und im Gesicht. Krähenfüße um die Augen herum.

Rupert überlegte, ob er ihr sagen sollte, dass es Möglichkeiten gab, sich Fett am Hintern absaugen zu lassen, um die Falten im Gesicht und am Hals damit auszupolstern. Das war, so hatte Rupert gehört, viel besser als dies giftige Botox-Zeug.

Obwohl er noch gar nichts gesagt hatte, sah sie ihn schon angriffslustig an.

Noch musste ihr Gespräch nicht beginnen. Damit der Täter keinen Verdacht schöpfte, würde die Abhöranlage gleich erst zu ihnen hochgebracht werden. Wenn Rupert es richtig verstanden hatte, war das Ding in Ubbo Heides Rollstuhl, und er fragte sich, wer Ubbo gleich samt Rollstuhl die Treppe hochschleppen musste.

Wieso, dachte Rupert, machen die Idioten das nicht unten und ihre Besprechung oben? Aber die Welt war eben verrückt, und längst nicht alle in der Polizeiinspektion waren so clever wie er.

Er hatte keine Lust, sie ständig zu belehren und auf ihre Fehler hinzuweisen. Sie mussten schon selbst merken, was für einen Mist sie da wieder bauten.

Ann Kathrin goss Ubbo Heide eine Etage tiefer Tee ein, und Büscher nahm erfreut zur Kenntnis, dass Ubbo ihm den Chefsessel überlassen hatte und sich selbst mit dem Rollstuhl daneben platzierte.

Trotzdem eröffnete Ubbo die Versammlung: »Wir haben viel zu besprechen. Aber«, er nahm die Blechschachtel mit dem *Bochumer Taubendreck* in die Hand, rüttelte einmal, so dass die Bonbons darin gegeneinander schlugen, »das Zeug macht süchtig, Freunde. Und seit ich im Rollstuhl sitze, nehme ich sowieso zu. Kann das mal jemand entsorgen?«

»Das sind die Lieblingsbonbons von Marion Wolters. Weiß ich genau!«, rief Sylvia Hoppe absprachegemäß, und es klang für Ann Kathrin ein bisschen zu auswendig gelernt.

Ubbo Heide machte eine große Geste, wie ein Operetten-König, der sein Land an Adelige verschenkt, als würden sie hier nicht nur abgehört, sondern auch noch gefilmt werden. »Dann bring sie doch der Kollegin.«

Sylvia Hoppe nahm die Dose und verließ damit den Raum.

Als sie das Fußgetrappel auf der Treppe sich entfernte, wollte Büscher loslegen, doch Ann Kathrin unterband mit einer Geste seine aufkeimende Rede.

»Ich glaube, Kollegen, wir sollten unsere Besprechung hier erst nach der Mittagspause fortsetzen. Ich schlage vor, dass wir uns alle erst mal stärken.«

Dann schrieb sie mit rotem Filzstift auf das Flipchart: *Smutje* oder *ten Cate*?

Rieke Gersema zeigte auf Smutje und gab wortlos zu verstehen, dass sie dort bereits angerufen und alles geklärt habe.

Sie brachen auf. Schweigend gingen sie über den Marktplatz auf die Osterstraße zu. Es war Ubbo Heide peinlich, dass ein ganzes Schaufenster in der Buchhandlung Lesezeichen Hasbargen mit seinen Büchern gefüllt war. Außerdem hing ein großes Porträt von ihm im Schaufenster. Er tat, als würde er es gar nicht sehen.

Ann Kathrin ging neben Ubbos Rollstuhl her. Sie wusste, dass die entscheidenden Minuten bevorstanden. Dabei wollte sie in seiner Nähe sein. Sie fühlte sich von einem eigenartigen Beschützerinstinkt getrieben.

Nicht zum ersten Mal fand eine Dienstbesprechung des K 1 im Frühstücksraum des Smutje statt. Hier waren sie um diese Zeit ungestört. Unten im Restaurant saßen zwar Leute, aber das Frühstück war längst beendet, und Melanie Weiß, Ann Kathrins Freundin, servierte gerne für alle Tee und Kaffee. Sie galt als sehr verschwiegen.

Büscher war das Ganze merkwürdig fremd. Vielleicht war das einfach Ostfriesland. Eine Dienstbesprechung im Hotel und ein pensionierter Chef, der unwidersprochen die Ermittlungen leitete und dabei im Rollstuhl Tee trank.

Melanie Weiß umarmte Ann Kathrin, und die beiden flüsterten sich etwas zu.

Das alles, dachte Büscher, ist im Grunde eine komplizenhafte, verschworene Gemeinschaft. Love it or leave it.

Wenn man sie einmal für sich gewonnen hatte, vermutete er, würden sie sich für einen in Stücke reißen lassen. So zumindest schätzte er das Verhältnis der Kollegen zu Ubbo Heide ein und auch zu Ann Kathrin Klaasen.

Ann Kathrin sagte: »Liebe Kolleginnen und Kollegen, wir gehen davon aus, dass der Täter in Ubbo Heides Bonbondose eine

Abhöranlage installiert hat. Damit kann er jetzt Rupert und Marion zuhören. Wir sind hier vermutlich ungestört. Wir haben die Polizeiinspektion verlassen, weil wir uns weder in Aurich noch in Norden sicher sein können, dass nicht auch dort irgendwo ein Mikro versteckt ist.«

Mit einem Nicken erteilte sie Büscher das Wort. Er hüstelte: »Ja, es ist mir eine Ehre, die Versammlung hier zu eröffnen. Es ist ein bisschen komisch für mich, weil wir in einem Frühstücksraum tagen, aber nun denn.«

Unten aus dem Restaurant zogen Mittagsdüfte hoch. Rieke Gersema lief das Wasser im Mund zusammen, und sie hätte sich am liebsten einen Lammburger bringen lassen, unterdrückte aber diesen Wunsch, indem sie ihre Brille besonders tief auf die Nase setzte und versuchte, volle Aufmerksamkeit auszustrahlen.

Sylvia Hoppe schimpfte: »Verflucht, der hört uns also die ganze Zeit ab? Das heißt, es muss gar keiner von unseren Kollegen gewesen sein, sondern der kommt an sein Insiderwissen, indem er ...«

Sie ballte die Faust und ließ dann den Mittelfinger hervorschnellen, als wolle sie dem Täter zeigen, was sie von ihm hielt.

»Das Ganze ist auch eine große Chance für uns«, erklärte Ubbo Heide. »Immerhin können wir jetzt Informationen an den Täter streuen, ihm vielleicht eine Falle stellen.«

Die Polizeipsychologin Elke Sommer hob abwehrend beide Hände: »Ohne mich. Das würde ja bedeuten, dass wir ihn auf ein neues Opfer hetzen und dann versuchen, ihn dort abzufangen. Das ist unethisch!«

Büscher sah Ubbo Heide hilfesuchend an.

Ubbo beschwichtigte: »Unethisch ist es, wenn wir eine Chance haben, ihn zu kriegen und die nicht nutzen. Wir haben jetzt einen Vorteil: Wir wissen etwas, das er nicht weiß. Und es ist eine Tatsache, dass er sich bei seinen Taten von unseren Gesprächen hat leiten lassen.«

Ann Kathrin übernahm: »Weller war bei Werner Jansen. Es ist genau das passiert, was wir hier prophezeit haben. Jansen gesteht jetzt die Lüge und hat sogar selbst darum gebeten, inhaftiert zu werden. Damit ist Volker Janssens Alibi geplatzt. Die Frage ist allerdings, ob er noch mal vor Gericht gestellt werden kann. Ein einmal freigesprochener Täter …«

Büscher setzte sich mit lauter Stimme durch: »Ich habe bei der Sache etwas Bauchschmerzen. Wenn der Täter das jetzt zum Beispiel hören würde, was wir hier gerade besprechen, müsste er – um in seiner Logik zu bleiben – versuchen, sich diesen jungen Lyriker zu holen, und wir könnten ihn fangen …«

»Und was, wenn er es schafft?«, fragte Elke Sommer empört.

Ann Kathrin gefiel das nicht. »Leute, wie soll das denn praktisch gehen? Natürlich sind wir jetzt in der Lage, ihm eine Falle zu stellen. Heißt aber nur, wir präsentieren ihm ein neues Opfer. Und dann? So eine Überwachung ist sehr personalintensiv. Wir können vierundzwanzig Stunden, vielleicht zwei, drei Tage, so eine Falle aufrechterhalten. Aber wenn er in der Zeit nicht zuschlägt, was dann?«

Büscher übernahm: »Genau. Dafür haben wir das Personal nicht. Was, wenn er uns drei Wochen warten lässt oder einen Monat, dann liegt hier die gesamte Polizeiarbeit lahm. Wir sind hier in der Polizeidirektion Aurich-Wittmund zuständig für eine Viertelmillion Menschen. Wir können hier nicht alles stoppen, um …«

»Andererseits«, sagte Ann Kathrin, »hat er immer sehr schnell zugeschlagen.«

»Außerdem stellt sich die Frage, ob wir so einen Köder vorher informieren müssen«, gab Büscher zu bedenken.

»Mein Gott, Köder«, stöhnte Elke Sommer und verzog angewidert den Mund. »Wir reden doch hier über Menschen und nicht übers Angeln!«

Ann Kathrin betonte: »Wer immer unseren Lockvogel spielt, er muss natürlich Bescheid wissen, einverstanden sein und uns aktiv unterstützen, sonst geht es nicht.«

Rieke Gersema hielt es nicht mehr auf dem Stuhl. »Ja, Himmel, mir wird ganz schlecht, wenn ich darüber nachdenke, was dann passiert ... Wir stellen ihm eine Falle, und der Nächste stirbt! Dann kommt raus, dass er im Grunde nach einem Programm vorging, das wir vorgegeben haben. Ich sehe schon die Schlagzeilen! *Kaum von der ostfriesischen Polizei verdächtigt, schon tot!* Leute, das kann uns alle Kopf und Kragen kosten.«

»Ja«, sagte Büscher. Er war ganz ruhig und wirkte, als hätte er die Sache voll im Griff. »Es sei denn, wir präsentieren ihm als nächstes Opfer einen Kollegen. Einen Exkollegen.«

Für einen Moment schien die Luft im Raum nicht mehr zu zirkulieren. Das Summen einer Fliege wurde dominant. Unter ihnen zwitscherten irgendwo Kanarienvögel.

Ann Kathrins Mund öffnete sich, es dauerte aber noch ein paar Sekunden, bis sie sprach: »Du meinst, Willi Kaufmann würde dabei mitspielen?«

Ubbo Heide zeigte auf Büscher. »Das ist eine geniale Idee.«

Danke, dachte Büscher. Das war der Ritterschlag! Wenn mein Plan funktioniert, werden sie mich danach akzeptieren und annehmen. Wenn nicht, kann ich froh sein, wenn ich zurück nach Bremerhaven darf.

Seit Sylvia Hoppe die Dose mit dem *Bochumer Taubendreck* auf den Tisch gestellt hatte, war Marion Wolters wie ausgewechselt. Sie sah Rupert nicht mehr missmutig an, sie trommelte auch nicht nervös mit den Fingern auf der Tischplatte herum, nein, sie benahm sich, als sei sie geradezu verliebt in ihn und wolle ihn beeindrucken.

Es kam Rupert so vor, als müsse sie gar nicht lange nach unverfänglichen Themen suchen, sondern als wisse sie schon genau, worüber sie mit ihm reden wollte. Es gefiel ihr, dass noch jemand anders zuhörte, egal, ob Mörder oder nicht. Das Ganze hier würde irgendwann vielleicht von großer Bedeutung sein, vor Gericht vorgespielt werden oder, der Himmel bewahre, wieder im Radio laufen, wie das Wortgefecht, das Rupert mit dem Journalisten Faust in Norddeich am Strand gehabt hatte.

In letzter Zeit war ja alles merkwürdig öffentlich. Die Polizeiinspektion Norden war nicht das Kasperletheater der Nation.

Die hohe Aufmerksamkeit der Medien tat nicht allen gut. Wenn Rupert sich nicht irrte, waren die Kolleginnen früher lange nicht so gut frisiert zum Dienst gekommen wie in den letzten Tagen.

»Weißt du eigentlich, Rupi«, fragte Marion Wolters und umschmeichelte ihn geradezu, »dass wir im Polizistinnenchor an einem Song über dich arbeiten?«

Er lehnte sich zurück und sah sie interessiert an. »Ja, mir ist so etwas zu Ohren gekommen. Neuerdings nennen mich alle Rupi und nicht mehr ›der Rupert‹.«

Dann begann sie zu singen. Ihre Singstimme empfand Rupert lange nicht so nervig wie ihre Sprechstimme.

Sie positionierte sich so, als sei die Bonbondose ein Mikrophon und vor ihr auf der anderen Seite des Tisches nicht etwa eine Aktenwand, sondern ein aufmerksam lauschendes Publikum.

> *»Rupert ist Ostfrieslands Top-Kriminalist*
> *So einer, den man auf der Straße grüßt*
> *Ein Fachmann, den hier jeder achtet*
> *Der heimliche Chef – wenn man's genau betrachtet*
> *Was würden die in Norden bloß ohne ihn machen?*
> *Mann, o Mann – die hätten nichts zu lachen*

Am liebsten wäre Rupert aufgesprungen, um nach dem Song zu tanzen, so gut gefiel er ihm, aber sein Iliosakralgelenk ließ im Moment keine kreisenden Hüftbewegungen zu.

Will die mich anbaggern, fragte Rupert sich. Es war unglaublich für ihn. Marion Wolters hob jetzt ihre Hände über den Kopf, schnippte mit den Fingern, drehte sich im Kreis und steppte mit ihren Gesundheitsschuhen einen feurigen Takt auf den Boden.

Er konnte verstehen, dass Frauen wie Marion Wolters insgeheim scharf auf ihn waren. Vielleicht spotteten sie deswegen ständig über ihn, weil sie sich nicht eingestehen wollten, dass die warmduschenden Frauenversteher, die sich auf der Schleimspur des Feminismus in ihre Betten argumentierten – oder besser, jammerten –, in Wirklichkeit keine richtigen Männer mehr waren, sondern verwöhnte Weicheier. Prinzen ohne Hofstaat. Helden, die aus Angst, sich bei Abenteuern in der freien Wildbahn zu verletzen, lieber Heimtrainer kauften und Pantoffeln.

Rupert verschränkte die Arme hinterm Kopf und sah Marion Wolters zu. Plötzlich fand er sie auch gar nicht mehr zu hässlich oder zu dick. Im Gegenteil. Sie hatte eine prachtvolle Rubensfigur. So nannte seine Beate doch übergewichtige Frauen heute, wenn er sich recht erinnerte. Rubens, das musste irgend so ein Maler gewesen sein, der sich keine richtigen Models leisten konnte, vermutete Rupert, und deswegen auf die Frauen seiner Nachbarschaft zurückgriff.

Sie verhaspelte sich in einer Strophe oder hatte den Text vergessen, jedenfalls klatschte sie jetzt in die Hände und motivierte ihn mit ihrem Hüftschwung zum Mitmachen.

>*Ob blond, ob braun*
Supi – supidupi, Rupi!«

Fast hätte sie ihn so weit gebracht mitzusingen.

»Supi – supidupi, Rupi!«

Er stellte sich vor, wie der gesamte Frauenchor der ostfriesischen Kriminalpolizei ihm zum Geburtstag dieses Lied darbrachte.

Wie sehr müssen sie mich mögen, dachte er, dass sie sich so viel Mühe geben, um mir eine Freude zu machen und mich zu beeindrucken.

Aber dann war da noch etwas in ihren Augen. So ein Funkeln.

Vielleicht, dachte Rupert, wollen sie mich auch nur verarschen. Legen die mich gerade rein? Verspotten die mich? Oder will die Wolters ernsthaft mit mir in die Kiste? Ausgerechnet der Bratarsch ... wer hätte das gedacht ...

»Hör auf zu singen!«, brüllte er. Diese Stimme brachte ihn voll aus dem Flow. Er fand die Stimme schrecklich. Statt dabei zu sein, wenn die Mordkommission seine Aktionen diskutierte, musste er sich jetzt dieses Gejaule anhören! Was sollte das?

Er äffte die Stimme von Sylvia Hoppe nach: »Ubbo sagt, du stehst darauf, und ihn machen zu viele Bonbons dick.«

»Typisch Vorgesetzter!«, fluchte er. »Kaum hat er keinen Bock mehr auf was, schon leitet er es an seine Untergebenen weiter. Du bist auch nicht besser als die andern, Ubbo!«

Dieses *Supi – supidupi, Rupi* machte ihn richtig fertig. Er spürte Aggressionen in sich aufsteigen, die nichts mit dem Flow zu tun hatten. Jetzt bekam er Lust, zerstörerisch zu sein, ungerecht und gemein, ohne Plan und ohne Ziel. Nur, um die eigenen Aggressionen auszuagieren. Ganz anders als der Vollstrecker, der überlegt handelte und das Leben anging wie ein Schachspiel.

Er hoffte, dass jemand den *Bochumer Taubendreck* in die richtige Sitzung tragen würde. Wie konnte das Schicksal so gemein zu ihm sein?

Er drehte den Empfänger leise und schaltete stattdessen das Radio ein. Nachrichten im NDR:

»EU-Kommissionschef Jean-Claude Juncker warnt Ungarn eindringlich davor, die Todesstrafe wieder einzuführen. Laut EU-Verträgen sei dies untersagt.

Sollte Ministerpräsident Viktor Orbán weiterhin auf seinen Plänen bestehen, könne das Land nicht länger in der EU bleiben.«

Er wusste nicht, wohin mit seiner Wut. Gegenwind von überall ... Er musste an die alte ostfriesische Weisheit denken: *Der Wind kommt immer von vorn.*

Immerhin war das Thema wenigstens wieder auf dem Tisch. Auch im alten Europa wurde wieder über die Todesstrafe nachgedacht. Ein Krebsgeschwür musste rausgeschnitten werden, eine bakterielle Entzündung bekämpfte man mit Antibiotika und nicht, indem man den Bakterien gut zuredete und für sie ein Überlebensbiotop anlegte.

Sie brauchten eine Truppe wie das Navy Seal Team 6. Die Eliteeinheit war so geheim, dass das Pentagon nicht mal den Namen bestätigte. Sie waren für die Tötung von Osama bin Laden verantwortlich. Sie wurden auf der ganzen Welt zur Menschenjagd eingesetzt. Sie operierten in Kriegsgebieten, spürten Verdächtige auf und schalteten sie aus.

Das Töten, schrieb die New York Times, sei ihnen zur Routine geworden. In manchen Nächten hätten sie fünfundzwanzig Menschen oder mehr liquidiert.

Immer wieder machte man ihnen in der Presse Vorwürfe, Unschuldige, ja, Kinder getötet zu haben. Aber noch nie war ein Mitglied des Teams angeklagt worden. Man hatte die Elitekämpfer höchstens auf andere Posten versetzt.

Genau das brauchen wir, dachte er. Ein Team 6. Zunächst für Ostfriesland. Dann für Niedersachsen. Und schließlich fürs ganze Land. Wir könnten Vorbild werden, die erste verbrecherfreie Region. Hier entgeht kein Straftäter seiner Bestimmung.

Er schaltete das Radio wieder aus. Für einen Moment war es ganz still. Selbst der Wind pfiff in Emden nicht ums Haus. Es schien keinen Straßenverkehr zu geben, als würde die Welt kurz anhalten, um ihm die Zeit zum Durchatmen und zur Neuorientierung zu geben.

War das Ganze ein dummer Zufall, oder zogen die ihn auf? Wollten die ihn provozieren? Wussten sie inzwischen Bescheid?

Wenn er im Flow war, spielten ihm alle Zufälle in die Hand. Dann gab es nur glückliche Fügungen und Umstände. Dann war alles rechtzeitig am richtigen Ort.

War etwas aus den Fugen geraten? Das Glück nicht mehr auf seiner Seite?

Im Flow kam es ihm vor, als sei ein ganzes Heer von Elite-Schutzengeln abgestellt worden, um ihm zu helfen, ihn zu unterstützen und ihm den Weg zu ebnen. Warum hatte keiner dieser spirituellen Helfer dafür gesorgt, dass die Bonbondose bei der Dienstbesprechung dabei war? Verschworen sich jetzt auch seine Schutzengel gegen ihn? Gab es eine Palastrevolte?

Er wusste plötzlich nicht mehr, wohin mit seinen Gefühlen. Ein Zittern, das in der Mitte seines Körpers begann, erfasste ihn wie Schüttelfrost. Er kannte das Gefühl aus der Kindheit und war auch gleich klatschnass. Da war plötzlich viel Angst, überschattet von einer monströsen, mörderischen Wut.

Sollte er runtergehen, Svenja Moers an die Gitterstäbe binden und auspeitschen? Würden ihre Schreie ihn wieder zurückbringen in den Flow? Oder sollte er sie mit Sprengstoff in der Tasche vor der Polizeiinspektion absetzen? Sie würde hineinrennen auf der Suche nach Hilfe, und er konnte den ganzen Laden in die Luft jagen.

Ja, danach war ihm. Sie hatten kein Recht, ihn auszuschließen von ihrer Sitzung. Er wollte sich nicht solche Lieder vorsingen lassen.

Das Zittern ließ nach. Er wurde ruhiger, und sein Verstand setzte ein.

Wenn du die Polizeiinspektion hochjagst, leistest du deiner Sache einen Bärendienst, tust den Kriminellen in Ostfriesland aber einen großen Gefallen. Dann können die sich endlich frei bewegen, und niemand steht mehr zwischen ihnen und ihren finsteren Plänen.

Egal, wie unzulänglich, ja, wie erbärmlich sie in ihrer Unentschlossenheit waren – es gab nur einen Weg: Er musste sie zu seinen Verbündeten machen. Und im Grunde war er doch ganz kurz davor.

Wenn ich ihren Kopf habe, werden sie mir alle folgen.

Noch einmal spielte er durch, wie er es schaffen könnte, Ubbo Heide zu entführen, um ihm zu zeigen, wie wahre Gerechtigkeit funktionierte und ihn zum Mitstreiter zu machen. Am besten zum operativen Leiter für Team 6.

Etwas hatte ihn immer abgehalten. Da war so eine Angst, diesem Mann nicht gewachsen zu sein. Seinem Charisma und seinen Argumenten am Ende zu erliegen.

Er lachte über sich selbst. Was bin ich nur für eine feige Mistsau? Ich fürchte mich vor einem pensionierten Polizisten im Rollstuhl.

Er schaltete den Empfänger wieder ein, in der Hoffnung auf eine gute Nachricht.

Er hörte Rupert: »Weißt du, ich steh ja nicht auf so Hungerhaken. Ich meine, als Mann will man doch auch was in der Hand haben. Da sind mir Speckröllchen lieber als hervorstehende Hüftknochen, an denen ich mich stoße.«

Sein Lachen klang wie das Gackern eines Hahns.

Will der mich wirklich anbaggern?, fragte Marion Wolters sich. Ist der wirklich so blöd, dass er nicht merkt, wie sehr er hier auf die Schippe genommen wird? Oder ist bei dem so sehr der sexuelle Notstand ausgebrochen, dass ihm jetzt schon alles egal ist?

Sie begann, zunehmend Spaß an der Situation zu finden. So mussten sich Schauspielerinnen fühlen, dachte sie. Sie spielte hier eine Rolle, und sie spielte sie gut. Das Publikum nahm sie ihr ab. Sie hoffte, dass das nicht nur bei Rupert der Fall war, sondern auch bei dem Mann, der sie hier heimlich abhörte und nicht ahnen durfte, dass sie längst von ihm wussten.

Solange der Mörder mir zuhört, macht er keine Dummheiten, und unsere Leute haben Zeit, sich einen Plan auszudenken.

Vielleicht spielte Rupert ja auch nur ein Spiel und versuchte, überzeugend rüberzukommen. Wollte er den Täter glauben machen, dass er Zeuge einer plumpen Anbaggeraktion wurde? Ja, eines von Anfang an verunglückten Flirts? Versuchte Rupert so, den Unbekannten am Empfänger zu halten? Oder meinte Rupert das alles ernst?

Es gab keine Möglichkeit, sich mit Rupert abzusprechen. Mit einer anderen Person wäre es leicht gewesen, sich mit Blicken und Gesten zu verständigen, aber bei Rupert wusste sie nie, woran sie war.

Wird mich das hier hinterher, fragte sie sich, zum Gespött der ganzen Firma machen? Werden wir beide hier zur Lachnummer? Werden die Aufnahmen später vor Gericht abgespielt werden? Wird die Presse dabei sein? Würde vielleicht irgendwann alles über soziale Netzwerke laufen? Heutzutage musste man mit allem rechnen.

»Baggerst du mich hier etwa an?«, fragte sie mit einer Stimme, die jeden, der nicht auf Sadomaso-Sex stand, abgetörnt hätte.

»Ja, ich kann verstehen, dass du davon träumst«, konterte Rupert.

»Glaubst du, ich weiß nicht, dass du mich Bratarsch nennst?«, schimpfte sie und ärgerte sich sofort über sich selbst. Sie musste diesen Spitznamen ja nicht auch noch selbst weiterverbreiten.

»Es tut mir ja auch leid für dich«, sagte Rupert, »aber jeder kann es sehen.«

»Was?«

»Na, dass du noch nie guten Sex hattest.«

Sie bekam vor Empörung kaum noch Luft. Am liebsten hätte sie ihm eine reingehauen, aber sie beherrschte sich, suchte noch nach den richtigen Worten, da fuhr Rupert schon fort: »Man kann es im Gesicht sehen, hier, an den Mundwinkeln. Obwohl, ich selbst schau mir ja immer lieber die Hintern von Menschen an. Die erzählen mir die ungeschminkte Wahrheit. Weißt du, so ein Gesicht, das lässt sich beherrschen, da haben die Leute bald eine Mimik drauf, dafür müssen sie keine Schauspielschule besuchen. Dann lächeln sie dich freundlich an und denken: Verreck, du Aas. Aber ein Hintern, der sagt die unverstellte Wahrheit.«

Er malte mit den Fingern Kugeln in die Luft.

»Ein richtig guter Arsch sagt dir, ob ein Mensch glücklich ist oder ... sexuell frustriert ...«

Marion Wolters drehte sich um, um Rupert nicht länger anschauen zu müssen. Dabei bot sie ihm die Rückseite, was ihr auch nicht gefiel, aber sie konnte sich schlecht hinter einem Vorhang verstecken. Sie hatte die Aufgabe, hier ein unverfängliches Gespräch zu führen. Sie hoffte, bald erlöst zu werden, denn sie wusste nicht, wie lange sie es noch mit ihm in einem Raum aushalten könnte.

»Ein Hintern«, philosophierte Rupert weiter, »sagt viel über den Charakter. Diese birnenförmigen sind zum Beispiel meistens ziemlich verlogen. Das gilt für Männer genauso wie für Frauen. Obwohl das bei Frauen natürlich viel ausgeprägter ist. Die ganz runden, prallen Halbkugeln«, er formte so einen Po mit den Händen in der Luft, »haben die Ehrlichen. Denen kann man vertrauen. Die mit dem kleinen, knackigen, knabenhaften Hintern, sind meist unkompliziert und fröhlich. Aber«, Rupert hob den Zeigefinger, »Vorsicht bei den zu gut trainierten. Da steckt viel

Arbeit drin. Die sind ichbezogen, trainieren immer den ganzen Tag, wollen überall die besten sein und kasteien sich.« Rupert winkte ab. »Da sag ich immer: Finger weg, mit denen macht es keinen Spaß. Die mit einem richtig ausladenden Gesäß, so ein üppiges, weiches Kissen, sind oft sehr lustbetont, dem Genuss zugewandt und …«

Sie baute sich vor ihm auf und stemmte die Fäuste in die Hüften. Trotzdem fuhr er fort: »Aber Vorsicht bei denen, wenn es hier so durchhängt.« Er zeigte auf ihre Oberschenkel. »Die können verdammt launisch sein.«

»Halt die Fresse, Rupert! Ich flipp gleich aus!«

»Siehst du, das meine ich. Erst liebevoll und freundlich, sie bezirzen einen, man fühlt sich gewollt, dann läuft nicht alles ganz so, wie sie sich das vorstellen, und sofort werden sie zickig und angriffslustig. Das ist ganz typisch für deine Poform. Deshalb kriegst du auch keinen Mann ab, davor schreckt doch jeder zurück.«

Sie stöhnte: »Was bist du nur für ein Idiot?!«

Was sie dann machte, war eine Art Übersprunghandlung. Sie konnte es sich selbst nicht erklären. Sie nahm die Dose mit dem *Bochumer Taubendreck*, öffnete sie, fischte sich eine weiße Pfefferminzpastille heraus und steckte sie sich in den Mund. Sie zerkrachte das Bonbon laut.

Sie hielt es nicht länger mit Rupert in einem Raum aus. Entweder ich schlage und würge ihn gleich, oder ich muss hier raus, dachte sie.

Sie stürmte an ihm vorbei zur Tür, blieb davor stehen und atmete erst mal tief durch.

Rupert rief von innen: »Ja, was ist? Kannst du die Wahrheit nicht ertragen? Stell dich deinen Problemen! So ein dicker Hintern ist doch im Grunde etwas Schönes! Man muss nur voll dazu stehen!«

Sie klebte einen Zettel an die Tür und schrieb mit rotem Filzstift darauf: *Dieser Raum wird vom Täter abgehört. Bitte darin keine Dienstgespräche.*

Dann lief sie die Treppe hinunter. Sie wollte zu ten Cate. Sie hatte Heißhunger auf Apfelkuchen mit Sahne.

Weller hatte die Nachricht von Ann Kathrin per WhatsApp erhalten: *Tagen im Smutje.*

Das fand Weller gut. Auf dem Weg von Oldenburg nach Norden freute er sich auf eine Rindsroulade, oder sollte er lieber das Deichlamm nehmen? Kurz vor Norden entschied er sich, das Tagesgericht zu nehmen.

Er parkte hinter dem Smutje. Weil er durch die schmale Straße zu rasant in den Innenhof einbog, flogen ein paar Kieselsteine gegen Peter Grendels gelben Bulli, der hier auch parkte. Peter stieg gerade aus. Er klopfte mit seiner großen Maurerhand auf Wellers Autodach und lachte: »Na, unser Freund und Helfer hat es heute aber wieder eilig! Müssen wir die Welt retten?«

»Schlimmer noch«, sagte Weller, »ganz Ostfriesland.«

Peter Grendel sah Weller hinterher, der mit großen Schritten im Smutje verschwand. »Hauptsache, der Deich hält!«, rief Peter, aber das hörte Frank Weller schon nicht mehr.

Er bestellte sich rasch bei Melanie Weiß das Tagesgericht: Gefüllte Paprikaschoten. Dann stürmte er hoch in den Frühstücksraum.

Er nickte den Kollegen kurz zu, um nicht den Fluss der Versammlung zu unterbrechen, zog sich einen Stuhl ran und setzte sich in die Nähe des alten Radios. So eins hatten seine Eltern früher auch gehabt. Es gehörte zu den besseren Erinnerungen an seine Kindheit. Vor dem Gerät hatte er gesessen und die ersten Hörspiele gehört und dabei die grünen und gelben Lichter leuchten sehen.

»Ich bin dafür«, sagte Ubbo Heide, »dass Ann Kathrin mit Willi Kaufmann redet und ihm unser Angebot unterbreitet.«

»Willst du es nicht lieber tun?«, fragte Ann Kathrin. »Ihr seid doch alte Kampfesgefährten.«

»Eben deshalb will ich es nicht machen«, erklärte Ubbo Heide. »Mir gegenüber würde er sich vielleicht verpflichtet fühlen. Ich denke, es ist besser, wenn du mit ihm sprichst, Ann. Du hast ihn verhört. Es ist dein Fall. Ich, liebe Freunde, bin nur noch so etwas wie euer Berater.« Er zeigte auf Büscher. »Der da ist euer Chef, und ich glaube, ihr habt damit keinen schlechten Fang gemacht.«

Büscher schien zu wachsen. Er stand an die Wand gelehnt und wippte auf knatschenden Schuhsohlen auf und ab.

»Wir werden jetzt hier einen genauen Plan machen, wie wir ein Gespräch so führen können, dass für Kowalski nur noch Kaufmann als nächstes Opfer interessant ist. Und dann bauen wir eine Falle, die hundertprozentig zuschnappt. Man wird uns kaum für die nächsten Wochen ein Sondereinsatzkommando zur Verfügung stellen. Aber wir werden es auch eilig machen und unseren Mann zum schnellen Zuschlagen bringen.«

Melanie Weiß trug die duftenden gefüllten Paprikaschoten für Weller herein. Weller setzte sich an einen Frühstückstisch und sah die anderen an. Jetzt erst wurde ihm klar, dass keiner von denen sich etwas zu essen bestellt hatte.

»Deine Kollegen«, sagte Melanie Weiß, »wollten nichts. Aber du lässt es dir bestimmt gerne schmecken, Frank.«

»O ja«, lachte er, »ich liebe gefüllte Paprikaschoten, und schöne Grüße an die Küche.«

Weller machte eine Geste an den Raum zu seinen Kollegen. »Ja, dann lasst euch nicht stören.«

Mit spitzen Lippen wünschte Elke Sommer: »Guten Appetit.«

Büscher spürte, dass er es nicht mehr nötig hatte, sich zu profilieren. Er redete gleich viel entspannter: »Ich denke, wir lassen diese Bonbondose da oben stehen und sperren den Raum. Da kann unser Täter ja gespannt ein paar Stunden lauschen. Später werden wir dann da oben eine gefakte Dienstbesprechung abhalten, um ihn auf Wilhelm Kaufmann zu …« Büscher sprach nicht weiter, weil ihm das Wort »hetzen« nicht passend genug war. Stattdessen wies er auf Elke Sommer und schob ein: »Selbstverständlich nur, wenn Herr Kaufmann damit einverstanden ist.«

»Dann müssen wir Ubbo aber die Treppen hochkriegen. Da gibt es keinen Fahrstuhl«, gab Sylvia Hoppe zu bedenken.

»Normalerweise«, sagte Ubbo Heide, »nehmen ja Expolizisten auch nicht mehr an Dienstbesprechungen teil.«

Büscher sah ihn dankbar an. Er übergibt mir den Laden wirklich, dachte er.

Weller sprach mit vollem Mund: »Wieso? Wir können die Dose doch auch runterholen und die Dienstbesprechung dann unten machen. So 'ne Bonbonschachtel ist doch leichter als Ubbo.« Er lachte über seinen eigenen Witz, aber Ubbo wehrte ab: »Ich bin zu alt für diesen Mist hier, Kinder. Wenn wir das hinter uns haben, dann …«

»Du lässt uns doch nicht im Stich, Ubbo?«, rief Rieke Gersema.

Ann Kathrin wusste, dass Ubbo das, so wie er gestrickt war, gar nicht konnte.

»Ich wünsche mir nur eins: Ich möchte wieder in Wangerooge sitzen und aufs Meer schauen und wissen, dass alles gut ist.«

»Das kannst du auch bald wieder, Ubbo«, versprach Ann Kathrin. »Ich glaube, wir können unserem Täter jetzt eine Tür zeigen, die er nur zu gerne einrennen wird. Und dahinter warten wir dann.«

»Mit Handschellen«, grinste Weller kauend.

Warum höre ich nichts mehr, verdammt, warum höre ich nichts mehr? Gerade war alles noch ganz klar, da durfte ich mir diesen dummen Singsang anhören. An der Batterie liegt es nicht. Sie tagen in einem anderen Raum, verfluchte Scheiße!

Am liebsten wäre er als alte Frau zur Polizeiinspektion Norden gefahren, einfach hineingegangen und hätte die Bonbonschachtel besser platziert oder noch einen zusätzlichen Abhörknopf. Er hatte noch ein halbes Dutzend davon. Sie waren im Internet spottbillig zu bekommen.

Aber die Aktion war zu gefährlich. Er wollte jetzt nichts riskieren.

Er sah sich auf dem Monitor Svenja Moers an. Wenigstens sie hatte er noch unter Kontrolle.

Er hasste es, die Kontrolle zu verlieren, nicht zu wissen, was die anderen machten. Es brachte ihn in die Machtlosigkeit seiner Kindheit zurück, wenn er nicht wusste, wo sein Vater war, wann der Alte nach Hause kam oder was dann geschehen würde.

Hilflos, machtlos, wehrlos, all das wollte er nie wieder sein.

Er lief runter zu Svenja Moers. Sie saß auf dem Fahrrad und strampelte. Inzwischen konnte sie die kleinen Lichtsignale an der Seite interpretieren, wenn die Kamera sich bewegte, oder wenn er sie näher heranzoomte. Aber es war noch mal anders, wenn er den Raum betrat. Gleich schoss Adrenalin durch ihre Adern, und sie strampelte noch schneller.

In vorauseilendem Gehorsam rief sie ihm entgegen: »Ich geb mir Mühe! Ich trainiere den ganzen Tag, wirklich! Ich hab auch schon eine viel bessere Kondition!«

»Gib mir dein Heft«, forderte er.

Sie sprang vom Rad. Die Pedale drehten sich ohne sie weiter. Sie holte ihr Heft und reichte es ihm durch die Gitterstäbe. Er blätterte darin, sah sich die Zahlen aber gar nicht genau an.

»Ich überlege«, sagte er wie zu sich selbst, »ob du mir helfen kannst, einen kleinen Auftrag zu erledigen. Ob du schon würdig genug bist.«

Sie witterte eine Chance für sich und nickte: »Ich werde alles erledigen. Worum geht es?«

»Sei stolz, dass ich dich auserkoren habe. Wenn du dich als würdig erweist, kannst du meine Helferin werden.«

Ich werde nicht drumherum kommen, mir Ubbo Heide zu holen, dachte er. Und was könnte ihn mehr überzeugen als eine geständige, geläuterte Mörderin, die die Seiten wechselt und sich bei uns einreiht?

Die Untersuchungshaftanstalt in Aurich war geschlossen worden. Sie hatte nicht mehr den Sicherheitsstandards genügt, und für Renovierungen war nicht genügend Geld da. Seitdem mussten die ostfriesischen Fahnder nach Festnahmen die Beschuldigten in den meisten Fällen nach Lingen oder Oldenburg in die JVA fahren.

Das zerrte an den Nerven, denn die Wege wurden länger.

Wilhelm Kaufmann saß auf eigenen Wunsch in Lingen ein. Er sah sehr gefasst aus. Seine Jacke hing über der Stuhllehne. Er trug seine private Kleidung. Sie wirkte aber wie eine Häftlingsuniform auf Ann Kathrin.

Er wusste, dass er hier in U-Haft sicher war. Er legte seine Hände gefaltet wie zum Gebet auf den Tisch. Er atmete durch die Nase. Es hörte sich für Ann Kathrin wie ein Schnaufen an, als bekäme er schlecht Luft oder stünde kurz vor einer Erkältung. Dabei machte er aber einen ruhigen, ja entspannten Eindruck auf Ann Kathrin.

Sie hängte ihre Handtasche über die Stuhllehne. »Sie kommen mir vor«, sagte sie, »wie ein Reisender, der zu schweres Gepäck hatte und nun froh ist, es irgendwo abgestellt zu haben.«

»Das haben Sie schön ausgedrückt, Frau Klaasen. So ähnlich fühle ich mich auch. Als seien Lasten von mir gefallen.«

»Weil Sie Birger Holthusen erstochen haben? Oder weil Sie selbst mit dem Leben davongekommen sind?«

Bedächtig schüttelte er den Kopf. »Ich fühle mich hier in der Untersuchungshaft merkwürdig frei, so als hätte ich einen großen Sieg davongetragen.«

Sie setzte sich zu ihm. Auch sie faltete die Hände. Für einen Außenstehenden sah es aus, als würde sie seine Körperhaltung imitieren. Sie machte so etwas manchmal unbewusst, als könnte sie sich dann besser in den anderen hineinversetzen.

Kaufmann registrierte das durchaus.

»Für Sie ist vielleicht alles vorüber, und die Dinge werden rund. Aber für uns geht es weiter. Wir haben da draußen immer noch einen Mörder herumlaufen. Wir wissen inzwischen, wie er aussieht, und er hat eine Gefangene. Svenja Moers. Sie könnten uns helfen, die Frau zu retten und einige andere Menschen vor einem schlimmen Schicksal zu bewahren, denn er wird garantiert weitermachen.«

»Ja, da haben Sie ganz sicher recht, Frau Klaasen. Er wird weitermachen. Es muss gruselig für ihn sein, wenn die Sache mit Birger Holthusen bekannt wird. Wie steht er dann da? Als einer, der zwei Leute enthauptet hat, die unschuldig waren. Mein Gott, wie kann er diese Scharte wieder auswetzen?« Kaufmann sah auf seine Finger und fuhr fort: »Nein, das kann er sowieso nicht. Er kann höchstens versuchen, es vergessen zu machen.«

»Vergessen zu machen?«, fragte Ann Kathrin. »Durch neue Morde?«

»Ja. Und indem er leugnet, was geschehen ist. Die Sache muss ihn fuchsteufelswild machen. Werden Sie es überhaupt in der ganzen Tragweite publizieren? Weiß die Presse schon Bescheid?«

»Sie wissen natürlich von dem Toten auf Langeoog. Aber sie kennen nicht alle Zusammenhänge.«

»Wenn er es in der Zeitung liest, wird er durchdrehen.«

»Ja. Ich hoffe, dass wir ihn vorher erwischen.«

»Haben Sie einen Plan?«

Jetzt sah sie ihm gerade in die Augen. Er hielt dem Blickkontakt stand.

»Sie spielen eine wichtige Rolle in unserem Plan, Herr Kaufmann.«

Er lächelte und senkte seinen Blick nicht.

Ann Kathrin tastete nach hinten und befühlte mit den Fingern ihre Handtasche. Dann atmete sie noch einmal tief durch und erklärte: »Birger Holthausen hielt Sie für den Täter. Er hatte Angst, dass Sie ihn auch töten würden. Und deshalb ist er auf Sie losgegangen. Stimmt's? Er wollte einfach schneller sein.«

»Ja, genau so war es.«

»Sehen Sie, und wir haben Sie auch verdächtigt. In der Tat gibt es viele Dinge, die gegen Sie sprechen.«

Er hörte nicht auf zu lächeln, als sei er stolz darauf. Sie fragte sich, ob er ahnte, worauf sie hinauswollte.

»Sie haben ihn auch gesehen. Er war in Gelsenkirchen in Ubbos Lesung. Er hat mit Ubbo ein Interview im Intercity-Hotel gemacht.«

»Dieser Lange, Dünne mit den Bonbons? Der aussah wie ein Marathonläufer, aber alle paar Minuten eine Zigarette brauchte?«

»Genau der. Wissen Sie, wo er sich aufhält?«

Kaufmann zuckte mit den Schultern. »Woher denn? Ich kenne ihn nicht. Ich habe ihn nur an diesem Tag …« Er dachte nach, schüttelte dann aber wieder den Kopf. »Nein, ich habe sonst mit diesem Menschen nichts zu tun.«

Jetzt kam Ann Kathrin mit der ganzen Wahrheit raus: »Er hört uns ab. Wir wissen auch genau, wie er es macht. Das heißt, wir können einen Kontakt zu ihm aufbauen und …«

Kaufmanns Lächeln wurde breiter. Er zog die Hände am Körper hoch wie ein Boxer, der eine Deckung aufbauen will, dann schlug er mit der flachen Hand auf den Tisch, zeigte mit dem Zeigefinger der Linken auf Ann Kathrin und stieß es hervor wie einen Faustschlag: »Ich soll den Lockvogel machen!«

»Ja, so ist es. Wenn wir …«

Kaufmann deutete ihr an, dass sie schweigen solle. Er wollte beweisen, dass er noch dachte wie ein richtiger Ermittler, der die Witterung aufgenommen hat und kurz davor ist zuzuschnappen.

»Sie werden den Presseleuten nicht erzählen, dass Birger Holthusen der Mörder von Steffi Heymann und Nicola Billing ist. Das weiß ja außer uns noch niemand. Stattdessen werden Sie der Presse präsentieren, dass ich der Kindsmörder bin. Dann weiß diese hagere Gestalt, die ja schon von weitem aussieht wie der galoppierende Tod, nicht nur, dass er die falschen Leute geköpft hat, sondern er weiß auch, dass der richtige Täter noch lebt. Dann wird er kommen, um sich meinen Kopf zu holen.«

Kaufmann gluckste vor Freude und tippte mit dem Zeigefinger jetzt auf den Tisch. »Das ist eine verrückte, aber gute Idee. Und sie wird funktionieren. Wenn er kommt, um mich zu holen, haben wir ihn.«

Ann Kathrin fragte sich, woher diese Freude kam und ob dies Kaufmanns Galgenhumor war.

Sie hatte sich nicht vorgestellt, dass es so einfach sein könnte. Sie war bereit, ihn zu überreden, ihm Zeit zum Nachdenken zu lassen, aber ihm ging es ja gar nicht schnell genug.

Aus Erfahrung wusste sie, dass Menschen, die schnell Ja sagten, auch rasch wieder einen Rückzieher machten. Deswegen blieb sie vorsichtig. »Wir müssen das der Presse natürlich gar nicht mitteilen. Wir wollen Sie ja nicht beschädigen. Irgendetwas bleibt immer hängen. Die Presse können wir völlig außen vor lassen. Er hört uns ja ab.«

Kaufmann pfiff durch die Zähne. »Das ist gut. Das ist sehr gut! Und wie wollen wir die Falle bauen? Hier wird er ja wohl kaum hereinkommen, um mich zu erledigen.«

»Ich wollte Ihnen zunächst unser Angebot unterbreiten, um zu erfahren, ob Sie bereit sind ...«

»Angebot? Was für ein Angebot? Ich dachte, Sie kommen mit einer Bitte, Frau Klaasen.«

»Na ja, wenn Sie so wollen, ist es eine Bitte. Niemand würde es Ihnen übelnehmen, wenn Sie nicht mitmachen. Die ganze Sache ist hochriskant.«

Er schob die Schultern nach hinten und drückte die Brust raus. »Es ist mir ein tiefes Bedürfnis, Frau Klaasen. Endlich kann ich einen sinnvollen Beitrag leisten. Jetzt, da ich nicht mehr zur Truppe gehöre, werde ich zu Ihrem wichtigsten Mann. Sie glauben gar nicht, wie gut mir das tut.«

Ann Kathrin versprach: »Er wird nicht wissen, wo Sie sind. Wir bringen Sie in einem Hotel unter.«

Er machte eine raumgreifende Geste: »Ich bin bereits in einem Ihrer Hotels. Charmant finde ich es nicht gerade, aber die Sicherheitsstandards überzeugen ...

»Wir haben keine Zeit zu scherzen, Herr Kaufmann. Wir könnten drei, vielleicht vier Kollegen abstellen, um Sie zu bewachen. Unser Mann wird von uns eine klare Information bekommen, wann er Sie wo kriegen kann. Und dort fangen wir ihn dann.«

Kaufmann drückte sich mit den Füßen ab, so dass sein Stuhl nur noch mit den beiden Hinterbeinen auf dem Boden war. Das Ganze sah recht wacklig aus, als könne er jeden Moment auf den Rücken knallen. Die Stuhllehne stand jetzt in einem Winkel zum Boden, so dass sein Jackensaum den Fußboden berührte.

»Ich habe mal einen Lehrgang zu einem ähnlichen Thema besucht. Es ist schon einige Jahre her. Ein professioneller Lockvogel aus den USA war da und hat uns ...«

Ann Kathrin hob ihre Hände und zeigte die Handflächen vor. »Ich weiß, ich weiß. Das Ganze ist brandgefährlich, und ich kann Ihnen auch nicht guten Gewissens raten, dabei mitzumachen. Aber ich muss Ihnen diese Frage stellen.«

Er verschränkte die Hände hinterm Kopf und bog sich weiter nach hinten. Wollte er ihr zeigen, dass er bereit war, ein Risiko einzugehen? Er erinnerte sie an einen Schuljungen aus der hinteren Bank, der versucht, seinen Lehrer zu provozieren, indem er Kunststücke auf dem Stuhl vorführt.

»Hören Sie auf, Frau Klaasen, hören Sie auf«, bat er. »Sie machen mir ein Geschenk.«

»Ein Geschenk?«

»Mein Leben ist doch sowieso am Arsch. Das hier ist für mich die Möglichkeit, mich zu rehabilitieren.«

»Ich kann Ihnen nicht versprechen, dass Sie wieder in den Dienst zurück ...«

»Darum geht's doch gar nicht. Wenn wir diese Sache hier gemeinsam zu Ende bringen, wird niemand mehr sagen: *Das da ist der Willi. Haben sie den nicht entlassen, weil er seine Gefühle nicht im Griff hatte, ab und zu durchdrehte und Leute windelweich geprügelt hat?* – Nein, man wird sagen: *Das ist der Willi, der uns geholfen hat, einen gefährlichen Serienkiller zu kriegen. Er hat dafür seinen Hals riskiert.*«

Ann Kathrin nickte: »Ja, Herr Kaufmann, wenn Sie die Aktion überleben, könnten Sie zum Helden werden.«

»Na bitte. Das nenne ich ein Geschenk. Sagen Sie mir, wie es laufen soll, wann und wo. Und dann holen Sie mich hier wieder ab.«

»Hier?« Sie konnte nicht glauben, dass er tatsächlich in U-Haft bleiben wollte. Aber er fand, dies sei ein sicherer Ort. Noch.

»Das einzige, was mir hier fehlt, ist ein guter Lieferservice für Spaghetti Carbonara. Ein Bier hätte ich auch ganz gern und ... es müssen ja nicht gleich Austern sein, aber so ein Teller Meeresfrüchte und vielleicht ein gebratener Seewolf wären schon ganz schön.«

Sie stand auf und kam einen Schritt auf ihn zu. »Das wird überhaupt kein Problem.« Sie wollte ihn an der Schulter berühren. Manchmal gab eine Berührung einem Gespräch erst Realität. »Wir werden Sie hier bestens versorgen.«

Er hielt ihre Hand fest. Das gefiel ihr nicht. Sie versuchte, sie zurückzuziehen, doch sein Griff war hart. Er sah ihr in die Augen. »Wichtiger als gutes Essen ist mir eine Schusswaffe. Ich muss mich wehren können, falls ...«

»Ich kann Ihnen unmöglich hierher ... Das verstößt gegen alle Regeln.«

»Es geht aber nicht um Regeln. Es geht darum, dass er mich nicht holt, bevor euer Plan Wirklichkeit wird. Der schert sich nicht um Regeln. Wenn wir uns daran halten, dann ist er uns sofort meilenweit überlegen.«

»Ja«, sagte Ann Kathrin, »das hätte er vermutlich so ähnlich ausgedrückt. Ich kann Sie in ein Hotel bringen, links und rechts in den Nebenzimmern Kollegen einmieten. Selbstverständlich können Sie dann eine Waffe bekommen. Aber hier ...«

»Sie haben Ihre Waffe in der Tasche, stimmt's?« Jetzt ließ er ihre Hand los.

Sie gab es sofort zu: »Ja, ich habe meine Dienstwaffe dabei.«

Er hielt seine Hand auf.

»Und wenn ich es nicht wieder tue«, sagte Ann Kathrin, öffnete ihre Handtasche und fischte sie heraus.

Er steckte die Waffe mit einer beiläufigen Bewegung in seine Hosentasche. So, wie sie sich dort abmalte, würde jeder Idiot sie auf Anhieb bemerken.

Ann Kathrin schossen schreckliche Bilder durch den Kopf. Eine Schießerei auf dem Flur. Ein verletzter Wachmann.

Nein, das waren keine Vorahnungen, das waren erschreckende Phantasiebilder. Sie war schon als Kind sehr phantasiebegabt gewesen, und im Laufe der Jahre hatte sie gelernt, sich Horrorszenarien auszudenken.

Wie würde sie dastehen? Sie hatte ihre Dienstwaffe einem Mann gegeben, der gerade zugegeben hatte, auf Langeoog Birger Holthusen erstochen zu haben. Ja, sie hatte eine Waffe zu einem Mann geschmuggelt, den sie bis vor kurzem für den Mörder von Heymann und Stern gehalten hatte. Was, wenn sich alles noch einmal drehte und plötzlich herauskam, dass er doch ... Wie oft hatte sie es erlebt, dass eine winzige Information plötzlich alles veränderte, die Sache in einem neuen Licht erscheinen ließ.

Was, fragte sie sich, würde Ubbo davon halten, dass ich Wilhelm Kaufmann bewaffnet habe. Und dann hörte sie im Kopf die Stimme ihres Vaters: *Ann, vertrau deinem Gefühl. Das ist immer schneller als der Verstand und meist auch viel präziser.*

Kaufmann stand auf, nahm die Jacke von der Stuhllehne und hielt sie so, dass die Heckler & Koch in seiner rechten Hosentasche verdeckt wurde.

Clever, dachte Ann Kathrin. Jeder andere hätte die Waffe in seine Jacke gesteckt. Er nicht.

Ann Kathrin klopfte, und ein Vollzugsbeamter kam herein.

Laut und mit einer ganz anderen Stimmlage als vorher sagte Kaufmann: »Danke für den Besuch, Frau Kommissarin. Sie brauchen sich wirklich keine Sorgen zu machen. Man behandelt mich hier mit Respekt, und es fehlt mir an nichts.«

Sie lächelte den Beamten an. »Herr Kaufmann wünscht sich einen Pizzaexpress. Können wir das regeln?«

Der Beamte schmunzelte und führte Willi Kaufmann zurück in seine Zelle.

Svenja Moers sah ihm an, dass etwas anders war. Er benahm sich wie eine Nachbarin, die kommt, um sich Salz auszuleihen, in Wirklichkeit aber auf eine Gelegenheit hofft, jemanden zu finden, dem sie ihr Herz ausschütten kann. Seine Bewegungen hatten etwas Weibliches an sich, ohne tuntig zu wirken. Seine Gesichtszüge waren weicher als sonst, um die Mundwinkel herum fast ein wenig zittrig. Er sprach mit einer nach Anerkennung heischenden Stimme.

Sie blieb vorsichtig. Sie wusste, wie schnell seine Stimmungen umschlagen konnten, und vielleicht war auch dies hier wieder nur ein Trick von ihm, eine besonders große Fallhöhe zu schaffen, wenn er sie ängstigen wollte. Er fand Gefallen an ihrer Furcht. Er mochte ihre Tränen, und sie wollte ihm so wenig wie möglich davon geben.

Sie hatte eine englische Stimme im Kopf. Sie konnte sich nicht erklären, woher die kam. Sie sagte: *Don't feed him.*

War das ein abgespaltener Teil ihrer Persönlichkeit? Begann ihre Seele, sich aufzusplittern, weil die schrecklichen Erfahrungen nicht mehr integrierbar waren? Sprach ein Teil ihrer Seele Englisch, wie damals, als sie mit ihren Eltern Urlaub in Torquay gemacht hatte und dort ihren ersten Freund kennenlernte, der wunderschöne Haare hatte und einen herrlich muskulösen Oberkörper, aber leider kein Wort Deutsch sprach. Durch diese Liebe hatten ihre Englischkenntnisse einen Riesensprung gemacht. Zwei Wochen verliebtes Herumturteln waren lerneffektiver gewesen als zwei Schuljahre Vokabeln pauken.

War es seine Stimme, die sie hörte?

Nein, natürlich, jetzt fiel es ihr ein. Die Erinnerung traf sie wie ein Schmerz aus dem Inneren ihres Körpers. Sie hatten sich Brote mitgenommen, Fleischwurst und gebratene Koteletts. Sie hatten einen Hund gefüttert, der auf sie zukam. Sie fand ihn niedlich, und er sah halb verhungert aus, doch es war ein verwildertes, räudiges, angriffslustiges Tier.

»Don't feed him«, hatte Oliver gerufen, aber da war es schon zu spät gewesen. Schließlich kamen vier Hunde und die beiden waren gezwungen, von dieser schönen, einsamen Stelle am Strand zu fliehen.

Oliver hatte sich tapfer verhalten und die Hunde mit Steinwür-

fen und einem Stock abgewehrt. Sie waren ihnen noch lange gefolgt, mindestens gefühlte drei Kilometer.

Damals hatte sie noch nicht vorgehabt, einen ihrer Männer
umzubringen, und vielleicht, dachte sie, wenn ich Oliver geheiratet hätte, wäre ich heute eine glücklich verheiratete Frau mit drei
inzwischen fast erwachsenen Kindern in Torquay.

Er brachte tatsächlich zwei Tassen Kaffee mit. Er servierte den
Kaffee in edlen Teetassen. Der Duft weckte Lebensgeister in ihr
und Erinnerungen an wahrlich bessere Zeiten.

Sie dachte nicht darüber nach, ob er vielleicht irgendeine
Droge darin eingestreut hatte, um sie willenlos zu machen. Er
hatte ohnehin die totale Kontrolle über die Dinge, die sie zu essen
bekam.

Sie probierte den Kaffee, und das Gefühl, sich Lippen und
Zunge zu verbrennen, war gigantisch gut.

Nimm, was du kriegen kannst, dachte sie sich.

»Ich habe mal eine Frage«, sagte er. »Wie würdest du das machen?«

Sie sah ihn ungläubig an. *Er* hatte eine Frage an *sie*?

»Ich möchte eine Botschaft an alle schicken, die wie du ihrem
gerechten Urteil entgangen sind. Und ich frage mich, wie ich es
machen soll …«

Seine Stimme war leise, zurückhaltend, ganz anders als sie es
von ihm gewöhnt war. Genau das machte ihr jetzt Angst. Wird er
mir gleich etwas ganz Furchtbares vorschlagen, um mich restlos
zu erschrecken? So etwas wie: Ich schneide dir die Finger ab und
verschicke dich in Einzelteilen?

Sie traute ihm alles zu.

Aber er legte den Kopf schräg, fragte, ob ihr der Kaffee auch so
gut schmecke oder er vielleicht zu stark sei und ob sie ihn lieber
mit Milch oder Zucker wolle.

»Ich trinke ihn am liebsten schwarz«, sagte sie. Er prostete ihr
wortlos mit der Tasse zu, nahm selbst einen Schluck, roch dann

nochmal daran und flüsterte: »Ich könnte an alle einen Brief schicken. Aber Briefe sind so altbacken, findest du nicht? – Ich meine, wer schreibt denn heutzutage noch Briefe? Außerdem dauert das viel zu lange. Am liebsten möchte ich, dass sie es sofort wissen. Ich will sie unter Stress setzen. Je weniger sie Zeit zum Nachdenken haben, umso mehr Fehler werden sie machen. Jetzt ist es an der Zeit, Druck auszuüben. Von den meisten habe ich die E-Mail-Adressen. Aber eine E-Mail ist so etwas Unpersönliches. Mit ein bisschen Pech wird sie bei ihnen sogar als SPAM registriert und landet erst mal im Müllordner.«

Sie schlürfte den Kaffee laut, um Zeit zu gewinnen. »Ich weiß nicht, was ich dazu sagen soll.«

»Na, was würdest du tun?«

»Ich würde anrufen. Die Stimme am Telefon ist sehr direkt.«

Er lachte bloß. »Du willst mich reinlegen, du verdammtes Luder! Du weißt doch genau, dass sie einen Anruf zurückverfolgen können. Außerdem habe ich keine Lust, zwei Dutzend Leute anzurufen. Die Polizei würde dieses Gebäude stürmen, bevor ich den Dritten am Telefon habe.«

»Ich ... ich wollte wirklich nicht ... Ich bin doch keine ...«

Sie wagte nicht, es auszusprechen.

»Keine was? Keine Kriminelle? Du hast deine zwei Ehemänner umgebracht. Schon vergessen? Ich dachte, wir können uns auf einer Ebene unterhalten – auf Augenhöhe!«

Die Kaffeetasse begann, auf dem Unterteller zu klappern, weil Svenja Moers zitterte. Mist, dachte sie, er hat mich schon so weit. Ist es das, was er will?

»Ich habe nie Erpresserbotschaften verschickt oder so was«, sagte sie.

Er zeigte mit dem Finger der linken Hand auf sie. »Botschaft. Das ist das entscheidende Wort. Es muss eine Botschaft sein, und jeder muss vom anderen wissen, dass er sie auch bekommen hat. Was hältst du von einer Videogeschichte? Du könntest den Text vorlesen, und ich lade ihn auf YouTube hoch. Du hast doch da einen eigenen Kanal, oder nicht?«

Sie wusste nicht, wovon er sprach. Dann fiel es ihr wieder ein. Ja, sie hatte mal einen kleinen Urlaubsfilm hochgeladen. Verdammt, woher wusste er das?

Er freute sich, ballte die Faust und schlug damit einen rechten Haken, als würde er einen unsichtbaren Gegner ausknocken. »Das ist es! Wir drehen ein Video! Du erzählst, wer du bist, ein bisschen was über deine Situation, und dann zählst du all die Namen auf und sagst ihnen, dass ich kommen werde, um sie zu holen. Mach ihnen so richtig Angst!«

»Und dann?«, fragte sie, weil sie nicht wusste, worauf alles hinauslaufen sollte.

»Und dann werden sie zur Polizei rennen und gestehen, weil die Strafen, die unsere Gerichte für sie vorsehen, unvergleichlich viel freundlicher sind als das, was ich mit ihnen machen werde.«

Ihr war klar, dass sie es mit einem völlig Verrückten zu tun hatte. Und sie beschloss, alles zu machen, was er von ihr verlangte. Irgendwann würde die Polizei dadurch den richtigen Hinweis erhalten. Vielleicht war dieses Video ihre Chance.

Weller war besser gelaunt als die anderen. Vielleicht lag es daran, dass er gefüllte Paprikaschoten gegessen, dazu ein alkoholfreies Weizenbier getrunken hatte und nun alles noch mit einem Espresso abrundete, während die anderen so taten, als hätten sie entweder keinen Hunger oder keine Zeit zu essen.

Weller wusste, dass so etwas nie lange gutging. Je intensiver gearbeitet wurde, je konzentrierter die Jagd nach dem Täter war, umso besser musste er speisen. Er ging fest davon aus, dass nur ein satter Mensch genügend Energie hatte, um über komplizierte

Sachverhalte nachdenken und phantasievolle Lösungen entwickeln zu können.

»Wir sollten«, schlug Weller vor, »ihn auf eine Insel locken.«

Büscher stimmte ihm zu. »Eine Insel ist gut. Da können wir leicht die Zufahrtswege kontrollieren. Je kleiner die Insel ist, umso besser. Wir lassen ihn rauf, aber nicht wieder runter. Wenn wir vorbereitet sind, flieht keiner von der Insel.«

Inzwischen war auch Rupert zur Truppe gestoßen. Die Dose *Bochumer Taubendreck* stand ganz allein oben in der Polizeiinspektion Norden.

»Ich finde eine Insel total bescheuert«, polterte Rupert. »Da fallen unsere Leute doch sofort auf. Je kleiner die Insel ist, umso schneller.«

Elke Sommer lächelte. »In einer Berliner Hochhaussiedlung kann sich ein SEK sicherlich besser verstecken als auf Baltrum. Die Insel ist doch so klein, da ist man *bald rum*.«

»Ja, Baltrum ist wirklich zu klein«, konstatierte Weller, »aber eine Insel, die tideabhängig ist, sollten wir schon wählen.« Er führte weiter aus: »In den touristischen Stoßzeiten fährt doch alle halbe Stunde eine Fähre nach Norderney. Das ist schwer unter Kontrolle zu halten. Ich würde Wangerooge vorschlagen, Spiekeroog oder auch Juist. Borkum finde ich schon wieder zu groß.«

Büscher hob den Zeigefinger. »Langeoog wäre sinnvoll. Immerhin macht Kaufmann dort jedes Jahr Urlaub. Es wäre also nicht unlogisch, wenn er jetzt wieder in seine Ferienwohnung fährt. Sie ist ja ohnehin noch gebucht.«

»Wir haben gerade«, warf Sylvia Hoppe ein, »auf Langeoog eine Menge Leute aufgescheucht. Immerhin ist dort Birger Holthusen erstochen worden. Wir haben Kaufmann da einkassiert. Werden die Leute nicht komisch gucken, wenn er plötzlich wieder da ist?«

»Die Leute interessieren mich nicht. Aber der Täter«, gab Weller zu bedenken, »weiß das unter Umständen.«

Alle sahen Ubbo Heide an, als würden sie von ihm eine Entscheidung erwarten.

»Langeoog ist zwar tideunabhängig, aber trotzdem sicherlich die richtige Wahl«, sagte Ubbo bedächtig. »Im ganzen Haus dürfen nur unsere Leute sein, auf keinen Fall dürfen da irgendwelche Feriengäste wohnen. Willi Kaufmann darf keinen Schritt ohne uns machen, muss vollständig verkabelt sein. Kollegen, das dürfen wir nicht vergeigen! Sollte Willi später mit durchschnittenem Hals am Strand liegen, könnt ihr euch alle nach neuen Jobs umschauen.«

»Ist das, was wir hier planen, überhaupt legal?«, fragte Elke Sommer.

Rieke Gersema stöhnte und sah aus, als wollte sie es lieber gar nicht wissen.

Büscher antwortete: »Wenn Kaufmann mitspielt, ja. Und wenn nicht, werden wir es auch nicht machen.«

Wellers und Büschers Handys meldeten sich fast gleichzeitig. Beide gingen sofort ran. Ann Kathrin informierte Weller darüber, dass Kaufmann mit im Boot war, und Büscher nahm die Information aus Achim entgegen, Volker Janssen habe sich in der Polizeiinspektion gemeldet. Er bestehe auf Personenschutz, weigere sich, das Gebäude zu verlassen und wolle in ein Zeugenschutzprogramm aufgenommen werden.

»Zeugenschutzprogramm?«, fragte Büscher. »Es wäre ja wohl eher ein Täterschutzprogramm, was?«

Büscher lauschte eine Weile, dann schimpfte er: »Ja, klar gilt der juristisch als unschuldig. Sie haben ihn freigesprochen. Aber …« Er winkte ab, als sei die Sache nicht wert, darüber noch Worte zu verlieren. »Ach, lassen wir den Scheiß. Was interessiert mich sein Anwalt … Meinetwegen steckt ihn bei euch in die Ausnüchterungszelle und haltet ihn so lange unter Verschluss, bis er selbst die Schnauze voll hat.«

Weller bedankte sich bei Ann Kathrin für die Information und freute sich, Büscher zurechtstutzen zu können: »Wir können nicht davon ausgehen, dass der Täter tun wird, was wir planen. Vielleicht führt er uns auch hinters Licht. Er kennt unseren Plan, lacht sich darüber kaputt und holt sich einen anderen. Zum Beispiel diesen Volker Janssen!«

Büscher wiegelte ab. »Wir können unmöglich alle beschützen – und dann auch noch auf Kaufmann aufpassen und eine Falle stellen. Wir haben nicht das Militär zur Verfügung, sondern nur unseren eigenen Apparat.«

Ubbo Heide meldete sich zu Wort. »Weller hat recht. Wir sollten froh sein, wenn die Kollegen in Achim uns an dieser Stelle entlasten. Janssen wird ihnen nicht weglaufen – im Gegenteil –, und sie sollen ihn auf Nummer Sicher halten.«

»Und wenn er genau das will?«, fragte Elke Sommer. »Bis jetzt war er euch doch immer einen Schritt voraus. Er weiß, dass ihr nicht ein paar Hundert Leute zur Verfügung habt. Es ist ihm völlig klar, dass ihr nicht jeden aus Ubbos Buch beschützen könnt. Wir reden hier immerhin über zweiundzwanzig noch lebende Personen, und von dem zweiten Band mag ich jetzt gar nicht reden. Er will, dass ihr euch verzettelt, um euch dann zu zeigen, wie erbärmlich eure Mittel im Gegensatz zu seinen sind.«

Es gefiel Weller nicht, dass Elke Sommer *ihr* und *euch* sagte, sich also bewusst davon ausnahm, als würde sie nicht dazugehören. Als versuche sie jetzt schon, sich von einer drohenden Niederlage zu distanzieren oder wolle einfach nichts mit der Sache zu tun haben. Ganz so einfach ging es aber Wellers Meinung nach nicht.

Er, den viele für viel zu nett hielten, wies Elke Sommer scharf zurecht: »Gehörst du nicht mehr zu uns, oder wie darf ich deine Worte verstehen?«

Sie sah ihn an, als hätte sie keine Ahnung, wovon er sprach.

»Ja«, sagte Ubbo Heide, »das fällt mir auch auf, Elke. Deine Worte drücken eine merkwürdige Distanz zu uns aus. Wir brauchen gerade jetzt deinen Sachverstand. Sag uns, wie du die Sache einschätzt.«

Sie schluckte und bewegte ihre Schultern ruckartig. »Ich schätze die Sache verdammt noch mal so ein, dass er uns vorführt. Er lockt das Schlimmste in uns hervor. Er will, dass wir alle zu Mörderbestien werden. Und wir sind auf dem besten Weg, den Pfad der Tugend zu verlassen.«

Ubbo Heide stellte erleichtert fest: »Immerhin sagst du jetzt wieder *wir*.«

Er hatte die Kamera vor den Gitterstäben aufgebaut. Er war richtig aufgeregt, als sei er jetzt ein echter Regisseur, der einen Film drehte und Angst hatte, beim Publikum durchzufallen.

»Nein! Stell dich nicht so hin! Dann sieht man hinter dir nur das Bett. Das macht so einen schlüpfrigen Eindruck. Eigentlich wäre es besser, man würde hinter dir Folterinstrumente sehen oder irgendetwas, das den Leuten Angst macht.

Lächle nicht so viel, wenn du sprichst, verstehst du? Es muss ihnen Angst machen! Wenn du sie anlächelst, ist das nicht furcht-einflößend, sondern das macht das Ganze zu einem Witz. Das geht nicht!

Überhaupt siehst du viel zu gesund und glücklich aus. Wenn wir jetzt hier einen richtigen Film drehen würden, dann gäbe es auch eine Maske, und sie würden dir ein blaues Auge schminken und eine dick geschlagene Lippe. So was haben wir ja nicht. Aber ich finde es sowieso besser, wenn die Dinge echt sind, das macht einfach mehr Eindruck – was denkst du?«

»Ich … ich könnte mir ein Pflaster ins Gesicht kleben …«, schlug Svenja vor. Aber er schüttelte den Kopf. »Nein, nein, das bringt's nicht. Das sehen die sofort. Du hast wohl noch nie so ein richtig zusammengeschlagenes Gesicht gesehen, was? Das muss anschwellen und aufplatzen. Das kriegen wir nicht zusammengetürkt, dafür sind wir nicht gut genug. Das Beste ist, ich hau dir einfach ein paar rein.«

»Nein«, sagte sie, »bitte nicht.«

Sie fürchtete schon, dem Ganzen nicht mehr entgehen zu können, da hatte sie eine Idee: »Ich denke, es soll so aussehen, dass Sie mich gut behandeln. Warum führe ich denn dieses Buch und muss zunehmen und soll fit werden? Wie sieht das denn aus, wenn ich mit einem zusammengeschlagenen Gesicht in die Kamera spreche? Diese Verbrecher werden vielleicht Angst bekommen, aber wenn Sie wirklich Leute wie Ubbo Heide für sich gewinnen wollen, dann geht das so nicht.«

Ihre klare Argumentationskette machte ihn nachdenklich. »Ja, lass es uns probieren. Kannst du deinen Text?«

Sie hatte Angst, ihn nicht auswendig zu können. Vor allen Dingen die vielen Namen. »Ich weiß nicht. Ich werde mich bestimmt verhaspeln. Kann ich nicht einen Zettel haben und ablesen?«

»Ja, aber es sieht viel besser aus, wenn du es frei entwickelst, wenn es einen spontanen Eindruck macht. Versuch ja nicht, mich reinzulegen und irgendwelche Botschaften im Text unterzukriegen. Dann kannst du danach alles noch mal vorlesen, aber diesmal mit aufgesprungener Lippe und blauem Auge. Klar?«

Sie nickte.

Er nahm hinter der Kamera Aufstellung. »Also los. Die Show kann beginnen. Wir schreiben jetzt Geschichte, und du bist hier die Glücksfee beim Lotto und sagst ihnen, wer gewonnen hat. Nur, dass sie keinen Millionengewinn abholen können, sondern entweder in den Knast gehen oder sterben werden.«

Sie begann: »Mein Name ist Svenja Moers. Ich sitze für meine Taten in diesem Gefängnis.« Sie zeigte auf die Gitterstäbe. »Das Gericht hat mich freigesprochen, obwohl ich meine zwei Ehemänner getötet habe. Auch auf euch wartet eine gerechte Strafe. Der Vollstrecker wird euch holen. Einen nach dem anderen. Es sei denn, ihr stellt euch euren Taten und bekennt! Wer die Schande fürchtet und der weltlichen Gerichtsbarkeit entgehen möchte, kann auch gerne den Suizid wählen und sich der himmlischen Gerichtsbarkeit stellen. Aber beeilt euch, sonst wird der Vollstrecker euch holen und eure Köpfe abtrennen wie die von Yves Stern und Bernhard Heymann. Ich verlese jetzt die Namen: Volker Janssen. Johannes Kleir. Professor Ludwig. Susanne Sarwutzki …«

»Nicht Sarwutzki. Sewutzki!«, schimpfte er. »Jetzt müssen wir alles noch mal machen!«

Weller sah die Nachricht auf dem Display, während er Ubbo Heide lauschte.

Volker Janssen hatte inzwischen einen Anwalt, der duftete – daran erinnerte Weller sich sofort –, als sei er ein Motorboot, das vor Havanna ankerte.

»Wenn alle Kriminellen, die er herausgepaukt und zu freien Leuten gemacht hat, über Nacht verhaftet werden würden«, so sagte Weller über diesen Mann, »würde man in Ostfriesland schwer bereuen, die JVA Aurich geschlossen zu haben, statt einen Erweiterungstrakt zu bauen. Anwälte wie der ersparen dem Staat viel Geld, weil so viele Kriminelle frei rumlaufen. Für die Opfer ist das allerdings weniger prickelnd. Weder für die ehemaligen noch für die zukünftigen.«

Und dieser Anwalt hatte Volker Janssen geraten, da er jetzt ganz ohne Alibi war, das Tötungsdelikt in Syke zu leugnen und den Vorfall in Bensersiel in einem anderen Licht darzustellen. Ja, es habe Geschlechtsverkehr in beiderseitigem Einvernehmen stattgefunden, allerdings habe die Frau sich danach offensichtlich geschämt und wollte ihrem Freund gegenüber nicht als Mädchen dastehen, das leicht zu haben war, deswegen habe sie – inspiriert durch Berichte in der Presse – eine versuchte Vergewaltigung herbeigelogen und dabei sehr genau geschildert, was sie über den »Lustmord« in Syke gelesen habe.

Damit stand Aussage gegen Aussage. Das Ganze war sehr lange her.

Schon als Weller las, wer die Verteidigung übernommen hatte und was der Anwalt vorbrachte, wusste er, dass Volker Janssen den Gerichtssaal als freier Mann verlassen würde.

Weller erwischte sich dabei, die leise Hoffnung zu haben, der Vollstrecker könne sich den Typ vielleicht holen, bevor der sich am nächsten Opfer vergreifen würde. Er biss sich auf die Lippen, um nichts zu sagen.

Es war für Weller, als würde sich der Anwalt mit seinem Angeberrasierwasser im Raum befinden. Er konnte ihn praktisch riechen.

Ubbo Heide erklärte: »Wir wissen nicht, was dieser angebliche Journalist, dieser Kowalski, alles mitgehört hat. Vielleicht sind noch woanders Mikros, und eine unbedachte Äußerung, die irgendjemand von uns gemacht hat, kann in so einem kranken Gehirn zu monströsen Rückschlüssen führen. Egal, was er weiß – wir müssen das alles in unser neues Bild einbauen, das wir ihm liefern.«

»Er sucht«, sagte Büscher mit fast neidischem Respekt, »die Nähe zu dir, Ubbo. Ja, er sucht deine Anerkennung. Wenn er ahnt, dass er die irgendwie kriegen kann, wird er genau das tun, um sie zu bekommen.«

Ubbo Heide nickte. »Das denke ich auch.«

»Deswegen«, forderte Weller, »solltest du, Ubbo, auf jeden Fall bei dem Gespräch dabei sein. Wir holen die Bonbons wieder runter, stellen sie auf den Tisch und dann …«

»Wenn er merkt, dass wir ihn verarschen wollen, flippt er aus. Und dann werden wir alle zur Zielscheibe. Wir haben nur einen Wurf frei, Leute. Wir sollten gut zielen.«

Die Frage, ob das hier überhaupt legal sei, hatte Rieke Gersema für sich noch nicht geklärt. Sie würde das alles später als Pressesprecherin verkaufen müssen. Aber sie sagte nichts, sondern hoffte einfach nur, dass alles gutgehen würde.

Sie hatten es aufgegeben, ein Drehbuch zu entwerfen, Sätze aufzuschreiben, die jeder sagen sollte. Das alles klang so vorgelesen, so auswendig gelernt. Nein, er würde ihnen sofort darauf kommen.

Sie mussten das hier im Gespräch entwickeln. Es sollte locker klingen, unfertig, wie hingeworfen. Keine gedrechselten Sätze, an denen lange herumgeschliffen worden war. Kein Papierrascheln, kein Ablesen, das er im Klang der Worte mithören konnte.

Ubbo Heide war blass um die Lippen und hochkonzentriert.

Rieke Gersema hatte darum gebeten, dabei zu sein. Kein Wort wollte sie sagen, sondern nur stumm zuhören. Ann Kathrin war dagegen gewesen, doch Ubbo hatte zugestimmt. »Vielleicht kann sie etwas lernen. Irgendwann werden wir nicht mehr da sein, und dann waren wir, auch mit unserem Scheitern und mit unserer Angst, ein Vorbild für viele. Man kann nur lernen, wenn man die anderen agieren sieht.«

Sie waren jetzt unten in der Norder Polizeiinspektion mit Blick auf den Marktplatz. Rieke kam mit der Bonbonschachtel in den Raum, schüttelte sie gut durch, um ihn notfalls zu wecken, falls er eingeschlafen war, und sie eröffnete mit den Worten: »Tut mir leid, Ubbo. Ich war bei ten Cate. Sie haben keine Marzipanseehunde mehr. Ausverkauft. Aber vielleicht tun es ja auch diese Bonbons aus Bochum.«

Ubbo Heide stöhnte. »Wie, die haben keine Marzipanseehunde mehr? Auch keine Deichgrafkugeln?«

»Nein«, sagte Rieke, »Jörg Tapper ist persönlich gekommen und hat gesagt, er lässt dir die erste Fuhre gleich rüberbringen.

Die Touristen haben ihn praktisch leer gekauft. Es war ein Riesenrun ...«

Ubbo Heide zwinkerte ihr zu. Sie machte das gut. Es klang glaubwürdig und jeder, der Ubbo kannte, wusste, dass das hier zu ihm passte. Es hörte sich überhaupt nicht nach einem simplen Trick an.

Ubbo griff in die Dose, nahm ein Stück *Taubendreck* heraus und zerkrachte es laut zwischen den Zähnen, so dass der Täter es hören musste, falls er dieses Gespräch belauschte.

»Wenn ich schon solche Entscheidungen treffen muss oder solche Nachrichten höre, dann brauche ich Marzipan für den Magen. Da hilft mir eigentlich nichts anderes. Aber danke, Rieke. Lass uns jetzt bitte allein, ich muss etwas mit Ann Kathrin unter vier Augen besprechen.«

Rieke Gersema machte die Tür auf und schlug sie laut wieder zu, blieb aber im Raum und setzte sich. Sie legte einen Zeigefinger über die Lippen und machte eine Bewegung, als würde sie ihre Lippen mit einem Schloss verschließen.

»Wenn ich nicht schon pensioniert wäre, dann würde ich jetzt meinen Dienst quittieren, Ann. Ich habe mich noch nie so hilflos und ratlos gefühlt.«

Ann Kathrin räusperte sich. Sie sah Ubbo intensiv an, während sie sprach und versuchte, in seinem Gesicht zu lesen, ob sie das hier richtig machte oder ob es künstlich, ja falsch klang. Ihre eigene Stimme kam ihr komisch vor, aber Ubbo sah aus, als würde sie das prächtig machen. Er zeigte ihr sogar den erhobenen Daumen.

»Birger Holthusen war unsere letzte Möglichkeit, Willi Kaufmann zu überführen. Deswegen hat er ihn auf Langeoog getötet. Aber das können wir ihm nicht nachweisen. Wenn überhaupt, dann wird der Richter daraus Notwehr machen. Ein Exbulle, der am Strand überfallen wurde, sich gewehrt hat und ...«

»Das heißt, der Tod der beiden Kinder Steffi Heymann und Nicola Billing wird ungesühnt bleiben?!«

Ubbo Heide spuckte die Worte aus, als würde er sonst daran ersticken: »Ja, genau so wird es sein. Es hat sowieso kein Richter Lust, die Sache noch einmal aufzurollen. Schon einmal sind wir mit einer Anklage gescheitert. Damals gegen Heymann und Stern. Gegen Kaufmann haben wir nicht die geringste Chance. Das alles ist lange her. Zeugen erinnern sich nicht mehr richtig, und den einzigen Belastungszeugen hat Kaufmann beseitigt.«

»Das bedeutet, er kommt ungestraft davon?«

»Ja, das heißt es. Und schlimmer noch, der Vollstrecker hat zwei Leute enthauptet, die unschuldig waren. Der wirkliche Kindsmörder läuft aber weiter frei herum.«

»Ja. Wir müssen ihn aus der U-Haft entlassen, und er kann wieder zurück in seine Ferienwohnung auf Langeoog. Er hat sich bei mir«, sagte Ann Kathrin, »schon nach den Fährverbindungen erkundigt. Das war seine erste Sorge.«

»Und was hast du vor, Ann?«

»Na, was wohl?«, antwortete sie. »Ich werde versuchen, den Vollstrecker zu kriegen und Svenja Moers zu befreien. Die Sache mit Kaufmann ist sowieso sinnlos. Da kommen wir nicht weiter.«

Ubbo Heide schlug mit der Faust auf die Armlehne des Rollstuhls, so dass es merkwürdig quietschte, als sei der Rollstuhl lebendig oder als habe er ein Tier geschlagen. »Was mich am meisten wurmt«, schimpfte er, »Kaufmann ist einer von uns. Er hat in meiner Nähe gearbeitet. Er hat seine Ermittlertätigkeit ausgenutzt, um den ganzen Fall Heymann und Stern in die Schuhe zu schieben. Kein Wunder, dass ich schließlich vor Gericht gescheitert bin und wie der letzte Idiot dastand. Wie soll ich zwei Leuten ein Verbrechen nachweisen, wenn sie es nicht waren? Mein Gott, muss der sich vor Gericht amüsiert haben! Ihm war es egal, ob die beiden freigesprochen oder verurteilt würden. Hauptsache, er geriet nicht ins Fadenkreuz unserer Ermittlungen.«

Gegen jede Absprache riss Weller die Tür auf, stand im Flur und machte Bewegungen und Andeutungen, mit denen er versuchte, Ann Kathrin herauszulocken. Sie antwortete mit einem Schulterzucken und verzog den Mund. Ubbo Heide griff sich an den Kopf, als frage er sich, wie jemand so dämlich sein konnte, jetzt hier reinzuplatzen.

Weller zeigte auf den *Bochumer Taubendreck* und winkte erneut. Es schien so dringend zu sein, dass es keinerlei Aufschub duldete. So kannte Ann Kathrin Weller kaum. Er war nur sehr selten so und dann nie grundlos.

Sie ging raus zu ihm in den Flur. Sie standen draußen, flüsternd wie ein Liebespärchen, aber was Weller zu sagen hatte, klang nicht wie ein erotisches Versprechen: »Er hat auf YouTube angekündigt, sie alle umzubringen. Die gesamte Liste aus Ubbos Büchern. Svenja Moers liest es vor. Insgesamt einundvierzig Namen. Wir dachten, dass wir ihn jagen, Ann. Aber er hetzt uns.«

»Wenn es übers Internet gelaufen ist, müsst ihr die IP-Adresse ermitteln können, und dann ...«, sagte Ann Kathrin aufgeregt.

»Ja ja«, konterte Weller, »so weit sind wir auch schon. Charlie Thiekötter, unser Computerfreak, sagt, es gibt zwei Möglichkeiten: Entweder steht der Computer im Bundeskanzleramt, oder der Täter verarscht uns. Ich trau der Regierung zwar einigen Mist zu, aber ich denke mal, in dem Fall will uns der Täter nur zeigen, was er drauf hat.«

Es war, als sei seine Mutter im Raum und würde ihn auslachen. Das kannte er aus seinen schlimmsten Albträumen. Er fühlte sich ganz klein, versuchte, sich zu verteidigen, feuerte Rechtfertigungen ab wie ein Flakschütze Geschosse gegen die heranrückende Bomberstaffel, wissend, dass er das Stadtviertel, in dem er wohnt, nicht schützen kann. Es wird zerstört werden.

Ja, so hatte er sich jedes Mal gefühlt, wenn seine Mutter spottend über ihn herzog.

»Das stimmt nicht, Mama«, sagte er gegen die Wand. »Die lügen. Die wollen mich lächerlich machen, blamieren, zum Aufgeben zwingen. Ich habe nicht die falschen Leute gerichtet! Die sagen das jetzt nur, um …«

Er fühlte sich schrecklich, wenn er so war und wollte nur aus der Situation herauskommen. Er hatte nie eine Flak bedient, war nie während des Bombenhagels zum Bunker gerannt. Das alles kannte er nur aus den Erzählungen der Großmutter. Die war noch Flakhelferin gewesen. Doch es war, als hätte sie noch auf dem Sterbebett ihre Angstträume an ihn vererbt. So, wie dieses Haus hier erst an seine Eltern gegangen war und dann an ihn.

Der Angriff kam aus dem Dunkeln. Man hörte nur das schreckliche Brummen in der Luft. Und dann fielen auch schon die Bomben.

Er nahm das große Brotmesser aus dem Block und schnitt damit genüsslich eine tiefe Fleischwunde in seinen linken Oberarm. Es tat gut, das Blut herauslaufen zu sehen. Es brachte ihn zurück in die Wirklichkeit. Er gehörte nicht zu dieser Kriegsgeneration. Das alles waren alte Familienerfahrungen, nicht seine eigenen. Er musste es loswerden, wie einen Fluch. Einen Exorzismus dagegen ausüben.

Schon als Kind hatte er sich, wenn die Träume durch die Erzählungen der Großmutter übermächtig wurden, geritzt. Es hatte meist geholfen.

Einerseits wollte er sich verbinden, um nicht zu viel Blut zu verlieren und damit die Wunde sich nicht entzündete. Er hatte noch so viel vor. Er brauchte seine ganze Kraft. Andererseits war es wunderbar, dem herauspulsierenden Blut zuzusehen. Er hatte noch so viel Leben in sich.

Er verband sich ganz in Ruhe. Es war wie ein Heilungsritual. Wie gut Schmerz tun konnte! Jetzt war er wieder in der Wirklichkeit. Keine Bomben in der Nacht.

Er war nicht wehrlos, nicht hilflos.

Er konnte handeln. Er gab den Takt vor.

Er kontrollierte die Situation.

Vielleicht bot die neue Lage ja auch neue Möglichkeiten. Wenn sie sich wirklich alle geirrt hatten und Heymann und Stern unschuldig gewesen waren, dann gingen sie ebenfalls auf das Konto von Willi Kaufmann. Er hatte sich zu seinem Instrument machen lassen.

Wie erlösend musste es für Ubbo Heide und seine Truppe sein, wenn er ihnen die Arbeit abnahm und nun alles zu einem guten Ende brachte. Es konnte doch nicht sein, dass so jemand wie dieser Kaufmann ungeschoren davonkam.

Während ihr die Mörder und Verbrecher bewacht, die Ubbo Heide in seinem Buch bloßgestellt hat, hole ich mir den richtigen Gangster.

Warum nicht Langeoog? Er mochte die Insel, obwohl es lange her war, dass er sie zum letzten Mal besucht hatte. Damals lebte seine Mutter noch.

Gern wäre er ihr zu Ehren als alte Frau rübergefahren, aber die Gefahr, dass seine Verkleidung bekannt war, erschien ihm zu groß. Er lächelte. *Noch kennt ihr nicht alle meine Tricks. Ich werde euch noch einmal verblüffen. Falls ihr nur vorhabt, mich reinzulegen, werdet ihr euch wundern!*

Büscher schaffte es in kürzester Zeit, 104 Einsatzkräfte zu mobilisieren, um alle im Video genannten Personen zu schützen und über ihre Gefährdung zu informieren. Im Internet brach ein Sturm los, der zum Zusammenbruch der Homepage der ostfriesischen Kriminalpolizei führte.

Ann Kathrin Klaasen entschied, dass Rupert als Kellner auf der Fähre zwischen Bensersiel und Langeoog arbeiten sollte.

»Was?«, fragte Rupert entgeistert. »Ich soll …?«

Ruhig erklärte Ann Kathrin: »Der Täter war auf jeden Fall in Gelsenkirchen dabei. Wir wissen nicht, wen er von uns kennt, aber alle Kollegen, die in Gelsenkirchen beteiligt waren, sind ihm bekannt. Er wird versuchen, nach Langeoog zu kommen. Falls er die Fähre nimmt, ist wenigstens einer von uns dabei.«

»Aber hau nicht gleich jede alte Dame um, die nur ihren Sommerurlaub auf der Insel verbringen möchte«, frotzelte Weller.

»Wir haben an Bord sechs Leute eines Sondereinsatzkommandos. Sie sind schon unterwegs zur Fähre.«

»Ach, werden die jetzt auch zu Servierkräften?«

»Na klar«, grinste Weller, »und du bist der Oberkellner und schikanierst sie alle.«

Ann Kathrin blieb ernst. »Nein, die werden in voller Ausrüstungsmontur versteckt in einem Raum sitzen. Vermutlich im Maschinenraum oder im Gepäckraum oder was weiß ich. Und nur auf dein Kommando hin einen Zugriff versuchen.«

Das gefiel Rupert. Sein Brustkorb blähte sich auf. »Also mache ich den Oberkellner, und die Bande hört auf mein Kommando!«

»Wieso versuchen?«, fragte Weller und sah Ann Kathrin kritisch an. Sie zuckte mit den Schultern. Hatte sie sich etwa durch ihre Wortwahl verraten? Glaubte sie nicht daran, dass das Einsatzkommando ihn auf der Fähre erwischen könnte?

Weller rieb sich die Hände, wie er es manchmal beim Kochen aus Vorfreude aufs Essen tat. »Der Flugplatz ist für uns leichter zu überwachen. Wenn er von Harlesiel fliegt, kassieren wir ihn in der Schalterhalle ein.«

Ann Kathrin nickte: »Am besten wäre es für uns natürlich, wenn er erst gar nicht bis zur Insel kommt.«

»Es gibt bestimmt noch mehr Möglichkeiten, die Insel zu erreichen. Vielleicht nähert er sich mit einem eigenen Segelboot oder taucht plötzlich als Surfer auf oder ...«, orakelte Weller.

Ann Kathrin deutete Weller an, nicht noch mehr Fässer aufzumachen. »Ja, Frank«, sagte sie, »wir lassen die Würfel rollen und hoffen, das Spiel zu gewinnen. Wir müssen aber einkalkulieren, dass wir es mit einem sehr raffinierten Täter zu tun haben.«

»Ich sage euch eins, Leute«, rief Rupert geradezu stolz. »Er wird in irgendeiner Scheißverkleidung versuchen, auf die Insel zu kommen, und zwar mit der Fähre, in einer Touristenmenge. Und das wird den Einsatz von unserem SEK-Kommando nicht gerade erleichtern. Im Gegensatz zu ihm werden wir nicht riskieren, dass Unbeteiligte draufgehen, das weiß er genau. Aber vielleicht kann ich ja …«

Rupert stand auf und deutete an, wie er als Kellner ein Tablett an den Tisch bringen wollte. Der durch sein Iliosakralgelenk verursachte Schmerz ließ das Ganze etwas steifer aussehen, als er gehofft hatte.

Bevor er fortfahren konnte, sagte Ann Kathrin: »Nein, bitte spiel nicht den Helden, Rupert!«

»Was heißt hier Helden spielen? Wenn er vor mir sitzt, sich ein Krabbenbrötchen bestellt und ein Bier, dann kann ich es ihm doch bringen, ihm die Puste an den Kopf halten und sagen: *Wir drei finden dich zum Kotzen und sind der Meinung, du solltest jetzt die Hände in die Höhe nehmen.*«

»Wir drei?«, fragte Ann Kathrin.

Rupert öffnete sein Jackett, zeigte sein Holster mit der Dienstwaffe und grinste: »Heckler, Koch und ich.«

Weller wusste, wie dämlich Ann Kathrin Angebereien mit Schusswaffen fand und wunderte sich darüber, wie falsch Rupert die Situation einschätzte. Glaubte er wirklich, so bei Ann Kathrin punkten zu können? Oder zog er diese Show hier ab, weil er im Grunde seines Herzens Angst vor der Situation hatte und hoffte, dass sie ihm erspart bleiben würde?

»Noch ein bisschen, Rupert, und du kannst stattdessen Akten bearbeiten. Auf meinem Schreibtisch häufen sich gerade unbearbeitete Papierstapel. Zum Beispiel müsste dringend eine Statistik zu den Außendiensteinsätzen …«

Rupert machte einen Diener, verbunden mit einer unterwürfigen Geste: »Schon klar, Chefin. Ich hab's kapiert!«

Die Tür öffnete sich mit diesem Surren, mit dem inzwischen ihre Angstträume begannen. Er stand da, mit verbundenem linken Oberarm. Ein Stück des weißen Verbandszeugs baumelte herunter. Er erinnerte sie an Michael Jackson beim *Moonwalk*, als er sich fast traumtänzerisch auf sie zu bewegte. Mit der rechten Hand trug er einen übergroßen Kulturbeutel in rosa. Eine viel zu große Damentasche aus den Siebzigern mit einem Horngriff und silbernen Schnallen daran.

Er öffnete die Zellentür.

Ihr Herz raste vor Aufregung.

Er schwang die Tasche in den Raum, ließ sie ein Stück durch die Luft fliegen. Sie landete auf dem Bett. Darin klirrten Fläschchen und Dosen gegeneinander.

Er schloss die Tür wieder, blieb vor den Gitterstäben stehen, griff nach hinten und zog aus seiner Jeans eine Seite aus einer Illustrierten. Er hielt ihr das Blatt hin. Darauf war eine Frau mit glamouröser Hochsteckfrisur.

»Kriegst du das hin?«, fragte er. »Ich will, dass du mondän aussiehst.«

Was hat er vor, dachte sie. Soll ich wieder ein Video drehen, oder will er mich freilassen?

Zunächst gab sie sich Mühe, seine Laune zu verbessern. »Klar krieg ich das hin. Aber so etwas dauert natürlich. Die Frisur ist aus den Sechzigern oder Siebzigern oder Achtzigern. Also, ich selbst hab so was nie getragen, aber meine Mutter …«

»Meine auch«, sagte er, und zum ersten Mal entstand zwischen ihnen beiden etwas Verbindendes. Das machte Svenja Moers Hoffnungen.

»Bist du bereit, mir zu helfen? Bereust du deine Taten? Willst du auf der Seite der Guten mitkämpfen?«

Sie nickte eifrig.

»Du brauchst eine andere Haarfarbe. Such dir eine aus! Ich habe von Quietschblond bis Hexenrot alles da. Hauptsache, du siehst anders aus als jetzt. In der Tasche sind auch Brillen mit Fensterglas.«

Sie öffnete die Tasche, und tatsächlich. Die Brillen ließen sie an Auftritte von ABBA denken. Sie wusste selbst nicht genau, warum. Es waren große Brillen mit dunklen Gläsern.

»Damit sehe ich aus wie Puck, die Stubenfliege«, sagte sie, und er lachte: »Ja, meinetwegen.«

»Was haben Sie vor? Warum soll ich das anziehen?«

Sie hatte Angst, mit der Frage zu weit gegangen zu sein und eine neue Wutattacke auszulösen. Doch er blieb ganz gelassen.

»Du sollst für mich eine Botschaft überbringen. Dabei mochte ich, dass du genau diese Frisur trägst, eine von den Sonnenbrillen und diese Ohrringe hier.« Er hielt sie hoch.

»Ich ... ich vertrage keine Ohrringe«, sagte sie, und das Zittern in ihrer Stimme verriet ihre Angst. »Ich hätte gerne Ohrringe getragen, aber mir schwellen die Ohren an, ich kriege Halsschmerzen, es juckt ganz erbärmlich und dann ...«

Er tat, als hätte sie ihn nicht verstanden. »Ich habe gesagt, ich möchte, dass du diese Ohrringe trägst.«

Er hielt ihr die Ohrringe mit der rechten Hand durch die Gitterstäbe hin. Sie nahm sie und betrachtete sie. Sie waren rund, aus Gold und in der Mitte saß jeweils ein kleiner, schwarzer Stein. Sie sahen unspektakulär aus. Ob das die Ohrringe waren, die seine Mutter getragen hatte, fragte sie sich.

»Zeig mir, ob sie dir stehen, sonst hole ich dir andere.«

»Ich ... ich habe keine Löcher mehr in den Ohren. Die sind zugewachsen. Ich habe ja seit dreißig Jahren keine Ohrringe mehr getragen. Wie gesagt, ich bin allergisch gegen ...«

»Dann werden wir dir eben Ohrlöcher stechen müssen. Ohne die Ohrringe geht es nicht.«

»Ich könnte vielleicht Clips tragen«, schlug sie vor. »Wenn wir hinten einen anderen Verschluss machen, dann …«

Er verzog spöttisch den Mund. »Clips können abfallen – man kann sie«, er machte es vor und riss von seinem Ohr imaginäre Clips ab, »einfach so herunterziehen und wegwerfen.«

»Das werde ich nicht tun, ganz sicher nicht!«

»Ich habe keine Pistole, mit der man Ohrlöcher normalerweise schießt. Aber ich habe eine Gürtelzange. Damit kann ich saubere Löcher in Hosengürtel stechen. Weißt du«, er zeigte auf seinen Gürtel, »ich musste sie mir immer enger machen. Du kriegst selten Gürtel in der passenden Größe.«

»Nein, bitte nicht!«, sagte sie.

»Fang schon mal an, dir die Haare zu färben. Ich hol die Gürtelzange. Damit kriegen wir schöne, gleichmäßige Löcher hin.«

Er verschwand durch die Tür. Sie schloss sich mit einem Fauchen hinter ihm, das sie an das Maul eines Monsters aus einem Horrorfilm erinnerte, den sie gemeinsam mit ihrem ersten Mann gesehen hatte, der auf solchen Mist stand.

Sie sackte zusammen, kauerte sich auf den Boden vors Bett und klemmte ihre Hände in ihre Kniebeugen. So hatte sie als kleines Mädchen manchmal dagesessen, wenn die Furcht vor der großen, unverständlichen Welt sie gepackt hatte.

Mit Staunen und Bewunderung erlebte Ann Kathrin, wie Büscher und Ubbo Heide im perfekten Zusammenspiel ihre alten Kontakte und Beziehungen zur Justiz einsetzten, um komplizierte Dinge, die viele Formulare und Dienstwege erfordert hätten, in Minuten möglich zu machen. Es war ein fast erhebendes Gefühl, ihnen zuzusehen, wie sie die Dinge am Telefon regelten.

Minuten später hatte sie alle Papiere, die sie brauchte, um Wilhelm Kaufmann aus der Untersuchungshaft abzuholen.

Keiner von beiden, weder Büscher noch Ubbo, hatte ein lautes Wort gesprochen.

Ann Kathrin versuchte, von ihnen zu lernen, wie man im Behördendschungel die Nerven behielt und bekam, was nötig war.

»Am Ende«, sagte Ubbo Heide zu ihr, »werden alle Regeln und Gesetze von Menschen gemacht und von Menschen ausgelegt. Wir müssen immer aufpassen, dass sie noch ihren Sinn erfüllen. Die Gesetze sind für die Menschen da, nicht umgekehrt.«

Der *Bochumer Taubendreck* stand jetzt in Ubbo Heides ehemaligem Büro, direkt neben dem Radio, *Nordseewelle* voll aufgedreht.

Ann Kathrin holte Willi Kaufmann persönlich in Lingen ab. Als sie seine Zelle betrat, lag er auf dem Bett, ihre Waffe unter seinem Kopfkissen.

Sie fuhr zunächst mit ihm ins Polizeikommissariat in der Wilhelm-Berning-Straße. Dort warteten zwei Spezialisten, die Wilhelm Kaufmann verkabelten.

»Wir werden morgen«, sagte Ann Kathrin, »die erste Fähre von Bensersiel nach Langeoog nehmen.«

Wilhelm Kaufmann stand mit nacktem Oberkörper da und wurde verbunden, als hätte er eine gebrochene Rippe. Unter dem Verband befand sich das erste Mikrophon. Ein zweites im Knopf seiner Jacke und ein drittes im Schuh.

»Die Verletzung«, sagte Ann Kathrin, als müsse sie ihm eine Legende verpassen, »haben Sie sich im Kampf mit Birger Holthusen zugezogen. Das ist glaubhaft.«

»Nimmt das Mikro im Schuh überhaupt auf, was ich sage?«

»Keine Ahnung. Aber wenn Sie uns warnen müssen, keine Jacke mehr haben und auch das da an Ihren Rippen aus irgendwelchen Gründen nicht mehr funktioniert, dann ziehen Sie halt Ihren Schuh aus und geben uns durch, wo Sie …«

»So weit wird es nicht kommen«, beruhigte Kaufmann sie, und gleichzeitig ahnte er, dass es irgendwo noch einen vierten Sender geben würde, über den sie ihn nicht informiert hatte, damit er nicht auf die Idee kam, sie auszutricksen und sich aller Abhörgeräte zu entledigen.

Er trank Mineralwasser aus der Flasche. Er hatte großen Durst. Dabei wischte er immer wieder mit der Zunge über seine Zähne und blähte seine Wangen auf, als würde er mit dem Mineralwasser gurgeln.

»Morgen früh. Und wo bleibe ich über Nacht? In Brake in meiner Wohnung?«

»Das steht Ihnen natürlich frei. Aber wir schlagen vor, dass Sie im Nordseehotel Benser-Hof in Bensersiel, gegenüber vom Yachthafen, schlafen.«

Kaufmann pfiff durch die Lippen. »Das ist ein Vier-Sterne-Haus. Darf ich davon ausgehen, dass in dem Fall die Staatskasse zahlt?«

Ann Kathrin lächelte: »Ja, und in dem Fall sogar die Suite.«

»Bleiben Sie an meiner Seite?«, fragte er.

»Nein, aber vier Kollegen werden dort bereits auf Sie aufpassen. Sie haben Zimmer auf der gleichen Etage, und vor der Tür wird ein Einsatzwagen stehen.«

»Klasse. Und was steht drauf? *Vorsicht, wir beschützen einen Kindsmörder?*«

»Nein, er wird getarnt sein.«

Wilhelm Kaufmann lachte. »Na klar. *Eine Kelle für alle Fälle.* Ein Bauwagen von Peter Grendel, dann kommt keiner drauf, dass ihr dahintersteckt …«

»Nein. *Theo Hinrichs, Buttforde.*«

Kaufmann nickte: »Theos Reisekonditorei.«

»Dies ist eine touristische Gegend. Niemand wird Verdacht schöpfen. Der Wagen sieht aus, als würde er auf den nächsten Einsatz warten.«

»Die Kollegen werden sich dumm an den Berlinern und Apfeltaschen fressen, wenn Theo noch ein paar drin lässt«, scherzte Kaufmann. »Aber warum nehmen wir die erste Fähre? Glauben Sie, dass er schon drüben ist?«

»Wir können das nicht ausschließen. Per Lufttaxi kann er von Norden-Norddeich, von Harlesiel oder auch von Bremen gekommen sein.«

»Man braucht doch nicht mal einen Ausweis, wenn man in so einen Flieger steigt.«

»Trotzdem vermute ich, dass er die Fähre nehmen wird. Die Langeoog III hat Platz für achthundert Passagiere, da wird sich so einer wie er sicherer fühlen als in einem engen Flugzeug, aus dem er im Zweifelsfall nicht rauskommt.«

Wilhelm Kaufmann zeigte auf Ann Kathrin: »Sie denken genau wie diese Typen, Frau Klaasen. Sie sind als Kommissarin das Schlimmste, was diese Verbrecherwelt sich vorstellen kann. Die Fähren fahren fast stündlich. Er wird nicht mit der ersten rüberkommen, sondern dann fahren, wenn besonders viele Touristen an Bord sind, glauben Sie mir, Frau Klaasen.«

Er hatte ihr vorher sogar zwei Schmerztabletten gegeben, aber jetzt brannten nicht nur ihre Ohren, sondern der Schmerz ging bis rauf in die Haarwurzeln. Am linken Ohrläppchen hörte es überhaupt nicht auf zu bluten.

Es tat ihm sichtlich leid. Er stammelte: »So ein Ohr ist halt kein Ledergürtel. Aber es geht nicht anders. Oder meinst du, ich hätte es besser mit einem Nagel versuchen sollen?«

Die Frisur war ihm nicht kapriziös genug. Sie fragte sich, was er damit genau meinte, und er erklärte: »Das ist mir nicht eigensinnig genug! Es muss bizarrer aussehen, launischer, glamouröser, verstehst du? Du sollst die Blicke auf dich ziehen.«

Diese Worte – *Blicke auf dich ziehen* – ließen sie den Schmerz vergessen. Er hatte tatsächlich vor, sie rauszulassen, in irgendeine, wie auch immer geartete, Öffentlichkeit. Das hier machte er nicht nur für sich und sein Vergnügen. Es ging nicht um einen neuen Film, der gedreht werden sollte. O nein. Sie würde dieses Gefängnis verlassen!

»Ich will, dass sie dich alle anschauen, verstehst du? Du sollst die Hüften wiegen wie Marylin Monroe. Die Ehefrauen sollen ihre Männer näher an sich ranziehen und gut auf sie aufpassen, weil sie befürchten werden, dass du sie ihnen ausspannst. Wie ein männermordendes Weib sollst du aussehen! Hast du so etwas in dir? Dann hol es jetzt heraus!«

Sie wagte ihn zu fragen: »Aber warum?«

»Sie erwarten, mich zu sehen oder eine gebrechliche, alte Dame mit Rollator. Niemand denkt an einen Vamp aus den Achtzigern im Minirock.«

Tatsächlich hatte er sogar dafür gesorgt.

Er hat ein gutes Auge für die richtige Größe, dachte sie.

Rupert trug die Heckler & Koch im Holster unter der blauen Phantasieuniformjacke, die ihn als maritimen Kellner auswies. Es war warm unter Deck, schwülwarm, fand Rupert. Er hätte die Jacke am liebsten ausgezogen und das weiße Hemd weit aufgeknöpft. Die dämliche, schwarze Fliege, die Büscher ihm angeboten hatte, trug er sowieso nicht.

»In Ostfriesland brauchen Kellner so etwas nicht«, hatte Rupert behauptet.

Direkt beim Ablegen der Fähre hatte Rupert noch Gefallen an seinem Job, weil an einem Tisch vier sehr gutgelaunte, junge Frauen saßen. An diesem sonnigen Nachmittag trugen sie nicht mehr Kleidung als unbedingt nötig. Wenn Rupert sich eine von ihnen hätte aussuchen dürfen, es wäre ihm wahrlich nicht leicht gefallen.

Sie winkten ihm, und sofort war er bei ihnen.

»Moin. Was kann ich für Sie tun?«, fragte er.

Die mit den Spaghettiträgern wollte einen Piccolo, trocken und schön kühl.

»Warmer Sekt schmeckt mir nämlich nicht!«, lachte sie.

Ihre Freundin mit dem viel zu engen, orangefarbenen T-Shirt wollte einen Rooibuschtee und ein Stück Kuchen ohne Sahne, und den Kuchen auch nur, wenn darin keine Gelatine war.

»Klar«, sagte Rupert, »sozusagen voll vegetarischen Apfelkuchen«, und grinste sie breit an.

Sie fühlte sich verstanden.

Die Rothaarige mit der Hakennase und dem scharfen, vielversprechenden Blick bestellte sich einen Caffè Crema und betonte: »Aber bitte keinen Filterkaffee, den vertrage ich nicht, sondern nur den aus der Espressomaschine!«

Die in dem gestreiften Sommerkleid wollte eine heiße Knackwurst mit doppelt Senf. »Aber das Brötchen können Sie behalten. Und dazu ein Mineralwasser medium, ohne Eiswürfel und ohne Zitronenscheibe drin.«

Die mit den Spaghettiträgern rief: »Ach, du immer mit deinem Low Carb, Miriam! Dann nehme ich das Brötchen eben!«

Rupert ging mit der Bestellung zur Theke und fragte sich, welche von ihnen im Bett wohl am lautesten schreien würde. Oder waren sie stumm wie Fische?

Überhaupt war er sich unsicher, ob er mit den jungen Dingern im Ernstfall klarkommen würde. Wann hatte er zum letzten Mal eine unter Dreißigjährige im Bett gehabt? Aber egal, sie waren quirlig, sahen toll aus, und es machte ihm Spaß, seinen Phantasien nachzuhängen.

Viele Gäste standen an der Theke Schlange und versuchten, sich mit Bier und Würstchen zu versorgen.

Rupert bekam die Bestellung nicht mehr wirklich zusammen. Sein neuer Kollege hinter der Theke zeigte auf den Block: »Du hast doch alles aufgeschrieben, oder?«

Rupert reagierte gar nicht. Der Kollege nahm ihm den Block ab und schaute drauf. Da stand: *Die mit dem gestreiften Kleid heißt Miriam.*

»Na klasse!«, sagte der Kellner.

Rupert drehte sich um und ließ die Augen durch den Raum schweifen. Weil sein Servicekollege mit seiner Arbeit unzufrieden war, fragte Rupert sich erneut, warum er überhaupt hier war. Er hatte einen Job zu erledigen. Und mit ein bisschen Glück konnte er gleich vor den Augen dieser vier Ladys dort vom Kellner zum Superstar werden und einen Serienkiller verhaften.

Welche Frau würde da nicht schwach werden? Egal, ob sie zwanzig Jahre jünger war oder nicht.

»Also, was willst du jetzt haben? Vier Kaffee, oder was? Mensch, mach 'ne klare Ansage. Siehst du nicht, was ich hier zu tun habe?«

»Ich muss mir das nicht aufschreiben. So'n paar Kleinigkeiten behalte ich im Kopf. Also: Ich brauche einen Tee …«

»Was für einen Tee? Ostfriesentee?«

»Nee, so einen, den die Frauen immer trinken.«

»Harmonietee?«

»Dieses Zeug, das eigentlich gar kein richtiger Tee ist.«

»Rooibusch?«

»Genau.«

»Vanille?«

»Gibt's davon mehrere Sorten?«

»Mann, du hast keine Ahnung!«

»Und dann 'ne Knackwurst mit doppelt Senf, ein Stück Apfelkuchen mit Sahne.«

»Wir haben keinen Apfelkuchen mehr, aber ich habe noch Ostfriesentorte.«

»Auch okay.«

Rupert kannte den Mann, den sie suchten, nur von Beschreibungen und Fotos, die Weller in Gelsenkirchen gemacht hatte. Er war groß und hager. Da er sich offensichtlich mal als Frau verkleidet hatte, traute Rupert ihm zu, sich mit jeder Frisur zu tarnen.

Der Typ da mit den Rastalocken fast bis zum Hintern, kam ihm sehr verdächtig vor. Die Haare waren doch garantiert nicht echt. Dazu der Bart ...

Rupert konnte sich nicht daran erinnern, jemals einen Rastamann mit Bart gesehen zu haben. Die trugen diese Haare doch nur, weil ihnen keine richtigen Bärte wuchsen, glaubte er.

Er war gut eins fünfundneunzig, vielleicht zwei Meter lang. Schuhgröße mindestens 48. Sein rechter Schuh war offen. Die Enden der Schuhriemen klackten bei jedem Schritt auf den Boden. Die Treter waren mehr für Bergtouren geeignet als für einen Inselurlaub.

Er hatte einen Rucksack auf dem Rücken, in dem Platz für eine Schnellfeuerwaffe war und mehrere armlange Messer.

Die wasserdichte Anglerweste mit den vielen Taschen, die er trug, konnte auch eine getarnte kugelsichere Weste sein.

»Bingo«, sagte Rupert. »Ich glaube, wir haben ihn.«

Aus Ruperts Knopf in Ohr kam die Antwort unangenehm laut: »Kein Zugriff! Ich wiederhole: Kein Zugriff! Bleib so nah wie möglich an ihm dran. Wir holen ihn uns, falls er zur Toilette geht oder wenn er von Bord will. Nicht jetzt. Es sind zu viele Menschen in ...«

Doch in dem Moment sah Rupert seine Chance. Der lange Lulatsch bückte sich keine zwei Meter von Rupert entfernt, um eine Doppelschleife mit seinen Schuhriemen zu binden. Besser ging es nicht!

Rupert war mit zwei Schritten da und trat ihm ins Kreuz. Der Mann krachte auf den Boden, und schon hatte Rupert ihn überwältigt.

Der Rastamann schrie: »Hilfe! Überfall! Was wollen Sie von mir?« Aber noch bevor Rupert ihm Handschellen anlegen konnte, wurde Rupert angegriffen, und zwar von der mit den Spaghettiträgern und von Miriam.

»Lass den Lars zufrieden! Lass ihn los, der hat dir doch nichts getan!«

Miriam griff Ruperts Nase und drehte sie herum. Er hatte schon viel erlebt, aber dieser Art der Selbstverteidigung war ihm neu.

Es tat schweineweh, und Rupert wagte es nicht, ihre Hand einfach wegzuschlagen, denn er hatte bei ihrem festen Griff Angst, seine Nase könne mächtig Schaden nehmen.

Er jammerte, wobei er seine Stimme durch den näselnden Ton nicht wiedererkannte: »Aua! Aua! Ich …in …olizei …«

Er wollte seinen Dienstausweis ziehen, doch jetzt verpasste ihm Miriam einen Ellbogenstoß gegen die kurze Rippe. Rupert blieb sofort die Luft weg. Er kniete im Gang. Der Rastamann Lars stand auf und ging geschützt von vier Frauen, die sich wie professionelle Bodyguards um ihn gruppierten, zu deren Platz.

Hinter der Theke lachte Ruperts Arbeitskollege: »Das ist wohl heute nicht dein Tag, was? Sind das deine Töchter? Gräbt der Typ sie an? Der sieht aus wie ein Kiffer. Ich würde auch nicht drauf stehen, wenn meine Tochter mit so einem nach Hause käme. Mein Gott, ich darf gar nicht dran denken!«

Rupert betastete seine Nase und versuchte, die Atmung wieder unter Kontrolle zu bekommen.

Sollte er jetzt das Mobile Einsatzkommando hochrufen und die Verhaftung einleiten oder das Ganze unter »wenn man nervös ist, können ja Irrtümer passieren« abheften?

Er ließ sie immer wieder auf und ab stolzieren. Bestand auf wiegenden Hüften, und sie sollte lächeln, immerzu lächeln. Sie war ihm noch nicht geschminkt genug, aber die Frisur gefiel ihm jetzt.

Sie befand sich bereits außerhalb der Zelle. Welch ein Augenblick! Da vorn war zwar noch die verschlossene Stahltür, und sie hatte keine Ahnung, wie die geöffnet wurde, aber sie konnte die Freiheit bereits auf der Haut spüren.

»Ich werde alles tun, was Sie von mir verlangen«, sagte sie, »und mich genau an Ihre Anweisungen halten. Sie können sich wirklich auf mich verlassen.«

»Ja«, lachte er, »es ist schön, auf der richtigen Seite zu stehen, stimmt's? Es ist ein gutes Gefühl, wie wenn man von den Eltern gelobt wird, weil man eine schwierige Aufgabe richtig gelöst hat.«

Sie gab sich Mühe zu lächeln. »Ja, genau so fühlt es sich an.«

»In deinen Ohrringen«, sagte er, »sind Sender. Ich höre jedes Wort, das du sagst. Und wenn du sie abnimmst, weiß ich es früh genug. Es gibt ein solches Rascheln, das ich dann …«

»Nein, das werde ich nicht tun! Ganz sicher nicht! Ich werde Sie nicht enttäuschen! Ich werde …«

Er will mich tatsächlich irgendwohin schicken, mit diesen doofen Ohrringen. Ist mir doch egal, was der hört, dachte sie. Ich werde zur Polizei rennen und sie um Hilfe bitten. Und dann wird dieser Spinner endlich verhaftet.

»Und ich habe noch einen wunderbaren Gürtel für dich«, sagte er. »Sieh mal.«

Sie schüttelte den Kopf. »Nein.«

»Frauen tragen so etwas heutzutage. Anstelle einer Handtasche. Sie binden es sich um den Bauch und haben vorne drin ihr Geld und ihr Handy, damit es ihnen nicht so leicht gestohlen werden kann.«

Er sagte das alles so freundlich, so lächelnd, doch sie wusste, dass sich dahinter etwas anderes verbarg.

»Du ahnst es schon, was?«

»Nein, ich ahne nichts, ich …«

»Komm, sag du es mir: Was ist da drin?«

»Ein Handy?«

»Ach komm! Zieh mich nicht auf. Was glaubst du denn? Stell dich nicht so dumm an! Das ist ein moderner Sprengstoffgürtel. Er sieht nur nicht so scheiße aus wie die Dinger, die die Terroristen immer tragen.«

Er hob einen kleinen Sender hoch. Er ähnelte ihrem alten Nokia-Handy, das vor Jahren bereits den Geist aufgegeben hatte.

Er freute sich darüber wie ein Kind, das ein Geburtstagsgeschenk bekommen hat. »Hiermit kann ich die Sprengung auslösen. Das funktioniert auch über zig Kilometer, wie ein Anruf. Wenn mir also«, er streichelte sich über die linke Gesichtshälfte, »irgendetwas zu Ohren kommt, das mir nicht gefällt, dann … Boouuwww! Wenn du versuchst, das Teil abzulegen oder wegzuwerfen – Boouuwww! Es gibt nur eine Möglichkeit, das Ding loszuwerden, Süße: Du kommst zu mir zurück, und dann befreie ich dich davon. Und wir feiern beide gemeinsam den Sieg. Versuch nicht, mich zu hintergehen!«

Auf seinen Wunsch hin hatte Wilhelm Kaufmann eine Walther erhalten. Seit er sie rechts in der Blazertasche trug, fühlte er sich geradezu rehabilitiert, als sei er wieder in den Polizeidienst eingestellt worden, als ehrenamtlicher Mitarbeiter.

»Sollen wir uns nicht«, fragte er Ann Kathrin Klaasen, »duzen? Wir sind doch jetzt praktisch wieder Kollegen.«

Sie nickte nur sanft, doch er rief überschwänglich: »Gib mir fünf!«, und sie schlug ein. Alles andere wäre ihr so vorgekommen, als würde sie ihn demoralisieren. Was sie jetzt brauchten, war ein bisschen Hoffnung und eine große Portion Glück.

In seinem Beisein wählte Ann Kathrin die Nummer von Büscher. Er war sofort am Apparat.

»Es ist nicht klug, die erste Fähre zu nehmen, Martin.«

»Warum nicht?«

»Wir tun so, als sei Willi Kaufmann ein Tourist, der zum Spaß auf die Insel fährt, wo er seine Ferienwohnung hat. Er wohnt vorher in Bensersiel im Hotel Benser-Hof. Wäre es nicht besser, er würde dort lange ausschlafen, frühstücken und dann erst die Fähre nehmen? Falls er schon beobachtet wird, ist das wesentlich glaubhafter als …«

Büscher stimmte ihr sofort zu. »Natürlich. Außerdem müsst ihr vor Ort entscheiden, was ihr tut. Soll ich das SEK darüber informieren, dass ihr …«

»Nein«, antwortete sie, »genau das will ich nicht.«

Und Büscher verstand, dass sie keinem traute. Sie hatte von Anfang an nicht vorgehabt, Wilhelm Kaufmann morgens die erste Fähre um 6.45 Uhr nehmen zu lassen. Das hatte sie nur gesagt, um eventuelle Störmanöver zu behindern, um Lauscher auf die falsche Spur zu schicken. Sie würde ihn um 9.30 Uhr, möglicherweise sogar erst um 11.30 Uhr fahren lassen. Vielleicht war Kowalski dann schon drüben und wartete auf sein neues Opfer.

Weller hatte den Flieger zur Insel genommen. Sie hatten ohnehin noch ihre Koffer im Hotel Strandeck stehen. Weller hatte Glück. Es war noch ein Zimmer frei.

Der Mörder, dachte Weller, wird sich kaum wundern, Kripoleute auf der Insel zu sehen. Immerhin ist dort gerade Holthusen ermordet worden. Vermutlich kann er sich sogar denken, dass wir weiterhin versuchen werden, Wilhelm Kaufmann zu überführen. Außerdem hatte Weller vor, mit einem Piratenkopftuch unterm Fahrradhelm die Insel zu erkunden.

Du wirst dich auch mit dem Fahrrad fortbewegen, dachte Weller. Eine bessere, schnellere Möglichkeit gibt es hier nicht. Die Insel ist gar nicht so groß. Wenn wir uns begegnen, werde ich dich erkennen, und dann ...

In seinen Heldenträumen lieferte er sich ein Duell mit dem Täter. In Wirklichkeit war er aber nicht scharf darauf, sondern hoffte, dass die Jungs vom Sondereinsatzkommando die Sache ohne großes Blutvergießen bereits auf der Fähre lösen könnten. Er würde dann hier auf der Insel die offizielle Verhaftung vornehmen und ihn zurück aufs Festland begleiten.

Zwölf Kameras nahmen jeden auf, der in Bensersiel sein Auto auf dem Parkplatz abstellte, in der Schalterhalle eine LangeoogCard kaufte oder auf die Fähre wartete. Niemand konnte die Fähre betreten, ohne mindestens zweimal aus verschiedenen Perspektiven aufgenommen worden zu sein. Auf der Fähre selbst gab es ebenfalls mehrere Überwachungskameras.

Im Café Waterkant war man sofort hilfsbereit und stellte einen Raum zur Verfügung. Dort saß Ann Kathrin Klaasen mit Martin Büscher vor den Monitoren. Bei ihnen war Sylvia Hoppe, die einzelne Bilder auf einen anderen Bildschirm switchen konnte. Von hier aus waren sie in der Lage, sofort Fahndungsfotos an alle im Einsatz befindlichen Kollegen zu schicken.

»Wenn wir ihn hier identifizieren, ist er geliefert«, sagte Büscher, und inzwischen fand er die Idee, Ubbo Heides Lesung in Gelsenkirchen zu besuchen, großartig, denn diese Aktion hatte ihnen nun den entscheidenden Vorteil gebracht: Sie wussten, wie Kowalski aussah.

Büscher war so nervös, dass er weder Tee noch Kaffee trinken konnte. Seine Hände waren verschwitzt. Er wischte sie immer wieder an den Hosenbeinen ab, und alles, was er über Ann

Kathrin Klaasen gehört hatte, schien der Wahrheit zu entsprechen. In totalen Krisensituationen wurde sie ganz ruhig. Flatterhaft und aufgeregt war sie höchstens im Alltag, wenn die Waschmaschine nicht funktionierte oder der Wagen nicht ansprang. Das Wort »kaltblütig« kam ihm in den Sinn.

Sie checkte mit schnellen Blicken jede Person.

»Bitte die Japanerin auf der Eins näher ranholen!

Den Typ da im Rollstuhl! Ich will sein Gesicht. Der fährt unter der Kamera her!

Kann ich die Blondine bitte größer haben? Vorsicht, gleich kommt die vor die zweite Kamera, dann brauche ich sie von vorn.«

Sie war klar in ihren Anweisungen und hochkonzentriert. Zwischendurch ließ sie sich mit Rupert verbinden und wies ihn zurecht: »Bitte keine Alleingänge mehr, hast du kapiert?!«

»Was heißt hier Alleingänge?«, rechtfertigte Rupert sich. »Ich wollte mir die Chance einfach nicht entgehen lassen.«

»Die Chance, für Recht und Ordnung zu sterben?«, fragte sie hart zurück. »Oder die, zum Superhelden zu werden?«

»Ja ja, schon gut«, brummte Rupert. »Also, offen gestanden traue ich mir da mehr zu als den Bubis vom SEK. Die müssen doch alle im Kino noch ihren Ausweis vorzeigen, wenn ein Film für Erwachsene läuft.«

»Rupert!!!«, ermahnte sie ihn. Die Art, wie sie seinen Namen aussprach, reichte.

»Hauptsache, die Party hier ist bald beendet. Ich krieg einen Affen, wenn ich noch länger den Kellner spielen muss. Das ist einfach kein Job für mich ... Wenn man in der Kneipe vor einem Bier sitzt, sieht es immer so einfach aus, aber in Wirklichkeit ...«

»Willst du, dass wir dich da abziehen? Bist du der Aufgabe nicht gewachsen?«

»Nein, schon gut. Ich serviere jetzt weiter Brühwürstchen.

Aber wenn mich noch einer von diesen Touris schräg anmacht, hau ich ihm die Erbsensuppe auf den Schädel!«

Büscher grinste. Es gefiel ihm, wie Ann Kathrin mit Rupert umging. Er nahm sich vor, von ihr zu lernen.

Weller meldete sich: »Ich probiere gerade im Café He'Tant den Apfelkuchen. Gleich radle ich ein bisschen rum und dann zum Fähranleger. Falls er schon auf der Insel ist, werde ich ihn erkennen.«

»Danke, Frank. Ich bitte dich alle fünfzehn Minuten um Meldung.«

»Klar, Süße.«

»Nenn mich nicht Süße in einem offiziellen Einsatz. Das wird alles mitgeschnitten und später vielleicht …«

»Entschuldige, Süße.«

Ann Kathrin klickte das Gespräch weg.

»Wie ist der denn drauf?«, fragte Büscher.

»Er ist eifersüchtig auf dich«, sagte sie, und Büscher tat erstaunt. »Auf mich?«

»Ja.«

Das gefiel Büscher. Es wertete ihn irgendwie auf. Er wollte etwas dazu sagen, machte eine Geste, aber Ann Kathrin deutete auf die Bildschirme: »Hier spielt die Musik.«

Carola Heide hatte Tee aufgebrüht und für zwei gedeckt. Die Teekanne stand auf dem Stövchen und frische Pfefferminzblätter, die den Raum mit ihrem Duft erfüllten, lagen auf dem Tisch.

Ubbo war erschöpft. Carola machte sich Sorgen um ihn. Wenn er sich unbeobachtet glaubte, legte er den Kopf in den Nacken und atmete auf eine Art aus, die ihr gar nicht gefiel. Es war, als würde er nach Luft ringen.

Er überspielte seine körperlichen Schwächen gern. Er hatte gelernt, dass ein angeschlagener Chef wesentlich weniger Autorität besaß als einer, der topfit war. Alle durften in der Polizeiinspektion krank sein, nur er eben nicht. Nach diesem Prinzip hatte er viel zu lange gelebt.

»Gut, dass du zu Hause bist«, sagte Carola zu ihm. »Ich hatte schon Angst, du würdest …«

Er winkte ab. Selbst diese Bewegung fiel ihm schwer. »Ach, du Gute«, er versuchte zu lächeln. »Mein Job ist getan. Ich kann doch nicht ehrenamtlich eine Verhaftung vornehmen. Jetzt sind die jungen Kollegen dran. Aus dem operativen Geschäft halte ich mich raus. Das hier war meine endgültige Abschiedsvorstellung.«

Erleichtert sah sie ihn an. »Ein paar Wochen auf Wangerooge würden dir guttun«, sagte sie.

»Uns«, ergänzte er und sah in ihrem Blick, wie sehr diese Frau ihn nach all den Jahren immer noch liebte. Es tat ihm gut, und er wusste in diesem Moment, dass er bereit war, alles für sie zu tun. Für sie und ihre Beziehung. Ab jetzt sollte das Leben ganz andere Prioritäten bekommen. Er wollte noch ein paar gute Jahre mit seiner Frau verbringen und sich mehr um ihre Tochter kümmern.

Das Klopfen an der Tür ignorierten sie. Aber dann klingelte jemand.

»Egal, wer es ist«, sagte Ubbo, »wimmle ihn ab.«

»Worauf du dich verlassen kannst«, versprach Carola.

Sie räusperte sich, setzte ein strenges Gesicht auf und ging zur Tür. Sie befürchtete, dass ein Kripobeamter mit irgendeiner ganz wichtigen Nachricht dort stehen könnte, der am liebsten Ubbo sofort mit in den Fischteichweg nehmen wollte. Na, dem würde sie aber Bescheid stoßen!

Der Mann hatte eine Sporttasche umhängen. Er sah aus wie ein Marathonläufer. Groß, hager. Er machte einen energiegeladenen und gleichzeitig ausgebrannten Eindruck.

Diesen Widerspruch kannte sie von Leistungssportlern, die sehr auf einen gesunden Lebenswandel achteten, sich dann aber zwangen, Grenzen zu überwinden, ohne auf die Stoppsignale des Körpers zu achten. Ein bisschen war Ubbo auch so.

»Ich muss Ihren Mann sprechen«, sagte er und wollte sich gleich in den Türspalt quetschen.

Sie hielt die Tür mit dem Fußrist fest. »Das glaube ich Ihnen gerne. Viele Leute wollen zu ihm. Aber mein Mann ist im Moment nicht zu sprechen.«

»Sie irren sich. Er wird sehr froh sein, mich zu sehen.«

»Ich kenne Sie doch«, stellte Carola Heide fest.

»Ja. Ich habe Ihrer Tochter mal Nachhilfestunden gegeben. Sie ist ein dummes Ding, lange nicht so intelligent wie ihr Vater.«

Mit sanfter Gewalt schob er die Tür weiter auf und drängte sie in den Flur.

»Sie können doch nicht so einfach ...«

»Oh doch. Ich kann.«

Ubbo Heide konnte vom Wohnzimmerfenster aus nicht sehen, wem sie öffnete. Es interessierte ihn auch nicht, denn der Gedanke, Kowalski könnte Einlass begehren, lag jenseits seiner Vorstellung.

Die Fähre legte um 11.20 Uhr an.

Wilhelm Kaufmann lauschte dem satten Takt des Dieselmotors. Er mochte den Lärm, wenn Schiffsschrauben das Salzwasser verwirbelten. Er wusste einiges über Schiffe und Fähren. Die Langeoog III war 45 Meter lang und 10 Meter breit. Sie hatte einen Tiefgang von 1,32 Meter.

Kaufmann stand in der Schlange und zählte im Geiste diese Fakten auf. Es gab ihm Sicherheit.

Er trat den Gang an Bord stolz an. Er spürte in sich keineswegs die Bereitschaft zu sterben, sondern einen irren Überlebenswillen. Alle seine Kollegen waren da. Die, die gerade noch gegen ihn ermittelt hatten, waren jetzt auf seiner Seite. Das Blatt hatte sich gedreht.

Seit er den Kampf gegen Birger Holthusen gewonnen hatte, spürte er enorme Kräfte in sich.

Alles wird gut, dachte er. Alles wird gut.

Er betrat die Fähre wie ein neues Leben.

Dreimal tauchte Svenja Moers auf Ann Kathrins Bildschirmen auf. Sie war mehrere Sekunden lang vollständig zu sehen. Von vorne und von hinten.

Die Übertragungsqualität der Bilder war ausgesprochen gut. Aber eine Frau, aufgemacht wie eine Filmdiva aus den Achtzigern, interessierte Ann Kathrin nicht.

Büscher schätzte sie als gerade frisch geschieden ein, auf der Suche nach einem neuen Ehemann oder wenigstens einem Lover. Dafür war so ein Urlaub an der Küste doch eine ideale Gelegenheit. Nie wäre er auf die Idee gekommen, dass sich die entführte Svenja Moers ohne Begleitung fortbewegte. Selbst wenn ihm die Ähnlichkeit aufgefallen wäre, hätte sie doch keinen Sinn ergeben. Eine freigelassene Geisel meldete sich normalerweise direkt bei der Polizei oder bei ihren Verwandten, nahm aber nicht aufgetakelt die nächste Fähre nach Langeoog.

Sie benahm sich, abgesehen von ihrem aufreizenden Gang, auch in keiner Weise auffällig. In der Schlange stand sie ganz nah bei Willi Kaufmann und geriet deshalb noch einmal voll ins Bild.

»Mit der Frisur«, versuchte Ann Kathrin, die angespannte Situation durch einen Scherz aufzulockern, »wird sie an Deck nicht weit kommen. Der ostfriesische Wind lacht über so etwas.«

»Die ist nicht von hier«, sagte Martin Büscher.

Kowalski stellte die Sporttasche auf den Boden, zog Ubbo Heides Rollstuhl zurecht und tastete Ubbo ab. »Sie sind doch genau der Typ, der auch zu Hause 'ne Knarre trägt«, sagte er.

Schreckensstarr stand Carola Heide an die Wand gelehnt und sah dabei zu.

»Nein«, sagte sie, »das ist mein Mann ganz und gar nicht. Was wollen Sie von uns?«

»Warum«, fragte Kowalski angriffslustig, »muss ich mir den ganzen Tag Radio Nordseewelle anhören?«

Ubbo Heide versuchte erst gar nicht, so zu tun, als hätte er keine Ahnung: »Ich habe die Bonbonschachtel in der Polizeiinspektion gelassen.« Er klopfte auf seinen Bauch.

Kowalski schnupperte. Es roch nach Schwarztee und frischer Pfefferminze. Er tänzelte aufgeregt herum, wie ein Favoritenhengst vor dem alles entscheidenden Rennen. »Ihr versucht, mich reinzulegen. Stimmt's? Ihr denkt, ihr seid cleverer als ich, was?« Er lachte, als hätte er einen Witz gemacht. »Einen Scheiß seid ihr! Ich verehre Sie, Herr Heide. Sie sind ein großer alter Mann. Sie haben Weitblick, und Sie wissen im Grunde genau, was los ist. Aber Sie sind nicht konsequent genug. Ich führe Ihre Arbeit zu Ende. Gemeinsam könnten wir Ostfriesland verändern und damit die ganze Welt. Hier könnte es beginnen, in Ihrem Einzugsgebiet, mit Ihren Fällen. Das, woran Sie immer gelitten haben, diese Inkonsequenz der Strafverfahren, dieser Kuschelkurs der Justiz. Wenn Sie mitmachen, Herr Heide, dann wird auch Ann Kathrin Klaasen dabei sein. Weller, Rupert – Ihre ganze Truppe. Ein verbrecherfreies Ostfriesland – ist das nicht ein Ziel?«

Er ballte die Faust und erhob sie wie eine brennende Fackel.

»Die Guten unterscheiden sich von den Bösen durch ihr Tun«, sagte Ubbo Heide, doch das ließ Kowalski nicht gelten.

»Auch durch ihr Unterlassen«, schimpfte er. »Und so wie sich die Justiz in unserem Land verhält, fällt sie doch Ihnen und Ihren

Leuten in den Rücken. Das ist mindestens unterlassene Hilfeleistung, wenn nicht mehr. Warum haben Sie denn das Buch geschrieben? Glauben Sie Ihre eigenen Argumente nicht?«

»Lassen Sie meinen Mann in Ruhe!«, forderte Carola Heide und bewegte sich auf Kowalski zu, als hätte sie vor, mit ihm zu kämpfen.

Er zeigte aufs Sofa. »Setzen Sie sich da hin und halten Sie den Mund. Bitte ersparen Sie es mir, dass ich Sie fesseln und knebeln muss.«

Sie tat, was er von ihr verlangte. Sie legte ihre Hände auf ihre Knie und versuchte so, ihr Zittern unter Kontrolle zu halten.

Ich muss stark sein, dachte sie. Jetzt muss ich ganz stark sein, und ich muss zu meinem Mann halten, egal, was geschieht.

»Wir könnten das Navy Seal Team 6 werden für Ostfriesland ... Die Menschen werden uns lieben.«

Ubbo Heide sah Kowalski an, als würde er ihn für einen Schwachsinnigen halten. Kowalski spürte das durchaus. Ubbo Heide war den Umgang mit Psychopathen so sehr gewöhnt, dass er zunächst immer davon ausging, einen vor sich zu haben, dachte Kowalski. Er musste ihm jetzt erst zeigen, dass er es mit einem hochintelligenten Mann zu tun hatte, der konsequent einen Plan verfolgte.

»Herr Heide – überlegen Sie doch mal! Inzwischen wird an intelligenten Waffen gearbeitet! Raketen, die selbständig ihr Ziel suchen und ...«

»Intelligente Politiker wären mir lieber«, sagte Ubbo Heide mit vollem Ernst. »Persönlichkeiten, die nicht beim ersten Problem an Flächenbombardements denken, sondern die klug genug sind, friedliche Lösungen zu finden und Verhandlungsgeschick beweisen.«

Carola Heide nickte ihrem Mann zu.

Kowalski versuchte, mit einer Handbewegung seine Argumente wegzuwischen. »Ja, das mag vielleicht für Staaten gelten.

Aber wir reden nicht von Staaten, wir reden von Menschen, von Einzeltätern, von …«

Ubbo Heide unterbrach ihn. »Nein. Es geht immer um Menschen und am Ende um Menschenleben und meist um das Unschuldiger.« Ubbo Heide zeigte auf ihn: »Sie haben zum Beispiel zwei Unschuldige umgebracht, nämlich …«

»Heymann und Stern. Ich weiß. Herrgott, Kollateralschäden gibt es halt immer! Damit müssen wir leben.«

Ubbo Heides Gesicht bekam jetzt wieder mehr Farbe. Seine Augen hatten einen fiebrigen, aber keineswegs krankhaften Glanz. Etwas von seinem alten Charisma brach durch, wenn er in der Lage gewesen war, mit ein paar Sätzen alle wieder zu motivieren und auf eine Linie einzuschwören. »Genau das will ich nicht.«

Kowalski ließ seine Worte nicht gelten. Er holte aus seiner Sporttasche einen Monitor und einen Empfänger. Auf dem Wohnzimmertisch baute er alles auf, als sei er ein Fernsehmechaniker, der einen neuen Computer vorführen möchte.

»Der wahre Kindermörder, Wilhelm Kaufmann, wird uns nicht entgehen. Er befindet sich im Augenblick an Bord der Langeoog III. Svenja Moers ist bei ihm. Die Frau, die ihre zwei Ehemänner umgebracht hat, und der Mann, der mindestens zwei Kinder getötet hat, sitzen in einem Boot! Ist das nicht ironisch?«

Auf dem Bildschirm sah Ubbo Heide nur Gewackele, dann einen glatzköpfigen Mann von oben.

»Wir können keine besonders tollen Bilder erwarten, unsere Kamerafrau weiß ja nicht, dass sie für uns dreht. In ihrer Haarnadel oben ist die Kamera installiert. Außerdem trägt sie zwei Mikros in den Ohrringen. Wir haben sie vollständig unter Kontrolle. Wir hören, was sie sagt, und wir sehen, was sie tut. Sie ist auf unserer Seite.«

Das glaubte Ubbo Heide nicht. »Reden Sie doch keinen Blödsinn!«

»Na ja«, gab Kowalski zu, »nicht ganz freiwillig. Sie trägt einen

Sprengstoffgürtel, den wir hiermit«, er zeigte sein altes Handy, »sprengen können. Es reicht aus für sie und Kaufmann. Die Nummer ist eingespeichert. Ein Knopfdruck, und die Welt hat zwei Doppelmörder weniger. Die Justiz muss sich nicht mehr mit ihnen rumplagen. Wenn wir es nicht tun, Herr Heide, werden sie beide ungestraft davonkommen. Sie wissen es genau. Ich habe Sie über Kaufmann sprechen hören, und Svenja Moers ist ja bereits freigesprochen.

Wollen Sie den Rest Ihres Lebens im Rollstuhl verbringen und darauf warten, wann in den Nachrichten die Meldung kommt, dass wieder irgendwo ein Kind verschwunden ist, das man dann tot aus einem Gewässer zieht? Können Sie mit dieser Schuld dann leben, Herr Heide?

Und Svenja Moers, glauben Sie mir, wird, wenn ihr Geld nicht mehr reicht, den nächsten Ehemann ins Jenseits befördern, und diesmal wird sie es noch cleverer tun. Sie hat aus den beiden ersten Fällen gelernt. Das ist ja das Problem. Sie werden immer besser. Auch das beschreiben Sie übrigens in Ihrem Buch sehr treffend.«

Jetzt brachte Kowalski sein Gesicht ganz nah an das von Ubbo Heide. Ihre Nasenspitzen berührten sich fast. Ubbo konnte Kowalskis Nikotinatem riechen.

»Ein Wort von Ihnen, Herr Heide, und ich drücke den Knopf, und die beiden fliegen in die Luft. Sie wird sich immer ganz nah bei ihm aufhalten, das habe ich ihr so befohlen. Sobald die Fähre ablegt, wird sie sich neben ihn setzen. Wir können sie von hier aus dirigieren. Sagen Sie Ja, und ich tue es in Ihrem Auftrag! Oder wollen Sie selbst den Knopf drücken?«

Er hielt Ubbo Heide das Handy hin.

»Niemals«, sagte Ubbo.

Kowalski pries sein Handy geradezu an: »Für eine bessere, verbrechensfreie Welt! Dafür haben Sie doch ein Leben lang gekämpft ...«

»Man kann Freiheit und Gerechtigkeit nicht schützen, indem

man sie abschafft«, sagte Ubbo Heide. »In Ihrer schönen, sauberen Welt möchte ich nicht leben.«

Carola nickte ihrem Mann zu: »Ich auch nicht!«

Kowalski wollte sich eine Zigarette anzünden, doch Ubbo Heide wies ihn zurecht: »Dies ist ein Nichtraucherhaushalt.«

Damit hatte Kowalski nicht gerechnet. »Ja, glauben Sie, ich gehe jetzt nach draußen vor die Tür, um mir eine Zigarette anzuzünden?«

»Nein, ich erwarte, dass Sie die Regeln respektieren. In meinem Haus wird nicht geraucht. Was Sie bei sich zu Hause machen, ist mir völlig egal.«

»Überreizen Sie Ihr Blatt nicht, Herr Heide. Ich bin bewaffnet, und Sie sitzen im Rollstuhl.«

Kowalski sah seinen Revolver an, als müsse er sich vergewissern, ihn überhaupt bei sich zu haben.

Ubbo Heide lächelte ihn an: »Aber deshalb werden wir doch hier nicht alle Benimmregeln über Bord werfen. Essen wir ab jetzt mit den Fingern?« Er zeigte auf den Boden: »Scheißen wir auf den Teppich? Oder benehmen wir uns weiterhin wie zivilisierte Menschen? Ich will nicht, dass hier geraucht wird, und das haben Sie zu respektieren.«

»Wenn ich nervös werde«, sagte Kowalski, »muss ich rauchen. Und ich bin verdammt nervös.«

»Wäre ich an Ihrer Stelle auch«, sagte Ubbo Heide. »Aber ich würde erstens keine Geiseln nehmen und zweitens zum Rauchen vor die Tür gehen. In der Zeit, als ich noch geraucht habe und Carola nicht, da habe ich immer …«

Carola Heide unterbrach ihren Mann: »Sollen wir nicht eine Ausnahme machen …«

Ubbo schüttelte den Kopf. »Nein. Warum? Es schadet ihm nicht, wenn er nicht raucht, aber es schadet uns, wenn wir passiv mitrauchen. Dies ist unsere Wohnung, und wir haben ihn nicht eingeladen.«

Kowalski stöhnte.

Carola hatte Angst, ihr Herz würde stehenbleiben, doch dann sah sie mit Erstaunen, dass Kowalski die Zigarette in die Schachtel zurückschob.

Ein leichter Nieselregen trieb viele Touristen von Deck. Sie flüchteten in die unteren Räume und verlangten nach heißem Kaffee und Tee.

Nach Ruperts Einschätzung war Svenja Moers die mit Abstand schärfste Schnitte an Bord. Er wäre beinahe hingesprungen, um ihr gentlemanlike einen Stuhl unter den Hintern zu schieben, weil sie sich so unschlüssig nach einem Sitzplatz umsah. Er hoffte, dass sie nicht nah an den Fenstern sitzen würde, sondern mehr außen am Tisch, damit er ihre Beine besser bewundern konnte.

Er fand, dass sie genau seine Kragenweite war. Sie suchte Aufmerksamkeit, und er würde sie ihr geben.

Er stellte sich vor, zu welchen Verrenkungen sie im Bett fähig wäre. Die lächerliche Frisur störte ihn dabei überhaupt nicht. Nach den Problemen mit Agneta Meyerhoff hatte er zwar eigentlich vor, seiner Beate eine Weile treu zu bleiben, aber gleichzeitig fehlten ihm plötzlich die Argumente, zu so einem verlockenden Angebot Nein zu sagen.

Gern wäre er zu ihr gegangen und hätte damit aufgetrumpft, er sei kein Kellner, sondern ein verkleideter Kripomann. Das würde ihn bestimmt aufwerten und zu einem interessanten Typen für sie machen.

Frauen waren schon etwas Komisches, dachte Rupert. Einerseits kannte er keine, die Kriegsfilme mochte oder auf Gewalt stand. Aber muskulöse Revolverhelden liebten sie trotzdem alle. Sie ließen sich von sanftmütigen Studienräten oder Sozialpädagogen heiraten, träumten aber von Bruce Willis, Arnold Schwarzenegger oder Sylvester Stallone, wobei die drei sich im Grunde recht ähnlich waren.

Selten hatte Ann Kathrins Stimme ihn so sehr gestört wie jetzt. Es war, als würde sie direkt in seinem Ohr sitzen, und das war ihm in Ann Kathrins Fall entschieden zu nah.

»Kaufmann ist falsch platziert. Wir haben ihn nicht voll im Bild. Er soll ein Stückchen weiter nach rechts.«

Am liebsten hätte Rupert sie gefragt: Warum sagst du es ihm nicht selbst? Doch das tat er nicht. Es war immer noch besser, von Ann Kathrin eine Anweisung entgegenzunehmen als diese quäkenden Kinderhorde mit den drei alleinerziehenden Müttern, die sich gerade wie eine Naturkatastrophe auf die Theke zuwälzten, nach ihren Wünschen zu fragen und zu bedienen.

Jetzt setzte sich diese Wuchtbrumme von einer Frau direkt neben Willi Kaufmann.

Besser geht's nicht! Hurra! Bingo!, dachte Rupert. Wenn es einen Gott gibt, dann meint er es gut mit mir.

Sie lehnte sich im Sessel zurück, streckte ihre Beine weit aus und beugte sich zu Kaufmann.

Du Glücklicher, dachte Rupert, sie flüstert dir was ins Ohr. Gleichzeitig verspürte er einen merkwürdigen Stich. Wieso baggerte diese Frau Kaufmann an? Warum reagierte sie nicht auf seine Blicke und sein Zwinkern? Was, dachte er, hat dieser Kaufmann, was ich nicht habe?

Er wollte hingehen, um Kaufmanns Stuhl so zurechtzuschieben, dass für Ann Kathrin der Bildausschnitt stimmte.

Svenja Moers legte einen Arm um Kaufmann und flüsterte ihm ins Ohr: »Mein Name ist Svenja Moers. Ich bin ein Werkzeug des Vollstreckers. Er hört, und er sieht uns. Ich soll Ihnen das hier geben.«

Sie händigte Kaufmann eine kleine Schachtel aus, die er verblüfft entgegennahm.

»Werkzeug des Vollstreckers ... Das haben Sie aber schön auswendig gelernt, oder sind das Ihre eigenen Worte?«

Sie ging gar nicht darauf ein, sondern sagte: »Tragen Sie das Gerät bei sich. Wenn es sich mehr als zwei Meter von mir wegbewegt, fliege ich in die Luft. Und Sie mit mir. Wir sollten ab jetzt ganz nah zusammenstehen.«

Sie lauschte, dann sagte sie: »Wir sollten Händchen halten wie ein Liebespärchen und uns nicht verlieren. Wir sind jetzt eine Schicksalsgemeinschaft.«

Rupert stand an ihrem Tisch. »Darf ich Ihren Stuhl ein bisschen zur Seite rücken? Sie sitzen hier im Weg. Wenn ich beim Kellnern nach hinten durchwill, dann ...«

Kaufmann blaffte Rupert an: »Nein, dürfen Sie nicht!«

Zu Ruperts Erstaunen hielt Kaufmann seine offene Hand hin, und die Frau mit den endlosen Beinen legte ihre Hand in seine. Von weitem gesehen sahen die beiden jetzt aus wie ein Liebespärchen, doch Rupert registrierte, dass die Finger der Schönen zitterten, und ihre Mundwinkel zuckten.

Er kapierte noch nicht, was hier los war, aber etwas stimmte ganz und gar nicht. War diese scharfe Schnitte eine Kollegin vom BKA, die den Personenschutz übernommen hatte, ohne Absprache mit irgendwem? Oder hatte nur ihn wieder niemand informiert?

Eine fünfundvierzigjährige Abteilungsleiterin, die sich in den ersten Urlaubstagen den Ton erst abgewöhnen musste, den sie bei der Arbeit draufhatte, rief zu Rupert: »Hey, Sie da! Arbeiten Sie hier noch, oder ist Ihre Stelle frei? Ich kenne ein paar, die bewerben sich sofort darauf! Arbeiten, wo andere Urlaub machen, wer will das nicht?«

Ihr Mann zeigte sich beeindruckt und ihre Kinder erst recht.

Rupert giftete zurück: »Hör mal zu, du dumme Schnepfe! Wenn du nicht in der Nordsee landen willst, hältst du jetzt die Fresse!«

»Mama, was hat der Mann gesagt?«

»Und halten Sie Ihre Brut bei sich!«, schimpfte Rupert.

»Scheiße, Scheiße, Scheiße!«, fluchte Büscher. »Der Sauhund hat uns reingelegt! Was jetzt?«

Er stierte Ann Kathrin mit großen Augen an. So hilflos hatte sie ihn noch nie gesehen.

So ist es immer, dachte sie. Man hat einen Plan, aber wenn es losgeht, hilft nur noch Improvisation.

Ann Kathrin versuchte, die Situation sachlich zu umreißen: »Er ist überhaupt nicht an Bord. Wir haben all unsere Kräfte in Langeoog gebunden, und unser Mobiles Einsatzkommando sitzt auf der Fähre. Wir schützen zusätzlich einundvierzig Personen. Wir reiben uns auf, und er ist ganz woanders und ...«

»Wo, verdammt, soll er denn sein?«, fragte Büscher, und ein Anflug von Panik klang mit. Er sprach hektisch: »Er wird die beiden in die Luft jagen. Auf der Langeoog III sind gerade zweihundertzwölf Touristen plus sechs Mann Besatzung und dann unsere Leute. Er wird ein Blutbad anrichten!«

»Darum geht es ihm nicht«, sagte Ann Kathrin, »damit würde er uns alle nur gegen sich aufbringen und Ubbo Heide wütend machen. Er will etwas anderes. Er will ...« Ihre Stimme wurde leise. Kaum hörbar führte sie ihren Satz zu Ende: »Ubbo für sich gewinnen ...«

Ann Kathrin griff sich ins Gesicht, als müsse sie Spinnweben herauswischen.

Büscher schaltete seine Verbindung zu Kaufmann und gab Anweisungen: »Wir müssen verhindern, dass Menschenleben gefährdet werden. Sucht eine Stelle an Bord, wo möglichst wenig Menschen sind. Am besten draußen, oben an Deck. Vielleicht könnt ihr in ein Rettungsboot steigen oder ...«

Ann Kathrin schob ihn zur Seite und widersprach seinen Anweisungen: »Nein. Tut das nicht. Macht genau das Gegenteil! Ihr müsst mit der Masse gehen. Er wird nicht riskieren, dass Unschuldige sterben. Er will Verbrecher bestrafen.«

Sarkastisch erwiderte Kaufmann: »Schön, wenn sich in so einer Krisensituation alle einig sind!«

Mit einschmeichelnden Worten sprach Kowalski, der offensichtlich immer noch hoffte, Ubbo Heide auf seine Seite zu ziehen: »Wir werden jetzt vor aller Welt unsere Macht demonstrieren. Wir sind ein schlagkräftiges, effektives Team.«

»Nein«, sagte Ubbo Heide, »wir sind kein Team. Sie sind ein kranker Mann, Herr Kowalski. Ich nehme nicht an, dass das Ihr richtiger Name ist?«

Als hätte Ubbo Heide die Worte gar nicht ausgesprochen, suchte Kowalski jetzt Kontakt zu Svenja Moers und gab ihr seine Befehle: »Ihr werdet euch laut und deutlich zu erkennen geben. Mit euren vollen Namen. Dann liefert ihr dort vor allen Menschen ein Schuldbekenntnis ab. Ich verlange ein öffentliches Geständnis. Das hier ist so etwas wie das Jüngste Gericht.«

Er kicherte.

Svenja Moers fragte: »Sollen wir wirklich …«

»O ja! Das sollt ihr. Und du beginnst, Svenja. Danach Wilhelm Kaufmann. Laut und deutlich, so dass es alle hören können. Wir beobachten euch. Ein kleiner Fehler, und ihr fliegt sofort in die Luft.«

Svenja Moers stellte sich hin und rief mit einer Stimme, die jeden Lärm übertönte: »Mein Name ist Svenja Moers! Ich trage einen

Sprengstoffgürtel! Ich bin die Gefangene des Vollstreckers! Ich habe meine zwei Ehemänner getötet – die Gerichte haben mich freigesprochen! Deswegen bin ich jetzt hier!«

Ihre letzten Worte gingen in Gekreische unter. Die Menschen flüchteten aus ihrer Nähe und suchten den größtmöglichen Abstand zu ihr. Väter stellten sich vor ihre Kinder, Mütter drückten ihre Kinder gegen ihren Bauch und drehten Svenja Moers den Rücken zu, während sie zum Ausgang drängelten. Die Durchgänge waren sofort verstopft.

Nur Rupert blieb bei den beiden stehen.

Wilhelm Kaufmann saß ganz ruhig, als sei er solche Situationen gewöhnt.

Die Rothaarige mit der Hakennase schwankte zwischen Fluchtgedanken und dem erhebenden Gefühl, zum ersten Mal im Leben an etwas wirklich Großem, Wichtigem teilzunehmen. Endlich etwas zu haben, das man erzählen konnte. Endlich exklusives Material für ihre Facebook-Seite.

Sie hielt ihr Handy hoch und filmte die Situation, während ihre Freundin mit dem gestreiften Sommerkleid neben ihr ohnmächtig wurde.

Sylvia Hoppes Stimme zitterte. Sie klang wie eine alte, gebrechliche Frau, die dem Tod ins Auge schaut. »Es war ein Fehler. Wir hätten das nicht machen dürfen. Das wird eine Katastrophe.«

Büscher forderte Sprengstoffspezialisten an.

Ann Kathrin wirkte, als sei sie zwar körperlich anwesend, innerlich jedoch in einer ganz anderen Welt. Es war, als würde sie mit dem Täter sprechen. Sehr leise und hochkonzentriert. »Wo bist du? Was hast du vor, verdammt?«

Wenn ich der Täter wäre, dachte sie, von wo aus würde ich diese Aktion durchführen? Er sucht so viel Publikum wie möglich, und auf der Fähre kann er ganz sicher sein. Gleich schon wird das Ganze über Handyfilme und -fotos verbreitet werden, schneller, als jeder Fernsehsender mit einem Team da sein kann. Es wird ungefiltert sein, und es ist nicht zu steuern. Der sitzt doch nicht alleine irgendwo auf dem Festland herum und trinkt ein Tässchen Tee dabei. Der ist …

Es war, als würde jede Pore ihres Körpers ihr die Information geben. Ein warmer Schauer durchrieselte sie. Sie hob ihr Handy ans Ohr, und während sie Svenja Moers und Wilhelm Kaufmann auf dem Bildschirm beobachtete, klickte sie Ubbo Heides Nummer an.

»Darf ich ans Telefon gehen?«, fragte Ubbo Heide.

Kowalski nickte und spielte mit seiner Schusswaffe, wie andere Leute mit einem Füllfederhalter. Ihm gefiel die Situation auf dem Display. Es lief alles genau so, wie er es sich vorgestellt hatte.

Kaufmann war jetzt dran. Auch er stand auf. Dann rief er: »Mein Name ist Wilhelm Kaufmann! Ich bin ein Expolizist, und der Mann, der sich Vollstrecker nennt, wünscht sich jetzt, dass ich sage, ich sei ein Kindsmörder und hätte Steffi Heymann und Nicola Billing getötet! Aber das stimmt nicht! Ich bin hier, weil wir ihm eine Falle stellen wollten! Das scheint ja wohl geglückt zu sein! Aber nun sitze ich selber drin!«

Er wendete sich direkt an Kowalski: »Wenn Sie uns in die Luft sprengen, dann wird nicht nur diese junge Frau hier neben mir sterben, sondern ich auch, und, glauben Sie mir, ich bin unschuldig! Ich habe nichts mit der ganzen Geschichte zu tun!«

»So ein Mistkerl!«, schimpfte Kowalski. »So ein gottverdammter Mistkerl!«

Ubbo Heides Frau Carola stand auf. Sie hatte Mühe, sich auf den Beinen zu halten. Beim zweiten Klingeln war sie beim Telefon, beim dritten übergab sie es an ihren Mann. Sie hatte auf dem Display den Namen erkannt. *Ann.* Alleine schon die Buchstaben zu lesen, tat ihr gut. Es war eine Verbindung nach draußen. Und sie spürte: eine rettende Verbindung.

Ubbo meldete sich ganz normal: »Hier Ubbo Heide.«

»Ubbo! Wir sehen, was an Bord geschieht. Die Sache läuft aus dem Ruder! Er hat Svenja Moers mit einem Sprengstoffgürtel ...«

»Ich weiß.«

»Wer ist das, verdammt?«, fragte Kowalski.

»Ann Kathrin Klaasen.«

Kowalski grinste, als hätte er sich das gedacht. »Was will sie?«

»Ich vermute mal«, sagte Ubbo Heide, »sie will ihren ehemaligen Chef in einer schwierigen Situation um Rat fragen. Im Gegensatz zu Ihnen ist Ann Kathrin nämlich nicht beratungsresistent.«

»Geben Sie sie mir«, forderte Kowalski.

Ubbo Heide tat, was Kowalski von ihm verlangte.

»Was kann ich für Sie tun, Frau Klaasen?«, fragte Kowalski. »Ich bin hier bei Ubbo Heide. Wir schauen uns an, was geschieht. Es gefällt uns gar nicht, was Wilhelm Kaufmann da von sich gibt. Haben Sie ihn dazu veranlasst? Das beschmutzt unsere ganze Aktion. Ich wollte ein öffentliches Geständnis. Das nutzt uns doch allen. Es zeigt unserer verlotterten Justiz, wie man mit hartem Durchgreifen vorwärtskommt. Das hier nun verwässert doch wieder alles. Sterben müssen die beiden sowieso. Sagen Sie ihm, er soll nicht solchen Mist erzählen!«

»Kaufmann ist clever«, antwortete Ann Kathrin. »Er führt Sie vor, Kowalski. Er zeigt, was der Mann, der sich Vollstrecker nennt, in Wirklichkeit für ein erbärmlicher Stümper ist. Es ist Ihnen nämlich egal, ob Sie die Richtigen hinrichten oder die Falschen. Am Ende gibt es immer nur ein Gemetzel, wenn wir aus Recht Willkür machen. Nur ein ordentliches Gericht kann Kaufmann einer Straftat überführen.«

Kowalski wollte sich nicht auf solche Diskussionen einlassen. Er hatte Angst, aus dem Flow zu kommen. Diese herrliche, gut durchdachte Aktion sollte ein glorreicher Triumph werden, keine irgendwie hingemöhrte Notlösung.

»Wenn Sie für eine verbrecherfreie Welt sorgen wollen, Herr Kowalski, dann wäre es nur konsequent, wenn Sie sich jetzt die Pulsadern öffnen. Damit setzen Sie ein gutes Zeichen. Vielleicht finden Sie Nachahmer. Jeder Idiot findet ja heutzutage Nachahmer.«

Ubbo Heide gab Carola einen Wink, und sie verstand sofort, was er wollte. Sie nutzte die Situation. Kowalski war durch das Geschehen auf dem Schiff, das er auf dem Display beobachtete, und durch das Telefongespräch mit Ann Kathrin Klaasen so abgelenkt, dass er seine Sporttasche aus dem Blick verlor.

Carola hob die Tasche auf und brachte sie in die Küche. Die Tasche war schwer. Darin klirrte Eisen gegeneinander. Sie zog den Reißverschluss auf und sah ein Samurai-Schwert und eine automatische Waffe, die sie – die wenig Ahnung von Schusswaffen hatte – als Maschinenpistole bezeichnet hätte.

Carola stellte die Tasche sorgfältig in der Küche auf dem Boden ab, versuchte, so wenig Lärm wie möglich zu machen und schob sie mit dem Fuß unter den Tisch, so dass er sie nicht sofort sehen würde.

Sie nahm das große Brotmesser aus dem Messerblock.

Ja, sie war bereit zu kämpfen.

Ubbo Heide hoffte, dass der Tee noch heiß genug war. Er goss sich ein, als sei diese äußerst aggressive Situation nicht mehr als ein friedliches Teekränzchen. Dann deutete er auf die frischen Pfefferminzblätter, die in der Mitte des Tisches lagen.

Der Mann im Rollstuhl bat gestisch um eine kleine Hilfe, und obwohl alles hochemotional aufgeladen war und die ganze Situation zu eskalieren drohte, tat Kowalski, was er von seiner Mutter gelernt hatte, und half dem alten Mann höflich. Während er mit

Ann Kathrin Klaasen telefonierte, beugte er sich vor und schob die Pfefferminzblätter in Ubbo Heides Richtung. Dabei blaffte er ins Telefon: »Glauben Sie ja nicht, Frau Klaasen, dass Sie ...«

Weiter kam er nicht, denn der heiße Ostfriesentee landete in seinem Gesicht.

Er ließ das Telefon fallen und kreischte. Wütend schlug er um sich, aber da war niemand, den er hätte treffen können.

»Du gottverdammter Idiot!«, brüllte er. Dann ging er auf Ubbo Heide los, packte ihn und würgte ihn. »Du dummer, alter Mann!«

Er schlug hart zu.

»Er ist bei Ubbo! Alle verfügbaren Kräfte sofort zu Ubbo Heide! Unser Mann versucht, Ubbo und seine Frau in seine Gewalt zu bringen!«, schrie Ann Kathrin.

Kowalski packte Ubbo Heide mit beiden Händen am Kragen und hob ihn aus dem Rollstuhl, bis sie auf Augenhöhe waren.

»Wir hätten so ein gutes Team sein können. Aber du willst es ja nicht! Glaub ja nicht, dass du mich abhalten kannst ... Jetzt werde ich die beiden Verbrecher in die Luft jagen und damit deine Arbeit beenden, alter Mann.«

So, wie Kowalski die Sätze aussprach, hörte es sich an, als wolle er Ubbo Heide ein großzügiges Geschenk machen.

Er ließ Ubbo einfach los. Ubbo versuchte, sich festzuhalten, griff aber ins Leere. Er plumpste nicht in den Rollstuhl, sondern knapp daneben. Sein Hintern krachte hart auf den Boden. Sein Kopf schlug gegen ein Gummirad.

In diesem Augenblick trieb Carola Heide das Brotmesser mit aller Kraft in Kowalskis Rücken. Sie ließ es los und kreischte.

Kowalski drehte sich ganz langsam zu ihr um, als könne er nicht begreifen, was gerade geschehen war. Er tastete nach hinten, versuchte, das Messer herauszuziehen, was ihm aber nicht gelang, dann stürzte er nach vorn über Ubbo Heide.

Ubbo knockte ihn mit einem Fausthieb gegen die rechte Schläfe aus.

Carola trampelte auf dem Teppich herum, als sei er unter ihr heiß geworden, und hörte nicht auf zu schreien: »Ich hab ihm ein Messer in den Rücken gestoßen! Ich hab ihm ein Messer in den Rücken gestoßen!«

Ubbo rief: »Carola, geh in die Küche, hol das Paketband! Wir müssen ihn fesseln. Dies ist eine Festnahme!«

Es war, als würde sein Satz sie herunterbringen wie eine schnell wirkende Beruhigungsspritze. Schlafwandlerisch bewegte sie sich in die Küche. In ihrem wohlsortierten Haushalt musste sie nicht lange suchen. Sie hatte sofort das Paketband und eine dazugehörige Schere. Während Ubbo Kowalskis Hände auf dem Rücken zusammenklebte, wackelte das Messer hin und her.

»Habe ich ihn getötet?«

»Nein«, antwortete Ubbo ruhig, »dann würde ich ihn ja nicht fesseln. Das ist höchstens eine Fleischwunde. Es blutet zwar heftig, aber ...«

»Mir wird schlecht«, sagte Carola.

»Das steht dir auch zu«, lächelte Ubbo. Er stieß Kowalski von sich. Der lag nun bäuchlings auf dem Boden und schimpfte: »Was bist du nur ein für ein gottverdammter Idiot! Du hast alles kaputtgemacht!«

Ubbo Heide zog sich am Tisch hoch. Er saß jetzt aufrecht auf dem Boden. Er drückte den Knopf am Bildschirm und nahm Kontakt zu Svenja Moers auf: »Hier spricht Ubbo Heide. Sie brauchen keine Angst zu haben. Der Täter befindet sich in meiner Gewalt. Er wurde soeben festgenommen. Die Sprengladung kann er nicht mehr auslösen. Bitte beruhigen Sie sich. Setzen Sie sich. Es

werden bald Spezialisten kommen, die Sie von dem Sprengstoffgürtel befreien.«

Es war mehr ein Hinfallen als ein Setzen. Svenja Moers hatte
plötzlich das Gefühl, ihr gesamtes Blut würde vom Gehirn und
dem Oberkörper in die Beine rutschen. Die Beine waren schwer,
der Oberkörper leicht und schien zu schweben.

Sie plumpste auf ihren Sitz.

»Es ist vorbei!«, jubelte Ann Kathrin. »Vorbei! Der Rest ist eine
Sache für Spezialisten!«

»Wo bleibt unser Sprengstoffteam?«, fragte Büscher ins Handy.

»Unterwegs im Hubschrauber nach Langeoog.«

»Das heißt, die Fähre muss erst anlegen und dann …«

»Anders wird es nicht gehen.«

Ann Kathrin nahm zunächst Kontakt zu Ubbo auf. »Geht es
dir gut?«

»Glänzend. Ich könnte nur einen Tee brauchen, und ein bisschen Marzipan wäre auch nicht schlecht. Für meinen Magen war
das alles zu viel.«

Er war also schon wieder zu Scherzen aufgelegt.

Ann Kathrin meldete sich bei Weller: »Gleich wird die Fähre
anlanden. Wir müssen zuerst die Touristen von Bord lassen. Nur
unsere Leute, Svenja Moers und Wilhelm Kaufmann bleiben.
Dann können unsere Sprengstoffspezialisten an Bord gehen und
beide befreien. Es ist vorbei.«

»Lebt der Drecksack noch?«, fragte Weller.

»Ja«, sagte Ann Kathrin voller Genugtuung, »und jetzt wird er
sich mit der weltlichen Justiz auseinandersetzen müssen. Mal gu-

cken, ob er damit klarkommt oder sie immer noch zu lasch und zu weich findet.«

Ann Kathrin wandte sich an Rupert: »Bleib jetzt ganz nah bei den beiden und beruhige sie. Sie sollen sich so wenig wie möglich bewegen und den Sprengstoffgürtel am besten nicht anfassen. Unsere Leute werden die Sache regeln. Keine eigenständigen Aktionen …«

»Die beiden sind bei mir in besten Händen«, versprach Rupert, beugte sich vor und fragte die halb ohnmächtige Svenja Moers: »Geht's Ihnen gut?«

Svenja Moers hustete.

»Das ist alles halb so wild«, sagte Rupert. »Gleich werden unsere Leute Sie von dem Gürtel befreien, und dann ist für Sie die Sache hier gelaufen, und Sie können sich ein schönes Wochenende machen. Wenn ich dagegen denke, was wir für einen Papierkram mit dieser Aktion haben werden!« Er winkte ab. »Ich darf an den ganzen Aktenkram, der jetzt kommt, überhaupt nicht denken!«

Kaufmann beugte sich zu Rupert vor, zeigte das Päckchen in seiner Hand und bat: »Halt doch einfach den Mund, Rupert! Hol uns lieber was zu trinken!«

»Ich bin hier zwar nicht der Kellner, aber ich werde Ihnen natürlich gerne, ausnahmsweise …« Rupert besann sich. Er wusste ja, dass viele mithören konnten. »Ein Bier? Oder was darf es sein?«

»Ich denke, Frau Moers braucht ein Wasser für den Kreislauf, und ich könnte einen Schnaps vertragen.«

»Ich auch«, gab Rupert zu.

Über sich hörten sie die Rotorblätter des Hubschraubers, der die Sprengstoffspezialisten nach Langeoog brachte.

ENDE

Sie wollen mehr wissen über Ann Kathrin Klaasen?
Über Rupert und Ubbo Heide?
Über Frank Weller und Martin Büscher?
Und was sonst noch so in Ostfriesland geschah?

Dann lesen Sie hier die ersten Seiten des neuen Kriminalromans von

Klaus-Peter Wolf

Ostfriesentod

Der elfte Fall für Ann Kathrin Klaasen

Dieser Band wird im Februar 2017 erscheinen.

Es hatte alles ganz harmlos begonnen. Ein kleiner Spaß. Ein Studentenstreich. Mehr nicht. Aber jetzt brannte das Haus und einer war tot …

Innerlich wehrte er sich dagegen, dafür verantwortlich zu sein und gleichzeitig weidete er sich an seiner Macht. Er hatte Hauke Hinrichs tatsächlich so weit getrieben, selber Schluss zu machen.

Er stand auf der Norddeicher Straße und sah zu, wie die Flammen hinter den Fenstern flackerten.

Entweder hat der Idiot keinen Rauchmelder, oder er hat vorher die Batterien rausgenommen, dachte er. Ja, vermutlich wollte er verhindern, dass jemand aufmerksam wird und rechtzeitig Rettung kommt. Die Hütte hier sollte bis auf die Grundfesten niederbrennen.

Er fühlte sich, als würde er Hauke Hinrichs letzten Willen erfüllen, indem er jetzt nicht die Feuerwehr rief, sondern dabei zusah, wie sich die Flammen zum Dachstuhl durchfraßen.

Er hatte schon als Kind gern Streiche gespielt, nur war er dabei meist erwischt worden. Er hatte die Strafen stets gelassen ertragen. Manchmal musste er dabei sogar grinsen, denn er stellte sich die Folgen seiner Taten vor, ließ sie vor seinem inneren Auge passieren und lachte noch Tränen, während der Schmerz der Ohrfeige längst verflogen war.

Sein Vater hatte ihn ermahnt: »Ein Indianer kennt keinen Schmerz«.

Er war kein Indianer und nahm den Satz als Zeichen für die galoppierende Verblödung seines Vaters. Er hatte nicht geweint, weil es weh tat, sondern weil dieser Anblick so herrlich gewesen war, als die Nachbarin, die blöde Ziege, an dem Faden gezogen hatte. Nie wieder würde er dieses Bild vergessen! Er hatte zwölf mit Wasser gefüllte Plastikbecher, in denen einmal Joghurt gewesen war, aneinandergebunden und auf die Fensterbank gestellt. Eine Schnur baumelte herunter, daran hing ein Zettel. Und darauf stand: Bitte ziehen!

Sie hatte daran gezogen, und zwölf Plastikbecher waren nach unten gesegelt. Frau Sudhausen wurde pudelnass und kreischte vor Wut. Sie trat zornig mit dem Fuß auf. Puterrot war sie im Gesicht.

Leider gab es damals noch keine Filmchen auf Facebook. Herrje, das wäre dort ein Hit geworden! So hatte er es nur in seinem Kopf gespeichert.

Er lachte noch heute, wenn er an diesen gelungenen Streich dachte. Schadenfreude war die schönste Freude, besonders, wenn der andere sich den Schaden selbst zufügte und deswegen auch noch schämte.

Die Norddeicher Straße wurde jetzt kaum befahren. Noch vor einer halben Stunde war das ganz anders gewesen, weil viele Touristen zum Fähranleger unterwegs waren. Die Frisia V hatte noch auf den verspäteten IC gewartet. Als der endlich Norddeich Mole erreichte, war es schon fast zu spät, um nach Juist auszulaufen. Der Rhythmus von Ebbe und Flut war pünktlich wie immer und ließ sich nicht ernsthaft von menschlichem Termindruck oder der Deutschen Bahn beeinflussen.

Irgendjemand war noch im Haus und schrie. Waren das Kinder? Oder Katzen?

Auf einem Kymco-Motorroller näherte sich eine Frau von beeindruckender Gestalt. Sie hieß Gudrun Garthoff und war unterwegs zu Ann Kathrin Klaasen.

Sie sah die Flammen, bremste und stieg vom Motorroller. Sie nahm ihren schwarzen Helm ab.

Mist, dachte er. Die wird noch alles verderben.

Jetzt winkte sie ihm auch noch. Er tat, als ob er nichts bemerken würde.

Sie rief: »Hallo! Da brennt es! Haalloooo!«

Er reagierte nicht auf sie. Sie vermieste ihm das ganze Vergnügen. Er wollte ruhig hier stehen, zuschauen und genießen, und nun versaute sie alles.

Sie machte ihn so wütend!

Jetzt sprach sie in ihr Handy. Sie hatte ein lautes Organ. So, wie sie telefonierte, hatte sie überhaupt kein Handy nötig. Die Polizeiinspektion war ja keinen Kilometer weit entfernt.

Verflucht! Polizei und Feuerwehr werden gleich hier sein. Besser, ich verziehe mich …

Es war zwar so gut wie unmöglich, einen Zusammenhang zwischen ihm und dem tragischen Geschehen herzustellen, aber es war trotzdem besser, vorsichtshalber nirgendwo in einer Polizeiakte aufzutauchen.

Gudrun Garthoff überquerte die Straße und lief auf ihn zu.

»Wir müssen helfen! Schnell! Vielleicht sind da noch Menschen drin! Da schreit doch einer!«, rief sie.

Er stand stocksteif. Die Motorrollerfahrerin versuchte jetzt, die Haustür zu öffnen. Sie klingelte, und gleichzeitig warf sie sich gegen die Holztür.

Er rannte weg.

Gudrun Garthoff rief hinter ihm her: »He! Sie können doch jetzt nicht weglaufen! Haallooo?!«

Ann Kathrin Klaasen hatte aufgegeben. Sie musste es sich zugestehen: Sie schaffte es einfach nicht. Manchmal, wenn sie nach einem Zehnstundentag nach Hause kam, saß sie geschafft vor dem Fernseher, sah sich Sendungen an, die weder ihrem Geschmack noch ihrem Bildungsniveau entsprachen, und wenn Weller nicht gekocht hatte, aß sie irgendetwas, das gerade greifbar war. Sie sah dann nicht, ob die Fenster geputzt werden mussten oder ob sich die Bügelwäsche im Badezimmer türmte.

Wenn sie versuchte, sich in einen Fall wirklich zu versenken, erst alles aus der Perspektive des Opfers zu sehen und dann aus der des Täters, dann war sie wenig alltagstauglich, wurde blind für Hausarbeit oder Geburtstagspost. Sie vergaß, die Blumen zu gießen, Rechnungen zu bezahlen oder den Wagen zum TÜV zu fahren.

Nein, an Weller lag es nicht. Dem konnte sie nun wirklich keinen Vorwurf machen. Er kochte gern und gut, hatte keine Angst vor einem Staubsauger, sondern tanzte mit ihm, dass sie beim Zuschauen fast eifersüchtig wurde, hörte Steppenwolf, am liebsten Born to be wild, und grölte laut mit:

>> *Get your Motor runnin',*
head out on the highway,
looking for adventure
in whatever comes our way. <<

Manchmal sah es aus, als würde er Hausarbeit mit einer Orgie verwechseln, und dabei trank er mit Vorliebe spanischen Rotwein. Aber er machte es eben nicht regelmäßig, sondern nur anfallartig. Manchmal mitten in der Nacht, wenn sie noch Dienst hatte und er schon zu Hause war. Wenn sie sich dann ihrem Haus im Distelkamp näherte, hörte es sich an, als würde dort eine Party steigen.

Ab jetzt sollte alles in geordneteren Bahnen laufen. Ann Kathrin hatte sich mit ihrer Freundin Gudrun Garthoff geeinigt. Gudrun war bereit, die beiden als Haushaltshilfe zu entlasten. Heute Morgen sollte ihr Dienst beginnen.

Ann Kathrin sah auf die Uhr. Sie hatte Mühe, alles zu lassen, wie es war. Am liebsten hätte sie saubergemacht, die Spülmaschine ausgeräumt und noch schnell die Hemden gebügelt, bevor Gudrun kam. Ein bisschen genierte sie sich vor ihr, weil sie es einfach nicht alleine hinbekam. Gleichzeitig kam sie sich lächerlich dabei vor sauberzumachen, bevor Gudrun kam, nur um dann vor ihr besser dazustehen ...

Das alles wird sich mit der Zeit abschleifen, dachte sie. Ich könnte nicht jeden in unseren Haushalt lassen. Gudrun schon.

Ann Kathrin zwang sich, jetzt nicht die Küche aufzuräumen und die große Pfanne zu spülen, in der Weller am Vorabend die Zanderfilets auf der Haut gebraten hatte. Stattdessen ging sie die Holztreppe hoch in ihr Arbeitszimmer und sah sich den Schreibtisch an, der wie eine Papiermüllhalde auf sie wirkte.

Das hier konnte Gudrun nicht für sie erledigen, da musste sie schon selber ran. Es galt, Rechnungen zu überweisen, den Stromzähler abzulesen und ... ach ...

Den blauen Brief aus Emden öffnete sie zuerst. Sie wusste, darin konnte nur eine Verwarnung für eine Verkehrsordnungswidrigkeit stecken, vermutlich mit einem Zahlschein.

Angeblich war Ann Kathrin auf der Auricher Straße in Emden, wo nur fünfzig Stundenkilometer erlaubt waren, achtzig gefahren. Sie wusste genau, wo der Blitzautomat stand. Manchmal hatte sie direkt dahinter an der Jet-Tankstelle getankt. Zweimal war sie Ende Mai während der Matjes-Wochen dort geblitzt worden. Weller hatte über sie gelacht: »Den Kasten kennt doch jeder! Da kassiert die Stadt Emden eine Dummensteuer für Touristen.«

War er jetzt selbst mit achtzig in die Falle gerasselt? Das sah ihm gar nicht ähnlich. Er kannte doch diese Stelle nur zu genau.

Dann guckte sie sich das Foto an, und für einen Moment stockte ihr der Atem.

Auf dem Bild war eine blonde Frau zu sehen. Sie hatte zweifellos Ähnlichkeit mit ihr, aber sie war es ganz sicher nicht.

Zunächst hielt Ann Kathrin alles für einen Irrtum. Sie sah sich das Autokennzeichen an. Es stimmte.

Ann Kathrin holte die Lupe aus der Schreibtischschublade, um das Foto genauer zu untersuchen. Nein, sie kannte diese Frau nicht.

Wer, verdammt, dachte sie, fährt mit unserem C4 durch die Gegend und verstößt dabei gegen Verkehrsregeln?

Gudrun Garthoff wusste nicht, ob sie wirklich ein Kind schreien hörte oder sich das einbildete. In ihrer Phantasie steckte hier ein Kind in einer brennenden Wohnung fest.

Sie war selber Mutter und kannte jetzt keine Hindernisse mehr, sondern nur noch Lösungen.

Da rennt der einfach weg … Männer!, dachte Gudrun und warf sich mit ihrem ganzen Gewicht gegen die Tür. Das Holz krachte, und oben lockerten sich bereits die Scharniere. Sie nahm Anlauf, trat noch einmal gegen das Schloss, und die Tür flog auf.

Hier unten sah sie keine Flammen, sondern nur Qualm. Sie wedelte mit den Armen durch die Luft. Sie wollte nicht gegen irgendwelche Gegenstände laufen. Ihre Augen brannten, und sie hustete.

Sie fragte sich, ob die Motorradkleidung sie vor Hitze und Flammen schützen würde. Ein Atemgerät wäre ihr aber lieber gewesen.

»Hallo!«, schrie sie, »hallo, ist hier jemand?« Und wieder war ihr, als würde sie das Kreischen eines Kindes hören. Jämmerlich.

Sie stellte sich ein Kleinkind vor, höchstens zwei oder drei Jahre alt. Vor ihrem inneren Auge tobte das verzweifelte Kind in einem Laufstall.

Intuitiv entschloss Gudrun sich, nicht die Treppe hochzulaufen, sondern unten weiterzusuchen. Auch hier eine verschlossene Tür.

Zum zweiten Mal an diesem Tag brach sie eine Tür auf und war froh über die gepolsterten Schultern ihrer Motorradjacke.

Es war, als würde das Feuer aus der Decke kommen. Es brannte über ihr. Hier war kein Kind, aber sie sah die Spielsachen. Legosteine. Sie stolperte über ein Feuerwehrauto aus Plastik. Die Ironie der Situation wurde ihr aber erst sehr viel später bewusst.

»Hallo«, rief sie, »wo bist du? Hallo! Keine Angst, ich bin schon da …«

Sie bekam keine Antwort, als hätte ihre Stimme das Kind verstummen lassen.

Dicke, schwarze, nach verbranntem Plastik riechende Rauchschwaden griffen nach ihr wie Gespensterwesen. Sie sah nur die Gegenstände auf dem Boden. Ab Hüfthöhe stand sie im Qualm.

Langsam tastete sie sich vorwärts. Sie hätte nur zu gern mit ihrem Handy noch einmal die Polizei verständigt, doch sie musste es beim Eindringen ins Haus verloren haben.

Sie rief noch einmal nach dem Kind. Vielleicht, dachte sie, ist es ohnmächtig geworden. Sie wehrte sich selbst gegen ein Schwindelgefühl.

Sie ging auf alle viere runter und krabbelte über den Boden. Hier unten war die Luft besser, und sie konnte auch mehr sehen. Ein Sessel. Ein Sofa. Eine Packung Zigaretten auf dem Tisch.

Die nächste Tür stand halb offen. Das war das Kinderzimmer, ganz klar. Gudrun kroch über einen Lernteppich für Verkehrsregeln.

Dann sah sie das Kind. Starr vor Angst, mit weit aufgerissenen Augen, unterm eigenen Bett.

Gudrun versuchte, das Kind zu beruhigen. »Keine Angst, ich komme, um dich zu holen. Komm. Wir gehen nach draußen.«

Das Kind wich auf dem Bauch kriechend zurück.

»Wie heißt du denn? Komm zu mir.« Gudrun streckte die Hand aus.

Irgendwo hinter ihr im Wohnzimmer oder Hausflur krachten Deckenstücke herunter. Die Kinnlade des kleinen Mädchens zitterte. Ihr Mund verzog sich.

Es tat Gudrun Garthoff in der Seele weh, aber es ging jetzt nicht anders. Sie griff unters Bett, langte nach dem Kind, bekam es zu fassen und zog das Mädchen hervor. Die Kleine brüllte, schrie und schlug um sich. Gudrun presste das Mädchen an sich und hatte den Impuls, mit ihm nach draußen zu rennen. Gleichzeitig wollte sie das Kind nicht dem über ihr wabernden Qualm aussetzen, deswegen klemmte sie sich das Kind unter den Arm und robbte auf dem Boden in den Flur.

Draußen hielt mit quietschenden Reifen ein Polizeiwagen.

Im Flur richtete Gudrun sich mit dem Kind auf und lief in den Vorgarten.

Das Kind lebte und sie auch. An der frischen Luft packte sie, noch während sie von einem Hustenkrampf geschüttelt wurde, eine unbändige Freude. Sie hatte es geschafft!

Weller und Rupert stiegen aus dem Polizeiwagen.

»Ich weiß nicht«, rief Gudrun ihnen zu, »ob da drin noch mehr Menschen sind! Ich habe dieses Kind rausgeholt! Ich habe das Mädchen schreien gehört!«

»So ein kleines Kind lässt doch keiner alleine«, sagte Weller trocken.

Rupert zuckte nur mit den Schultern.

Die Alarmsirenen mehrerer Feuerwehrautos wirkten beruhigend auf Gudrun.

Sie hatte nicht vor, noch einmal ins Haus zu laufen. Sie setzte sich mit dem Kind ins Gras.

Ann Kathrin Klaasen hatte vergeblich auf ihre Haushaltshilfe gewartet. Sie wertete das Ganze als ein Zeichen, doch besser alles selbst zu machen und begann nun aufzuräumen.

Konzentriert stopfte sie Bettlaken in die Waschmaschine. Dieses Foto ging ihr nicht aus dem Kopf. Nein, auch wenn die Frau auf dem Bild ihr ähnlich sah, sie konnte es nicht sein. Sie hatte an dem Tag zu der Zeit Dienst gehabt. Sie war zu exakt dem Zeitpunkt nicht in Emden, sondern in Greetsiel gewesen und hatte einem gewalttätigen Ehemann den Unterarm gebrochen. Sie konnte nicht von sich behaupten, stolz darauf zu sein, aber sie bedauerte es auch nicht gerade.

Sie war mehrfach mit ihm in Kontakt geraten. Er galt als Frauenschläger. Niemals prügelte er sich mit Männern, sondern er ging, wenn Wut und Alkohol ihn toll gemacht hatten, auf Frauen los. Seine vierzehnjährige Tochter und seine Noch-Ehefrau gehörten zu seinen Lieblingsopfern. Aber auch eine Aushilfskellnerin hatte er bereits attackiert, weil sie ihn angeblich herablassend behandelt hatte.

»Versuchs doch mal mit mir!«, hatte Ann Kathrin ihm vorgeschlagen, und er war dumm genug gewesen, dieses Angebot ernst zu nehmen.

Da der Vorfall genau dokumentiert worden war, wusste Ann Kathrin, dass sie auf keinen Fall die Frau gewesen sein konnte, die in Emden in ihrem C 4 geblitzt worden war.

Vielleicht hatte ihr Sohn Eike sich den Wagen ausgeliehen und vergessen, es ihr zu erzählen. Aber Eike war keine blonde Frau Anfang vierzig. Hatte er den Wagen verliehen? Hatte Weller eine Freundin? Das alles ergab überhaupt keinen Sinn.

Ann Kathrin war jetzt wieder zurück in der Küche, wollte die Spülmaschine einräumen und sich einen Kaffee kochen, fragte sich aber, ob sie die Waschmaschine oben überhaupt eingeschaltet hatte. Sie lief noch einmal die Treppe hoch. Sie war noch nicht ganz oben, da heulte der Seehund in ihrem Handy auf. Ann Kathrin hatte das Gerät sofort am Ohr.

»Moin.«

»Ann? Die Firma braucht dich. Der Wellnessurlaub ist beendet.«

»Was für ein Wellnessurlaub?«

»Das sollte ein Scherz sein«, sagte Weller. »Wir sind in der Norddeicher Straße. Es brennt. Gudrun Garthoff ist bei mir, sie hat ein Kind aus dem Haus gerettet und einen Typen weglaufen sehen. Oben wird gerade eine Leiche geborgen. Ich glaube, du solltest …«

»Bis gleich«, sagte sie, knipste das Gespräch weg und gab dann dem Handy einen Kuss, als sei es Weller. Doch davon bekam der nichts mehr mit.

Gudrun Garthoff hat ein Kind gerettet, dachte Ann Kathrin, während sie den Wagen aus der Garage fuhr. Irgendwie hat sie dann ja doch meine Arbeit erledigt, wenn auch völlig anders, als ich mir das vorgestellt hatte.

Sie bog in den Flökeshauser Weg ein und nahm dann die neue Umgehungsstraße. Das Bild ging ihr nicht aus dem Kopf. Wer, verdammt noch mal, fährt während meiner Dienstzeit mit unserem Auto herum?

Leitartikel

von
Hans-Jürgen Bremer,
Leiter der Polizeiinspektion Aurich/Wittmund

Ich bin der »Polizeichef« in den Landkreisen Aurich und Wittmund, habe ungefähr 450 Mitarbeiterinnen und Mitarbeiter. Wir sind für die polizeiliche Aufgabenwahrnehmung und die öffentliche Sicherheit von ungefähr einer Viertelmillion Menschen verantwortlich.

In meinem Zuständigkeitsbereich finden eine Vielzahl der von Klaus-Peter Wolf verfassten Ann-Kathrin-Klaasen-Krimis statt, und der Autor selbst wohnt bekanntermaßen in Norden an der Nordsee als naturalisierter Ostfriese und Nachbar der Protagonistin.

Was machen für mich die Kriminalromane von Klaus-Peter Wolf aus?

Es gibt eine Reihe von Parallelität mit dem »richtigen Leben« von Ermittlern. Die Romane sind – mit der erforderlichen dichterischen Freiheit, die das Lesen besonders spannend macht – verdammt nah dran. Sie haben ein authentisches Lokalkolorit. Nicht zuletzt die in Nebenrollen handelnden, tatsächlich existierenden Personen, aber auch die realen Örtlichkeiten machen die Kriminalromane erlebbar. Man kann sich an die Tatorte versetzt fühlen und ein Bild davon machen, wo etwas passiert ist; man ist fast Bestandteil der Handlung und kann auch als Laie mitrecherchieren, am Ermittlungserfolg mehr oder weniger teilhaben.

Gemeinsam mit den Profis, meinen Kolleginnen und Kollegen der Polizeiinspektion – unter ihnen viele überzeugte Klaus-Peter-Wolf-Fans –, bin ich immer wieder begeistert, wie gut polizeiliche Arbeit in die Romane integriert ist. Das gilt für die Ermittlungsmethoden und für wiedergegebene Stimmungen, aber auch für modernste Kriminaltechnik, wie beispielsweise die Spheron-Kamera, die den Lesern im Krimi »Ostfriesensünde« erklärt wird.

Die mitunter zur Spannungssteigerung etwas überzeichneten polizeilichen Ermittlungshandlungen behalten immer reale Züge. Häufig sehr menschliche, wie es auch intern in der Polizeiorganisation zu erleben ist. Jeder geschaffene Charakter ist so oder so ähnlich anzutreffen. Jede Dienststelle hat auch ihren Rupert, er heißt halt nur anders.

Selbst die Art des Humors kommt mir immer wieder bekannt vor. Jede Kollegin und jeder Kollege hat, gerade in einem Fachkommissariat, in dem Todesursachenermittlungen betrieben und Kapitaldelikte bearbeitet werden, seine (ihre) eigene Art der Verarbeitung der alltäglichen Grausamkeiten, die leider auch in Ostfriesland vorkommen und deren Ausformungen mitunter perfider und ausgefallener sind als die wirklich bemerkenswerten Inhalte der Ann-Kathrin-Klaasen-Krimis von Klaus-Peter Wolf.

Auch Beziehungen und sich daraus entwickelnde Ehen zwischen Kolleginnen und Kollegen sind keine schriftstellerischen Erfindungen. Sie sind »menschelnder« Bestandteil realen polizeilichen Lebens.

Noch etwas anderes erscheint aus meiner Sicht als Parallelität besonders erwähnenswert: Die Krimis enden immer mit einem Aufklärungserfolg! Und auch das ist bei Mord- und Totschlagsdelikten bei der Polizei in Ostfriesland authentisch. Diese Straftaten sind zu einem überwiegenden Teil Beziehungstaten. Zumeist besteht irgendeine Verbindung zwischen den Opfern und

Tätern, die als Motiv für die Tat eine Rolle spielt. Insofern haben die Ermittler zumeist eine Menge von Ansätzen für Ermittlungen, was die erfolgreiche Aufklärungsarbeit keinesfalls schmälern soll.

Unerwähnt bleiben soll ebenfalls nicht, dass die in den Romanen beschriebenen (Ermittlungs-)Methoden sicherlich in der einen oder anderen (Krimi-)Ausformung zu Disziplinarverfahren oder gar Suspendierungen führen müssten. Selbstverständlich ist das Handeln eines polizeilichen Ermittlers durch Recht und Gesetz legitimiert. Dennoch kann man das Ermitteln nicht studieren! Man benötigt als erfolgreicher Sachbearbeiter Begabung, die berühmten »Hundehaare« in der Nase, viel Kreativität, noch mehr menschliches Einfühlungsvermögen, besonders viel Erfahrung und das erforderliche Quäntchen Fortune, um am Ende erfolgreich zu sein – genauso wie in Klaus-Peter Wolfs Ostfriesenkrimis!

Über zwei Umstände allerdings wären alle Kolleginnen und Kollegen hocherfreut: Wenn die mit den Ermittlungen verbundenen Büro- und Schreibarbeiten ähnlichen Umfang hätten wie in den Romanen und wenn die Aufarbeitung des Mordes nach einem Aufklärungserfolg erledigt wäre!

Dann nämlich wird im richtigen Leben die Arbeit intensiv und umfassend fortgesetzt, damit die Staatsanwaltschaft anklagen und Gerichte verurteilen können.